10655131

RITUS

Van Markus Heitz zijn verschenen:

De Dwergen
De Strijd van de Dwergen
De Wraak van de Dwergen

Ritus

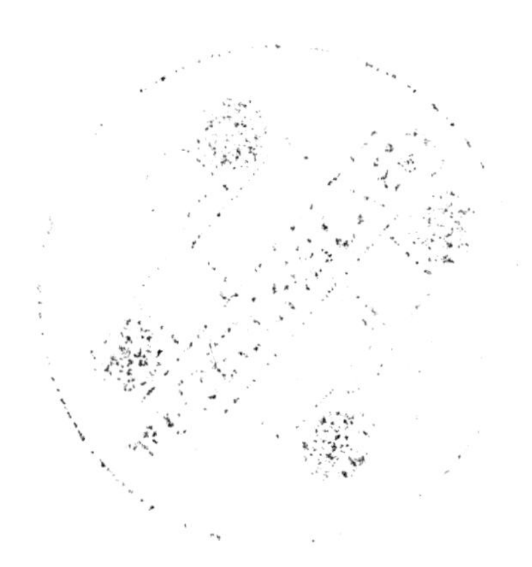

MARKUS HEITZ

RITUS

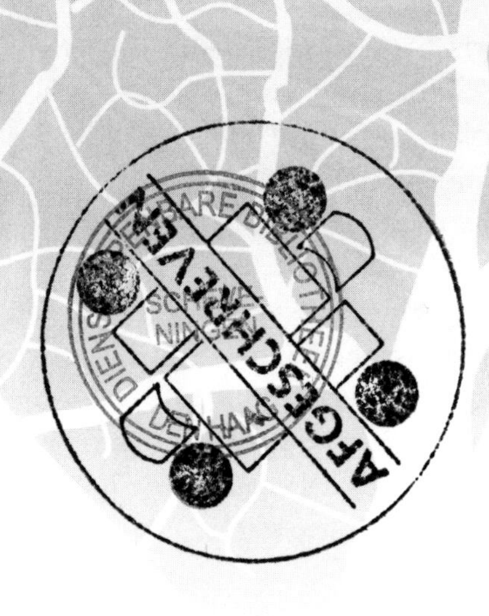

LUITINGH FANTASY

Copyright © 2006 by Knaur Verlag, ein Unternehmen der Droemerschen Verlagsanstalt Th. Knaur Nachf. GmbH & Co. KG, München, Germany
The book was negotiated through AVA international GmbH, Germany
(www.ava-international.de)
All rights reserved
© 2008 Nederlandse vertaling
Uitgeverij Luitingh ~ Sijthoff B.V., Amsterdam
Alle rechten voorbehouden
Oorspronkelijke titel: *Ritus*
Vertaling: Marcella Houweling
Omslagontwerp: Karel van Laar
Omslagillustratie: Zero Media

ISBN 978 90 245 2780 9
NUR 334

www.boekenwereld.com
www.dromen-demonen.nl

I

18 april 1764, ten noordoosten van Langogne, westelijke uitlopers van de Monts du Vivarais, Zuid-Frankrijk

Met een monotoon geruis klotste de beek over de rondgeslepen stenen. De avondzon viel door de weinige openingen in het dichte bladerdek en legde een patroon van goudrode vlekken op de schaduwrijke bosbodem. Insecten op zoek naar voedsel zoemden door de warme lucht, geleid door de verlokkelijke geuren van het voorjaar, van nieuw leven en van... verrotting.

Opgewonden zwermden de vliegen naar de dikke, onderste tak van een machtige beuk waaraan het stinkende kadaver van een schaap twee pas boven de grond aan een ketting hing. Direct daaronder bungelde een zeer eigenaardig, dood schepsel.

'Krijg nou wat... zoiets heb ik nog nooit gezien.' Jean Chastel, een man van halverwege de vijftig en van jongs af aan wildschut, kwam voorzichtig naderbij en stootte met de mond van zijn dubbelloopsmusket tegen de buit. In zijn gladgeschoren, hoekige gelaat waren ontzetting, ongeloof en intense waakzaamheid te zien. Het merkwaardige dier dat gevangen in de wolvenval hing, kende hij alleen via geruchten en uit de vlugschriften van rondreizende troepen toneelspelers. Zowel de verhalen als de tekeningen in die blaadjes waren allesbehalve geruststellend.

Het wolfachtige wezen bewoog niet.

Jean dacht de zwarte, van de kop tot de dunne staart lopende streep over de rug te herkennen. De vacht zelf was donker met een roodachtige glans. De klauwen, tweemaal zo groot als een vrouwenhand, maakten nog de meeste indruk op Jean... als die hoektanden en scheurkiezen er niet waren geweest.

Het dier had het lokaas met een moedige sprong willen pakken, maar de verborgen vleeshaak in het rottende schaap was hem noodlottig geworden: de scherpe metalen punt stak uit de met bloedkorsten bedekte snuit en had de grote kop omhooggetrokken. De enorme kaken, die makkelijk een dijbeenbot konden vermorzelen, waren daardoor opengevallen en hadden de hoektanden, zo lang als een middelvinger, blootgelegd.

Bladeren ritselden toen zijn jongste zoon Antoine naast hem kwam staan. 'Een mannetje,' zei Antoine alsof hij elke dag zulke wezens zag. Voor een jongeman van twintig jaar zag hij er nog erg jong uit en zijn korte, donkere baard veranderde daar niets aan. In tegenstelling tot zijn vader leek hij volstrekt niet onder de indruk van hun ontdekking. En hij was ook geen moment bang. Zijn koopmansgeest had onmiddellijk beseft dat ze er een slaatje uit konden slaan. Hij haalde grijnzend zijn jachtdolk tevoorschijn en wees ermee naar het geslachtsdeel van het nu zachtjes heen en weer wiegende dier. 'Zijn ballen zullen ons bij de apotheker een hoop pegulanten opleveren.'

Jean, die de boel nog steeds niet vertrouwde, pakte Antoines arm en hield hem tegen, zijn korte witte pruikstaartje wippend op zijn rug. 'Niet zo dichtbij!' Hij wachtte op een teken van leven van het dier. Toen dat uitbleef, opende hij zijn hand om Antoine los te laten. 'Laat ze zitten. We kunnen hem pas aan stukken snijden als de geleerden ernaar hebben gekeken.'

Het geritsel van droge bladeren verraadde dat nog iemand naderbij kwam. Nu was de jagerstroep van de familie Chastel weer compleet. 'Godallemachtig!' flapte de oudste zoon, Pierre, eruit. Hij leek erg veel op zijn vader, en niet alleen uiterlijk. Geschokt bekeek hij het dier en sloeg een kruis. 'Dat beest stinkt een uur in de wind... en wat is-ie lelijk.' Hij keek uitgebreid naar de sterke klauwen, de grote kop, de enorme kaken, de pluim aan de staart en de kleine, puntige oren. Zijn anders zo vriendelijke gezicht vertrok van een diep afgrijzen. 'Wat moet dat voorstellen? Een hellehond?'

Jeans bruine ogen gleden over het ondier waarop ze vier dagen op verzoek van een bevriende wildschut, DeBeaufort, in de Vivarais hadden gejaagd. Na de dood van eenentwintig schapen, twee uiteengere-ten koeien en een herder hadden de plaatselijke boeren gedreigd hun vriend de laan uit te sturen. De Chastels, die zelf afkomstig waren uit de aangrenzende regio, de Gévaudan, waren daarop oostwaarts gereisd om hem te helpen.

Maar Jean had het verzoek ook opgevat als een noodzakelijke voorzorgsmaatregel. Als de ongetwijfeld hondsdolle wolf hier niets meer te vreten kon vinden, zou hij de Gévaudan ingaan. Alleen een dode wolf was een goede wolf. Als het hier ook werkelijk om een wolf ging. Waar hij nu naar stond te kijken had niets gemeen met de grijze pelsdieren die hij zo goed kende.

'Het is een *loup-garou*,' antwoordde Antoine zachtjes lachend op Pierres vraag. Grijnzend draaide hij zich om naar zijn vader. 'We hebben zowaar een weerwolf gevangen!'

'Maar ik dacht dat die alleen in verzonnen verhalen voorkwamen.' Pierre zette zijn driesteek af om het zweet van zijn voorhoofd te wissen en zette de hoed weer op zijn korte, zwarte haar; daarbij viel zijn blik op de dikke tak waar de ketting overheen liep. De schors en het hout daaronder waren flink afgeschaafd. 'Zijn doodsstrijd is lang geweest,' zei hij en hij wees naar de schuurplek. 'Godzijdank zijn we dat Beest niet tijdens de jacht tegengekomen. Daar heb je wel meer dan één kogel voor nodig. Die tanden...' Hij rilde.

Inderdaad ontdekte Jean vier oude musketkogelwonden in het lijf van het Beest. 'Je hebt gelijk. Dat verklaart ook waarom DeBeauforts treffers niets uithaalden. Een normale wolf zou na één schot al dood zijn geweest.' Jean had zich er al over verbaasd waarom zijn vriend, die een ervaren jager was, hem om hulp had gevraagd. 'Eerder dacht ik dat zijn verhalen zwaar overdreven waren.'

Antoine liep naar de stam van de beuk en begon de pinnen los te draaien waarmee de ketting gezekerd was, om het dier op de aarde te laten zakken. 'Ze zullen ons als helden vereren.' Hij verheugde zich er nu al op. 'We kunnen een flinke beloning vragen en als we het Beest aan stukken hakken en verkopen, kunnen we een klein fortuin verdienen.'

'De meisjes zullen je aanbidden, dat is wat je bedoelt.' Pierre spuugde op de grond. 'Ik heb wel gezien dat je weer niet met je vingers van zo'n jong ding kon afblijven. Je hebt haar op je schoot laten rijden.'

Zijn jongere broer bleef doodstil staan en keek snel naar zijn vader, wiens gezicht betrok. 'Nee, ik heb echt niets gedaan!' verdedigde Antoine zich. 'Pierre haat me, dat weet je, vader. Hij wil mij alleen maar in jouw ogen zwart...'

Jean kwam op hem af. 'Pierre liegt niet.' Hij bleef vlak voor zijn jongste zoon staan. 'Maar jij wel. Wat heb je nu weer uitgespookt? Hoe oud was ze?'

'Zestien,' antwoordde Antoine die zijn aandacht weer op de ketting richtte. Maar zijn vader pakte hem bij zijn schouder en draaide hem met een ruk om, keek hem recht in zijn gezicht. De jonge, groene ogen waren niet lang bestand tegen de bruine ogen van zijn vader die hem woedend aanstaarden. 'Twaalf,' gooide Antoine er ten einde raad uit terwijl hij zijn hoofd liet zakken. 'Vader, ik kan er niets aan doen. Het is...'

'Smeerlap!' Jean gaf hem met zijn vuist een stomp tegen zijn mond. Antoine liet zijn driesteek vallen, wankelde naar achteren en knalde met zijn rug tegen het kadaver van het Beest dat vervolgens grotesk als een marionet begon te spartelen en te dansen; de ketting rammelde er een vrolijk melodietje bij. 'Hoe vaak heb ik al niet tegen je gezegd dat je kinderen met rust moet laten,' waarschuwde Jean hem, zich met moeite beheersend. 'Neem zoveel hoeren als je wilt, maar blijf met je poten van onschuldige kinderen af! Als de gendarmes je arresteren, doe ik geen goed woordje voor je.' Abrupt draaide hij zich om. 'En laat dat ondier nu zakken, voordat de maden het helemaal opvreten.'

Antoine raakte met de mouwomslag van zijn rock zijn toegetakelde mond aan, veegde het bloed van zijn opengebarsten lip en staarde zijn broer kwaad aan. Zonder geluid te maken zei hij: 'Klikspaan.' Hij pakte zijn hoed, zette hem op zijn lange, ongekamde, zwarte haren en draaide de pinnen zó ver los dat de ketting afwikkelde.

Het lichaam van het merkwaardige dier sloeg onzacht tegen de grond, zwermen vliegen schoten de lucht in maar cirkelden al snel weer in kleine zwarte wolkjes om het smerig stinkende schaap dat als lokaas had gediend. Larven kropen over het vlees, boorden zich een weg naar binnen en verorberden het langzaam maar gestaag.

De Chastels keken zwijgend naar de loup-garou. Met hun nuchtere verstand moesten Jean en Pierre nu ook zo langzamerhand erkennen dat dit vreemde wezen werkelijk bestond. Antoine, die zijn bestaan al bij de eerste aanblik had geaccepteerd, hief nu zijn hoofd op en luisterde ingespannen in de richting van het bos. 'Surtout!' riep hij naar zijn jachthond, een grote, gespierde mastiff die hem dag en nacht vergezelde. 'Waar is dat kreng?' mompelde hij terwijl hij naar het dichte kreupelhout staarde. 'Surtout!'

Jeans verbouwereerdheid verdween uiteindelijk en maakte plaats voor de nieuwsgierigheid van een wildschut die een nieuwe soort heeft ontdekt. Hij fronste zijn wenkbrauwen, knielde neer naast de rug van het dier en haalde zijn vingers door de dichte vacht. De witte staart van zijn pruik gleed over zijn schouder naar voren. 'Dat monster is behoorlijk mager. Het moet al een hele tijd niets meer te vreten hebben gehad.'

Pierre stond op een afstandje achter zijn vader en had het musketgeweer losjes op het dier gericht. 'Wees voorzichtig, vader.'

'Vertrouw je het niet?' Antoine kwam dichterbij en in zijn houding was duidelijk minachting voor zijn broer te zien. 'Angsthaas! Die loup-garou is dood.' Hij trapte het dier in zijn flank. 'Verhongerd of gestikt.'

Plotseling kraakte er iets in de bosjes. Pierre draaide zich razendsnel om, de loop gericht op het dichte kreupelhout.

Antoine grijnslachte vol verachting. 'Is ons klikspaantje soms bang? Maak je niet druk, Surtout doet je heus niks. Die vreet alleen maar kleine kinderen.' Hij pakte zijn musket en sloop naar het kreupelhout. 'Even kijken wat hij heeft opgejaagd. Misschien wel een jonge deerne die zich in de beek wilde wassen.'

'Kom terug,' zei Pierre met klem, maar zijn broer was al na een paar passen in het donkere groen van het bos verdwenen. Alleen het zachter wordende geritsel van twijgen bevestigde dat hij daar ergens was.

'Wat zes jaar leeftijdsverschil al niet uitmaakt,' mompelde Jean hoofdschuddend. Hij wilde zich niet nogmaals zorgen maken om zijn jongste die hij alleen maar mee op jacht nam omdat hij zo'n begenadigd schutter was. Antoine zou anders als een halve wilde met zijn honden door de bossen van Ténazeyre hebben gedwaald. Waar het bij Antoine aan ernst en eerlijkheid schortte, had Pierre een dubbele portie meegekregen. Pierre, die al een goede reputatie als wildschut had.

Maar er waren nu belangrijker zaken aan de orde dan Antoines dwaze streken. Jeans dorst naar kennis was nog lang niet gestild. Zijn beroep van wildschut bracht ook met zich mee dat hij veel van dieren moest weten. Hij wilde dit onbekende exemplaar nu nauwkeuriger bekijken en zijn geheimen blootleggen, voordat het door de geleerden in beslag werd genomen. Hij raakte de klauwen van het Beest aan, drukte één daarvan plat en riep Pierre bij zich. Stomverbaasd wees Jean naar de gespreide tenen. 'Kom hier en leer. Wat valt je op?'

Pierre kwam slechts met heel veel tegenzin naderbij. 'De maden kruipen niet in zijn vervloekte vlees?'

'Dat bedoel ik niet. Kijk nog eens goed.'

Pierre zette de kolf van zijn musket als steun op de grond en ging op zijn hurken naast zijn vader zitten. Met zijn geweer binnen handbereik voelde hij zich wel veilig. 'Mijn god, hij heeft klauwen als van een kat!' flapte hij er opgewonden uit.

Jean gooide zijn hoofd achterover zodat het pruikenstaartje met een zwaai op zijn rug zwiepte en stond weer op. Ook Pierre richtte zich weer op. 'We moeten DeBeaufort op de hoogte brengen. Dit is een geval voor de autoriteiten. De koning moet worden ingelicht.' Hij haalde diep adem. 'Antoine, kom met die rothond hierheen! We gaan weg.'

Toen zijn zoon zich niet liet zien, riep hij nog een keer zijn naam. En nog een keer.

Ze luisterden aandachtig, maar hoorden niet het minste of geringste geluid. Toen ritselden er bladeren. Langzame voetstappen kwamen op hen af.

'Antoine, hou op met die geintjes,' zei Pierre. 'Het wordt donker en de weg terug naar Langogne is niet makkelijk. Ik...' Hij hield zijn mond omdat zijn vader zijn hand had opgetild.

Opnieuw luisterden ze ingespannen naar de stilte van het woud terwijl het zonlicht nog slechts hier en daar tussen de boomkruinen door scheen. De schaduwen werden donkerder, onheilspellender. Het zoemen van de vliegen was het enige wat ze hoorden.

'Wat is er, vader?' fluisterde Pierre, zijn musket in de aanslag.

Jean trok eerst de rechter en toen de linker haan van zijn wapen naar achteren. Met een zachte klik werden ze vergrendeld. 'Het is hier zo stil als op een kerkhof,' antwoordde hij zachtjes. 'Geen vogel, geen andere dieren. Een roofdier is op zoek naar prooi.'

Pierre probeerde te slikken, maar zijn keel werd dichtgeknepen door de opkomende angst. Hij durfde hem niet te schrapen; in plaats daarvan tilde hij zijn musket op, legde aan in de richting waaruit hij zojuist het geritsel van bladeren had gehoord.

Een van de struiken trilde, de takken knapten merkwaardig luid in de stilte van het woud. Bijna had Pierre de trekker overgehaald, ook al wist hij dat Antoine zich ergens in het struikgewas schuilhield om een van zijn twijfelachtige grappen uit te halen. De angst nam het over van zijn verstand.

'Waag het niet om op me te schieten,' zei een strenge vrouwenstem tussen de struiken, 'want ik ben beslist geen roofdier.'

Een vrouw in een zwart nonnenhabijt kwam tevoorschijn tussen de bomen, met aan haar linkerarm een mand vol wilde bessen en kruiden. Ze was een jaar of veertig en je kon alleen haar aantrekkelijke gezicht en handen zien, de rest werd zorgvuldig door haar donkere kleding verhuld. Haar grijsbruine ogen waren op de geweren van de mannen gericht. 'Laat uw wapens zakken, *messieurs*! U hebt geen enkele reden om mij te bedreigen.'

Pierre maakte snel zoiets als een buiging en zwaaide de loop van zijn wapen met een verontschuldigende gezichtsuitdrukking opzij. Hij stelde zich voor, waarna zij dat eveneens deed: 'Ik ben abdis Gregoria van het Klooster van de Heilige Gregorius van Tours.'

'Geen roofdier maar een zieltjesjageres.' Jean keek de slanke non vol verachting aan. 'Bent u niet wat erg ver van uw klooster afgedwaald? De Vivarais is tegenwoordig geen streek om ongewapend rond te lopen.'

'Ik word bijgestaan door iets wat beter is dan welk musket ook. De Heer is mijn herder, Hij beschermt mij op al mijn wegen,' antwoordde ze hem glimlachend. Maar terwijl ze dat zei, keek ze langs de jager naar het schepsel op de grond en schrok. De kleur verdween volledig uit haar gezicht en ze sloeg een kruis.

'Ja, kijk maar goed. De duivel stuurt nieuwe wolven om de schaapjes van de Heer te verslinden,' zei Jean. 'Denkt u dat God u ook voor de tanden van dat hongerige roofdier zou hebben behoed?'

Pierre schraapte zijn keel. 'Vergeeft u mijn vader zijn woorden en weest niet bang, eerwaarde abdis. Deze wolf doet u niets meer.'

'Omdat wíj hem hebben gevangen. Niet God,' voegde Jean eraan toe.

'Maar met Gods hulp, beste man.' Gregoria liep tot verbazing van beide mannen naar het kadaver, bekeek het van alle kanten, sloeg weer een kruis en kuste ook het kruisje aan de zilveren, zeer weelderig bewerkte rozenkrans die om haar nek hing. 'Een buitengewoon eigenaardig dier,' zei ze toen zachtjes. 'Het is goed dat u het hebt gevangen. Het heeft de mensen in deze omgeving veel leed bezorgd, heb ik vernomen.'

‘Zoals ook sommige priesters.’ Jean bekommerde zich niet meer om de abdis die in het groene, vitale bos volstrekt uit de toon viel in haar zwarte habijt. Hij vond het wel raar dat ze zo ver buiten de muren van haar klooster op zoek naar kruiden en bessen was gegaan... maar hij had wel wat belangrijkers aan zijn hoofd.

‘Wat u ook door wie dan ook is aangedaan, ík ben daar niet verantwoordelijk voor,’ zei de non. ‘U hebt geen redenen om mij vijandig te bejegenen.’

Jean wilde haar graag van repliek dienen, maar Gregoria praatte gewoon door. ‘Ik zal u niet langer met mijn aanwezigheid lastigvallen. Daar u zich kennelijk van God en Zijn heilige Kerk hebt afgewend, zal ik voor uw zielenheil bidden opdat u op het pad des Heren zult wederkeren.’

‘Dat hebt u goed begrepen! Ik heb niets met de Kerk en God uit te staan. Ik zorg wel voor mijn eigen zielenheil en vertrouw dat voor geen goud toe aan schijnheilige priesters en gretige papen!’ Het klooster van de benedictinessen stond bij eenvoudige mensen wel goed aangeschreven en Jean had gehoord dat de nonnen voor de armen en de simpelen van geest zorgden. Maar dat was voor hem nog geen reden om de abdis anders dan andere geestelijken te behandelen. Hij ergerde zich aan haar aanmatigende en zelfingenomen manier van doen.

Ze glimlachte vriendelijk naar Pierre die weer eerbiedig voor haar boog. ‘De zegen des Heren zal altijd met u zijn. Maar let goed op uzelf, jongeman, zodat de wolven u uw leven niet nemen. Mocht u willen bidden, de kapel van Saint-Grégoire staat altijd voor u open.’ Ze knikte naar hem en vertrok. ‘Goedendag, messieurs.’

‘Naar de duivel met al die nonnen,’ vloekte Jean zachtjes en hij draaide zich om naar het kadaver. ‘Naar de duivel met dat papengespuis.’

‘Moeder zou niet hebben gewild dat...’ begon Pierre voorzichtig. Maar aan de afwijzende houding van zijn vader zag hij dat hij verder maar beter zijn mond kon houden. Sinds de dood van zijn moeder hechtte zijn vader geen enkele waarde meer aan Gods genade. Volgens hem behoedde de Heer alleen maar degenen die genoeg geld bezaten om via het offerblok van de kerk allerlei voorrechten te kopen.

Hij wilde net naar zijn vader lopen, toen hij in zijn ooghoek een schaduw van een gedrongen figuur tussen de boomstammen meende te zien.

‘Daar zit iets!’ Hij bad stilletjes tot God of Hij zijn vader, Antoine, de abdis en hemzelf wilde beschermen tegen wat daar onder de beukenbomen rondzwierf.

'Dat zal Surtout zijn,' zei zijn vader.

De angst greep Pierre weer naar de keel. 'En als het Beest dat we hebben gevangen nu eens niet alleen was?' fluisterde hij.

'Dan doden we zijn maat ook nog,' antwoordde Jean en hij legde zijn musket aan. Pierre volgde zijn voorbeeld. 'Vergeet niet dat Antoine daar ergens...'

Een grote schaduw dook plotseling uit de struiken links van hen tevoorschijn. Er klonk een luid gebrul en een wezen wierp zich op beide mannen, gooide hen tegen de grond. Met een donderende klap ontlaadde Pierres musket zich, en onmiddellijk stonk het in het bos naar verbrand zwartkruit. En boven het geschreeuw van schrik en woede van de mannen uit...

... klonk uitgelaten gelach. Antoine rolde door de bladeren en schudde van het lachen. De tranen liepen uit zijn ooghoeken over zijn wangen in zijn korte, maar volle baard. '*Bonsoir*, dappere jagersmannen!' brulde hij. 'Hebben jullie in je broek gepist?'

Jean sprong op en gaf zijn jongste zoon een knallende oorvijg. 'Idioot dat je bent! Het scheelde maar een haartje of we hadden je neergeschoten!'

'Het verbaast me dat jullie het niet hebben gedaan. Dan zouden jullie eindelijk van me zijn verlost,' mompelde Antoine grinnikend. Hij stond op en klopte met zijn driesteek de bruine bladeren van zijn rock. Zijn lip was door de klap weer opengebarsten. 'Jullie en alle anderen. De mensen zouden blij zijn als ik door een kogel zou worden geraakt. Ik ken die praatjes wel. Sinds ik... sinds ik van mijn reis ben teruggekeerd, zijn ze bang van me. En soms geloof ik dat mijn familie dat ook is.'

'Heb je dat mormel van je gevonden?' Jean negeerde wat Antoine had gezegd.

'Nee. Hij zal wel ergens achter wild aan zitten.'

Pierre hield zich in en zweeg. Hij herlaadde zijn geweer en probeerde dat ondanks zijn trillende handen net zo snel als anders te doen. Hun vader hechtte er heel veel waarde aan dat ze binnen een minuut drie keer konden vuren, wat bij een gewond en op je afstormend wild zwijn van levensbelang was... of bij dat agressieve Beest.

Hoeveel kogels kon zo'n schepsel hebben voordat het doodging? Hij goot nieuw zwartkruit uit de hoorn in de pan, maar toen hij het dekseltje er weer snel op drukte, viel hem iets vreemds op. 'Vader, waren de oogleden van dat Beest open of dicht toen we hem van de boom af haalden?' vroeg hij met een hese stem terwijl hij de brede kop van het ondier scherp in de gaten hield. Het zwart in de bloedrode iris leek hem regelrecht aan te staren. De pupil was vol woede, vol haat... vol leven!

Toen hoorden ze een grommend gebrom.

'De loup-garou leeft nog!' Antoine kroop vlug over de grond en pakte zijn musket dat hij bij zijn sprong uit de bosjes had laten vallen. 'Ik schiet er eentje tussen zijn ogen!'

Door zijn bewegingen veroorzaakte hij zo veel geluid dat het geritsel van bladeren er bijna in verloren was gegaan. Maar een van de Chastels was waakzaam genoeg.

Pierre keek naar zijn vader die zich plotseling wit van de schrik naar rechts had omgedraaid, de kolf van zijn musket tegen zijn schouder gedrukt. De loop schoot omhoog en werd schijnbaar op goed geluk op het kreupelhout gericht.

'Wat is er?' Pierre draaide zich met een ruk om... en verstijfde. De schaduw tussen de bomen was niet Surtout geweest! Hij zag een tweede Beest dat zonder geluid te maken van achteren op hem af was geslopen. Als zijn vader niet zo alert was geweest, zou het hem totaal hebben overrompeld.

Met een knal spuwde Jeans geweer een loden kogel in de richting van de lugubere aanvaller, die op hetzelfde moment een enorme sprong maakte en met speels gemak een afstand van zes pas overbrugde. Het Beest zette zich af tegen een boom, sprong op de van ontzetting schreeuwende Pierre af en smeet hem blazend tegen de grond. De klauwen reten Pierres rock ter hoogte van zijn borst open... en uit vijf lange snijwonden welde bloed op.

'Antoine!' brulde Jean die zichzelf dwong kalm te blijven opdat zijn volgende schot raak zou zijn. Angst was nu uit den boze. Hij kon het Beest nu goed zien, de gelijkenis met het wezen dat ze in de wolvenval hadden gevonden was overduidelijk. Weliswaar was dit een vrouwtje, maar ze was steviger gebouwd en zag er goed doorvoed uit. Jean dacht aan de vier schotwonden, en de moed zonk hem in de schoenen. Hij verplaatste zijn wijsvinger verder naar achteren om de tweede trekker te bedienen.

'*Allez*, loup-garou!' Antoine probeerde de aandacht van het Beest te trekken. Hij zat voor de gevangen weerwolf en drukte zijn musket tegen diens linkeroog. 'Wil je je vriend terug? Laat mijn broer dan los. Anders spetter ik zijn hersenen over het hele bos uit!'

Langzaam draaide de afschuwelijke kop in zijn richting. Het Beest leek hem te begrijpen! Ze richtte haar bloedrode ogen strak op Antoine, trok haar lippen naar achteren en toonde de twee mannen haar afschrikwekkende roofdierengebit. Met één klauw om Pierres keel geklemd kwam het Beest tot ontsteltenis van de wildschut op haar lange achterpoten overeind en was ineens net zo groot als een mens! Ze hield haar slachtoffer voor zich in de lucht omhoog alsof Pierre niet zwaarder dan een zak veren woog.

'Laat hem los!' riep Antoine. Met een vastberaden grijns op zijn gezicht trok hij zijn pistool en richtte dat ook op de kop van zijn gijzelaar. Het leek wel alsof het een spelletje voor hem was. 'Jullie kunnen dan misschien wel tegen veel lood in jullie lelijke lijf, maar zonder kop is het met hem gedaan, nietwaar?' Grommend smeet de tweede weerwolf Pierre weg, die een paar keer over de kop buitelde en ten slotte bewusteloos voor de voeten van zijn vader bleef liggen. Zijn bloed sijpelde op de bosgrond. Jean durfde niet te bukken om aandacht aan de gewonde jongen te besteden. Het gevaar was nog lang niet geweken.

Antoine voelde zich daarentegen heel zeker. 'Beste, brave loup-garou,' zei hij honend, 'ik zou je graag als huisdier hebben gehad.' Hij likte zijn lippen en kneep zijn ogen half dicht. 'Maar mijn vader ziet dat niet zitten.'

'Nee, niet doen!' siste Jean ongerust. 'Terg dat Beest niet.'

'Jij vindt toch dat alleen een dode wolf een goede wolf is?' Zonder met zijn ogen te knipperen schoot Antoine de ladingen uit beide geweerlopen in de kop van de liggende weerwolf. De brede schedel barstte open in een wolk van bloed. De druk van de geschutladingen was al voldoende geweest om de kop uiteen te rijten, de kogels zorgden voor de rest. Er bleef niets anders over dan wat resten van de onderkaak en de achterkant van de schedel. Toch ging het kadaver als een levende tekeer, sloeg om zich heen, richtte zich op, rolde door zijn eigen bloed, de klauwen kerfden de aarde open, sloegen naar de vijand. Vuil en bladeren vlogen alle kanten op. Lachend sprong Antoine weg bij het stervende wezen en hief zijn pistool in de lucht.

Jean vervloekte het onberekenbare karakter van zijn jongste zoon.

Hij was bang voor wat de bedrogen weerwolf zou doen. Jean haalde de trekker over, voelde de terugslag tegen zijn schouder en zag de witte zwartkruitwolk opstijgen die vanwege de ongunstige wind volledig zijn zicht belemmerde.

Het schril opklinkende geschreeuw van Antoine vertelde hem dat de weerwolf al wraak nam. Zonder een moment te aarzelen pakte Jean Pierres geladen musketgeweer en rende naar de plek waar mens en Beest over de grond rolden.

Zijn zoon vocht met de kracht van een reus, maar het lukte hem niet om het Beest van zich af te duwen. Ook de diepe houwen van de dolk die Antoine gebruikte om zich te verdedigen, maakten geen indruk op het ondier. De scherpe tanden beten in het vlees van Antoines onderarm en zochten zich daarna een weg naar de keel van de jongeman.

Jean handelde instinctief. De angst om zijn zoon, terecht of niet, was ineens sterker dan de schok en alle verlammende gevoelens. Hij ramde meerdere keren hard met de kolf van zijn geweer in de nek van de weerwolf. Dat had ten minste tot gevolg dat ze Antoine met rust liet. De rode ogen draaiden zijn kant op en de opengesperde bek vloog op hem af.

Jean liep achteruit en schoot op het Beest. Ze krijste en kwam als een schrikwekkend silhouet nog dichterbij. Toen ze door de kruitdamp brak, zag Jean duidelijk de beide gaten ter hoogte van het hart waar de kogels waren ingeslagen. Maar de wonden sloten zich al weer!

'Donder op!' schreeuwde hij wanhopig en hij ramde nu met de loop van zijn musket in de met tanden bewapende strot. Het metaal werd in zijn vaart gestuit en schoot daarna ergens doorheen. Het wezen maakte een gorgelend geluid... en week zowaar achteruit.

Besluiteloos stond de weerwolf in haar volle, afgrijselijke lengte op de lange achterpoten. Ze gromde en blies tegelijkertijd, de kleine oren stonden rechtovereind en de staart zwiepte heen en weer.

Plotsklaps dreunde er een schot door het bos.

De kogel drong van opzij door de snuit van het Beest. Ogenblikkelijk spoot er een rode fontein naar buiten die de wolf en Jean onderspatte. Schril huilend zette het Beest zich af... en het sprong zeven pas ver tussen de beschutting van de bomen waar nu de duisternis regeerde.

'Loop naar de hel, loup-garou!'

Antoine, zijn kleren in bebloede flarden aan zijn lichaam, was tegen de stam van de beuk gaan zitten, zijn linkerarm zakte trillend, het rokende pistool nog in zijn hand. 'Loop naar de hel,' herhaalde hij zachtjes. Zijn oogleden knipperden en vielen toen dicht. Hij had het bewustzijn verloren.

De griezelige stilte, die ook voor de aanval van het Beest in het bos had gehangen, was teruggekeerd. Nog altijd waren de dieren van het woud als verlamd. Het lawaai, het geblaas en het schieten had hun geluiden gesmoord.

Jean wist niet of de weerwolf zou terugkomen om haar werk af te maken. De wildschut laadde met trillende vingers weer alle wapens en wachtte een ogenblik dat wel uren leek te duren. Toen niets zich verroerde, wendde hij zich bezorgd tot zijn zwaargewonde zoons. Met grof garen hechtte hij de diepe wonden in Antoines armen en wikkelde ze in lappen die hij gehaast uit zijn rock sneed. Daarna bekommerde hij zich om Pierres wonden. Zijn beide zoons ontwaakten niet uit hun bezwijming. Misschien stelde hun verstand het zo lang mogelijk uit om het Beest eventueel weer onder ogen te moeten komen. Liefdevol streelde Jean de gezichten van zijn kinderen en vroeg zich af wat hij kon doen behalve afwachten.

Een hele tijd bleef hij tussen hen in zitten, de wapens voor het grijpen om zich heen, en luisterde naar de spookachtige stilte.

Het bleef stil.

Pas toen hij de verlossende roep van een uil hoorde, kon Jean zich langzaam weer ontspannen. Hij ontstak een klein kampvuur dat de nacht tussen de bomen verdreef. Daarna liep hij naar de plek waar het kadaver van de eerste weerwolf lag te wachten om onderzocht te worden.

Jean verstijfde. In een zee van bloed lag daar...

... de romp van een mens! Het schijnsel van het kampvuur verlichtte de gapende, vochtige wondranden. En Chastel zag het wit van de schedelresten glinsteren. Het Beest was na de dood uit hem gevaren en had een uitgemergelde man van minstens zestig jaar achtergelaten.

De wildschut huiverde. Het stuitte hem tegen de borst om dichter bij het lijk te komen. Maar was het niet riskant om het hier te laten liggen? Geen mens zou toch geloven dat deze zwakke, oude man bij leven een verscheurend Beest was geweest? Hij raapte al zijn moed bij elkaar en sleepte de man naar de beek, vertrouwde hem toe aan het donkere water en keek hem na terwijl de stroom hem meevoerde. Ergens zou hij weer aanspoelen, ver weg van de Vivarais en nog verder weg van de Gévaudan. Hopelijk zou hij daar zijn rust vinden.

Hij keerde naar zijn bewusteloze zoons terug, hield zijn jachtmes in de vlammen, opende de wondnaden en brandde de wonden van Pierre en Antoine met het gloeiende lemmet uit. Door de hitte zou de kwade kiem van de wolf, of van wat hen ook had aangevallen, moeten verteren.

Niemand mocht ooit te weten komen wat er die middag werkelijk was gebeurd. De wonden van zijn zoons waren toegebracht door een grote wolf, dat zou hij tegen DeBeaufort en alle andere mensen zeggen. Onderweg terug naar de Gévaudan kon hij wel een bij zijn verhaal passend dier neerschieten. Eén ding was maar belangrijk: zo snel mogelijk weggaan uit deze vervloekte omgeving waarin een schepsel huishield dat blijkbaar uit de hel naar de mensen was gezonden. De vulkanen van de Vivarais moesten rechtstreeks in verbinding met het rijk van de duivel staan.

II

München, 1 november 2004, 23.23 uur

Vanuit de schaduw van een monsterachtige, moderne installatie sloeg hij de onbekende vrouw gade. Zoals het hoorde bij oude oliedrums, stonken ze. Kunst met onaangename bijverschijnselen.

Ze stond voor een somber schilderij, haar hoofd met lang blond haar enigszins schuin naar rechts gehouden. Om haar schouders hing een donkerbruine jas waar de zoom van een zwarte rok en motorlaarzen onderuitstaken.

Ze was hem opgevallen omdat ze zich, in tegenstelling tot de rusteloze bezoekers in de galerie, niet bewoog. Ze nam de tijd om het schilderij op zich in te laten werken: in eenzame verzonkenheid.

Alle mensen om haar heen waren op hapjesjacht, klonken met hun glazen, feliciteerden de stralende galeriehouder met de geslaagde opening en laadden hun borden vol met canapés. Aangeschoten lieden alom.

In slow motion trok ze haar hoofd weer recht, zette een stap achteruit en liet haar lange bos haar naar links zakken. Zij bleef roerloos staan, hij bleef roerloos staan, allebei ieder op hun eigen manier kijkend naar het object van hun belangstelling.

Uiteindelijk vond hij de oliestank niet meer te harden. Bovendien had hij zin om de jacht te openen. Hij liep op haar af en deed alle moeite om niet zachtjes te doen, zodat ze niet zou schrikken. Wild dat schrok sloeg op de vlucht.

Het viel hem onmiddellijk op hoe aangenaam ze rook. De geur van haar shampoo was decent, parfum had ze niet nodig: het was haar eigen lucht die puur en onvervalst tot in zijn gevoelige neus doordrong.

Ten slotte stond hij naast haar en veinsde dat hij in het kunstwerk en niet in haar was geïnteresseerd.

De vrouw keek hem aan, waardoor hij haar fijne gezicht kon zien met de ouderwetse maar nu modieuze bril die haar korenblauwe ogen accentueerde. Ze droeg een donkerrode, dunne, zijden blouse met niets daaronder; haar borsten tekenden zich met al hun verleidelijke details onder de stof af. Ze was niet ouder dan drieëntwintig. Een mooie leeftijd.

Ze had haar hoofd al weer afgewend. De korte keuring was negatief voor hem uitgevallen.

'Goed dat je je niet volpropt met hapjes,' zei hij recht vooruit alsof hij het tegen het schilderij had. 'Ten minste iemand die de tentoonstelling bekijkt.'

'Ik moet op mijn figuur letten,' reageerde ze zichtbaar nerveus, 'anders kan ik geen klanten meer krijgen. En vraag me nu alsjeblieft niet of ik hier vaker kom. Ik wil me alleen maar even een beetje opwarmen. Mijn tbc is nog steeds niet helemaal over en daarom is dat kloteweer buiten rampzalig voor mijn longen.' Ze hoestte, haalde een lap uit de zak van haar jas, drukte die tegen haar mond en liet die aan hem zien. Een grote, rode vlek.

'Open tbc?' Hij grijnsde. 'Weet je dat ik na je eerste zin werkelijk geloofde dat je een hoer was. Maar daarna heb je het er wat te dik op gelegd. En die vlek zat er al in. Rode wijn? Kersensap?'

'Ik zal het eenvoudiger uitdrukken: ik ben niet geïnteresseerd in een gesprek. Ga toch gewoon hapjes eten,' raadde ze hem koeltjes aan terwijl ze de lap weer in haar jaszak terugstopte.

'Kan niet. Ik moet op mijn figuur letten, anders kan ik geen vrouwen meer aan de haak slaan.'

De blonde vrouw lachte, draaide zich nu toch naar hem om en bekeek hem uitvoeriger. Zijn zelfverzekerde opmerking had haar nieuwsgierigheid gewekt. Hij wist wat ze zag: een man van tegen de dertig, groot en afgetraind, en met zwart haar tot op de schouders. Hij droeg een zwarte leren broek, een zwart hemd van fijne ribstof en een lange, witte, lakleren jas; zijn voeten staken in witte rijglaarzen met metalen neuzen. Ondanks de scheerbeurt van vier uur geleden waren de eerste stoppels al weer op zijn gezicht verschenen, maar zijn sikje en bakkebaarden, die de nadruk op zijn markante, mannelijke gezicht legden, leidden de aandacht daarvan af. Hij zette zijn bril recht, glimlachte naar haar en vroeg: 'Bíjziend of vérziend?'

'Ik of jij?'

'Jij.'

'Bijziend. Eén komma vier en één komma negen, plus astigmatisme. Kun je daar tegenop?'

'Bijziend, twee komma één en twee komma drie. Maar geen astigmatisme.' Hij trok een meelijwekkend gezicht. 'Maar ik ben wel enigszins kleurenblind.'

'Och, wat zielig. Dan kun je helemaal niet genieten van mijn knalgele blouse, mijn blauwe jas en mijn groene rok.'

'Ik ben enigszins kleurenblind, niet totaal.'

Ze lachte ineens schallend. 'Nu heb je mijn slechte humeur echt verpest. Terwijl ik net zo lekker depressief van dat schilderij was geworden.' Ze stak hem haar goed verzorgde, zachte hand toe. 'Ik ben Severina.'

'Je schuilnaam, neem ik aan?' Hij pakte haar hand en schudde die. 'Eric.'

'Ik ben geen kunstenares.'

'Ik bedoelde als prostituee.'

Severina knipperde van de pret met haar ogen. 'We zijn allemaal hoeren, Eric. Iedereen die een baan heeft en zich daarvoor laat betalen, is een hoer.'

'Heb je een beroep?'

'Geen echt beroep. Ik studeer moderne kunst en heb een assistentenbaantje aan de universiteit.' Ze liet zijn hand los en wees naar het grotendeels zwarte schilderij met daarop een paar witte en één rode streep in een woest patroon. 'Wel schokkend wat moderne kunstenaars af en toe op het linnen zetten.'

'Vind je?' Eric knikte en ging vlak voor het schilderij staan. Onderzoekend legde hij zijn hand erop. 'Ik weet zeker dat het geen linnen is.' Hij klopte erop, het materiaal gaf mee en begon te golven. De eerste genodigden keken naar hem om en begonnen te fluisteren. De galeriehouder werd van de rustverstoorder op de hoogte gebracht en trok wit weg. 'Ziet eruit als een plaat plastic.'

Severina keek hem nieuwsgierig aan.

'Soms zin om als beeldenstormer van de modernen je krachten te beproeven?' vroeg hij.

Zijn lichtbruine, bijna barnsteenkleurige ogen met de zwarte irisringen vestigden zich strak op haar. Voor Severina was het alsof die donkere randjes moeite hadden het onstuimige geel in toom te houden. Zodra het een gaatje vond, zou het in het oogwit uitlopen.

'Vertel me eens, Severina. Waarom bevalt het schilderij je niet? Waarom vind je het waardeloos?'

Ze kwam dichterbij. 'Het ziet er niet echt uit. Er zit niks in. Chimpansees schilderen nog beter.'

Eric krabde aan de verf. Zwarte schilfertjes kwamen los en vielen op de gepoetste vloer van de zaal. 'En als het de schilder nu eens niet om het beeld, maar om de daad van het scheppen zelf is gegaan? Het is gewoon het resultaat van de ontmoeting tussen schilder en doek, denk ik. Zo gaat dat nu eenmaal met abstract expressionisme.' Hij aaide het doek. 'Maar je hebt gelijk: het schilderij is inderdaad waardeloos.'

Opeens pakte Eric de lijst vast, tilde het schilderij van de bevestiging aan de muur, smeet het op de grond en sprong met beide voeten midden op het kunstwerk. Hij strekte zijn hand uit. 'Kom, Severina. We gaan nieuwe kunst scheppen.'

Aarzelend, maar met een rood gezicht van opwinding pakte ze zijn hand en voerde samen met hem een wilde dans uit. Ze lachten, takelden het plastic toe voor de ogen van de verbijsterde genodigden. Severina schilderde er met haar donkerrode lippenstift nog wat lijnen bij, Eric spuugde erop. Daarna duwde hij haar van het schilderij af en hing de toegetakelde restanten weer aan de haak.

'Zo.'

Eric pakte Severina's hand en trok haar een paar passen naar achteren om het product van hun spontane vernielzucht van gepaste afstand te bekijken en het effect te beoordelen. 'Het ziet er absoluut beter uit,' luidde zijn oordeel. Hij keek naar haar. Severina streek het blonde haar uit haar gezicht. Ze haalde snel adem. Op haar blouse waren onder de borsten en op de buik zweetplekken te zien. Haar natuurlijke, onvervalste vrouwenlucht wond hem op.

'Veel beter,' hijgde ze grijnzend. 'Hoe noemen we het?'

'Jij bent de vakvrouw. Bedenk maar een nieuwe kunststijl.' Eric ontdekte de galeriehouder, die zijn hapjes had weggezet en samen met twee beveiligingsmensen op hen afkwam. 'Schiet op!'

Ze knielde voor het schilderij neer, haalde opnieuw haar lippenstift tevoorschijn en schreef op het mishandelde plastic: *Abstract axpression by S&E*. Daarna trok hij haar omhoog en renden ze hand in hand naar de achteruitgang. Toen Eric de beveiligde deur opentrapte begon er een sirene te loeien. Ze stormden naar buiten een zijstraat in en werden door een ijskoude novemberregen begroet. Het maakte hun niet uit, ze renden en renden, tot hij haar in de beschutting van een groot portiek trok.

'Oké, we hebben ze afgeschud. *Axpression?*' vroeg hij geamuseerd.

'Komt van actie en expressionisme,' legde ze haar vondst uit, en ze giechelde als een overmoedig kind dat iets stouts heeft gedaan. 'Lieve hemel, Eric! Hoe duur was dat schilderij wel niet?'

'Je kunt beter vragen wat het nú waard is.' Hij keek links en rechts de verlaten straat in, pakte toen haar hoofd vast en gaf haar een wilde, smachtende kus op haar lippen. Warm welde haar geur op van onder haar jas.

Severina kreunde, schoof haar tong in zijn mond, sloeg haar armen om hem heen en drukte hem stevig tegen zich aan. Het was een surrealistisch moment. Ze liet zich door een volstrekt onbekende man verleiden die nu haar rokje omhoogschoof en haar tussen haar benen aanraakte. Opwinding stroomde door haar lichaam; ze wilde Eric in zich voelen en liet dat blijken door zijn rits open te trekken.

Ze vreeën in de portiek. Eric had haar opgetild, Severina zweefde als op een wip op zijn dijbeen, en bij elke stoot van zijn bekken schoot ze het vuurwerk tegemoet. De manier waarop hij zich bewoog en haar aanraakte, toonde aan dat hij een ervaren minnaar was. Toen hij haar blouse opende en zachtjes in haar harde linkertepel beet, kwam ze de eerste keer klaar en schreeuwde ingehouden tegen zijn schouder. Haar zintuigen maakten een val in het luchtledige, ze hoorde zelfs een melodie.

Om nog preciezer te zijn, ze hoorde de tune van *The A-Team*.

Eric vloekte en gleed uit haar.

'Hé!' beklaagde ze zich hijgend en ze leunde tegen de muur.

Hij glimlachte verontschuldigend, wroette in zijn broekzak en haalde zijn mobieltje tevoorschijn. 'Ja?' Al luisterend trok hij met één hand het condoom van zijn penis en deed zijn rits dicht. Severina had in haar opwinding helemaal niet meegekregen dat hij een kapotje had omgedaan. 'Goed... Maar wacht op mij... Ja, ik ben er zo.' Hij klapte het dekseltje dicht en borg de telefoon weer op. 'Neem me niet kwalijk. Het is belangrijk.' Eric glimlachte naar haar en speelde met een nat blond sliertje dat in haar gezicht hing. Toen gaf hij haar een kus en rende terug door de straat. 'Pas goed op jezelf!' riep hij en hij verdween om de hoek. Severina begon van ongeloof te lachen terwijl ze haar blouse dichtknoopte. Zoiets was haar nog nooit overkomen!

En ze was bang dat het haar ook nooit ofte nimmer meer zou overkomen.

Eric haastte zich door de natte straten en zocht zijn auto. Door zijn jacht op deze vrouw was hij zijn verplichtingen volledig vergeten, en dat gebeurde helaas veel te vaak. Maar vrouwen hadden nu eenmaal een betoverende aantrekkingskracht op hem. Hij hield ervan om jacht op ze te maken, met ze te vrijen en ze daarna meteen weer in de steek te laten. Hij hield van de intieme momenten zonder het geharrewar daarna met zinnetjes zoals: 'Wanneer zien we elkaar weer?' of 'Mag ik je nummer?'

'Shit! Waar is...' Hij drukte onophoudelijk op het knopje van de elektronische portierontgrendelaar, en eindelijk zag hij tien meter verderop knipperlichten aangaan. Daar stond de donkergroene Porsche Cayenne in zijn eeuwig smerige staat. Eric waste zijn auto nooit. Wat de regen niet wegspoelde, mocht blijven zitten waar het zat. Ook de deuken en krassen in de lak interesseerden hem niet. Het enige wat regelmatig onderhouden werd waren de turbomotor en de remmen.

Eric sprong op de bestuurdersplaats en startte de Porsche. Zonder rekening met het overige verkeer te houden scheurde hij met piepende banden de weg op. Wie geloofde dat je in de stad niets aan terreinwagens had, kende Eric niet. Voor zijn werk was snelheid een vereiste, en de kortste afstand tussen A en B bleef – zelfs in de grote stad – een rechte lijn. Stadsparken waren uitstekend geschikt om af te steken. Eric had zijn navigatiesysteem in overeenstemming daarmee aangepast. München, Londen, New York, Moskou: zijn Cayenne en hij kwamen altijd via de snelste route ter bestemder plaatse. Voor fabrikanten van terreinwagens zouden zijn moordende ritten door de metropolen ideale reclamespotjes opleveren.

Degene die hem had gebeld, had hem een adres en een naam gegeven: Upuaut. Een aan grootheidswaanzin lijdende gedaantewisselaar die zijn eigen Lykopolis wilde stichten. Een paar weken geleden had deze Upuaut in de Egyptische plaats Sohag nog net aan Eric kunnen ontsnappen zonder zijn menselijke gezicht te tonen. Hier in München diende zich nu een tweede gelegenheid aan.

De turbocompressor gierde. Met vierhonderdvijftig pk was de auto net een raket die sissend door de binnenstad van München schoot, slippend met een bocht van negentig graden een kruising nam en met honderdzestig kilometer per uur op de ingang van de Engelse Tuin afreed.

Weer riedelde zijn mobieltje. Omdat het op dat moment dodelijk zou zijn geweest om zijn handen van het stuur te halen, verdroeg hij *The A-Team* tot het veelstemmige concert na tien seconden ophield. Tegen die tijd bevond de Cayenne zich al naast de Chinese Toren en suisde over het voetpad. De xenon-koplampen rukten uit de duisternis een geschrokken voetganger tevoorschijn die zijn kakkende hond nog net aan zijn lijn kon wegsleuren.

'Pas op!' schreeuwde Eric achter het raam. 'En haal alsjeblieft die stronthoop weg!' Woedend trapte hij het gaspedaal vol in, de motor begon nu echt te brullen en de profielbanden hapten diep in het gras.

Eindelijk, eindelijk bereikte hij de andere kant van het park, schoot de geasfalteerde weg op, reed nog enkele meters door en stopte toen op enige afstand van het huis. Eric trok snel zijn lakleren handschoenen aan, zette zijn mobieltje op de trilfunctie, klapte de stoel naast hem naar voren en trok een klein, zwart koffertje tevoorschijn. Hij opende het en haalde er een Sig Sauer P9-pistool met ceintuurholster uit, controleerde het magazijn met de *Glaser*-munitie en bevestigde het geheel aan zijn broeksband. Het Glock semi-automatische pistool in zijn laarsschacht was waarschijnlijk niet genoeg. Je kon beter het zekere voor het onzekere nemen. Eric besloot ook nog de Bernadelli B4, een compact, semi-automatisch hagelgeweer, uit zijn schuilplaats achter de bekleding van de zijdeur te bevrijden. Hij schoof die onder zijn jas en toen hij uitstapte en zich naar de ingang bewoog, hield hij dat met zijn linkerarm tegen zijn lichaam gedrukt. Zijn rechterhand zwaaide met de half opengevouwen stadsplattegrond van München.

De twee mannen in zwarte pakken voor het huis namen hem nauwkeurig op. Beiden hadden een 'knopje in het oor'. Ze voelden zichzelf zo te zien heel gewichtig. Bij heel wat beveiligingsmensen droop de onnozelheid van hun gezicht.

'Goedenavond, heren. Ik ben verkeerd gereden,' zei Eric. 'Die verdomde tomtom is dolgedraaid. Waarschijnlijk voeren de Amerikanen weer ergens oorlog en storen het gps.' Hij was nu vlak bij hen en glimlachte. 'Bent u hier in München bekend?'

De dikste van de twee beveiligers bleef rustig, maar de mond van zijn partner vertrok en zijn blik verhardde zich. Die moest hij als eerste uitschakelen.

'Waar moet u dan heen?' De dikke strekte zijn hand naar de kaart uit.

'Lerchenfeldstraße tweeënveertig, geloof ik. Eén ogenblikje. Ik heb het ergens opgeschreven...' Eric boog naar voren, liet de man de kaart vasthouden en klopte met zijn hand op zijn jas alsof hij het briefje met het adres zocht. 'Ik kan het niet vinden.' Toen haalde hij de Bernadelli tevoorschijn en gaf die aan de dikke, wiens ogen van ongeloof groot werden. 'Kunt u die ook nog even vasthouden? Dan kan ik beter zoeken.'

Voordat een van beide mannen kon reageren, stootte Eric zijn elleboog plotseling schuin naar achteren. Hij raakte de langere beveiligingsman precies op zijn neus. Geheel overrompeld sloeg deze tegen de deur en zakte verdoofd op de grond, terwijl Erics rechterarm al met een bliksemsnelle voorwaartse beweging op de slaap van de dikke man neerkwam. Door de klap knakte diens hoofd om en sloeg hij dubbel.

Met een glimlach keek Eric naar het huisnummer naast de voordeur. 'Ach, u kunt me dus niet verder helpen? Nou, dan vraag ik het binnen wel even.' Hij grijnsde en doorzocht de jaszakken van de bewusteloze mannen; in één vond hij de elektronische sleutelkaart. 'Dank u wel.'

Snel liep hij naar binnen en sloop in het donker de trap op naar de eerste verdieping. De Bernadelli hield hij met beide handen schietklaar.

Ergens, uit een van de kamers voor hem, klonk luid getrommel en ritmisch geklap, met daartussendoor zo nu en dan het gelach van mannen en zacht gerinkel. Eric snoof de lucht op. Het rook er naar oriëntaals eten... en naar wolf. Hij zou abrupt een einde moeten maken aan het feestje, maar dat speet hem helemaal niet.

Zijn goede gehoor loodste hem door de halfdonkere gang naar de deur waarachter de geluiden het zachtst klonken. Toevallig viel zijn blik op zijn eigen schaduw, en hij huiverde. De aanblik deed hem denken aan het schilderij *Monster* van Robert Motherwell: een vaag, angst inboezemend beeld vol duistere dreiging waaraan je het liefst wilde ontsnappen. Maar aan je eigen schaduw kun je niet ontsnappen.

Eric legde zijn hand op de deurkruk, duwde die voorzichtig naar beneden en opende de deur. Hij bleek zich in het achterste, donkere gedeelte van een ruimte te bevinden, direct naast een vrijwel geheel leeggegeten buffet. Onmiddellijk dook hij ineen en verdween onder de tafel. Hij glipte snel nog een paar meter door en schoof toen voorzichtig het witte tafellaken opzij om een overzicht van de situatie te kunnen krijgen.

Een mannengezelschap lag op zachte kussens rondom een tafel waarop dampende theekopjes en meerdere waterpijpen stonden. Boven hen was een baldakijn van donkere zijde met kleurige borduursels gespannen. De mannen van verschillende leeftijden droegen allemaal nette pakken en zagen er stuk voor stuk uit alsof ze uit het Midden- en Nabije-Oosten kwamen, en aan hun gouden sieraden en zware horloges was te zien dat ze beslist welgesteld waren. Voor hen danste een zwartharige, diepbruine schoonheid in een nogal schaarse buikdanseressen-outfit met sluier. Het gerinkel was afkomstig van een gordel met muntjes die om haar heupen hing. Ze was absoluut verzekerd van de bewonderende blikken van de mannen.

Erics mobieltje trilde in zijn broekzak. Hij liet het tafellaken zakken en haalde de telefoon tevoorschijn. 'Ja?' fluisterde hij.

'Kom niet hierheen, Eric!' De amechtige stem van zijn vader. 'Je...' De verbinding werd verbroken.

Erics hartslag liep snel op. Hij schoof het tafellaken weer opzij en bekeek de mannen aandachtig. Het stonk benauwend naar wolf; vanwege de sterke omgevingsgeuren kon Eric de verschillende zweetluchtjes echter niet onderscheiden. Maar er moest toch een aanwijzing zijn, al was het maar iets, waaraan hij Upuaut kon herkennen. Was het die oudere man met die volle baard? Of die Noord-Afrikaans uitziende kerel met dat litteken onder zijn oog? Iedereen kon Upuaut zijn. Eric wist niets van zijn menselijke leven af, behalve dan dat hij zeer welgesteld en crimineel was. Zoals ongeveer zeventig procent van de lykantropen die in de loop van zijn pistool hadden mogen kijken. Door het dier in hen was hun mentaliteit zodanig veranderd dat ze geen medeleven kenden, geen gewetensbezwaren, geen menselijk gevoel voor goed en kwaad. Dat Upuaut zich superieur voelde drukte zijn naam al uit: het getuigde absoluut van megalomanie om jezelf naar een oud-Egyptische god van het dodenrijk en oorlogsgod te noemen en je eigen rijk te willen stichten.

Eric wist dat hij moest opschieten, voordat ze letterlijk lucht van hem kregen. Tijd voor radicale maatregelen. Hij trok het magazijn van de Bernadelli van de loop, wisselde de bovenste, massieve kogel om voor een zilverhagelpatroon en laadde door. Voorzichtig stak hij de loop naar buiten, lette erop dat hij de danseres niet zou raken... en haalde de trekker over.

De zilveren kogeltjes schoten alle kanten op. Ze scheurden de brokaatkussens aan flarden, verpulverden ettelijke glazen en boorden zich op verschillende plaatsen in de lichamen van de mannen.

Na de knal volgde het geschreeuw. De gewonden sprongen op, slaakten allerlei kreten door elkaar, vier van hen trokken pistolen en zwaaiden ermee in de rondte zonder hun aanvaller te zien. Bij drie mannen had de beschieting met deze zeer bijzondere munitie het gewenste effect: met een intense woede en pijn transformeerden ze.

Bijna net zo snel als de Cayenne nodig had om van nul tot honderd te accelereren, veranderden hun lichamen. Ze werden gespierder, kregen een dichte, geelbruine vacht, zonder echter hun menselijke postuur te verliezen. Ze huilden en gromden erbij, de verandering veroorzaakte ook nog eens de Foltering van het Zilver. Ze kregen koppen met spitse snuiten als van een vos, maar Eric wist dat hij met jakhalzen van doen had. Kenmerkend voor het oude, Egyptische lykantropengeslacht.

In hun nieuwe gedaantes roken ze onmiddellijk waar de schutter zich bevond. Ze verdeelden zich en liepen in elkaar gedoken vanuit verschillende kanten op het buffet af waaronder Eric nog steeds verscholen zat. Het werd tijd om zijn dekking te verlaten die hem bij een gevecht van man tegen man meer zou hinderen dan beschermen.

Eric sprong op en knalde met conventionele kogels de te langzaam reagerende, bewapende mannen neer nog voordat hij de eerste weerjakhals een zilveren kogel uit de Bernadelli tussen de ogen plantte. De schedel van het weerwezen spatte uiteen en vanwege zijn vernietigende werking kreeg het zilveren projectiel bijna niet de kans zijn werk te doen. Er klonk een zacht gesis toen het bloed ermee in aanraking kwam en het rook nu naar verbranding. De romp vloog langs Eric en smakte boven op de tafel, gleed eroverheen en viel aan de andere kant op de grond. Luid rinkelend kwamen bijna alle resterende schotels, borden en decoraties achter hem aan. Maar dat nam Eric niet waar, omdat hij zich over de tweede jakhals moest ontfermen. Hees blaffend kwam hij op Eric af, zette zich af voor een sprong en toonde hem op die manier nogal onbezonnen zijn kwetsbare buik.

De Bernadelli bleef steken en weigerde dienst. Met tegenwoordigheid van geest stak Eric zijn hand naast zich uit, zakte door zijn knieën, pakte de greep van een dienblad... en sloeg het horizontaal naar zijn aanvaller. Aan enige ironie was geen gebrek nu uit de ribben van deze gedaantewisselaar het zilveren presenteerblad stak waarop eerder de aangeboden hapjes hadden gelegen.

De weerjakhals zeilde over Eric heen en stootte een van pijn verwrongen, schelle blaf uit. Het zilver vrat zijn vlees aan, zijn botten, zijn bloed, en bezorgde hem onnoemelijk veel pijn. Grommend sloeg hij tegen de muur. Eric draaide zich bliksemsnel om, trok ondertussen zijn P9 en schoot op hem terwijl de weerjakhals nog langs de lambrisering naar beneden zakte.

De derde gedaantewisselaar bleef doodstil staan. Jakhalzen waren niet bepaald moedig; ze waren niet meer in de meerderheid en van de mannen achter hem verwachtte hij kennelijk geen hulp. De spitse oren werden tegen de kop gelegd en hij week achteruit.

'Waar is mijn vader?' Eric richtte zijn pistool op de borst van het wezen. 'Ik maak gebruik van zogenaamde Glaser-munitie. Eén patroon bestaat uit minuscule kogeltjes die in een metalen huls met een plastic kop zitten. Geloof mij maar, daarmee wil je geen kennismaken!'

'Het zal wel,' zei de jakhals met de hese, schrille, ongemoduleerde stem die bij zijn soort paste; bij een mens zou je niet hebben geweten of het de stem van een man of een vrouw was. Hij loerde over zijn schouder. 'Ik...'

'Door de schok komt de kogelkop los, schieten de kogeltjes als een minihagellading in je vlees en leveren in het lichaam een botsingssnelheid op van vijfhonderdvijftig meter per seconde die acht keer sneller is dan van een solide kogel.'

'Kan mij het schelen!'

'Men zegt dat zevenentachtig procent van de mensen die door gewone kogels worden getroffen, het overleeft. Maar meer dan negentig procent van degenen die door Glaser-munitie worden getroffen, sterft aan een shock. Waar ze ook worden geraakt.' Hij richtte nu op de voet van zijn tegenstander. 'Laten we maar eens kijken.'

Er klonk een knal. In de dure leren schoen ontstond een gat, de zool werd naar boven gedrukt, bloed en weefsel barstten links en rechts naar buiten. De weerjakhals begon te janken, deed twee onbeholpen huppeltjes naar achteren en viel op het tapijt. Het wezen snakte naar adem, hijgde met zijn tong uit zijn bek en kronkelde. Zijn regeneratievermogen mocht dan alle wonden kunnen helen, maar tegen het effect van de Glaser-munitie was dat niet opgewassen. De gedaantewisselaar stierf voor de ogen van de vijf nog resterende, hevig ontdane mannen. Met de dood keerde zijn menselijke gedaante terug.

'Als de kogeltjes van zilver zijn, werkt die munitie nog beter. Ben ik nog vergeten te vertellen.' Eric stond op. 'Wie van die klootzakken was Upuaut? En waar is mijn vader?' Hij trok de haan van de P9 naar achteren. 'Ik heb nog zes schoten en weinig geduld. Nou?'

Zijn mobieltje trilde weer. Met zijn vrije hand viste Eric het uit zijn zak en drukte het tegen zijn oor. 'Ja?'

'We waarschuwen u,' fluisterde een vrouwenstem. 'Waarom bent u toch hierheen gekomen, meneer von Kastell?'

'Waar is hij?'

'Wat biedt u voor zijn leven?'

'Jouw leven.'

De stem lachte. 'Goed, dan maken we er een spelletje van. Ik heb mezelf naar een god genoemd, omdat ik daadwerkelijk over leven en dood regeer. Ik zal u nog één keer opbellen, en als u niet opneemt, zal uw vader sterven. Als u het gesprek aanneemt, dan laat ik hem onmiddellijk vrij. Als ik u was zou ik mijn voicemail maar uitzetten.' Met een klik werd het gesprek beëindigd.

'Wat een gezeik.' Eric vloekte, schakelde de beltoon weer in en schoot de man die het verst van hem vandaan stond in de borst. Kreunend viel deze achterover in de kussens en stierf met opengesperde ogen. 'Vijf schoten, geen geduld.' De loop schoof met een ruk op naar de volgende man.

Hij hoorde een zacht gerinkel en in zijn ooghoek zag hij een schaduw op zich af glijden. De al verwachte aanval op zijn hoofd ontweek hij met een zijdelingse draai van zijn lichaam, maar hij kon niet verhinderen dat hij een klap tegen zijn rechterarm kreeg. Zijn hand ging open, het mobieltje viel kletterend op de grond en roetsjte weg.

Voor hem stond de buikdanseres. Ze had een getraind lichaam en hield twee gummiknuppels in haar handen. Haar bruine ogen keken hem vol minachting aan. Haar houding drukte trots uit – een ijskoude superioriteit. Ze leek op een vrouwelijke farao die van haar troon af was gekomen om de arrogante indringer in haar paleis eigenhandig te doden. En Eric vond haar in haar schaarse outfit ook nog verdomd aantrekkelijk.

'U verstoort mijn dans.' Haar gummiknuppels flitsten naar voren, snel, elegant en bruut. Hij kreeg niet de kans om op wat voor manier dan ook op de explosieve aanval te reageren. Ze sloeg de Sig Sauer uit zijn vingers en trapte hem tegelijkertijd tegen de borst waardoor hij tegen een bijzettafeltje werd geslingerd. Hij klapte, samen met zowel hele als kapotte waterpijpen en theekopjes, in de berg kussens; hete tabak brandde in zijn gezicht en schroeide zijn sikje.

Eric rolde af, voor zover dat bij die zachte ondergrond mogelijk was, griste het tafeltje als geïmproviseerd schild met zich mee en wachtte op zijn belaagster.

Ze viel hem aan met de elegantie van een danseres en de kracht van een zandstorm. De harde klappen kletterden tegen de koperplaat die bij elke treffer meer verboog. De Egyptische indruk die ze maakte, de hautaine gezichtsuitdrukking, de onverwachte moed, de korte gummiknuppels die aan de kromstaven van oud-Egyptische goden deden denken, brachten hem op een ongelofelijke gedachte. Was *zíj* Upuaut?

Op hetzelfde moment dat de danseres voor een tweevoudige slag uithaalde, schopte Eric onder zijn schild door naar haar voorste voet en vloerde haar. Hij tilde het tafeltje op en slingerde het naar haar toe. Ze rolde bliksemsnel op haar zij, wilde opspringen... maar keek recht in de loop van de Glock.

'Blijf liggen, schoonheid.' Eric stond over haar heen. Hij had van het moment van verwarring gebruikgemaakt om zijn laatste wapen uit zijn laars te trekken. De danseres lag stil, met één hand achter haar rug terwijl de andere een gummiknuppel vasthield. Haar dood was nabij, maar desondanks vertoonde ze geen tekenen van angst.

Ergens op de achtergrond begon *The A-Team* te riedelen.

De vrouw grijnsde gevaarlijk en liet hem haar roofdierengebit zien; de krachtige tanden leken op een muur van scherpe messen.

De angst sloeg hem om het hart vanwege de bezorgdheid om zijn vader, maar hij moest die nu onderdrukken om de controle niet te verliezen. 'Hé, snor!' riep Eric naar een van de tot figurant gedegradeerde mannen die als verlamd her en der in de ruimte stonden en alleen maar konden afwachten hoe de strijd zou eindigen. 'Pak dat ding.'

De man durfde niet in beweging te komen.

'Pak dat vervloekte mobieltje of ik zweer je...'

Toen gebeurden er twee dingen tegelijkertijd: een van de mannen bukte zich naar de P9 die aan zijn voeten lag, en de danseres maakte gebruik van de afleiding die dat gebaar veroorzaakte. De gummiknuppel schoot zo snel naar voren dat Eric geen tijd had om iets uit te richten. Het wapen knalde tegen zijn gezicht en gaf hem een zeer pijnlijke smakkerd. Eric struikelde versuft tegen een baldakijnpoot en trok de hele constructie in zijn val met zich mee. De wereld om hem heen verdween in zwarte zijde. Hij zag groene, stoffen bladeren van een geborduurde palm en rook de geuren van eten en wierook die zich in de zijde hadden genesteld. Naast zich hoorde hij het gehijg van een man. Hij lag dus niet alleen onder de stof begraven. *The A-Team* riep hem nog steeds, maar onmiddellijk werd het deuntje door het dreunen van zijn eigen Sig Sauer overstemd waarmee een van de Egyptenaren op hem schoot. De Glaser-kogeltjes snorden om hem heen door het baldakijn, maar raakten hem niet. Ook al was Eric zo blind als een mol, hij nam een snoekduik in de richting waarin hij de opgestapelde kussens verwachtte. Die moesten als dekking dienen tot hij zichzelf uit het zijden net had kunnen bevrijden.

Het schieten hield op, het magazijn was leeg.

Upuaut vond het wel heel leuk om hem te kwellen, want het mobieltje bleef onophoudelijk rinkelen, lokte hem, riep hem bij zich en bedreigde hem – ondanks de opgewekte melodie – met de dood van zijn vader.

Erics angst sloeg om in paniek. Met grof geweld scheurde hij zich los uit de baan stof – net op tijd om de man die de leeggeschoten P9 nog in zijn handen vasthield, met een treffer in de borst tegen de grond te dwingen. Van de andere mannen en de danseres ontbrak ieder spoor.

'Shit! Verdomme!' Eric liep ineengedoken naar de andere kant van de kussenstapel waar hij vermoedde dat zijn mobieltje lag, pakte onderweg de P9 en laadde die met een nieuw magazijn.

Plotseling viel de danseres hem uit het niets aan. Ze had zich getransformeerd, was half vrouw, half dier geworden, liep op twee benen en zag eruit als een buitensporig grote chimaera met een glanzende vacht. Alleen de gordel met de dunne metalen plaatjes hing nog om haar heupen, de rest van haar kleding was verdwenen. De korte gummiknuppels floten op hem neer.

Eric gebruikte zijn witte lakjas om zich te verdedigen, zwierde ermee in het rond om zo de klappen op te vangen, nam daarmee een deel van de moorddadige kracht weg. Tegelijkertijd trapte hij haar in haar onderlijf. Ze blafte van de schrik. De laarsneus van gehard zilver deed haar behoorlijk pijn en bracht haar uit haar slagenritme. Daar maakte hij gebruik van om zijn wapen door te laden.

'Rot op naar je piramides, smiecht!' Eric zette de mond van de P9 precies ter hoogte van haar hart op de vacht en haalde een paar keer snel achter elkaar de trekker over. De uitvinder van Glaser-munitie zou werkelijk hebben genoten van wat de kogeltjes in het lijf van de danseres aanrichtten. Niets wat zich in de onmiddellijke omgeving van de inslagzone bevond bleef op zijn plaats. De ribben en het hart werden uiteengereten, de gedaantewisselaar richtte zich huilend in haar volle lengte op... en viel onmiddellijk daarop dood op het parket neer. Binnen een paar seconden veranderde ze terug in een mens. Voor hem lag nu weer een naakte, mooie vrouw van vijfentwintig jaar met een muntjesgordel om haar buik en een gapende wond in haar borst. Niets wees er meer op dat ze scheurkiezen en klauwen had gehad. Geen normaal mens zou hem geloven wanneer hij hun vertelde over een gevecht met een gedaantewisselaar.

Het mobieltje riedelde nog steeds. Eric maakte een snoekduik in zijn richting.

Onder de restanten van het baldakijn bewoog zich iets. Een spitse snuit met een lichte vacht doorkliefde de stof en maakte de scheur breder, nog een jakhals drong zich daardoorheen naar buiten. Hij sprong langs Eric, hapte naar het mobieltje en spurtte weg.

'Klootzak!' Eric knielde neer om de Glock beter te kunnen richten en schoot drie keer snel achter elkaar. Het dier kermde schril toen hij in zijn romp en rechterachterpoot werd geraakt. Stom genoeg had Eric de Glock niet met Glaser-munitie geladen. 'Geef die telefoon hier!' Hij zette de achtervolging in op het gewonde wezen terwijl de dood van zijn vader steeds dreigender vormen aannam.

De jakhals hinkte de deur uit, zijn jager joeg achter hem aan.

Op de gang zag hij ineens een man. Hij stond tien meter voor hem bij een geopende deur en gebaarde naar hem. Zonder enige aarzeling schoot Eric terwijl hij doorrende en raakte zijn vijand goed genoeg dat hij stervend op de grond viel. De deur werd met een ruk dichtgetrokken en een slot klikte luid.

The A-Team jengelde onophoudelijk en onverbiddelijk door.

Eric bleef staan en schoot de nog resterende zes kogels op de gedaantewisselaar af, ongeacht het mobieltje dat hij daarbij zou kunnen beschadigen.

De jakhals zakte in elkaar, lag stuiptrekkend op de grond en richtte zich nog één keer in zijn doodsstrijd op. Het zilver dat in zijn lijf huishield, verbrandde hem van binnenuit.

Eric stak de Glock achter zijn broekriem, rukte het bekraste mobieltje uit de bek en drukte buiten adem op het groene knopje. Zijn arm deed ontzettend pijn door de rake klap met de gummiknuppel.

'Ik heb opgenomen, Upuaut,' hijgde hij, terwijl hij met één hand het magazijn van de Sig Sauer wisselde en naar de deur liep waarachter zich nog iemand moest bevinden. 'Laat mijn vader met rust, dan geef ik je een voorsprong.'

'Ben je nog steeds in leven?' De stem klonk verbaasd. 'Ik dacht dat mijn dochter je wel uit de weg had geruimd.'

'De danseres?'

'Ja.' De vrouw zweeg, alsof ze bang was voor het antwoord op de vraag die ze nu onvermijdelijk moest stellen. 'En...?'

'Wat denk je?'

Eric meende te horen dat ze naar lucht hapte; één kwellend lang moment heerste er een onpeilbaar diep zwijgen.

'Upuaut? Geef me mijn vader...'

'Ik heb iets anders bedacht,' fluisterde de stem geheimzinnig. Eric hoorde een reeks doffe klappen. 'Jullie zullen beiden...'

Achteloos liet hij de telefoon vallen, trok de Glock en wierp zich met een noodgang tegen de deur. Krakend werd het slot losgerukt en tuimelde hij de daarachter liggende kamer in... en schoot op alles wat leefde en niet het gezicht van zijn vader bezat.

In de regen van kogels stierven de laatste gasten. Hun ingewanden werden over de muren achter hen verspreid en besmeurden de Perzische tapijten, de beeldjes op het dressoir en de boeken.

De enige vrouw in de kamer liet haar mobieltje vallen en was zo slim om Erics aan een stoel vastgebonden vader als dekking te gebruiken.

Uit zijn zwaar mishandelde hoofd sijpelde heel wat bloed dat onder en over zijn kleding liep en via zijn vastgebonden handen op de donkere, houten vloer druppelde. 'Doe dat wapen weg!' riep ze. 'Anders sla ik hem dood.'

Hij had Upuaut gevonden. Ze zag eruit als een oudere versie van de danseres die neergeschoten in de kamer ernaast lag. Ze droeg een donkergeel broekpak met Egyptische ornamenten. 'Sinds wanneer zijn goden schijterig?' tergde Eric haar terwijl hij diep door zijn knieën zakte. Hij richtte langs de benen van zijn vader onder de stoel door op haar knie die hij duidelijk kon zien.

'Alleen als hun tegenstanders in het voordeel zijn,' kaatste ze de bal terug. 'Je hebt je altijd veilig gewaand, von Kastell. Maar nu is de oorlog die je mijn volk hebt verklaard naar jou toe gekomen!'

Zijn wijsvinger bewoog zich langzaam naar achteren, zocht het drukpunt van de P9. 'Jouw volk voert al heel lang oorlog. Maar er is iemand die er een eind aan kan maken.'

'En jij voelt je daarvoor uitverkoren?'

'Noem het familietraditie.' Hij ademde diep in en concentreerde zich op het riskante schot.

'Jij en je o zo sluwe vader hebben mij uitgedaagd... mij, Upuaut, een van de prominenten onder de machtigen! Dat is zelfs voor de von Kastells te hoog gegrepen. Je beschouwt jezelf als ontzettend slim en goed geïnformeerd.' Ze gromde. 'Maar je wist niet eens dat ik een vrouw was!'

'Ik wist ook niet dat je een dochter had. Of zou ik moeten zeggen: hebt gehad? Zonde. Onder andere omstandigheden was ik graag een keer met haar uit eten gegaan.' Eric haalde de trekker over. De Glaserkogel vloog op zijn doel af...

... maar het liep anders dan hij had verwacht. Upuaut veerde hoog op, gooide de stoel om, en het projectiel boorde zich in de schouder van Erics vader... en begon zijn vernietigende werk.

De vrouw sprong op hem af met haar door het bloed van zijn vader roodgekleurde handen gericht op zijn keel. Eric schoot op haar, miste en werd door de kracht van haar aanval naar achteren gesmeten. Ze braken door twee glazen vitrines heen en rondom hen regende het glassplinters en oud-Egyptische sieraden. Upuaut hurkte op hem neer terwijl ze met één hand zijn keel had vastgepakt en met de andere in de chaos naar een sierdolk zocht... die ze recht in Erics schouder ramde.

Schreeuwend drukte hij de P9 midden in het gezicht van de vrouw.

Op hetzelfde moment zag hij dat de slede van het wapen onbeweeglijk in zijn achterste positie bleef hangen en nieuwe munitie wilde hebben. Het magazijn was leeg!

Grommend stak ze nog een keer toe en raakte hem vlak naast zijn hart. 'Je hebt mijn dochter van me afgenomen!' brulde ze en ze probeerde naar zijn keel te happen.

Eric liet de waardeloze P9 vallen. Panisch tastte hij in het rond, kreeg een lange glasscherf te pakken en ramde die in Upuauts geopende mond. De vrouw deinsde jankend en met opengesneden wangen achteruit. Dat moment duurde voor Eric lang genoeg om de arm met de Glock op te tillen en de loop op haar hoofd te richten. Hij drukte af... en de zilveren kogel bracht Upuaut de dood. Merkwaardig stram viel ze naar links van hem af en bleef daar liggen. Zonder het oprichten in volle lengte, zonder stuiptrekkingen.

Dood.

Eric bekommerde zich niet om zijn verwondingen maar kwam overeind. Glassplinters vielen rinkelend op de grond. Hij schoof op zijn knieën naar zijn vader, hoewel hij geen greintje hoop koesterde dat hij nog in leven was. Glaser-munitie deed zijn werk grondig.

Wonderen en uitzonderingen bestonden niet. Na tweeënvijftig jaar stierf Johann von Kastell zonder beloning en erkenning voor wat hij had gedaan en zonder een woord van afscheid voor zijn zoon.

Een traan rolde over Erics stoppelige wang. Schichtig raakte hij het met bloed besmeurde gezicht van de dode aan. Telkens weer hadden ze er met elkaar over gesproken dat het een van hen op een dag kon overkomen. Maar niet zo. Niet zo! Dat ondier had hem ertoe gebracht zijn eigen vader neer te schieten.

'Verdomme, papa. Verdomme,' fluisterde hij geschokt. Zijn vader was dood, zijn mentor. De man die hem jarenlang had opgeleid in de kunst van het vechten en hem alle nodige kennis had bijgebracht, was het slachtoffer van zijn eigen leerling geworden.

Eric veegde met zijn mouw het snot onder zijn neus weg. Zijn vochtige, lichtbruine ogen dwaalden naar Upuaut die eruitzag als een volstrekt normale dode. Evenals de andere lijken. Voor negenennegentig procent van de mensheid bestonden er geen gedaantewisselaars. Ook niet voor de politie. En daarom vermande hij zich. Vanaf dat moment ging Plan B in werking, hoe zwaar het hem ook viel zijn vader te moeten achterlaten. Ze hadden tot in de details besproken wat er moest gebeuren wanneer een van hen bij de jacht omkwam. En dat was precies wat hij nu moest doen. Treuren kon hij wel later thuis in een veilige omgeving.

Eric hees zichzelf overeind, streek zijn vader nog een keer over zijn wang... en vertrok.

In het eerste het beste toilet dat hij kon vinden, waste hij zijn handschoenen schoon. Lak was voortreffelijk materiaal. Daarna liep hij de trap af, trok de beide bodyguards naar binnen en liquideerde ze met een paar slecht gerichte schoten. De een drukte hij zijn Bernadelli in de handen, de andere zijn Glock en de opnieuw geladen P9, haalde twee keer de trekker over zodat de technische recherche de bijpassende kruitsporen zou vinden, en verliet het huis. De politie zou waarschijnlijk vreemd opkijken van de ongebruikelijke kogels. Maar dat was niet zijn probleem.

Eric reed weg, ademde diep en regelmatig in en uit. Daarna belde hij de politie en gaf hun, zeer overtuigend de bezorgde zoon spelend, de tip dat Johann von Kastell in de handen van ontvoerders was gevallen en de overdracht van het losgeld was mislukt.

De agent schakelde hem onmiddellijk door. Het was alsof ze op hem hadden zitten wachten. 'Mijn naam is Breitwangler, recherche Beieren. Het spijt me, meneer von Kastell... we hebben nóg een akelige mededeling voor u,' zei de rechercheur. Aan zijn stem was te horen dat hij het niet prettig vond om dit gesprek te voeren.

'Nog akeliger?' vroeg Eric zuur. Hij hoorde gefluister op de achtergrond.

'Wilt u alstublieft langskomen? We willen het u graag persoonlijk vertellen en met u praten.'

'Vertel het me nu maar, meneer Breitwangler.'

Korte stilte. 'Meneer von Kastell, wat doet u op dit moment? Zit u aan het stuur van een voertuig? Als dat zo is, dan...'

'Ik kan het wel aan. Luister, mijn vader is ontvoerd en ik vrees voor zijn leven. Wat kan er nog erger zijn? Dus zegt u me nu maar gewoon wat er aan de hand is!'

'Meneer von Kastell, we hebben hier uitstekende psychologische begeleiding in huis die u...'

'Verdomme, vertel op!' riep hij. Zijn vingers klemden zich om het stuur van de Cayenne.

‘Het huis van uw familie... Er hebben volgens de buren meerdere explosies plaatsgevonden, maar alles wijst erop dat het niet om een ongeval gaat.’

‘Bommen?’

‘Daar kan ik nu nog niets over zeggen.’ De man schraapte ongemakkelijk zijn keel. ‘Vertel eens, had uw vader vijanden?’

‘Geen idee. Ik... ik laat nog van me horen.’ Eric verbrak de verbinding.

Had hij *ja, wel honderden* moeten zeggen?

III

24 december 1764, het dorp Chaulhac, Zuid-Frankrijk

De toppen van de drie bergen, de Mont Mouchet, de Mont Grand en de Mont Chauvet, waren getooid met ijzige kronen. Sneeuw lag overal op de verlaten grasvlaktes en berghellingen van de Gévaudan. Ook de dichte berken- en beukenbossen waren met een witte deken toegedekt die na een korte herfst onverbiddelijk uit de wolken was neergedaald. Meedogenloze stormen joegen de vlokken met zo'n kracht voort dat het pijn aan je gezicht deed. De bewoners van de streek werden gedwongen de beschutting van hun huizen op te zoeken. De robuuste gebouwen van grijze granietstenen waren bestand tegen de zware last en boden bescherming in tweeërlei opzicht. Want ook zonder sneeuw waagde bijna niemand zich ver buiten het dorp. De dood waarde rond. Ze sloop op vier poten door de Gévaudan, deed zich op beestachtige wijze te goed aan vrouwen en kinderen. Niemand had haar tot nu toe een halt kunnen toeroepen. Alleen in grote groepen of achter een stevige deur kon men haar van het lijf houden.

Jean Chastel zat vlak bij de deur van de kleine herberg. Voor hem stond een houten kom met hete soep die zo dun was dat hij langs de paar taaie stukken schapenvlees de bodem kon zien. Hij dronk er een warme kruidenwijn bij om de kou uit zijn lijf te verdrijven die na een voettocht van vier uur tot in zijn botten was gekropen. Zijn dikke koetsiersmantel, sjaal en driesteek had hij naast de haardstee gehangen om te drogen.

Hoewel de gelagkamer bijna tot op de laatste plaats was bezet, kwam er niemand bij de wildschut zitten aan wiens tafel de twee laatste onbezette stoelen stonden. Hij was een Chastel, de oudste van een familie die ooit een goede naam had gehad. Maar die tijd was allang voorbij. Jean stond algemeen bekend als zonderling omdat hij teruggetrokken in het dorpje La Besseyre-Saint-Mary woonde en er geen geheim van maakte dat hij niet veel met andere mensen op had.

Over Antoine, die zich diep in het bos in zijn hut verschool, deden allerlei vervelende geruchten de ronde. Jean kon echter niet ontkennen dat zijn jongste zoon na zijn verblijf in Tunesië inderdaad was veranderd. Antoine vertelde er nooit wat over, noch over zijn belevenissen, noch over de redenen waarom hij was teruggekeerd, maar Jean had vanaf het allereerste moment van hun hereniging gevoeld dat zijn zoon was veranderd. Hij was een gesloten, geheimzinnige man geworden die in het dorp belachelijk werd gemaakt omdat hij met dieren zou praten.

Pierre had in vergelijking daarmee geluk. Hij woonde in Besset, werkte daar als wildschut, een baan die hij met Antoine deelde, en werd beschouwd als gemakkelijk in de omgang. Ten minste eentje in het gezin die daarop kon bogen.

De deur werd opengeduwd. De ijzige wind joeg twee dragonders de herberg binnen die onder de dikke sneeuwlaag nauwelijks nog als soldaten herkenbaar waren. Onmiddellijk werd het stiller in de gelagkamer.

Terwijl ze de winter vervloekten, liepen ze regelrecht op Jeans tafel af en gooiden hun schoudermantels naar de toegesnelde herbergier. Daaronder kwamen de blauwe, pompeus afgewerkte uniformjassen tevoorschijn met hun glinsterende versierselen, insignes en knopen. Ze droegen allebei een sabel en in hun gordel een pistool, en hun grote musketten hielden ze in de hand. Op eenvoudige boeren of jonge meiden zouden ze beslist indruk maken.

Ze gingen zonder te vragen zitten, namen hun hoeden af, zetten de musketten tegen de muur en eisten op luidruchtige toon een maaltijd. Het waren potige, sterke kerels, net de twintig gepasseerd, ongeschoren, en ze roken naar brandewijn hoewel ze in de herberg nog geen slok hadden gedronken.

'Vrolijk kerstfeest. Met alle genoegen kunt u hier gaan zitten,' zei de wildschut zonder hen aan te kijken. 'Maar zodra mijn beide zoons binnenkomen, zou ik u willen vragen een andere tafel te zoeken.'

De dragonders wisselden een geamuseerde blik. 'Wij dienen onder kapitein Duhamel. Als híj ons beveelt op te staan, doen we dat,' antwoordde een van hen neerbuigend. 'Anders niet.'

'Heeft de koning jullie niet bevolen die wolf neer te schieten?' antwoordde Jean onbewogen en hij lepelde zijn soep verder op. 'Daar jullie hier doodgemoedereerd zitten, schijnen jullie hem te hebben gevonden en gedood.'

De soldaat aan zijn rechterkant leunde naar voren en keek samenzweerderig om zich heen. 'Het is geen wolf. Zelfs de kapitein denkt ondertussen...' Een stoot in zijn ribben van zijn kameraad bracht hem tot zwijgen.

'Wat moet het anders zijn? Geloven jullie die verhalen over het Beest dan?' vroeg Jean. Het kostte hem nu moeite om zijn kalmte te bewaren.

'Ik wel, monsieur Chastel!' Een man aan de tafel ernaast, die aan zijn kleding te zien tot de entourage van een edelman uit de streek behoorde, mengde zich in het gesprek. 'Sinds de zomer zijn er al elf mensen en talloze stuks vee doodgebeten. En ik ken geen wolf die zelfs ook maar bij benadering op het Beest lijkt. Ik heb in oktober oog in oog met dat ondier gestaan, amper tien pas van mijn vriend en mij vandaan dook het op. Zo groot als een kalf, en met een roodbruine vacht, klauwen met nagels waar een beer bang van zou worden. We hadden onze geweren bij ons en waren op jacht voor de markies d'Apcher. We legden aan, het Beest viel na het schot neer maar stond daarna gewoon weer op! We vuurden een tweede keer, en weer kwam het Beest overeind en rende het bos in.'

'Dan zullen jullie schoten niet goed raak zijn geweest,' zei Jean terwijl hij een slok van zijn kruidenwijn nam. Het beviel hem niet dat er zoveel over het Beest werd gekletst.

'Ik ben een jager en een goede schutter! We hebben het Beest alles bij elkaar zes kogels gegeven, monsieur Chastel. Zes!' De man was beledigd. 'Het liet een bloedspoor achter van hier tot gunter. En toch was het Beest sneller dan wij toen we de achtervolging inzetten.' Hij haalde een keer diep adem en keek naar het geboeide gezicht van zijn buurman. 'Dat kreng heeft het overleefd.'

'Een gewonde wolf kan vals worden,' legde Jean uit. 'Die bijt alles dood wat hij tegenkomt...'

De man sloeg met zijn vuist op tafel en zijn ogen schoten vuur. 'Het wás geen wolf!'

'Hebt u gehoord over dat kleine meisje in Rieutort, messieurs?' vroeg de herbergier toen hij het eten voor de dragonders bracht. 'Ze kwam alleen van de veeweiden en haar moeder stond al aan de rand van het dorp op de uitkijk. Ze had geen tweehonderd pas meer hoeven lopen. Maar toen sloeg het Beest toe. Voor de ogen van de moeder en twee broertjes werd het meisje verscheurd. Wat er nog van haar over was, was nauwelijks meer te herkennen.' Hij wees naar zijn buik. 'Opengereten, van onder tot boven. De hoofdhuid was losgerukt en over het gezicht heen getrokken. Verschrikkelijk, verschrikkelijk! Geen wonder dat er achtendertighonderd livre als beloning is uitgeloofd.'

'En nu ophouden! Zulk geleuter is de werkelijke reden dat dat dier zo machtig is,' snauwde Jean tegen de herbergier. 'De mensen zijn al bang genoeg voor die wolf. Je kunt me beter nog een kruidenwijn brengen.'

Nu verscheen er ineens een triomfantelijke glimlach op het gezicht van de waard. 'Een wolf? Nee, Chastel. Aan de oever van een beek in de buurt zijn sporen gevonden. Ze deden dénken aan die van een wolf, maar toch waren ze anders. De hielen stonden veel verder naar voren en waren plat. En je zag duidelijke sporen van nagels. Jij bent toch wildschut? Vertel mij dan maar eens hoe dat kan.'

Jean keek naar zijn restje soep. 'Je bent vergeten smaak aan de soep toe te voegen. Je had me net zo goed heet water kunnen geven.'

'Mij leid je niet om de tuin met je geouwehoer.' De herbergier bleef staan. 'Wat is dat voor dier, Chastel?' Hij glimlachte uitdagend. 'Weet je het antwoord niet? Dus jij gelooft ook niet dat het een wolf is! We hebben vierenzeventig van die grijspelzen omgelegd, en nog steeds doodt dat Beest mensen en dieren.' Hij liet zijn stem zakken. 'Ze zeggen dat je het kind van een heks bent. Heeft je moeder je soms geleerd welke boze geesten er bestaan die er als het Beest uitzien?'

'Ik zal je zeggen wat ik denk. Wie die sporen heeft gelezen, heeft zich vergist, en jullie hebben de juiste wolf nog steeds niet gevonden. Het gaat vast om een solitair die door zijn roedel gemeden wordt. Waarschijnlijk is het een dominant mannetje dat zich niet aan de nieuwe leider van de troep wilde onderwerpen. Hij is uitgestoten en nu leeft hij zijn woede daarover op ons uit,' antwoordde Jean en hij wendde zich toen weer tot de twee dragonders. 'Zijn jullie hiervoor ooit op wolvenjacht geweest?' Ze schudden hun hoofden. 'Kapitein Duhamel is hier met zeventien cavaleristen en veertig man voetvolk, en daarmee wil hij onze bossen, vlaktes en bergen helemaal afzoeken? Dat is een gebied van honderden vierkante mijl. De Gévaudan zal hem uitlachen! De mist hier zal hem in de war brengen en ze zal hem in haar bossen laten verdwalen, hem naar zompgaten leiden en tussen de bremstruiken en het kreupelhout in rondjes laten lopen, maar het zal jullie nooit lukken die wolf te vangen. Niet op die manier.' Woedend stond hij op, liep naar de schouw en trok snel zijn jas aan. 'Jullie mogen dan oorlog voeren, maar dit hier is geen werk voor een handjevol brandewijn zuipende soldaten. Jullie zullen met die uit de omgeving opgetrommelde drijvers de velden vertrappen en de schamele oogsten van de mensen in gevaar brengen, anders niet.' Hij wierp een paar munten op tafel.

'Vang jij dat Beest dan, Chastel!' riep de herbergier honend. 'Of vraag het anders aan je zoon. Die leeft toch al als een wilde. Die zal hem zeker begrijpen. Misschien heeft dat Beest wel iets tegen hem of die verdomde honden van hem gezegd.'

'Hou je bek,' antwoordde Jean dreigend en machteloos tegelijk.

De gasten begonnen samenzweerderig met elkaar te fluisteren. Onverwachts had een nieuw gerucht het levenslicht gezien. 'Of heb jíj soms wat met hem te maken?' riep een man. 'Je bent de laatste tijd wel erg veel op pad in de omgeving, heb ik gehoord, Chastel.'

'Jullie kletsen maar een eind weg.' Jean hing zijn musket om, liep met grote passen naar de deur en duwde die open. 'We zullen wel zien wie hem omlegt.' Hij wikkelde zijn sjaal om zijn nek, trok die over zijn mond en neus, sloeg de leren kraag van zijn jas op, zette de driesteek op zijn witte haardos en liep toen naar buiten. Het twistgesprek had een te gevaarlijke wending genomen.

De sneeuwstorm was wat gaan liggen, maar in de nachtelijke hoofdstraat van Chaulhac was nog steeds geen mens te bekennen. Jean stak over en leunde tegen de ruwe granieten muur van een huis om op zijn zoons te wachten. Twijfel knaagde aan hem en sinds juni maakte zijn geweten een hel van zijn leven. Want in juni was het Beest in zijn geboortestreek opgedoken.

In de buurt van Langogne was een jonge koeienherderin door dat ondier aangevallen, maar de stieren in de kudde hadden zich verdedigend voor haar opgesteld. Hun lange hoorns beschermden de vrouw tegen een tweede, dodelijke aanval en zo ontsnapte de herderin aan het Beest. Haar kleren waren aan flarden gescheurd en ze had een lelijke krab opgelopen, maar ze bracht het er levend af.

Na haar omschrijving van het dier was Jean er vast van overtuigd dat hij samen met zijn zoons het Beest naar de Gévaudan had gelokt. Het was een vrouwtje, dat stond vast. Toen ze zich – met Pierre in haar klauwen – voor hem had opgericht, viel er niets te zien wat op een mannetje zou kunnen duiden. Voor Jean was het zo klaar als een klontje: ze nam wraak voor de dood van haar metgezel in de streek waar zijn moordenaars woonden. En haar wraak was verschrikkelijk.

Hij was bang dat de waarheid – dat hij samen met zijn zoons verantwoordelijk was voor de dodelijke slachtoffers – door een toeval aan het licht zou komen. Een eerste teken daarvan had hij zojuist in de herberg gekregen. Om erger te voorkomen en vooral niet de haat van de mensen ten aanzien van hemzelf en zijn niet bepaald populaire zoons aan te wakkeren, kon hij nog maar één ding doen: tegenover de mensen het bestaan van het Beest ontkennen en het tegelijkertijd in het geheim zo snel mogelijk een kopje kleiner maken. Daarom was hij voortdurend met zijn zoons op pad, koortsachtig op zoek naar het wezen. Het was waar dat hij, Jean, mensen uit de weg ging, maar hij wenste hun, op een enkele uitzondering na, niet de dood toe. Niet deze wrede dood.

Vandaag had hij de wolvenklem in de buurt van het dorp nagekeken en er niets anders dan een spartelende vos in gevonden die hij met zijn jachtdolk de keel had doorgesneden en gevild. Het vlees, de ingewanden en het bloed had hij rond het aas verspreid om het Beest te lokken. Antoine en Pierre keken nu de andere vallen in de omgeving na en zouden hem in Chaulhac weer ontmoeten.

Twee gedaantes liepen in het maanlicht door de straat op hem af. De langste van de twee droeg iets in zijn armen. Hun musketten hingen op hun rug.

'Pierre? Antoine? Zijn jullie dat?' Hij herkende de gezichten achter de opgezette kragen pas toen ze vlak voor hem stonden. Maar hij had het bloed al gezien dat als zwarte vlekken en spetters op hun kleren zat. De bundel die de naar adem snakkende Pierre in zijn armen droeg, liet de soep tot in Jeans keel opstijgen.

'Het Beest heeft een kerstcadeautje voor Chaulhac achtergelaten,' zei Antoine nauwelijks aangedaan. Hij draaide de overblijfselen van de jongen op zo'n manier om dat zijn vader ze beter kon zien. De buik was opengereten en er sijpelde warm dampend vocht uit. De organen waren aangevreten, van de keel ontbrak een flink stuk, en het gezicht van de jongen bestond alleen nog uit bloederige lappen vlees. Op zijn armen en benen leek echter geen enkele bijtwond te zitten. Kennelijk had het Beest de knaap zo volkomen verrast dat hij geen verzet had kunnen bieden.

Jean moest overgeven, zijn maaltijd belandde met een kledder op de besneeuwde straat.

'We waren te laat,' vertelde Antoine met een kalme stem. 'Ik heb hem nog geen halve mijl vanhier in het open veld gevonden. Om hem heen lag rijshout dat hij waarschijnlijk had gesprokkeld. Niet lang daarna kwam Pierre en zijn we teruggelopen naar het dorp om jou te halen en hem naar zijn ouders te brengen.'

'Zijn jullie gek geworden?' Jean keek gehaast om zich heen. De toespelingen in het gesprek van zo-even herinnerde hij zich nog maar al te goed. Gelukkig had niemand de drie Chastels tot nu toe opgemerkt. 'Wat denk je wel dat de Chaulhaciens zullen zeggen als ze ons hier zo op straat zien? Met die dode jongen?'

'Wat? Dat het Beest heeft toegeslagen?' Antoine was nog steeds kalm, zijn groene ogen keken gefascineerd naar het lijk.

Jean pakte Pierre bij zijn arm vast en trok hem de hoek om in het donker. 'Misschien. Maar misschien geven ze in hun wanhoop míj de schuld. Daarbinnen zitten een stelletje idioten en twee dragonders van Duhamel die het wel zou bevallen om aan hun kapitein een vermoedelijke moordenaar voor te geleiden.' Hij dacht ingespannen na. 'We brengen die jongen weer terug naar waar jullie hem hebben aangetroffen,' besloot hij. Het was beter om ver uit de buurt van Chaulhac te zijn als de jongen weer werd gevonden. 'En dan volgen we het spoor van het Beest. Ze kan niet al te ver weg zijn.'

Ineens zakte Pierre door zijn knieën tegen de muur en gleed in de sneeuw. Pas nu leek de afschuwelijke aanblik tot hem door te dringen. Hij kon het niet laten om naar het verscheurde lichaam van de jongen te staren, en naar zijn eigen bloederige handschoenen en leren jas waar de met elkaar vermengde lichaamsvochten vanaf dropen in de maagdelijke sneeuw.

Zijn broer Antoine toonde nog steeds geen enkele emotie. 'Sta op, oud wijf.' Toen Pierre niet reageerde, rukte hij het lijk uit Pierres handen. 'Kom overeind. Je hebt gehoord wat vader zei.'

Jean hielp Pierre overeind en wreef zijn bleke gezicht met ijskoude sneeuw in zodat zijn verstand weer uit de gevangenis van de schrik werd losgerukt. 'Je redt het wel,' zei hij met klem tegen Pierre. 'Raap jezelf bij elkaar.' Zijn bruine ogen dwaalden naar zijn jongste zoon die hij net betrapte terwijl hij aan het verminkte lichaam snuffelde.

Antoine glimlachte verontschuldigend. 'Ik had niet gedacht dat een mens bijna net zo ruikt als een geslacht zwijn,' probeerde hij zijn gedrag te verklaren terwijl hij snel zijn hoofd omdraaide. 'Wil je even kijken of de kust veilig is?'

De wildschut ging hun voor en vroeg zich verontrust af waar die abnormale belangstelling van zijn zoon voor het lijk vandaan kwam. Het was waar dat Antoine zich sinds zijn verblijf in den vreemde eigenaardig gedroeg. Maar snuffelen aan lijken had daar tot nu toe nog niet bij gehoord.

Jean wist dat Antoine meer dan normaal op kinderen was gesteld. Hij liep als een idioot achter de meisjes aan, soms zelfs achter jongens, en sloeg ze stiekem gade. En ook jonge vrouwen moesten zich tegen zijn opdringerigheid verweren. De kleine Marie Deny, een jong meisje uit Septsol, dat Jean vanwege haar vriendelijke karakter in zijn hart had gesloten, was bang voor Antoine. Ze kwam graag bij Jean, in zijn huis in Besseyre, en vond het leuk om toe te kijken terwijl hij houten figuurtjes sneed of met hem mee te gaan op zijn rondes door het bos. Hij genoot van het samenzijn met het meisje dat hem als een grootvader beschouwde, en was blij met het vertrouwen dat Maries ouders hem schonken. Een lichtpuntje. Maar als ze Antoine tegenkwamen, verstopte het meisje zich altijd voor zijn zoon en zijn honden.

Wat had Antoine gemaakt tot wat hij nu was? Toen Jean aan de dorpspastoor had gevraagd naar het *waarom* daarvan, had deze geantwoord dat het een beproeving des Heren was waaruit hij en zijn gezin gesterkt tevoorschijn zouden komen. Sindsdien wilde Jean niets meer van de Heer weten, die hem telkens weer zonder reden liet lijden. Dat hij zich van het geloof had afgewend, maakte hem bij de mensen ook niet populairder. In de herberg was dat wel weer duidelijk geworden.

Hij verdrong de gedachten daaraan. 'Kom mee,' zei hij zachtjes en hij daalde snel door de straat af die hen buiten Chaulhac zou brengen. Het begon weer te sneeuwen.

Ze renden zo hard mogelijk. Pas toen ze de weinige verlichting van het dorp achter zich hadden gelaten, haalde Jean opgelucht adem. Nu kon er niet al te veel meer gebeuren. Niemand had hen samen met de dode jongen gezien.

'We moeten hierlangs.' Antoine haalde zijn vader in en leidde hem naar de plek in het veld waar hij en Pierre hun huiveringwekkende ontdekking hadden gedaan. Hij keek onderweg niet eenmaal naar de grond om naar sporen te zoeken. Kennelijk stond de weg in zijn geheugen gegrift.

Toen ze daar aankwamen, legde hij het lijk van de jongen in een uitholling en keek in gedachten verzonken naar de vlokken die op het ondertussen afgekoelde lichaam bleven liggen en hem van een fijne deken voorzagen. Binnen een uur zou er niets meer van hem te zien zijn dan een heuveltje op het veld. Gelukkig zouden ook hun eigen voetstappen en het bloed al snel onherkenbaar zijn.

'Kom mee. We hebben geen tijd te verliezen.' De sneeuw dwong de jagers haast te maken. Jean herkende de pootafdrukken van het Beest nog net goed genoeg om ze in het nabijgelegen bos te kunnen volgen. Zijn zonen flankeerden hem met gespannen muskethanen, gereed om op het Beest te schieten. Maar het werd de ervaren wildschut al snel duidelijk dat ze zich een zoektocht konden besparen. De sneeuw viel in zulke dichte vlokken dat de sporen werden uitgewist.

'Keren we naar Chaulhac terug?' vroeg Antoine gapend. 'Het is al erg laat, ik heb het stervenskoud en het Beest vertoont zich heus niet meer. Ik kan de sporen bijna niet meer zien. We hadden Surtout moeten meenemen. Hij had haar kunnen opsporen.'

'Die hond blijft in Ténazeyre, bij de rest van de meute,' reageerde Jean kortaf. 'De mensen kletsen al genoeg over ons.'

Pierre zag er niet minder uitgeput uit, maar zijn bruine ogen keken vastberaden boven zijn met ijspegels bedekte sjaal uit. Hij wendde zich tot zijn vader en zei: 'We zitten haar dicht op de hielen. Je wilt toch niet dat er morgen of overmorgen nog meer slachtoffers vallen? Het is de dag van de geboorte des Heren. We zouden dat met de dood van een duivel kunnen vieren!'

Jean gaf hem een klap op zijn schouder. 'Laten we er nu maar mee ophouden. Je broer heeft gelijk, het levert niks op. En wie weet waar de moorden van dat schepsel ons morgen weer zullen brengen.' Hij liep naar de rand van het bos om te kijken of hij ergens licht zag dat tussen het vallende wit door schemerde. Dat zou hen de weg naar een hoeve wijzen waar ze bij dit weer wel zouden mogen overnachten. Terug naar het dorp wilde hij niet meer.

Pierre stapte ijlings door de sneeuw en versperde hem de weg. 'Vader, het is onze plicht!' riep hij met kracht en hij rukte zijn sjaal af. 'Wíj zijn er verantwoordelijk voor dat het Beest onder de mensen huishoudt. De Heiland zal ons op de dag van het laatste oordeel nog harder straffen als we niet alles op alles zetten om onze schuld te delgen.'

Jean reageerde er niet op. In plaats daarvan wees hij naar een fel licht tussen de gestaag neervallende sneeuw en zette zich aan het hoofd van hun kleine troep in beweging. Er werd niet meer gediscussieerd. Antoine zuchtte van opluchting. Hij ontspande voorzichtig de haan van zijn musket, passeerde zijn broer en liep zijn vader achterna.

Woedend gaf Pierre een trap tegen de sneeuw. 'Vrolijk kerstfeest, Beest,' mompelde hij met zijn hoofd in de richting van het dichte kreupelhout. 'Mijn vader heeft je zo-even genade verleend.' Hij sjokte achter de andere twee mannen aan en had het gevoel dat de twee rode, felgloeiende ogen van hun grootste vijand zich vanuit de beschutting van de struiken in zijn rug boorden. Pierre huiverde en keek nog een laatste keer achterom. Maar in deze sneeuwjacht kon hij niets meer zien.

IV

München, 11 november 2004, 10.59 uur

Eric keek aandachtig naar het schilderij aan de muur naast de zwaar gecapitonneerde deur. Het was een reproductie van Caravaggio's *Valsspelers*: drie kaartspelende dandy's, van wie twee samenspannen om de derde te plukken. Hij vond het merkwaardig dat een curator uitgerekend dit werk van een van de invloedrijkste schilders van de Italiaanse barok in zijn kantoor had opgehangen. Diende het als waarschuwing voor de erfgenamen?

Hij zakte nog dieper weg in zijn stoel, die hij met de rug naar een grote boekenkast had geschoven. Op die manier kon hij tegelijkertijd beide deuren en het raam in de gaten houden. De witte, lakleren jas had hij in overeenstemming met de rouwrituelen omgeruild voor een zwarte, geklede overjas. Leren broek, laarzen en een zwarte trui maakten hem in de donkere kussens bijna onzichtbaar.

In diezelfde kleren had hij een week geleden bij het graf gestaan. Johann von Kastell lag nu zeven dagen onder de aarde. Zijn as rustte op het Waldfriedhof in München, de bijzetting had in kleine kring plaatsgevonden. Eerlijk gezegd had Eric niet eens een kring kunnen samenstellen, maar het was nu eenmaal de nette omschrijving voor een eenzaam leven en een eenzame begrafenis.

Nou ja, er waren wel een paar mensen geweest. Hij had er alleen van afgezien om een overlijdensadvertentie in de krant te zetten of kaarten voor de begrafenis rond te sturen. Daarom hadden bij het familiegraf ook geen onvermijdelijke verre verwanten gestaan, noch familie van zijn moederskant die voor de vorm om een vrouw zouden wenen die ze nooit echt hadden gekend. Johann von Kastell had de kouwe kant zo nu en dan met wat geld gesteund en hun op feestdagen cadeautjes gestuurd. Meer niet. Hij had van zijn vrouw gehouden, maar niet van haar ouders, tantes, ooms, neven en nichten.

Van de familie von Kastell leefde niemand meer. Eric was sinds de nacht van Allerheiligen de laatste die het gevaarlijke werk deed waar nu acuut een einde aan dreigde te komen. Aan zijn *erfgoed*. Of minstens het belangrijkste deel daarvan. Om over de rest geïnformeerd te worden zat hij nu in het kantoor van de curator.

Het liefst was hij weer vertrokken, want dit wachten was een crime voor hem. Daardoor kregen gedachten de kans om door de muur te dringen die hij zo netjes om zich heen had opgetrokken. De pijn om het verlies van zijn vader, de onzekerheid over wie de villa had opgeblazen, de vraag hoe het nu verder moest.

Alles lag in puin: het huis, het laboratorium, zijn leven. Hij twijfelde er nu geen moment meer aan dat de prooi voor het eerst de jager met zijn eigen wapens had aangevallen en hem een zware klap toegebracht. Eric voelde zich nog steeds als verlamd, maar hij wist dat de jacht binnenkort opnieuw zou moeten worden geopend.

Hij vroeg zich telkens weer af waarom zijn vader alleen naar Upuaut was gegaan. Hij had zijn tijd als strijder aan de frontlinie allang achter zich gelaten, hij was de denker van het team geworden en had zich op het onderzoek geconcentreerd – op de wetenschap. Het idee van een geneesmiddel tegen de besmetting had zijn leven steeds meer beheerst. En Eric had het op zich genomen om in de rest van de wereld in actie te komen. Hij deelde het enthousiasme voor reageerbuisjes en medicijnen niet met zijn vader, maar hij had zich er wel in moeten verdiepen. Dat had zijn vader geëist. Maar helaas had hij dat niet genoeg gedaan... en nu zat hij met de gebakken peren.

Hij boog naar voren en drukte op de knop van de intercom die op het bureau van de curator stond. 'Wilt u zo vriendelijk zijn om mij een kop koffie te brengen, alstublieft?'... 'Met alle plezier, meneer von Kastell,' meldde de secretaresse zich. Ze deed hem denken aan Severina, ook al was ze zeker twintig jaar ouder. Maar dat zei bij vrouwen niet zoveel, zoals hij eerder al had mogen vaststellen. Het bleven tenslotte vrouwen en die hadden dezelfde behoefte aan liefde als een achttienjarige. Meestal wisten ze in vergelijking met die jonge meiden beter wat ze wilden. Eric grijnsde. Severina had ondertussen vast en zeker ontdekt dat niemand minder dan hijzelf de schepper van het schilderij was geweest dat ze samen hadden toegetakeld. Daarom had de galeriehouder ook zo afwachtend gereageerd. In de kranten stond de volgende dag te lezen dat de kunstenaar tijdens de opening opnieuw aan het schilderij had gewerkt. Het werd zowaar als nieuwe kunstvorm aangeprezen: *Abstract axpression*. Wat een gelul.

De secretaresse kwam na een klopje op de deur binnen. De stof van haar grijze jurk ritselde zachtjes. Ze wierp Eric een vriendelijke blik toe en zette de dampende koffie neer. 'Meneer Laurentis komt zo. Het kan niet lang meer duren,' paaide ze hem geroutineerd. 'Wilt u er een koekje bij? Of cognac?'

Hij vond haar parfum veel te sterk om nader kennis met haar te maken en hoopte dat ze snel weer verdween. Er bestond bijna niets ergers dan zoete bloemengeuren die in je neus bleven hangen en krampachtige pogingen deden om een zomergevoel te verspreiden, terwijl ze eigenlijk meer naar verhit geraakte gombeertjes stonken.

'Nee, dank u,' sloeg hij het aanbod glimlachend af. Ze had haar best gedaan en vriendelijkheid verdiend. Terwijl ze ritselend de deur uit liep, ving Eric haar laatste, overduidelijk te lange blik op. *Dezelfde behoefte*. Hij kon het niet laten om te grijnzen.

De koffie smaakte uitstekend. Hij dronk hem met weinig melk en een half theelepeltje suiker om de smaak volledig tot zijn recht te laten komen. Terwijl hij nog zat te genieten, waardoor zijn ongeduld volledig verdween, zwaaide de deur open en kwam Laurentis binnen. Een jaar of vijfenvijftig, slank, een pak in gedekte kleuren dat goed zat – voor zover Eric dat kon beoordelen – een kortgeschoren hoofd en een doordringende aftershave. Voor normale neuzen was het misschien een duur designluchtje, voor Eric rook het alleen maar scherp, te overdadig en te opdringerig.

'Goedendag, meneer von Kastell. Mijn oprechte deelneming.' Laurentis stak hem zijn hand toe.

Eric keek er even kritisch naar. Als hij hem zou schudden, zou hij die geur overnemen. Dat kon niet, en verontschuldigend tilde hij zijn koffiekopje op. 'Dank u, meneer Laurentis.'

De man ging achter zijn bureau zitten en legde zich neer bij de afgeslagen handdruk. 'Neemt u me niet kwalijk dat ik zo laat ben. Een andere opening van een testament verliep moeizamer dan verwacht.' Hij glimlachte schalks. 'Vrouw en minnares ontmoetten elkaar. Moet ik nog zeggen dat de bedrogen echtgenote niets wist van de tweede vrouw in het leven van mijn cliënt?' Hij bestelde ook koffie. 'Beginnen we meteen of wachten we nog een paar minuten?' Hij trok een lade van het bureau open en haalde er een in donker vilt gebonden map uit.

'Tot uw koffie er is?'

Laurentis lachte zachtjes, bescheiden en vol piëteit. Een te goed humeur was bij testamentopeningen niet gepast. 'Nee, meneer von Kastell. Tot uw zuster is gearriveerd. Haar vlucht uit Avignon heeft kennelijk vertraging.'

Erics wenkbrauwen schoten omhoog. 'Mijn wát?'

'Uw zús, meneer von Kastell.' De secretaresse kwam weer ruisend binnen en serveerde Laurentis de koffie.

Eric nieste, omdat haar gombeertjeslucht zijn neus weer in kroop en zijn reukzenuwen folterde. 'Zus,' zei hij zachtjes. 'Uit Avion.' Ook het herhalen hielp niet om de verbazing te verwerken.

'A-vig-non,' corrigeerde Laurentis behulpzaam. 'Wist u dat dan niet... Het spijt me, meneer von Kastell. Vandaag schijnt een dag vol verrassingen te zijn.' Toen keek hij op. 'Zo te zien zijn we nu compleet.' Eric draaide zich om. Door de geopende deur kwam een vrouw binnen met blond haar tot in de nek. Ze droeg een sportief zwart broekpak, platte gymschoenen en een handtas van reuzenformaat. Hij schatte haar op een jaar of vierentwintig.

'*Bonjour, messieurs,*' begroette ze hen enigszins buiten adem en ze plofte neer in de stoel naast Eric. '*Mon dieu, excusez-moi, je suis en retard, je sais. Malheureusement... Merde!*' Ze sloeg zich tegen het hoofd. '*Alors, je suis en Allemagne, n'est-ce pas?*' Ze schraapte haar keel. 'Het spijt me dat ik zo laat ben, mijne heren. Maar ik had onderweg panne. Die verdomde huurauto's.' Ze sprak met een sterk Frans accent en stak een sigaret op waarvan de scherpe walm de bloemetjes uit Erics neus ranselde. 'Uiteraard geen Franse auto. Met een oude Peugeot twee-nul-vijf zou dat niet zijn gebeurd. Die had ik zelf nog wel kunnen repareren.' Ze blies de rook naar het plafond, kruiste haar benen en keek brutaal in het rond. '*Allors, allez-y, je vous écoute.*'

Eric leunde langzaam naar voren om haar ongegeneerd van top tot teen te bekijken alsof hij voor een politieconfrontatie was uitgenodigd. Tot zijn schrik zag hij in haar verzorgde gezicht inderdaad een gelijkenis met zijn vader. En met hém, en dat lag niet alleen aan hun bijna identieke kapsel. 'En zij is...?' vroeg hij, voor zich uit kijkend.

'O, neem me niet kwalijk.' Ze rommelde in haar enorme handtas tot ze een identiteitspasje had gevonden dat ze aan de executeur-testamentair liet zien. 'Justine Marie Jeanne Chassart, de dochter van monsieur von Kastell. Mijn vader heeft mijn moeder geschreven dat hij alles had geregeld – u zou de betreffende documenten moeten kunnen tonen.'

'Uiteraard.' Laurentis pakte het identiteitspasje aan en noteerde de data en nummers.

'Wat bedoelt u met "uiteraard"? Dit gaat me allemaal een beetje te snel,' mengde Eric zich in het gesprek. Zijn verbazing had plaatsgemaakt voor woedende hulpeloosheid. 'Als u mijn zus bent, waarom weet ik dan niets van u af?' Hij keek haar aan met ogen die fonkelden van woede – hij kon het gewoon niet geloven. Zijn vader zou zijn geliefde moeder hebben bedrogen met een of andere Française? Dat relativeerde wel het beeld dat hij van hem had, het lichtende voorbeeld, het onbereikbare toonbeeld van trouw. Kennelijk was zijn ouweheer in het verleden net zo graag van bil gegaan als hij nu.

Haar bruine ogen keken geamuseerd. '*Mon frère*, dat komt omdat ik het product van een liaison ben.' Ze trok aan haar sigaret en blies de rook in zijn richting. 'Vader wilde niet dat het bekend werd... om verschillende redenen. En dus heeft hij er een geheimpje van gemaakt.' Met de sigaret tussen wijs- en middelvinger wees ze naar Laurentis. 'Maar het klopt allemaal, nietwaar?'

'Ja,' zei de advocaat. 'Uw rechten zijn notarieel vastgelegd.' Hij wendde zich tot Eric. 'Meneer von Kastell, ik zie dat het een schok voor u is om op deze manier over uw zuster...'

'Halfzuster,' onderbrak Eric hem onmiddellijk.

'*Mon dieu, quelle différence*,' mompelde ze kribbig. '*Sale arrogant*.'

'... over uw halfzuster te vernemen. Feit blijft dat ze de dochter van uw vader is.' Hij opende de map en haalde er een vel papier uit met een handschrift dat Eric als dat van zijn vader herkende. 'En hij heeft haar in zijn testament bedacht.' Laurentis nam een slok koffie voordat hij de laatste wil van Erics vader begon voor te lezen. 'Lieve Eric, lieve Justine. Jullie hebben elkaar nooit leren kennen, toch delen jullie het lot mijn kind te zijn. Hoe ik ook dood zal gaan, het mag jullie er niet van weerhouden om door te gaan met wat jullie nastreven. Mijn welgesteldheid zal jullie daarbij van pas komen.' Laurentis boog zijn hoofd naar links, naar Justine. 'Ik vermaak aan mijn geliefde dochter Justine één miljoen euro die in jaarlijkse termijnen van tweehonderdduizend euro op een Zwitserse bankrekening zullen worden overgemaakt. Justine, maak verstandig gebruik van dat geld.' Laurentis keek Eric aan. 'Lieve Eric, ik wil dat je weet dat ik altijd van je moeder heb gehouden. Jij kent' – de curator schraapte zijn keel – 'jij kent de lust, de macht van de drift, en daarom vraag ik je na mijn dood om vergeving. Tegenover je moeder kon ik het nooit toegeven. Het zou haar dood hebben betekend. Maar ik weet dat jij ermee kunt leven. Ik vermaak aan jou de rest van mijn vermogen ten bedrage van vijf miljoen euro, alle aandelen, de huizen in Ierland, Zuid-Frankrijk, Spanje en Sint Petersburg, de appartementen in Tokio, New York en Sydney en natuurlijk de villa in Duitsland.'

'Uiteráárd.' Eric vertrok zijn gezicht terwijl hij de zwartgeblakerde ruïne voor zich zag.

Justine staarde hem aan. '*Sacre merde!* Ik ben de dochter, monsieur. Ik heb recht op de helft, *pas seulement* die ene miljoen euro in termijnen!'

'Zegt u maar tegen haar dat ze een bak stront kan krijgen,' siste Eric tussen zijn tanden door; hij kon zich nauwelijks meer beheersen. Hij keek naar het schilderij aan de muur. De *Valsspelers* was werkelijk als waarschuwing voor de erfgenamen bedoeld, zoals hij nu begreep.

Laurentis heerste als een soevereine vorst over zijn kantoor. Met meningsverschillen zoals deze had hij maar al te vaak kennisgemaakt, en hij verafschuwde ze. Maar het was de kunst om ze waardig tot een goed einde te brengen. 'Het staat u vrij, madame Chassart, om het testament aan te vechten.'

Ze frommelde weer een sigaret in haar mond. '*Mais oui*,' klonk het vaag.

'Mij ook,' zei Eric onmiddellijk. 'Ik betwijfel bovendien dat ze mijn zus is en eis een DNA-test om elke twijfel uit te sluiten. Ze is een oplichtster.' Maar ze gebruikt tenminste geen parfum, voegde hij er in gedachten aan toe.

'Dat vermoedde ik al,' zei Laurentis met een zucht. 'Tot is opgehelderd hoe het vermogen en alle eigendommen van de heer Johann Christian Hans von Kastell worden verdeeld, kunt u zich niets daarvan toe-eigenen. Tot het oordeel van de rechtbank is uitgesproken of tot er alsnog een schikking wordt overeengekomen, houd ik de erfenis in beheer.' Hij stond op en zag ervan af hen de hand te schudden. 'Ik zal u een brief over de stand van zaken doen toekomen. Uiteraard kunt u altijd contact met mij opnemen. Goedendag.' Hij klapte de map dicht, stopte hem in de la van zijn bureau en vroeg hun daarmee zwijgend maar op niet mis te verstane wijze om zijn kantoor te verlaten.

Eric vertrok als eerste. Hij stormde regelrecht naar buiten, gunde de zogenaamd toevallig over haar bureau gebogen staande secretaresse inclusief de rand van haar jarretelloze kousen geen blik, maar liep direct de straat op. Het liefst was hij met iemand op de vuist gegaan.

'Eric, wacht!' hoorde hij achter zich de stem met accent waar hij nu al een hekel aan had. En ze noemde hem ook nog zomaar bij zijn voornaam! Hij liep door. Ze slingerde nog een van haar Franse vloeken naar zijn hoofd die tegelijkertijd smerig en elegant klonk, en stond ineens naast hem. Wat is die snel, dacht Eric.

Justine was bijna net zo lang als hij, slank, en ze zag er op het eerste gezicht bijzonder genoeg uit om fotomodel te kunnen zijn. 'Ik wilde uitleggen waarom ik...'

'Geldgeil rotwijf.'

Net zo snel als de belediging uit zijn mond glipte en bij haar aankwam, kreeg hij als antwoord een oorvijg. Hij werd ondanks zijn vechtersinstinct volkomen overrompeld: hij had niet eens een arm omhoog kunnen trekken om zich te verweren. Zijn linkerwang voelde aan alsof ze niet met haar vlakke hand maar met een stalen tafeltennisbatje had toegeslagen. Zijn hoofd smakte zo hard opzij dat zijn nekwervels kraakten, en zijn zwarte haar vloog in zijn ogen. Hij moest een stap achteruit maken om de kracht van de klap op te vangen.

Eric haalde onmiddellijk uit, maar zijn rechtse directe werd door Justine geblokt. Maar daarna flitste zijn linkerhand met de snelheid van het geluid naar voren en bezorgde haar een oorvijg die ongeveer net zo hard was als die van haar. Haar sigaret vloog met rondspattende vonken weg en Justine moest zich aan zijn jas vastklampen om niet te vallen.

'*Touché*.' Ze liet haar tanden zien en raakte even haar lip aan. Geen bloed. Met een scheve glimlach rechtte ze haar rug, stak een nieuwe sigaret op en rookte onaangedaan door. 'Mag ik het je nu uitleggen? Eric, ik heb het geld nodig om...'

Hij liet haar staan en liep naar zijn Porsche. Toen hij de deur opendeed, gaf Justine er een trap tegen zodat deze weer hard terug in het slot viel.

'*Merde, écoute-moi!* Ik ken je geheim, Eric,' zei ze achter zijn rug. 'Ik ben zijn dochter, twijfel is uitgesloten.' Er rinkelde iets zachtjes.

Eric haalde een keer diep adem en draaide zich langzaam om. Justine stond voor hem met in haar hand een blinkende gouden ketting met een hoektand eraan die veel te groot was voor die van een normaal roofdier. Je moest heel wat in je mars hebben om een ongetransformeerd lichaamsdeel van een lykantroop te bemachtigen. Dat betekende dat de bezitter óf nog leefde, óf dat er een bijzonder ritueel was aangewend om te voorkomen dat het na de dood van de gedaantewisselaar weer in een menselijke hoektand was veranderd.

'Het is een echte,' zei ze zachtjes.

Hij pakte de zacht glanzende, absoluut gave tand en bekeek hem van alle kanten. Op de wind bereikte de geur zijn neus en hij meende een vleugje van zijn vaders geur te herkennen, wat uiteraard volstrekt onmogelijk was. Eric wreef over de tand en keek haar aan.

'Waar heb je die vandaan?'

'Uitgeslagen.' Justine schonk hem een woeste grijnslach. 'Uit zijn lelijke bek.' Ze hing de ketting weer om haar hals en liet de hanger onder haar blouse glijden.

'Jíj?' Hij lachte ongelovig. 'En je leeft nog?'

'Ik ben dat ondier twee jaar geleden tegen het lijf gelopen. Dat leidde tot een gevecht dat hij voortijdig afbrak, omdat een derde partij zich ermee begon te bemoeien. Een partij met grote geweren en een vuurkracht die het tegen het *légion étrangère* zou kunnen opnemen.'

'Ik geloof je niet.'

'Toch is het zo.'

'En waar was dat dan?'

'In Zuid-Frankrijk, in de buurt van Auvers. Waar het allemaal is begonnen.' Ze schoot haar peuk weg. 'Johann heeft me ervoor gewaarschuwd dat je woedend zou kunnen worden, maar...'

'Je krijgt een miljoen euro, meer niet. Wees er maar blij mee.'

Ze maakte een grommend geluid. '*Merde*, Eric! Ik ben blut! Ons leven is duur, altijd dat gereis, de munitie, informatie kopen en mensen omkopen.'

'Word dan wat zuiniger. Neem een prijsstunter om te vliegen.'

Ze keek hem smekend aan. 'We kunnen ons een rechtszaak besparen, broertje.'

Zijn rechterhand schoot omhoog, pakte haar bij haar keel en kneep. 'Ik bén jouw broertje niet, Justine. Je bent een bastaard, meer niet,' gromde hij, en zijn ogen werden kleiner, bozer en geler.

'Ik kan er niets aan doen dat hij niet met mijn moeder is getrouwd,' zei ze naar adem snakkend en met een hoogrood hoofd. 'Eric, je krijgt een trap tegen je ballen als je me nu niet meteen loslaat!'

Hij gaf haar een zet naar achteren. Ze kwakte tegen een vuilcontainer en moest zich weer aan hem vastgrijpen om niet te vallen. '*Trou du cul!*' spuwde ze eruit. 'Iemand in z'n eentje is een makkelijke prooi voor die lieden!'

'Jij misschien.' Eric stapte in de Porsche, startte de motor en liet hem brullen. 'Ik niet.'

Ze kwam bij het zijraam staan. 'Waar kan ik je vinden, mocht ik iets over ze te weten komen?'

'Maak je niet druk. Ik kom er wel achter waar ze je uiteengereten lijk hebben gevonden en dan weet ik waar ik heen moet.' Hij reed weg, hoorde dat ze de Cayenne een trap gaf en zag haar in de achteruitkijkspiegel kleiner worden. Ze stak ten afscheid haar middelvinger omhoog.

Eric twijfelde er geen moment aan dat Justine loog. Het weinige wat ze wist kon ze uit de verhalen van zijn vader hebben afgeleid. Oké, ze was snel en sterk, maar dat zei op zich helemaal niets. Het noodlot kon haar bespaard zijn gebleven, probeerde hij zichzelf wijs te maken.

Eric toetste het nummer van de rechercheur in en bracht hem zowel op de hoogte van de opening van het testament als van de onbekende zus. Breitwangler zette haar onmiddellijk op de lijst van verdachten die verantwoordelijk konden zijn voor de dood van zijn vader. Justine wist kennelijk al heel lang af van het testament ten gunste van haar, en wat lag dan meer voor de hand dan de rijkdommen nog wat op te schroeven?

Eric moest grijnzen. 'Doet u alstublieft alles wat in uw vermogen ligt,' smeekte hij de rechercheur. Als die smerissen zich maar met Justine bezighielden. Hij had namelijk geen enkele behoefte aan gezelschap bij wat hij van plan was.

V

2 januari 1765, omgeving van Mazel-de-Grèzes, Zuid-Frankrijk

'Sneller, Camille. Er komt een sneeuwstorm aan.' Jean Chateauneuf holde langs de blatende schaapskudde waarmee hij onderweg was naar de beschutte flank van de berg, om de eigenzinnige ooi Camille terug te jagen. Ze dreigde te ontsnappen naar een vlakbij gelegen beukenbos waar ze voor de ijskoude wind wilde schuilen.

Hij gaf het schaap een zacht klapje met het uiteinde van zijn herdersstaf. Camille keek hem met onnozele ogen aan en huppelde terug naar de kudde.

'Moest dat nou? We hebben nu geen tijd voor stijfkoppen zoals jij.' Hij zuchtte van opluchting, omdat hij zichzelf al achter het schaap aan in de sneeuw door het bos had zien rennen. En bossen waren nu niet echt oorden waarin je als veertienjarige jongen in je eentje rondzwierf.

Hij was niet bang voor de wolf – hij had een scherpe punt aan het eind van zijn staf gesneden en kon zich daarmee tegen het Beest verdedigen. Toch werd je niet echt vrolijk van die dicht op elkaar staande donkere bomen. Ook zonder de verhalen over die mensen verscheurende wolf zou hij het bos hebben gemeden.

Camille scheen ondertussen weer op andere gedachten te zijn gekomen. Het windstille bos trok haar nog steeds aan en blatend verliet ze de kudde weer, deze keer zelfs gevolgd door een ander schaap.

Vloekend zette Chateauneuf de achtervolging in. Hij probeerde tevergeefs de schapen te weerhouden het bos in te lopen. Hij ergerde zich eraan dat hij het zonder de trouwe Gaston, de herdershond van de familie, moest doen. Die was een maand geleden doodgegaan en de nieuwe hond was nog niet zo ver. Dus moest hij zelf rennen.

Pas toen de twee schapen de beuken hadden bereikt, deden ze het langzamer aan.

Jean Chateauneuf keek met een onbehaaglijk gevoel naar de bomen. Bladerloos strekten de stammen en takken zich uit naar de donkere hemel en in de aanwakkerende wind zwiepten de kale kruinen heen en weer. Een ononderbroken gefluit gierde door het bos, zo nu en dan begeleid door het knakken van een brekende tak. Uitgerekend nu schoten hem een heleboel details te binnen die de mensen elkaar vertelden over de aanvallen van het Beest. Zo'n donkere plek was er als geknipt voor.

'Kom op, meiden,' zei hij tegen de schapen die zich blijkbaar erg prettig voelden. Hij liep met een boog om ze heen om ze terug naar de kudde te kunnen drijven. 'Ik zou graag weer bij onze hut zijn voordat de storm losbarst. Jullie zitten toch ook liever in de stal dan in dit winderige bos?'

Ergens ver weg tussen de stammen kraakte er iets luid: iets zwaars was op een tak gestapt.

Een ree, het kan een ree zijn geweest, dacht Chateauneuf, en hij deed alsof hij het niet had gehoord. Maar nadat hij voor de tweede keer een hard geluid had gehoord, voelde hij zich niet meer op zijn gemak. 'Verdomme, Camille!' snauwde hij tegen het schaap en hij gaf haar zo'n stevige klap met de staf dat ze geschrokken een sprongetje maakte, voor de jongen wegliep... en tussen de met sneeuw getooide struiken verdween. Dat was nu echt het ergste wat een herder kon overkomen: één deel van zijn kudde stond voor het bos, het andere in het bos, en één schaap was ervandoor. Camille zou een nacht in de openlucht niet overleven. De sneeuwstorm of hongerige roofdieren zouden een eind aan haar leven maken. Hij zuchtte. Hoe vervelend hij het ook vond, hij had geen keus, het dier was waardevol. Als hij haar niet veilig terug in de stal bracht, zou zijn vader hem duizend-en-een verwijten maken, hem uitschelden en halfdood slaan.

'Wacht hier,' zei Chateauneuf tegen de andere schapen alsof ze hem konden verstaan. Hij volgde de sporen die Camille had achtergelaten en baande zich met zijn staf een weg door het ondergesneeuwde struikgewas. Telkens weer hoorde hij haar belletje en zachte geblaat, maar hoe hij haar ook probeerde te lokken, ze wilde niet terugkomen. Schapen waren behoorlijk dom, maar die klap van zo-even was Camille kennelijk niet onmiddellijk weer vergeten.

Het kreupelhout werd minder dicht en eindelijk zag de jongen het schaap tussen de takken door. Hij nam een aanloopje en maakte een snoekduik om haar achterpoot te pakken. Zijn handen grepen haar terwijl hij viel, groeven zich in de koude wol en hielden Camille vast die geschrokken blaatte en spartelde.

'Ik heb je,' hijgde Chateauneuf opgelucht. Hij krabbelde overeind en legde de wegloopster met enige moeite over zijn schouders. 'Jij smeert 'm niet nog een keer.'

Weer kraakte er iets, deze keer links van hem... en toen hoorde Jean het grommen van een wolf. Als uit het niets stond hij ineens voor Chateauneuf, een groot en sterk dier dat wel voor hetere vuren had gestaan dan een gevecht met een man, laat staan met een jonge knaap. Van de lippen sijpelden dikke, trage, slijmerige druppels. Hondsdolheid.

De wolf en de jongen staarden elkaar aan, totdat Chateauneuf naar zijn staf gluurde die half uit een struik stak. Toen hij op Camille was afgesprongen, had hij zijn enige wapen losgelaten.

De wolf gromde nu luider. Hij had zijn tanden helemaal ontbloot en dook ineen om een sprong te maken.

Chateauneuf stond als aan de grond genageld. Hij durfde zich niet te bewegen, en wist tegelijkertijd ook niet hoe hij aan de aanval zou kunnen ontsnappen. Het schaap rook het gevaar, richtte zich op en blaatte opgewonden waardoor haar belletje hard begon te klingelen. Daarmee prikkelde ze het zieke dier nog meer. De wolf scheen nog even ineengedoken te blijven zitten, maar toen sprong hij met zijn geopende bek recht op de keel van de jongen af.

Schuin achter de herder klonk een oorverdovende knal – een musketgeweer was afgegaan! Chateauneuf schreeuwde van schrik en van verrassing. Hij zag dat de grijze vacht van de op hem af vliegende wolf ter hoogte van de borst trilde en toen spoot er een fontein van bloed uit de rug.

Jankend klapte de wolf tegen hem aan en wierp hem door zijn vaart op de grond. Maar het schot had het dier onmiddellijk gedood zodat de herder niet het slachtoffer van haar snijtanden werd. Hij hield Camille bovendien nog steeds dapper vast.

'Alles oké met je, mijn jongen?' Een gedaante in een lange koetsiersjas stond naast hem. Maar Chateauneuf herkende de gelaatstrekken achter de kraag en in de schaduw van de driesteek niet. Het had net zo goed de vleesgeworden vriendelijke geest van een dode jager kunnen zijn aan wie hij zijn leven had te danken.

'Dank u wel, monsieur,' stamelde hij snel en hij wrong zich in allerlei bochten om uit de sneeuw op te staan zonder het spartelende schaap te laten ontsnappen. Zijn oren piepten nog van het dreunen van het musket en zijn hart ging als een razende tekeer.

De man knikte, liep langs hem en bekeek het neergeschoten dier kritisch. Teleurgesteld slaakte hij een zucht. 'Alleen maar een hondsdolle wolf.' Hij herlaadde de geloste loop van zijn musket en wendde zich weer tot de jongen. 'Ik hoopte dat 't het Beest was. Ik ben Pierre Chastel. Mijn broer, mijn vader en ik jagen erop,' legde hij snel uit. 'Ik was een spoor aan het volgen toen ik je schaap hoorde.'

'U bent een geschenk uit de hemel! Ik ben Jean, Jean Chateauneuf.' Langzaam kalmeerde hij en hij deed zijn best om in de ogen van zijn redder niet als een lafaard over te komen. 'U kwam net op tijd, monsieur. Gaat u met me mee? Nog even en er breekt een sneeuwstorm los. U kunt dan beter niet buiten zijn. Als 't het spoor van het Beest was dat u zag, troost u dan maar met de gedachte dat het ook een schuilplaats zal zoeken. Ga na de storm weer op jacht.'

Pierre dacht er even over na en stemde toen met hem in. Hij haalde zijn jachthoorn van zijn gordel en blies er hard op om zijn broer en vader na zijn schot door te geven dat het goed met hem ging en dat hij het Beest niet had neergeschoten. Ondanks de huilende wind konden ze het zwakke antwoord horen. 'Kom, we gaan.'

Chateauneuf liep voorop, Pierre volgde hem. Samen dreven ze de schapen terug naar de kudde, waarna ze aan de afdaling begonnen en de winter hun liet voelen dat er niet met haar te spotten viel.

'Het wordt te gevaarlijk,' schreeuwde de jongen tegen het stormgebulder in, wijzend met zijn staf naar een stal. 'Dat is niet onze hut, maar hij kan wel als schuilplaats dienen tot de storm weer is gaan liggen.'

Pierre hielp hem met het naar binnen drijven van de dieren in de donkere ruimte. Het rook er naar oude koemest en schapen; de bevroren koeienvlaaien op de grond waren zo hard als steen en er lag wat hooi op de aangestampte aarde. De jonge herder ontstak een lantaarn die aan een lange haak in de stenen muur hing. Onmiddellijk kregen ze allebei het gevoel dat het met het flauwe lichtschijnsel wat warmer in de stal werd.

Het gebouwtje was opgetrokken van granietstenen en was vier pas breed en vijf pas lang. Als dak diende een eenvoudige constructie van balken en leistenen. In de achterste helft was van ruwe planken een vliering gemaakt. Daar lag een kleine voorraad hooi en stro.

De schapen kropen dicht tegen elkaar aan om zich aan elkaar te kunnen warmen en blaatten zachtjes. Ook zij waren blij aan de koude wind te zijn ontsnapt die door de kieren van de deur floot en zijn ijzige lied zong.

'Jaagt u echt op het Beest, monsieur?' vroeg Chateauneuf wiens adem als witte wolkjes uit zijn mond pufte. In de stem van de jongen klonk goedkeuring door.

Pierre zette zijn musket in de hoek neer en glimlachte vanwege de bewondering die hem ten deel viel. 'Heel wat mensen verklaren ons voor gek,' reageerde hij grijnzend. Hij klapte zijn kraag terug en deed zijn sjaal af. 'Maar wij weten precies wat we doen. Het Beest kan ons niet verrassen.' Hij ging op een pak hooi zitten en strekte zijn benen.

'En hoe wilt u het doden?' Chateauneuf keek naar zijn geweer. 'Ik heb horen vertellen dat het Beest niet te verwonden is. Het zou al meer dan duizend keer zijn geraakt maar telkens weer zijn ontsnapt. Hebt u soms een bijzonder geweer, monsieur?'

'Nee. Maar ik kan in tegenstelling tot andere mensen goed schieten,' antwoordde hij zachtjes lachend. Hij haalde wat brood en ham uit zijn proviandzak, verwarmde het half bevroren vlees boven de lamp en bood de jongen er wat van aan.

Dankbaar tastte Chateauneuf toe. 'Maar u hebt zich niet bij de dragonders aangesloten, monsieur. Waarom niet?' wilde Jean al kauwend weten.

Pierre schoof zijn hoed naar achteren. 'Die snappen niets van jagen. Hun vallen leveren weinig op. Ze mogen er dan chic op hun paarden uitzien, maar verder deugen ze nergens voor in dit terrein. Hun voetknechten zijn niet veel beter.'

De jongen knikte. 'Dat zegt mijn vader ook. Ze hebben zich al een keer als vrouwen verkleed om het Beest in een hinderlaag te lokken, maar dat hielp niks.'

'Als ik het Beest was, zou ik ook geen vrouw willen opvreten die stoppels in haar gezicht heeft, naar brandewijn stinkt en scheten laat als een das.' Hij sneed nog een stuk van het gerookte vlees af. 'Het ergste is dat er vreemde jagers in de Gévaudan rondhangen die net zo onbekwaam zijn als die Duhamel en zijn mannen. Het Beest zal hen uit de weg gaan en binnenkort in andere streken toeslaan, in de Vivarais of de Margeride. Je moet haar in de waan laten dat ze veilig is, zodat ze een fout begaat.'

Chateauneuf bekeek de jager aandachtiger dan daarvoor. 'Hebt u al eens oog in oog met het Beest gestaan, monsieur? U klinkt zo...' Hij luisterde even geconcentreerd, omdat hij een zacht geritsel op de hooizolder had gehoord. Waarschijnlijk zochten muizen daar hun karige kostje bij elkaar.

Pierre leunde met zijn rug tegen de muur, maakte zijn kraag los en opende zijn kleding. 'Ja, we hebben het Beest al één keer tot staan gebracht, maar het ontkwam nog voordat we een schot konden lossen. De vacht maakt zo'n dier tussen de struiken zo goed als onzichtbaar.' Pierres lichaamswarmte dampte zichtbaar de ijzige, windstille stal in.

'Monsieur, de Dood is toch niet van plan u te halen?' vroeg Chateauneuf ineens ontdaan en hij vergat zijn vragen over het Beest. 'Wat is er met u aan de hand?'

Pierre trok een lap uit zijn tas en veegde de parelende zweetdruppels van zijn voorhoofd. 'Koorts,' antwoordde hij terwijl hij zijn veldfles onder zijn jas vandaan haalde. Bij deze temperaturen moest je die dicht tegen je lijf dragen zodat het water niet bevroor. 'Ik word er regelmatig door overvallen sinds ik...' Hij kon even niet verder praten. 'Sinds ik door een wolf ben gebeten.' Gulzig dronk hij.

Chateauneuf deinsde achteruit.

'Nee, jongen, het is geen hondsdolheid,' stelde Pierre hem gerust. 'Het is de vuiligheid van zijn tanden die zich in mijn bloed heeft genesteld en het heeft ontstoken. Dat brandt dan als vuur in mijn aderen en kwelt me met koorts, maar het verdwijnt weer net zo snel als het opkomt.' Hij deed zijn ogen dicht.

De schapen werden plotseling onrustig. Ze verdrongen zich met z'n allen in het uiterste hoekje van de stal, blaatten zachtjes en keken telkens weer naar Pierre wiens lichaam leek te verkrampen. Hij rilde ongecontroleerd en zijn handen klampten zich vast aan het hooi.

De schrik sloeg Jean om het hart. Er werd verteld dat het Beest een loup-garou was, een weerwolf, die in zijn menselijke gedaante vredelievend onder de andere bewoners van de Gévaudan leefde. Zou het... zou het deze jager zijn? Veranderde hij nu, om zich zo meteen op hem te storten?

'Heilige Moeder van God, sta me bij!' De jongen dwong zichzelf om langs de stuiptrekkende man te sluipen en het musket te pakken, ook al had hij geen idee hoe je daarmee moest schieten. Het was waarschijnlijk genoeg om de haan naar achteren te trekken, de loop te richten en de trekker over te halen.

Chateauneuf stond twee pas van de hijgende Pierre, de loop op zijn hoofd gericht. 'Monsieur, wat is er met u?' vroeg hij met klem. 'Ik word bang van u.'

De jager ademde met horten en stoten. Hij kermde en kreunde als een dier, het klonk nauwelijks nog menselijk. Chateauneuf hief het zware geweer op en zette zich schrap om zijn leven en dat van zijn schapen te verdedigen.

Toen hoorde hij het ritselen weer. Het kwam nog steeds van de vliering, maar deze keer klonk het harder, en het was absoluut niet afkomstig van een muis! 'We zijn hier niet alleen,' zei hij zachtjes. De jonge herder zwaaide het musket met een ruk naar boven...

... en keek recht in het smoelwerk van het Beest. Volstrekt niet schuw stond het daar te wachten naast de eenvoudige houten ladder. Het ondier was zo groot als een kalf, de kop breed en lelijk, en de korte oren benadrukten nog eens het wanstaltige lijf. De griezelige, ontblote hoektanden in de zwarte bek stonden borg voor de dood.

'Godallemachtig,' stamelde Chateauneuf. Hij loste een schot uit het musket dat insloeg in een balk. 'Monsieur Chastel, kom weer bij zinnen, anders...' Maar toen bevond het zware, gespierde lichaam zich al in de lucht en vloog op hem af. Door de klap waarmee het Beest hem raakte werd het musket uit Jeans handen geslagen en werd hij op de grond gesmakt.

Jean rook een afgrijselijke stank, probeerde zich te verdedigen en greep de korte vacht vast, zag een brede borst met een witte streep voor zich. Toen keek hij in een stel wrede, rode, fonkelende ogen voordat de tanden in zijn keel werden geslagen en erin beten. Een immense pijn schoot door zijn hals... en daarna voelde hij niets meer. Door de shock drong geen enkele gewaarwording meer tot zijn bewustzijn door.

Hij lag apathisch op de grond, leefde nog enige ogenblikken, hoorde dat het Beest zich slurpend aan het uit zijn keel gutsende bloed laafde en grommend van genoegen zijn buik met klauwen en bek openreet. De jongen werd door het gretige gegraaf in zijn lichaam heen en weer geschud. Het laatste wat hij zag, was het krijtwitte gezicht van Pierre Chastel dat binnen zijn donker wordende gezichtsveld schoof, en de kromgebogen vingers van de jager die zich naar hem uitstrekten.

Jean Chastel vloog de stal binnen die hij in de razende storm slechts met moeite had kunnen vinden. Hevig ontdaan bleef hij op de drempel staan.

Naast het verminkte lijk van een jongen van een jaar of veertien zaten zijn zoons Antoine en Pierre. Hun lichamen waren allebei van onder tot boven bedekt met het bloed van de dode knaap, alsof ze zich er als varkens in hadden gewenteld. Beiden waren buitengewoon slordig gekleed, Antoines laarzen lagen naast de ingang. De broers keken hem afwezig en verdoofd aan en namen hem in eerste instantie niet echt waar. Maar Pierres gelaat klaarde ineens op. 'Vader!' Hij sprong overeind, keek naar beneden naar zijn eigen lichaam en daarna naar zijn broer. 'Wat... wat hebben we gedaan?' fluisterde hij. 'Ik kan me helemaal niets herinneren. Ik kwam hier met die jongen binnen en' – zijn ogen dwaalden naar de plankenvloer van de vliering – 'het Beest! Het stond daar te wachten en...' Hij zei niets meer.

Antoine barstte in lachen uit en streek zijn met bloed besmeurde haar uit zijn gezicht. 'Ik? Zou ik het Beest moeten zijn? Je droomt, man. Jíj bent het Beest en je wilt mij tegenover vader de schuld in de schoenen schuiven.'

'Ik kan me niet alles meer herinneren, maar jij was hier niet toen we de stal binnenkwamen. Het Beest is weg. En in plaats daarvan sta jij hier,' antwoordde Pierre. 'Vertel mij dan maar eens hoe dat kan!'

Jean haalde het musket van zijn schouder, trok de hanen terug en keek zijn zoons aandachtig aan. 'Ik heb onder het afdak voor de hut geen sporen van het Beest gevonden. Wat dit hier ook heeft aangericht, het is nog in de stal,' zei hij nu onzeker.

Antoine wees naar de vliering. 'Misschien verbergt dat ondier zich wel voor ons.' Hij klom de ladder op, zocht gravend in het stro en het hooi, maar vond niets. Precies zoals Pierre in stilte al had vermoed.

Een afschuwelijk wantrouwen maakte zich van de wildschut meester. Het Beest had zijn zoons destijds verwond. Had hij hun verwondingen te laat met het gloeiende lemmet uitgebrand? Droegen ze nu de kiem van het kwaad in zich?

Hij herinnerde zich Antoines eigenaardige gedrag in Chaulhac, zijn fascinatie toen hij het lijk van de jongen besnuffelde. En de schok die Pierre had overvallen... was die niet merkwaardig laat gekomen? Alsof hij op het juiste moment had gewacht om zijn vader voor de gek te houden? Het was alsof de wildschut een emmer koud water over zich heen kreeg, zo huiverde hij van zijn eigen wantrouwen: de sporen voor de stal waren maar voor één uitleg vatbaar. Er waren geen andere schuldigen. En zijn zoons hadden al een keer een eind aan een leven gemaakt. Minstens eenmaal. Zijn handen begonnen te trillen.

'Wat dit hier ook heeft aangericht,' herhaalde Jean nors, 'het is nog hierbinnen.' Zijn ogen dwaalden over de ontdane gezichten van Pierre en Antoine. 'Wat heeft het Beest in godsnaam met jullie gedaan?' riep hij vertwijfeld. 'Haar wraak is verschrikkelijker dan ik had gedacht.' Zijn vingers klemden zich om zijn geweer. Hij wist niet wat hij moest doen – nog meer Beesten kon de Gévaudan niet aan.

Antoine sprong van de hooizolder en kwam naast hem staan. Hij vermoedde wat er in zijn vader omging. 'Je mag niet toestaan dat het Beest van ons wint, vader. Gun haar niet de zege door ons te doden! We gaan... we gaan een manier zoeken om ons van de vloek te bevrijden.' Hij glipte in zijn laarzen. 'Ik ken een beul die verstand van magie heeft. Hij zal ons kunnen vertellen wat er helpt tegen de loup-garou in ons.' Hij wierp zich op zijn knieën en keek zijn vader bezwerend aan. 'Ik sméék je, vader! We zijn je zoons, je eigen vlees en bloed. We kunnen er niets aan doen dat we Beesten zijn geworden. Help ons de vloek te breken die ons heeft getroffen. Ik wil niet dood!'

Jean Chastel liet zijn verdriet de vrije loop. Hij wierp zich in de armen van Antoine, en Pierre voegde zich huilend van wanhoop bij hen. Gedrieën knielden ze neer in het langzamerhand gestolde bloed van de herdersjongen en zochten steun en troost bij elkaar.

Uiteindelijk stond de wildschut op, trok ook zijn zoons overeind en keek ze een voor een strak aan. 'Je hebt gelijk, Antoine. We zullen er een middel tegen vinden. En we zullen doorgaan met jagen op het

Beest.' En ik zal van nu af aan iedere stap die jullie zetten in de gaten houden, voegde hij er in gedachten aan toe, zodat jullie het lijden van de mensen niet nog erger maken, ook al zou ik jullie ervoor moeten opsluiten. Hij keek zeer bezorgd en woedend naar het verscheurde lijk van de jongen en zwoer dat het Beest een veelvoud daarvan zou moeten lijden en een pijnlijke dood sterven. 'Kom, we moeten hier weg, voordat de storm gaat liggen en ze naar de jongen en de schapen op zoek gaan.'

Antoine en Pierre brachten hun kleren in orde, gristen hun spullen bij elkaar en stapten naar buiten de woedende witte wereld in. Al na een paar passen verdwenen hun gedaantes in de suizende mengeling van wind en sneeuwvlokken.

Jean draaide zich nog één keer om terwijl hij in de deuropening stond en keek naar wat zijn zoons hadden aangericht. Hij pakte de lamp van de haak, sloeg het glas stuk en gooide hem in het hooi. Onmiddellijk schoten de vlammen de hoogte in en verspreidden zich door het gedroogde gras. Blatend renden de schapen naar buiten en vluchtten voor het vuur waarmee de wildschut de sporen wilde uitwissen.

Toen het laatste dier de stal had verlaten, deed hij de deur dicht. Hij dacht dat het voor de vader van de jongen meer troost zou bieden wanneer zijn nakomeling door brand en niet door de klauwen en tanden van twee Beesten aan zijn eind was gekomen. De waarheid mocht niet aan het licht komen. Nooit.

VI

München, 11 november 2004, 13.51 uur

Eric zette de Cayenne stil op de brede oprijlaan met bomen naar de villa die zijn vader hem had vermaakt. Of liever gezegd, hij stopte voor de verkoolde restanten daarvan. En het nevelige, grauwe winterweer maakte de aanblik er niet mooier op.

Hij stapte uit, leunde tegen het geopende portier van de Porsche en keek in gedachten verzonken naar wat nu van hem was. Hier had hij het grootste deel van zijn jeugd doorgebracht, was door de lange gangen gerend, had de enorme, geheimzinnige zolder onveilig gemaakt of in een van zijn beruchte woedeaanvallen met pannen en potten om zich heen gesmeten. Hier had zijn vader hem alles bijgebracht wat voor de jacht noodzakelijk was: de kennis over gedaantewisselaars, hun talen en hun gebruiken. En hij had hem in de kunst van het liegen, spioneren en vooral van het vechten getraind. Op zijn achttiende verjaardag begon zijn leven als strijder, in het begin nog begeleid door zijn vader. Maar na twee jaar had Johann von Kastell zich teruggetrokken en zich koortsachtig op zijn onderzoekswerk gestort, was de man op de achtergrond geworden. Het grote huis in München was de hoofdzetel van zijn oude, traditierijke familie, een huis vol verborgen schatten die de vele geslachten von Kastell hadden verzameld.

Althans... zo was het geweest.

Het prachtige achttiende-eeuwse gebouw bestond niet meer, was afgebrand, bijna tot op de fundamenten ingestort, verleden tijd. Sommige eenzame vensterruiten hadden de hitte getrotseerd en dat met ondoorzichtigheid moeten bekopen, andere waren gebarsten en gesprongen. De aanblik deed hem pijn.

Het stond nu officieel vast: de rechercheurs hadden restanten van C4-springstof en een ontstekingsmechanisme gevonden. Eric behoorde zelf niet tot de verdachten: hij had voor een alibi gezorgd en zich op die manier aan het onderzoek kunnen onttrekken.

Erics voeten droegen hem als vanzelf over de knarsende sneeuw de zandstenen trap op. Hij glipte onder het wit-met-groene afzetlint van de politie door, raakte het naar roet en houtskool stinkende deurkozijn aan, aaide het als een vertrouwde vriend en stapte er ten slotte onderdoor de ontvangsthal in. De zwart-witte tegels waren onder het puin verdwenen, de geliefde houten trap was aan de vlammen prijsgegeven en lag als iets ondefinieerbaars en zwarts aan de andere kant van de hal.

Maar Eric wilde ook niet naar de eerste verdieping. De werkkamer daarboven was verwoest – maar de werkelijke knowhow lag opgeslagen op een andere plek. Moeizaam baande hij zich een weg naar de keuken, die eruitzag alsof ze alleen van de drukgolf van de springladingen te lijden had gehad. Hier lag de ingang naar de geheime kelder.

Hij liep naar de planken met voorraden, waarop nog steeds de harde worsten lagen die hij zo lekker vond, en duwde ertegen. En opende daarmee de toegang tot een smalle trap die naar het geheime rijk van zijn vader leidde: een ondergronds laboratorium en een uniek wapenarsenaal tegelijkertijd.

In het donker daalde hij af. Hij kende elke trede, elke oneffenheid... en de verstopte ontgrendeling van het beveiligingssysteem. Beneden aanbeland opende Eric de enorme kluisdeur en wilde de pikdonkere ruimte daarachter in lopen.

Een zacht geschuifel op de trap waarschuwde hem.

Hij trok de Sig Sauer en richtte de meegenomen zaklantaarn op de ingang. 'U betreedt privéterrein. Als u van de politie bent, identificeert u zich dan onmiddellijk.'

Het geschuifel werd luider, iemand kwam zeer voorzichtig de treden af en wist kennelijk precies op welke hij wel en niet mocht gaan staan.

Dat zou de indringer niet baten. Eric gooide de zaklantaarn op de laatste tree en zette zo het beveiligingssysteem in werking.

Eenvoudige mechanica is iets wonderbaarlijks omdat je er geen stroom voor nodig hebt. Een sterke ijzeren veer, een veiligheidspal, een aangepunte zilveren staaf en dat in zijn geheel in vijftigvoud uitgevoerd, leverde een effectief wapen op. De in de muur verzonken zilverstaven schoten uit hun verankering en doorboorden wat zich op de trap bevond.

Eric hoorde een martelend gejank van schrik. Hij bukte om de zaklantaarn te pakken en zette hem aan. De straal viel op een rood stroompje dat van de treden liep en siste omdat het met het zilver in aanraking was geweest. 'Smeerlap!' riep hij en hij bewoog zich naar de wand naast de opgang waar de omschakelhendel van de val zat.

Eric deactiveerde het mechanisme. Onmiddellijk kwam een dode, naakte, zeer jonge man naar beneden gerold die met zijn hoofd naar beneden onder aan de trap bleef liggen. De staven hadden hem op zeven plaatsen tegelijk te pakken gekregen en de weerwolf uit de man weggebrand.

Boven klonken gehaaste voetstappen en het knarsen van puin: iemand ging er snel vandoor.

Eric merkte dat hij het warm kreeg toen hij de achtervolging inzette. De jacht was begonnen!

Toen hij het huis uit kwam, zag hij een vrouw door de besneeuwde tuin rennen. Ze keek naar hem om en schudde haar jasje uit, kleedde zich onder het rennen zo goed en zo kwaad als het ging nog verder uit. Voor een schot was ze al te ver weg.

'Aha, jij wilt je dus veranderen.' Hij rende naar de Cayenne, stapte in en nam een bocht langs het bevroren bloemperk en het trapje af naar het grasveld. Sneeuw werd door de banden omhooggeschept en vloog langs de zijramen. De terreinwagen hield ervan afgebeuld te worden en naderde rap de vluchtende vrouw. Eric beschouwde haar als informatie op twee benen.

De vrouw, die zich nu volledig van haar bovenkleding had ontdaan, begreep dat ze op het langgerekte grasveld niet aan de 450pk-Porsche kon ontsnappen. Ineens veranderde ze van richting en vloog af op een bosperceel waar Eric in zijn jeugd al een hekel aan had gehad. Het was een sombere groep dennenbomen, zo donker als de nacht en nogal luguber. In de negentiende eeuw zouden daar zeven mensen zijn verdwenen die in de villa logeerden. Hij was er zelf één keer in verdwaald en had toen bijna van angst het loodje gelegd.

De vrouw met haar lange zwarte haar bleef aan de rand van het bos staan, trok haar laarzen, broek en onderbroek uit en rende naakt door. Eric had nog net tijd om een blik op haar volle, zwaaiende borsten te werpen, en toen verdween ze. Hij wist wel wat beters te bedenken samen met haar dan op haar jagen en haar doden. Maar zo werd het spel nu eenmaal niet gespeeld.

Hij bracht de Cayenne tot stilstand, sprong eruit en pakte het bezwete onderhemdje van de vrouw. Diep snoof hij haar geur op en ging haar achterna. Zo zachtjes mogelijk liep hij door het bos. Om de gedaantewisselaar op het spoor te komen oriënteerde hij zich eerst op de geluiden van brekende takken verderop en zoog daarna door zijn neus de koude lucht op.

Hij vond haar niet. Eric bleef staan, pakte zijn zilveren dolk en zette zijn bril af. De wereld vervaagde onmiddellijk tot een soft-focusbeeld – maar zijn ongetemde lichtbruine ogen reageerden nu wel op de minste geringste beweging. En inderdaad ontdekte hij de vrouw: aan haar silhouet te zien bevond ze zich in een tussenstadium, kort voordat ze volledig in een wolf zou veranderen.

Eric sprintte weg en vertrouwde volledig op zijn ogen. Want hoe voorzichtig zijn tegenstandster ook wilde wegglippen, zijn ogen registreerden alles. Je zou ze met de doelzoeker van een modern wapensysteem kunnen vergelijken, en hém met een onverzettelijke raket die zich telkens weer nauwkeurig bijstelt en doorgaat tot hij is ingeslagen.

De inslag was voor deze gedaantewisselaar in elk geval geheel onverwachts. Eric besprong de wolvin van achteren, rolde met haar door de sneeuw en ging boven op haar zitten. Een handschoen klemde zich om haar keel in de lange, lichte wintervacht en de andere hand met de dolk stootte toe. Het wapen boorde zich in het schouderblad, precies in het gewricht. Niet dodelijk, maar heel, heel pijnlijk. De wolvin huilde angstig, durfde zich niet meer te bewegen. Ze jankte als een dier dat zich onderwerpt.

Het kwam hem wel goed uit dat hij geen vechtersbaas tegenover zich had. Hij kreeg in elk geval niet de indruk. 'Transformeer jezelf terug,' eiste hij en hij draaide haar om, duwde de snuit naar achteren en hield de dolk tegen haar onbedekte hals. Hij kon haar nog steeds niet scherp zien. Pas toen hij gekraak hoorde en voelde dat de kop onder zijn vingers veranderde en menselijk werd, haalde hij zijn hand van haar gezicht en zette zijn bril weer op.

Toen de verandering was voltrokken, zat Eric gehurkt op de buik van een hoogstens zeventienjarig meisje dat hem bang aanstaarde en kreunde, omdat de schouderwond haar enorm veel pijn bezorgde. Het zilver had haar vlees verbrand en verhinderde dat de wond regenereerde. Het bloedige lemmet op haar huid siste, deed haar levenssap verdampen.

'Hoe heet je?'

'Tina,' zei ze jammerend. 'Alstublieft, ik...'

'Wie was die man en wat moest hij in mijn huis?' Snel keek hij om zich heen, luisterde, snoof de lucht diep op. Ze waren alleen en dat was maar goed ook. Op het eerste gezicht zou het er als een verkrachting uitzien en niemand zou willen geloven dat het wat anders was en rustig blijven staan. Eventuele redders zouden hem dan weer nodeloos problemen bezorgen. 'Nou en, Tina?'

Ze lag volkomen stil. 'We moesten kijken wat er nog van het huis was blijven staan en of iemand zich liet zien als die smerissen weer waren verdwenen,' fluisterde ze terwijl ze begon te trillen. Haar lippen liepen blauw aan. Zonder de beschermende vacht en zonder kleren had ze het net zo koud als een normaal mens. 'Hij... hij was mijn vriend. Iemand heeft hem opgebeld en op pad gestuurd, ik hield hem alleen maar gezelschap.'

'Iémand?'

'Ik weet niet wie!'

'Wie heeft die bommen gelegd? Upuaut?'

Haar ogen werden groot. 'Wat? Wie? Nee, geen idee. Hij heeft geen naam genoemd.' Ze schreeuwde even zachtjes toen het lemmet een millimeter diep in haar vlees sneed. 'Die Fransman! Het was die Fransman!' riep ze jammerend.

'Hoe heette hij? Chassart?'

Weer was ze verrast. 'Nee. Faux... nee, Fauve of zoiets.'

'Wat is hij? Een wolf? Of wat anders? En waar kan ik hem vinden?'

'Heilige Fenris nog aan toe, ik zweer je dat ik geen idee heb!' Ze huilde nu hartverscheurend van de angst en de hulpeloosheid. 'We hebben toch niets gedaan, we zijn alleen maar naar die pokkenruïne gegaan en...'

Hij zuchtte. 'Ben je als lykantroop geboren?'
'Ja.' Tina klappertandde en kon bijna geen verstandig woord meer uitbrengen. 'Ik kan er niets aan doen...'
Hij haalde de dolk weg. 'Bedank je ouders dan maar,' zei hij ironisch.
'Ik...'
Tina's angst verdween op slag. Ze had gemerkt dat het geen zin had om een beroep op Erics medeleven te doen door het hulpeloze kleine meisje uit te hangen. In plaats daarvan ging ze nu in de aanval. Ze kwam zo ver mogelijk overeind, sperde haar mond open terwijl lange, puntige tanden naar zijn keel hapten. Tegelijkertijd probeerde ze zijn armen vast te pakken.
Eric had al veel eerder op een aanval gerekend. Zijn dolk drong tussen haar ribben haar lichaam binnen en doorkliefde haar hart. Tina kreeg de kans niet meer om een schreeuw uit te stoten, ze blies alleen nog één keer. Haar adem omringde hem als een witte wolk, in haar blik – wild en vol ongeloof tegelijkertijd – verscheen de dood. Het lichaam werd slap, de armen vielen krachteloos in de sneeuw.
De geur van haar warme adem bleef in zijn neus hangen. Ze had nog niet zo lang geleden döner kebab gegeten, een sigaret gerookt en geprobeerd de smaak met kauwgom weg te krijgen. Kaneel.
Even had hij er spijt van dat hij een eind aan haar leven had gemaakt. Maar Tina was allesbehalve een aardige tiener geweest die de weg kwijt was. Ze hoorde bij hén, ze zou een bedreiging voor normale mensen zijn geweest en ze hebben besmet.
Verse sneeuw viel uit de donkergrijze wolken boven München en een troep kraaien vloog over de groene dennen. Ze krasten luid, alsof ze er bezwaar tegen maakten dat hij de jonge vrouw had gedood.
Hij keek nog een keer naar haar. Momenten zoals deze haatte hij. Momenten waarop hij gedwongen werd te doden. Schepsels zoals Tina te doden. 'Fauve,' zei hij zachtjes. Toen stond hij op, trok het mes uit haar borst en veegde het met sneeuw schoon. In elk geval had hij een aanknopingspunt voor zijn onderzoek.

Eric droeg het lijk naar zijn auto, zocht al haar kleren bij elkaar en reed terug naar de ruïne. Hij sjouwde Tina de trap op, door de keuken... en bleef staan.
Vanuit de geheime kelder sloeg hem een bijtende wolk in het ge-

zicht. Hij hoestte en vloekte tegelijkertijd: er was hier nog iemand geweest, profiterend van zijn afwezigheid vanwege Tina.

Eric liet het lijk op de tegels vallen en liep de trap af tot hij voor de kluisdeur stond. Hij was zo stom geweest om die niet dicht te doen. 'Shit,' mompelde hij.

Voorzichtig liep hij het lab in en draaide aan de schakelaar. De plafondlamp ging niet aan, er zou geen stroom zijn zolang hij het noodaggregaat niet in werking had gesteld. In de straal van zijn zaklantaarn zag hij een enorme chaos van smeltende meubelstukken, tafels, blubberende en bellen vormende installaties. Het zag eruit als een driedimensionaal schilderij van Salvador Dalí. In korte tijd waren alle aantekeningen van zijn vader vernietigd.

Eric onderzocht de ravage. Splinters van glazen bakken en flessen lagen overal verspreid; de bijtende stank, het sissen, de gaten in papieren, cd's en diskettes, alles wees erop dat er zuren met liters tegelijk waren uitgegoten. Oplettend ontweek hij de plassen op de grond. Zuurcocktails waren veel effectiever dan brandbommen. Er was niets meer over van de immense kennis en deskundigheid van zijn vader waarvan hij gebruik had kunnen maken.

Achter in de kelder lag het kleine chemische lab aan scherven, en samen met het zuur hadden de vrijgekomen agressieve stoffen daar niets anders van overgelaten dan een ouderwetse glazen fiool die hij op de grond ontdekte. Eric verstijfde. Het was het waardevolste wat zijn familie bezat, waardevoller dan alle bezittingen op de hele wereld. En toch hadden zijn vijanden de fiool over het hoofd gezien – waarschijnlijk omdat er niets anders in leek te zitten dan een of andere opgedroogde substantie. Ernaast lag een bijna volledig door het zuur aangetaste tekst. Eric nam ze allebei mee. Hij zou ze veilig in een bankkluis opbergen.

De bijtende lucht werd te veel voor zijn longen, hij moest hier weg. Hij legde Tina's lijk snel in de kelder en liet haar daar achter. Zodra de giftige dampen waren vervlogen, zou hij terugkomen, het lab nog een keer doorzoeken en het lijk afvoeren.

Afgepeigerd zette hij de val weer in werking, deed de toegang in de keuken op slot en stapte in de Porsche. Wie hier ook was geweest, hij of zij had het alleen voorzien op het vernietigen van de aantekeningen van Erics vader en diens voorouders. Maar voor de laatste jager van de familie von Kastell scheen deze onbekende tot de minder grote gevaren te behoren.

Eric reed terug naar het hotel in de binnenstad van München om van een douche en een maaltijd te kunnen genieten. Daarna zou hij een paar oude informanten van zijn vader opbellen of e-mailen, om iets over die Fauve te achterhalen. Op jacht zou hij vandaag niet meer gaan. Vandaag was er al genoeg bloed vergoten.

Hij parkeerde de Cayenne in de ondergrondse garage, nam de lift naar boven en had zelfs geen blik over voor de knappe dame die samen met hem omhoogging. De dode ogen van Tina achtervolgden hem. Omdat hij het doden machtig was, betekende dat nog niet dat de dood hem niets meer deed. Juist het tegendeel was waar.

In zijn suite aangekomen ontdeed hij zich van zijn kleren en wapens, nam een douche en ging zo naakt als God hem had geschapen op bed liggen. Met zijn gespierde armen gekruist achter zijn natte hoofd lag hij daar naar het plafond te staren.

De dood van zijn vader, bloed en schietpartijen, Justine, ingewanden, Tina, lijkengeuren, Fauve, een plotseling opflitsend mes, Upuaut, huilen van ontzetting, geschrokken gezichten en naar hem happende hoektanden. Dat alles vermengde zich tot iets waar zijn verstand een te grote kluif aan had en wat hij op deze manier niet kon verwerken.

Hij rolde van het bed en liep naar de andere kamer, waar hij zijn schildersspullen had neergezet. Zonder dat ging hij zelden op reis.

Hij mengde kleuren en schilderde er koortsachtig op los, smeedde een verband tussen zwart en rood, schilderde dat in geel over, in wit. Hij hield niet meer op tot hij de bijna als gif werkende gruwelen uit zijn binnenste had opgezogen en op het linnen had gespuugd. Hijgend deed hij een stap achteruit om zijn werk te bekijken. Het waren twee vervreemdend werkende ogen, de ogen van Tina waarin ondefinieerbare angsten werden weerspiegeld.

Zijn angsten.

Maar toen voelde hij, heel langzaam, de rust terugkeren waarnaar hij zo had verlangd. Om het zekere voor het onzekere te nemen nam hij nog een paar van zijn bijzondere druppeltjes in, wankelde naar het bed, viel doodmoe en opgebrand neer en sliep onmiddellijk in.

München, 12 november 2004, 9.01 uur

'... hebben de autoriteiten in Sint Petersburg het over een afgrijselijke gebeurtenis zoals zich in die stad nog nooit heeft voorgedaan. De buik van het kleine meisje, zo informeerde men ons, is met een stomp mes of een zware nagel opengereten,' zei de correspondente in de camera terwijl ze haar best deed er zeer onthutst uit te zien.

Eric vloekte en ging rechtop in bed zitten. De hotelgast voor hem had kennelijk de wekfunctie van de tv gebruikt. Gehoorzaam deed het apparaat nog steeds zijn plicht en had er geen rekening mee gehouden dat er nu iemand anders in het bed sliep. Eric wilde net de afstandsbediening pakken toen het tot hem doordrong waar die vrouw het over had. 'De moordenaar heeft kennelijk de inwendige organen meegenomen en het gezicht van zijn slachtoffer met messneden volledig onherkenbaar gemaakt. Een rechercheur had het ook nog over een uitgerukte keel.'

'Shit,' fluisterde hij opgewonden. 'Shit, shit, shit!' Eric pakte de telefoon en belde de receptie. 'Boek een vlucht naar Sint Petersburg voor me,' eiste hij. 'Vandaag nog. Maakt niet uit hoe u het voor elkaar krijgt.'

De tussengelaste beelden van het verminkte meisje waren gescrambeld met blokjes om de kijker te veel gruwelijke details te besparen. Eric zag een binnenplaats, vuilcontainers, een omgevallen vuilnisemmer; een dood kindervuistje dat zat vastgeklemd om het met bloed besmeurde hengsel van de emmer.

'Er wordt een recherchebijstandsteam geformeerd. Op een vraag van onze kant benadrukte de burgemeester van Sint Petersburg dat het Venetië van het Noorden nog steeds een veilige stad is en dat toeristen zich niet door deze beestachtige moord moeten laten afschrikken. In New York, aldus de burgemeester, zouden dagelijks meer toeristen de dood vinden dan hier. Silke Mayr voor *News International*.'

Eric verschoof zijn onderzoek in de zaak-Fauve naar een later tijdstip. Een oude vijand had van zich laten horen en wilde dat er jacht op hem werd gemaakt.

Hij belde de beheerder van zijn huis in Sint Petersburg en gaf hem opdracht enige inkopen te doen. Daarna informeerde het management van het hotel hem dat er om zestien uur een vlucht voor hem was geboekt. Tijd genoeg dus nog om het schilderij naar de galerie te brengen en Dimitri voor alle commotie bij de opening schadeloos te stellen.

Hij wikkelde het schilderij dat 's nachts was ontstaan niet eens in plastic, maar pakte het gewoon van de ezel en gooide het achteloos in de kofferruimte van de Cayenne. Als er een kras of een nieuwe lijn op kwam, of als het scheurde, wist hij waarmee hij zichzelf kon vrijpleiten: *Abstract axpression.*

Dimitri ontving hem met Russische vriendelijkheid, een glas wodka, een handvol rozijnen en schuddend met zijn hoofd. 'Hoe heb je me dat kunnen aandoen, Eric?' Hij wees naar de lege plek aan de muur waar het beschadigde schilderij had gehangen. 'Hoe kun je nu een nieuwe stijl creëren en dan niet met ander werk komen?'

Eric lachte. 'Je hebt het al verkocht?'

'De inkt van de kranten was nog niet droog of er belden al vier verzamelaars op die als gekken tegen elkaar opboden.' Hij klonk met Eric. 'Het spijt me, van je vader.'

'Hoeveel heb je ervoor gekregen?' probeerde Eric het gesprek op een ander onderwerp te brengen. Hij had er absoluut geen trek in om met zijn galeriehouder, die pooier van kunstenaars, zoals hij hem bij tijd en wijle noemde, over zijn vader te praten. In plaats daarvan goot hij de ijskoude wodka voor de helft naar binnen en stopte een paar rozijnen in zijn mond. De zoete smaak verspreidde zich weldadig over zijn tong.

'Hou je vast.' Dimitri laste een dramatische pauze in. 'Vijfentwintigduizend.'

'Dollar?'

De galeriehouder trok een gezicht vol walging. 'Euro, beste man, euro. Na aftrek van mijn provisie blijven er voor jou nog twintig over.' Daarna richtte hij zijn aandacht met gespeelde ongeïnteresseerdheid op het nieuwe werk. 'Dat ziet er goed uit... maar er ontbreekt iets.'

Eric smeet de rest van zijn wodka onverschillig tegen het doek, smeerde het met zijn blote handen uit, pakte zijn zilveren dolk en stak meerdere keren op de ogen in. Op die manier hadden kunstexperts belast met een psychoanalytische blik wat te interpreteren.

'Beter, veel beter!' riep Dimitri verrukt en hij hing het schilderij onmiddellijk op de lege plek. Een van zijn medewerksters kwam snel naar hen toe en zette een bordje bij het schilderij met het opschrift: *Abstract axpression.* 'Je maakt ons nog eens rijk, Eric.'

'Zeker weten.' Hij kauwde de rest van de rozijnen op en schonk nog een wodka voor zichzelf in. Die borrel was de optimale voorbereiding voor zijn verblijf in Rusland. Zijn maag knorde. 'Heb je nog een lekker hapje voor me?'

'Ligt eraan waar je trek in hebt...' Hij knikte in de richting van de ingang.

Eric rook en hoorde haar zonder zich te hoeven omdraaien. De dader was weer teruggekeerd op de plaats van het misdrijf. 'Kijk nou toch, die kleine! Ze durft hier nog te komen... respect, hoor. Speel je soms liever mijn redder dan mijn boze galeriehouder?'

Eric draaide zich naar Severina om die geprobeerd had om zich met hoed, zonnebril en sjaal min of meer onherkenbaar te maken. Ze had een stoffen broek aan en een coltrui, jas en laarzen waren hetzelfde gebleven. Zenuwachtig keek ze om zich heen. Hoewel haar bril gekleurde glazen had, kon Eric precies zien waar ze naar keek; Severina had hem nog niet ontdekt. 'Ik ga met haar ontbijten. Tot ziens.' Hij drukte het glas in Dimitri's hand.

'Veel inspiratie voor je nieuwe meesterwerken, man!' riep de Rus hem na. 'Lang leve het *abstract axpressionism!*'

Eric hief alleen zijn hand op. Van zijn inspiratie, zoals Dimitri die onbeschrijfelijke nachtmerries noemde, zou hij dolgraag afstand doen. Hij veroorloofde zich een geintje door verscholen achter de scheidingswanden naar Severina toe te sluipen. 'Zo, niks te beleven op straat?' zei hij met luide stem achter haar rug. Ze kromp zowaar ineen. 'Kom mee, ik nodig je uit voor een ontbijtje.'

'Tsjonge, wat ben jij een lolbroek, zeg,' zei ze half blij en half boos. 'Je had me toch wel kunnen vertellen dat jij de kunstenaar was?'

'Hoezo?' Hij haalde zijn schouders op. 'Had je dan iets anders gedaan?'

Severina zette haar zonnebril af. 'Nee. Dan zou ik ook tegen je hebben gezegd dat ik je schilderij knudde vond, maar dan zou me in elk geval het gevoel zijn bespaard door iemand in de zeik te zijn genomen.'

'Laten we samen ontbijten,' herhaalde hij zijn uitnodiging, waarna ze hem volgde naar het kleine Café Gentil naast de galerie. 'Je hebt een nieuwe stijl uitgevonden die mijn vriend Dimitri heel veel geld zal opleveren.' Hij opende zijn portefeuille, haalde er een cheque uit en schreef er 'twintigduizend' op. 'Daar heb je recht op. Neem het maar aan.' Eric schoof de cheque naar de sprakeloze Severina en bestelde wat bij de ober die niet minder verbijsterd naar het bedrag staarde.

'Verdomme, Eric, ik wilde net tegen je van leer trekken,' beklaagde ze zich. 'Hoe kan ik dat nu nog maken?'

'Weet je wat?' Hij keek haar in haar blauwe ogen. 'Ga naar Dimitri en zeg tegen hem dat je toestemming hebt om mijn laatste schilderij op jouw geheel eigen wijze te bewerken. Dan deel je ook nog mee in de winst van de verkoop. Wat dacht je daarvan?'

Hij pakte de koffie aan en keek naar het ontbijt dat de ober bracht. Daarna dwaalden zijn ogen weer naar Severina, naar haar gezicht, en vingen haar blik op. Eric zag er begeerte in en hij was ook wel te porren voor een verzetje – als het hem maar afleidde. Severina rook verdomde lekker. Onweerstaanbaar lekker. Hij glimlachte uitnodigend naar haar. Deze keer liet hij het initiatief aan haar over. 'Heb ik je overdonderd?' Hij reikte haar het mandje met croissants aan en gaf de perfecte voorzet: 'Grijp je kans. Misschien komt er geen tweede.'

'Als de zaken zo liggen.' Severina stond op, pakte het mandje uit zijn hand en trok hem achter zich aan naar het damestoilet. Eric nam niet de moeite om te doen alsof hij verbaasd was en zich wilde verzetten.

Ze duwde hem het eerste hokje in, kwam hem achterna, deed de deur op slot. 'Ik zweer je dat ik zoiets nog nooit van mijn leven heb gedaan.' Een hand frunnikte ineens aan de riem van zijn broek. 'Het komt alleen maar door jou.' Ze kuste hem, de hand verdween onder zijn zwarte trui en aaide zijn gestaalde bovenlichaam. Hij had niet verwacht dat ze zo vrijpostig zou zijn.

'Ben je toch een prostituee?'

'Zonder die twintigduizend zou ik dit ook doen.' Ze grijnsde. 'Je mobieltje staat nu wel uit, hè? Of ga je een andere reden verzinnen om plotseling te verdwijnen?'

'Het zal niet gaan riedelen.'

Zijn handen gleden onder haar trui, duwden de bh naar boven en speelden met de tepels die onder zijn vingers hard werden. Hij kuste haar in de zijkant van haar hals, wild en uitdagend, wat bij haar een onderdrukt gelach met lust en verrassing in haar stem teweegbracht. Hij drukte haar tussen hemzelf en de deur in, kuste haar hartstochtelijk op de mond en aaide haar bovenlichaam. Hij gaf haar geen seconde rust, totdat hij aan haar snelle ademhaling merkte hoe intens ze ervan genoot. Toen draaide hij haar abrupt naar de andere kant van het hokje. Hijgend leunde ze met haar handen op de spoelbak terwijl hij haar broek en string uittrok en haar begon te strelen.

Severina kreunde zachtjes, gaf zich volledig over, genoot ervan. Eric liefkoosde haar en maakte gebruik van een moment van grote opwinding bij haar om een condoom om te doen. Daarna drong hij bij haar binnen. Bij haar eerste orgasme spoelde ze de wc door om haar zachte geschreeuw te overstemmen, bij het tweede vergat ze het in haar extase en zorgde ervoor dat het hele Café Gentil van haar geluk mocht meegenieten.

Eric trok zich zachtjes uit haar terug en kuste haar blote rug. Terwijl hij zijn broek weer omhoogtrok, liet Severina zich op de wc-bril zakken. Haar ogen leken hem als door een waas aan te kijken. Ze legde haar hoofd in haar nek – het warrige blonde haar viel uit haar bezwete gezicht – en ze zei met een zucht: 'Godsamme.'

'Dat wilde ik ook net zeggen,' zei hij nadat hij op zijn horloge had gekeken. 'Ik moet weg.' Hij kuste haar hand. 'Het was me een genoegen. En dat meen ik echt.' Hij ontgrendelde de deur, knikte naar de vrouwen die voor de spiegel druk in de weer waren met hun handtasjes en make-up, en verdween.

VII

9 januari 1765, omgeving van Auvers, Saint Grégoireklooster, Zuid-Frankrijk

Pierre keek naar de gesloten ingang van de tegen de buitenmuur van het klooster gebouwde pelgrimskapel. Omzichtig haalde hij het musket van zijn schouder, zette het tegen de grijze stenen, en pas toen duwde hij de verweerde houten deur open en liep ongewapend naar binnen.

Het sobere godshuis, dat net als alle gebouwen in de streek uit graniet was opgetrokken, werd amper verlicht door het schijnsel van twee kleine kaarsen. Ook het karige winterlicht dat door de gekleurde glas-in-loodramen en het rozetvenster boven de ingang viel, was niet genoeg om tot in alle hoekjes de duisternis te verdrijven. De vele nissen links en rechts van het middenpad lagen half in het donker.

Pierre zette zijn driesteek af, haalde een hand door zijn korte, zwarte haar en snoof de lucht op. Hij rook niet-brandende wierook en het roet van de kaarsen; vermengd met de vage geuren van steen en hout wekten ze de eerbiedwaardigheid op waarin de gelovigen zich prettig voelden en God wilden vinden.

De jongeman blies zijn adem uit die in de koude lucht als een fijne damp zichtbaar werd. Hij had er al op gehoopt alleen in de kerk te zijn, om onbespied te kunnen bidden. De naam Chastel werd vanwege zijn broer en zijn vader niet onmiddellijk met vroomheid in verband gebracht. De mensen zouden hem zeker hebben aangestaard, over hem hebben gesmiespeld, en bovendien zouden ze later onzinnige verhalen over hem hebben verspreid.

Maar Pierre wilde vooral niet dat zijn vader van dit bezoek aan het klooster zou horen. Officieel was hij op zoek naar sporen van het Beest. Maar zijn voeten hadden hem op wonderbaarlijke wijze in de buurt van Saint Grégoire gebracht. Toen hij vanaf de heuvel de gebouwen had zien liggen die hem met geborgenheid en het kruisteken lokten, had hij de verleiding niet kunnen weerstaan. Ze brachten de mooie herinneringen terug aan zijn geliefde moeder die hem had leren bidden.

Pierre nam het linker zijpad in de richting van het schilderij van de Heilige Gregorius en deed zijn best om geen harde geluiden met zijn schoenen te maken. Hij knielde voor het doek, boog zijn hoofd met zwarte haardos en deed zijn ogen dicht. Met gevouwen handen prevelde hij eerst een Onzevader. En daarna zei hij zachtjes: 'Heilige God, neem de koorts bij me weg die het Beest mij heeft bezorgd en die mij van mijn zinnen berooft. Ik weet niet wat ik doe wanneer die mij overvalt. Soms heb ik bloed aan mijn handen en zit Antoine tegenover me. Hij kijkt me dan aan maar ziet me niet. Verlos ons van deze ban! Ik ben bang dat ik nog meer onschuldige mensen dood.'

Van wanhoop begon hij te huilen. Hete tranen liepen over zijn gladgeschoren gezicht en druppelden op zijn jas. Hij dacht aan de plekken waar het Beest de afgelopen dagen had toegeslagen. Drie jonge meisjes waren in Saint-Juéry, Morsagne en Rieutort op de bekende wijze doodgebeten en verscheurd, en in minstens één geval kon het niet het Beest zijn geweest. Dus was hij of Antoine verantwoordelijk voor de dood van een onschuldig kind. *Of zijn we dat allebei?* Zijn vingers klemden zich nog steviger ineen en hij snikte luid. 'God, neem me tot u! Ik kan het niet meer verdragen!'

'Monsieur, moet ik een zuster voor u roepen?' vroeg de stem van een jonge vrouw.

Pierre tilde zijn hoofd op: verblind door tranen zag hij niets anders dan een lichte vlek die door stof werd omlijst. Met zijn mouwen veegde hij zijn ogen droog en kwam met moeite overeind omdat zijn benen verdoofd en stijf waren. Hij was door zijn gepassioneerde gebed elk gevoel van tijd kwijtgeraakt. 'U...' Het wonderschone gezicht van een meisje dat niet ouder dan zeventien kon zijn, maakte hem sprakeloos. In zijn buik werd het warm. Maar onmiddellijk riep hij zichzelf tot de orde: in het huis des Heren koester je geen onkuise gedachten.

Ze glimlachte verlegen en sloeg haar blauwe ogen neer. 'Monsieur, hebt u uw tong verloren?' Een strengetje bruin haar koekeloerde onder haar kap vandaan.

'Vergeeft u mij,' verontschuldigde hij zich. 'Ik was nog geheel in de ban van mijn gebed en toen ik uw stem hoorde, dacht ik dat de hemel me een engel had gezonden om me van mijn zorgen te bevrijden.' Toen de woorden al over zijn lippen waren gerold drong het pas tot hem door dat ze wel heel erg klonken alsof hij haar het hof maakte. 'Maar alstublieft, begrijp me niet verkeerd,' probeerde hij de situatie te redden. Hij voelde zijn gezicht knalrood worden. 'Ik wil u niet in verlegenheid brengen. Ik ben... Ik kan beter mijn mond houden,' zei hij met een zucht. 'Alles wat uit mijn mond komt, klinkt in uw oren vast als zotteklap.'

Ze glimlachte. 'Nee, monsieur. U klinkt slechts verlegen.' Ze bracht haar donkere mantel in orde, waarbij de stof van een dieprood gewaad en hoge schoenen met puntige neuzen zichtbaar werden.

'U bent geen non?' zei hij onverbloemd blij voordat hij er erg in had.

'Nee. Ik ben de pupil van de eerwaarde abdis.'

Deze uitspraak maakte hem nog blijer.

'Wat dacht u van een kom soep, monsieur...?' Ze wachtte tot hij zichzelf zou voorstellen.

Pierre aarzelde. *Moet ik haar wel mijn naam noemen?* Maar in het huis van God, voor het schilderij van een heilige en onder het kruis, wilde hij niet liegen, dus bekende hij tot welke familie hij behoorde.

'Komt u dan mee, monsieur Chastel.' Ze knikte en maakte een vluchtige buiging. Of ze had nog nooit iets over de twijfelachtige reputatie van de wildschut gehoord, of het maakte haar niet uit. 'Ik breng u naar het gastenhuis. Daar zullen ze wel iets warms voor u hebben.' Ze liep naar de zijdeur van de kapel die toegang tot de kloostergebouwen gaf.

Pierre bleef staan. 'Dat is heel aardig van u, maar ik moet helaas weer gaan, mademoiselle...?'

'Taupin. Ik heet Florence Taupin.' Met stralende ogen keek ze hem aan. Het was duidelijk dat ze hem ook sympathiek vond, hoewel ze uiteraard zedig haar ogen neersloeg. 'Wat noodzaakt u om zonder iets te eten te vertrekken?'

'Hij moet op een wolf jagen,' klonk het luid vanuit de geopende deur van de hoofdingang. Beide jongelui krompen ineen van schrik. 'Hij heeft nu wel genoeg tijd verdaan met het op zijn knieën liggen voor het portret van een dode paap.'

Pierre herkende aan de beide silhouetten zijn vader en broer, die in tegenstelling tot hem wel hun wapens mee naar binnen hadden genomen. Ze trokken zich niets aan van de regels die in een aan God gewijd huis golden.

Jean gooide hem zijn musket toe. 'Dat had je buiten laten staan, Pierre. Het is duur. Wil je het soms graag weggeven aan een langslopende boer, of heb je een klap van de molen gehad?'

Met tegenzin had Pierre het geweer gevangen en liep nu snel met grote passen naar de uitgang.

Florence reageerde volledig onverwacht op het onvriendelijke gedrag. 'Daar u zijn vader bent, monsieur, en vast en zeker ook al een lange weg door de kou achter de rug hebt, bied ik u en uw gezel eveneens een kom soep aan.' Ze bleef op vriendelijke toon praten, hoewel het haar was aan te zien dat ze zichzelf moest overwinnen om niet terstond weg te lopen. Naastenliefde scheen voor haar meer dan alleen een woord, zelfs als die naaste zich onbeschoft gedroeg.

Daar had de wildschut niet van terug en zijn gesloten gezicht kreeg een zachtere uitdrukking. 'Vergeeft u mij, mademoiselle, het is al laat en we willen voor het vallen van de nacht in ons dorp terug zijn.'

'We hebben een gastenverblijf en...' begon Florence. Maar toen ging plotseling de deur van de zij-ingang open. Abdis Gregoria kwam de kapel binnen, knikte met een glimlach naar de jonge vrouw, merkte toen de drie bezoekers op en probeerde met een onopvallende frons op haar voorhoofd de situatie in te schatten. 'Ik had niet verwacht behalve Pierre Chastel ook nog zijn vader en zijn broer in de kapel te mogen zien,' zei ze verrast en ze vouwde haar handen. 'Ik neem aan dat slechts een van u hier kwam om te bidden, messieurs?'

'Ze komen me ophalen,' antwoordde Pierre. 'En we staan op het punt te vertrekken.'

Florence had haar aan het zicht onttrokken hoofd gebogen en liep naar Gregoria. 'Ik heb hun wat te eten en onderdak voor de nacht aangeboden, eerwaarde abdis.'

Gregoria keek naar Jean. 'Laat maar, Florence. Ze zullen niet ingaan op onze gastvrijheid. De oudste monsieur Chastel is niet bijster gesteld op ons geloof en onze Kerk.'

'Geloof zou iets goeds zijn als God ook de gebeden van de mensen verhoorde en hun werkelijk hulp bood. Anders kun je net zo goed tegen een boom bidden. Die geeft ten minste nog vruchten, schaduw en brandhout.' Jean peinsde er niet over om tegenover de abdis zijn mening voor zich te houden. 'En over de Kerk valt nauwelijks iets goeds te melden.'

Gregoria's grijsbruine ogen schoten vuur en ze stak haar kin naar voren. 'Monsieur Chastel, God verhoort de gebeden van degenen die het verdienen.'

'O, ja? En ik dacht nog wel dat iedereen voor God gelijk was.' Ze zetten de woordenwisseling voort die in de bossen van de Vivarais was begonnen. 'Als ik naar kloosters en kerken kijk, heeft Hij het wel bijzonder goed voor met degenen die Zijn goede wil verspreiden. Hangt dat soms van het soort gebed af? Of van de nadruk die men erin legt? Hoe komt het dan dat hij míj nog nooit heeft geholpen?'

Gregoria moest toegeven dat haar eerste indruk van Chastel haar had bedrogen. In deze man stak een wakkere en spottende geest – maar ook iemand die tot in het diepst van zijn ziel in God teleurgesteld moest zijn. 'Die boom waarover u het had, groeit alleen door de genade Gods. Hij geeft hem aarde en licht en voedt hem met regen.'

'Dat is de smoes van iedere paap!' zei Jean terwijl hij in een minachtende lach uitbarstte. 'Alles wat er gebeurt, gebeurt omdat Hij het wil. En word je te veel door het ongeluk bezocht, dan heeft de duivel er de hand in.' Zijn bruine ogen zochten haar blik. 'Nee, u maakt mij niets wijs. Ik stink niet in dat slappe geklets en die preken. Niet meer!'

Pierre hield ondertussen Antoine in de gaten, in wiens groene ogen hij een alarmerend geschitter had ontdekt. De knappe, onschuldige Florence wekte onbeheersbare driften bij zijn broer op en snel ging Pierre voor hem staan om de jonge vrouw tegen Antoines wellustige blikken te beschermen.

'Wilt u werkelijk afstand van God doen, monsieur Chastel?' vroeg Gregoria. 'Misschien zou u eens moeten nadenken over hoe u leeft en waarom de genade van de Almachtige niet op u nederdaalt.'

'Ik leef heel normaal, ook al woon ik aan de rand van een dorp. Ik doe niets verkeerds. Wat kan Híj mij nu kwalijk nemen? Dat ik niet tegen de onwaarachtige woorden van een bezopen priester kan? En het maakt God geen zier uit dat de mensen me ervan beschuldigen dat ik de zoon van een heks ben. Hij weet wel beter.' Jean voelde zich er goed bij om met de abdis te bekvechten. Hij had eindelijk iemand tegenover zich op wie hij zijn opgekropte woede van het afgelopen jaar kon afreageren. En het liet hem koud dat hij met een invloedrijke vrouw van doen had die vast en zeker van adellijke afkomst was. 'Ik doe geen afstand van God, ook al gaat menigeen daarvan uit. Als hij me een teken geeft, wil ik met liefde weer tot hem bidden.'

'U verlangt dat de Almachtige u een teken geeft, monsieur?' De aanmatigende houding van de wildschut overtrof werkelijk alles wat ze tot nu toe had meegemaakt! Voordat ze nog meer kon zeggen, nam hij weer het woord.

'Waarom niet? Dat doet hij in het Oude Testament doorlopend. Hij zou toch niet zijn vergeten hoe het werkt? Vraag dat de volgende keer maar even wanneer u hem spreekt.'

Antoine stond ondertussen versteld van Pierres reactie. Maar toen begreep hij ineens waarom zijn grote broer zich als de beschermer van de onschuld probeerde te gedragen. 'Heb je ook eindelijk je hart verloren?' fluisterde hij en hij keek Pierre daarbij strak aan, grijnsde gemeen en likte zijn lippen af.

'Hou je mond,' bromde Pierre.

'Ik zal haar eens keuren,' ging Antoine zachtjes door. 'Voor jou. En wees maar niet bang, broertje... Ik laat je echt wel weten of ze lekker is.'

Dat werd Pierre te veel. Hij draaide zich om, duwde Antoine over de drempel de kapel uit, hief zijn vuisten en probeerde een paar stompen uit te delen.

Antoine, wendbaarder en meer ervaren als het om knokpartijen ging, ontweek hem spottend lachend en sloeg hem met de loop van zijn musket recht in zijn gezicht. Pierre tuimelde achterover en viel op de grond. Bloed sijpelde uit zijn neus.

'Hou op!' snauwde Jean tegen zijn zoons, die zijn twistgesprek met de abdis hadden onderbroken. Hij begreep niet wat de verstandigste van de twee had bewogen om te willen vechten.

Florence rende na een teken van Gregoria op hen af, knielde naast de gevallen Pierre neer en probeerde met haar zakdoek de bloeding te stelpen.

'Zo is het wel welletjes.' Jean pakte Pierre bij zijn jas vast, sleurde hem onzacht overeind en duwde hem voor zich uit. En in het voorbijgaan keek hij Antoine zwijgend aan met een blik die duidelijk maakte dat hij het niet moest wagen hem te provoceren. 'Naar het dorp met jullie, daar praten we verder. Die nonnenbajes maakt jullie allebei knettergek.'

Gregoria en Florence stonden bij de poort en keken de drie uit het kloostercomplex weglopende gedaantes na tot ze uit het zicht waren verdwenen. Het meisje bewoog de vinger van haar rechterhand waaraan het bloed van Pierre stolde en kleverig werd. Ze pakte wat sneeuw van de grond en veegde het af. Vanbinnen was ze blij omdat hij haar geschenk had aangenomen: hij had haar zakdoek in zijn hand geklemd. Ze wist nu zeker dat ze hem weer zou terugzien. Binnenkort al.

'Een merkwaardig gezin,' zei Gregoria nadenkend. Ze had na hun eerste ontmoeting in het bos inlichtingen over de Chastels ingewonnen, was op de hoogte van de geruchten en vermoedde dat niet alles daarvan klopte. Maar wat moest een mens geloven en wat niet? Ze keek naar de zon die dieper achter de bomen en de Mont Mouchet wegzakte om de gesternten van de nacht aan de hemel toe te vertrouwen.

'Het is tijd voor het avondeten, Florence.'

'Ja, eerwaarde abdis.'

Ze liep het kleine godshuis weer in, terwijl Gregoria de poort vanbinnen op slot deed. De abdis controleerde de grendels van de kapel door krachtig aan de deur te rammelen. Ze keek alle vensters na, sloeg een kruis voor het schilderij van haar beschermheilige en liep Florence achterna door de zijdeur.

Toen ze via de kloostergang de refter bereikte, stelde ze verbaasd vast dat ze nog steeds aan Jean Chastel dacht. Haar verklaring daarvoor was dat het heel veel vergde om een man die onverschrokken en open voor zijn mening uitkwam, op de weg van het ware geloof terug te brengen.

VIII

Rusland, Sint Petersburg, 12 november 2004, 19.06 uur

De vlucht verliep snel en zonder problemen. De korte reis had voor Eric echter lang genoeg geduurd om een paar losse, duistere schetsen in zijn aantekenboekje te maken, zijn manier om de gebeurtenissen van de afgelopen uren te verwerken.

Het keramische mes in Erics overjas zou noch bij het inchecken, noch bij het uitchecken door detectoren worden ontdekt. Waarom ook? Porselein werd als ongevaarlijk beschouwd, zelfs al was het twintig centimeter lang, plat en zo scherp als een scheermes. Wie ooit als eerste op het idee was gekomen om een mes van dat materiaal te maken, verdiende volgens Eric onmiddellijk een medaille. En hij dankte God op zijn blote knieën dat de technologische vooruitgang van modern keukengerei tot nu toe aan de aandacht van vliegtuigkapers was ontsnapt.

Anatol Prokofiev, een ras-Petersburger en huisbewaarder van het herenhuis van de von Kastells, stond klaar in de aankomsthal. Hij was geen typische Rus: klein, zwart haar, een dun snorretje en een charmante glimlach waarop een Fransman jaloers zou zijn. Als hij zijn mond opendeed en wat zei, waren vreemden altijd verrast dat deze tengere man een basstem liet horen die dieper dan diep was. 'Mijn oprechte deelneming, meneer von Kastell,' zei hij ter begroeting en hij stak hem een hand toe. Zijn bruine ogen toonden Eric dat hij het serieus meende. 'Een zwaar verlies.'

Eric knikte. 'Dank je. Nog nieuws?' Hij ging niet in op de blijk van medeleven, om niet weer aan de dood van zijn vader te hoeven denken.

Anatol kwam naast hem lopen. Waarschijnlijk dacht hij, zoals de meeste mensen die de von Kastells kenden, dat ze tot de georganiseerde misdaad behoorden. Anders waren de rijkdommen, de wapens en de veelvuldige verwondingen niet te verklaren. Eric liet ze in de waan, dat bespaarde hem een hoop narigheid. Een slechte naam en de reputatie van een man die tot alles in staat was, zorgden ervoor dat informatie sneller werd losgelaten en gesloten deuren sneller opengingen. Vooral in Rusland. 'Niet meer dan wat de media al hebben verkondigd. Op het detail na dat het niet een stomp mes of een zware nagel betrof, maar...'

'Tanden.'

'Hoe weet u dat?'

De mannen hadden de hal verlaten en liepen over sneeuwvrij gemaakte wegen naar de parkeerplaats waar de Porsche Cayenne stond. Het was niet dezelfde als in Duitsland, maar wel hetzelfde model met exact dezelfde specificaties. Behalve dan dat deze verbazingwekkend schoon was. Eric bleef staan en zette zijn tas neer. Hij bekeek de lak nauwkeurig. Dus onder een laag vuil zag een Cayenne er zo uit. 'Heb je hem gewassen, Anatol?'

'Per abuis,' verontschuldigde hij zich. 'En gepoetst.'

'Ook nog gepoetst. Waarom?'

'Het vuil gaat er dan makkelijker af.' Anatol stapte aan de passagierskant in. 'Het is hier in de stad zo'n smerige bende, meneer von Kastell. Zelfs een terreinwagen zou daarin blijven steken.'

Eric lachte zachtjes. 'Niet zo zwaarmoedig, mijn beste Anatol.' Hij ging achter het stuur zitten en wekte de motor tot leven. De rit kon beginnen.

De straten van Sint Petersburg vroegen om meer lef en brutaliteit dan het verkeer in Duitsland, en wie hier in een bredere, krachtigere en snellere auto reed, had voorrang. Ten tijde van het communisme, zo merkte Anatol op, was dat wel anders geweest. Toen waagde niemand het om openlijk zijn rijkdom in de vorm van een luxeauto te tonen, afgezien van een paar partijbonzen. Open grenzen, nieuwe welstand, nieuwe rijken. Het recht van de sterkste. De sneeuwblubber die van de straat tegen het plaatstaal aan de onderkant werd geslingerd, drong als een zacht ruisend geluid tot binnen in de auto door.

'Wat heb je over die tanden kunnen achterhalen?'

'Ze waren heel lang, heel scherp. De bijbehorende kaken hadden meer bijtkracht dan die van een dog.' Als Anatol zich al verbaasde over Erics belangstelling voor de bizarre details van de moord, liet hij dat niet merken. Hij had het afgeleerd om vragen te stellen. Daarvoor werd hij te goed door de familie betaald. 'Volgens de technische recherche hebben ze menselijk speeksel in de wonden gevonden, maar ook korte, roodbruine haren die van een hond zouden kunnen zijn.'

Roodbruin. Een vage verdenking sloeg om in negenennegentig procent zekerheid. 'Is het de eerste moord?'

'Zoals u vroeg, heb ik me verdiept in de onopgeloste gevallen van de afgelopen drie maanden. Niets te vinden.' Hij stak zijn middelvinger op naar een kleine Skoda die hen probeerde in te halen, en schold de bestuurder stijf.

'Anatol?'

'Neemt u me niet kwalijk. Ik ken die schoft. Hij is me nog vijfduizend roebel schuldig,' zei hij kwaad. 'Maar goed, tussen de onopgeloste moorden in de stad heb ik niets kunnen vinden. Maar er zijn wel berichten over aanvallen van wolven, en vier daarvan zouden in aanmerking kunnen komen. Ze hebben buiten de stad plaatsgevonden, in ontoegankelijke streken, en worden toegeschreven aan een hondsdol dier. De slachtoffers waren jongemannen van wie de verdwijning niet onmiddellijk werd opgemerkt.'

Eric wilde van rijbaan wisselen en botste bijna tegen een langzame witte Mercedes die hem knipperend met zijn lichten waarschuwde. Zijn hersenen waren te koortsachtig bezig geweest met de verandering van aanpak van het wezen dat ineens, kennelijk om aandacht te trekken, midden in de stad tot moorden was overgegaan. Normaliter moordden gedaantewisselaars discreet. Alleen op die manier konden ze ongehinderd hun doelen blijven nastreven. Velen waren topfiguren binnen de georganiseerde misdaad, anderen bazen van concerns, weer anderen gaven de voorkeur aan een gevecht in de politieke arena. Slechts een enkeling nam genoegen met een bestaan waarin macht en invloed geen enkele rol speelden.

Doel van dit exemplaar was waarschijnlijk om jagers aan te trekken en in de val te lokken. Het stond niet vast dat het een val exclusief voor hem was. Deze gedaantewisselaar kon het net zo goed op een ander hebben voorzien. Eric wist echter niet hoeveel andere jagers uit zijn familie – behalve hijzelf – er nog leefden.

'Nog iets over die Fauve kunnen uitdokteren?' vroeg hij aan Anatol.

'Nee, de informanten van uw vader konden niets vertellen. In Sint Petersburg schijnt hij in elk geval niet actief te zijn.'

Eric reed de Cayenne de binnenplaats van het herenhuis op, knerpend en knarsend rolden de banden door de sneeuw. Hij doofde de lichten, schakelde daarna de motor uit. Weer was hij bij een groot huis aangekomen dat eigendom van zijn familie was, maar hier voelde hij zich niet thuis.

Zwijgend stapte hij het jugendstilgebouw binnen uit de tijd dat de stad nog floreerde, en sleepte zich de trappen op. Om een of andere reden voelde hij zich niet echt fit en uitgerust.

'Dank je, Anatol,' zei hij vlak voordat hij de eerste verdieping bereikte. 'Je kunt naar huis. Ik bel je wel als ik iets nodig heb.'

De man knikte en verdween weer door de deur naar buiten.

Het rook hier naar... naar zijn jeugd. Eric bleef staan en verbaasde zich erover hoe de geuren in de villa in München en in dit herenhuis in een Russische stad overeenkwamen: boenwas, oud droog hout, een snufje stoffigheid. De geur van vele herinneringen die tot diep in de muren leek te zijn doorgedrongen.

Hij zag zijn vader voor zich en voelde de krachtige hand met het brede litteken die hem over zijn bol aaide. 'Pappa... o, pappa,' fluisterde Eric sentimenteel en hij liep naar de kamer die Anatol voor hem in orde had gemaakt. Hij zette de tas op de bank, trok zijn kleren uit en liep naakt door het aangenaam door open haarden verwarmde huis.

Veertien jaar was hij hier niet meer geweest. Trillend van opwinding daalde hij de keldertrap af en kwam in een donkere gang met heel veel deuren. Achter de eerste lag het laboratorium, achter de tweede de wapenkamer, achter de derde... Daar bleef hij staan, zijn vingers sloten zich om de kruk, en op datzelfde moment hoorde hij ineens zijn moeder huilen. Hij sloeg zijn ogen neer en stootte de deur open. Hij wist wat zich daarachter bevond: de betegelde ruimte.

Er bestond geen speciale naam voor die kamer, hij werd gewoon alleen maar 'de betegelde ruimte' genoemd. Aan het plafond en de muren hingen kettingen en boeien van roestvrij staal. Heel duidelijk hoorde hij hoe ze door de tocht die de open deur veroorzaakte, heen en weer werden geslingerd en rammelend tegen elkaar stootten.

Langzaam, heel langzaam opende hij zijn ogen, staarde naar de nauwelijks verlichte ruimte en wachtte met een huivering tot er iets zou gebeuren. In werkelijkheid gebeurde er gelukkig verder niets, maar in zijn verbeelding des te meer. Onbarmhartig kwamen alle herinneringen boven die de reden vormden voor zijn lange afwezigheid in Sint Petersburg. Plotseling galmden de doodskreten van zijn moeder weer door de gang, overstemd door het luide gebrul van de lykantroop die haar door de kelder achtervolgde en zich in de betegelde ruimte op haar stortte. De gedaantewisselaar had zich uit de boeien bevrijd waarin zijn vader hem had vastgeketend en zocht telkens bij vollemaan, dol van begeerte, een slachtoffer waarin hij zijn tanden kon zetten.

Zijn moeder was niet snel gestorven. Het Beest had haar tegen de grond gedrukt en met smaak op haar arm gekauwd – zoals roofdieren stukken vlees met bot verorberen – en had van de schreeuwen van de hulpeloze vrouw genoten totdat hij het spelletje zat was. Pas toen had hij de keel van zijn moeder bruut opengebeten en smakkend haar bloed opgeslobberd.

Eric had het nauwelijks nog herkenbare lijk van zijn moeder als eerste onder ogen gekregen. En op dat moment had hij gezworen zonder mededogen jacht op welke lykantroop ook te maken, of die nu tot de wolvenstam of een andere soort behoorde. Het waren allemaal roofdieren, ze waren allemaal hetzelfde, ook al leken ze nog zo onschuldig, zoals die ongelukkige Tina. Hij mocht geen genade tonen. Hij sloeg de deur van de betegelde ruimte met kracht dicht en rende terug naar de bovenverdieping alsof hij van de beelden in zijn hoofd kon weglopen. Dat was onmogelijk en hij wist ook dat je ze niet ergens voorgoed kon wegstoppen. Maar je kon ze wel onherkenbaar maken.

Eric liep naar de werkkamer en opende de bar om een wodka voor zichzelf in te schenken. En nog een, en nog een.

In de alcohol verdween het verdriet om zijn vader, herinneringen aan de geschiedenis van zijn familie. Jagers stierven niet vredig in bed maar op de jacht, of het nu om mannen of om vrouwen ging.

Eric dronk sneller. Uiteindelijk, na meer dan driekwart fles, vervaagde ook het beeld van zijn uiteengereten moeder tot een onpersoonlijk, pulserend rood waarbij hij kon inslapen.

IX

12 januari 1765, in de buurt van het dorp Villaret, Zuid-Frankrijk

Jean Chastel keek van een flinke afstand naar de eenvoudige hut met een schoorsteen waaruit een dikke walm opsteeg. Kennelijk lukte het de bewoner niet om een goed brandend vuur te stoken. 'En die man zou ons moeten helpen?'

Antoine kwam naast hem staan. 'Hij is dokter in Parijs geweest, tot hij uit de gratie raakte bij een van zijn trouwste patiënten, de markies d'Arlac, die hem een proces wegens kwakzalverij aandeed.'

'Kwakzalverij.' Jeans gezicht betrok. 'We kunnen maar beter rechtsomkeert maken.'

'Nee, vader!' Zijn jongste zoon keek hem smekend aan. 'Hij staat goed aangeschreven bij de mensen. Hij is met heel veel ziektes bekend. Alstublieft, laten we het proberen.'

Pierre liep langs Antoine en Jean, bleef staan en keek eveneens taxerend naar het huis. 'Hij is onze enige hoop,' zei hij tegen zijn vader.

Vol pessimistische voorgevoelens zette Jean zich in beweging. 'Jullie wachten hier op mij,' beval hij zijn zoons toen ze voor de deur stonden. Hij klopte aan en stapte naar binnen.

Een voor de Gévaudan ongewone verschijning zat aan een ruwhouten tafel in een eenvoudig ingerichte kamer. De voorname kleding van de stevige man was in tegenspraak met het karige interieur. En hij had zelfs een witte pruik op zijn hoofd. De man maakte duidelijk de indruk hier niet op zijn plaats te zijn. Hij was bezig de scherpte van de chirurgische instrumenten te controleren waarmee hij óf het leven van misdadigers spaarde tot ze hun rechtmatige straf hadden toebedeeld gekregen, of hun leven tot een hel op aarde maakte. Toen Jean binnenkwam, tilde hij zijn hoofd op. 'Monsieur?'

'Bent u Claude Penchenat, de beul?'

De man, die niet ouder dan veertig jaar kon zijn, glimlachte en bekeek hem met zijn lichtblauwe ogen van top tot teen. 'Ik ben van alles, monsieur.' In één hand hield hij een dun mes, in de andere een kleine slijpsteen; schurend gleden metaal en steen langs elkaar. 'Waarmee kan ik u helpen?' Zijn ogen dwaalden naar het musket.

'Hebt u van het Beest gehoord, monsieur Penchenat?'

'Het is moeilijk om er niets over te horen. Of over de uitgeloofde beloning.' Hij gebaarde naar de lege stoel bij de tafel. 'Gaat u zitten.'

Dat deed Jean terwijl hij om zich heen keek. De hut was schoon en opgeruimd, geen spinnenwebben, geen vuil. 'Er zijn mensen die zeggen dat het een loup-garou is. Als dat zo is, hebben we er een middel tegen nodig.'

'Het zal u niet verbazen dat er de afgelopen weken reeds talloze mensen bij me aan de deur hebben geklopt en me gesmeekt om een middel dat hen tegen zo'n Beest zou kunnen beschermen, monsieur. Welnu, in enkele boeken staat geschreven dat het voldoende is om een zilveren mes onder de drempel van de voordeur te begraven zodat hij u niet in uw eigen huis kan opvreten.'

'U begrijpt me verkeerd. We willen hem niet op afstand houden,' zette Jean het misverstand recht. Hij was er trots op dat hij zo'n beheerste, niet-betrokken indruk maakte. 'Maar laat me u eerst een advies geven: de rookklep van uw haard staat half dicht. Zo zal uw vuur niet branden.'

'Ben ik weer vergeten hem open te zetten? Mijn leven was zo veel makkelijker toen ik nog in de stad woonde en ik me een bediende voor zulke karweitjes kon permitteren. Mijn dank voor uw hulp.' Penchenat legde slijpsteen en mes weg. 'Maar nu... uw probleem. Aan uw uiterlijk is eenvoudig te zien wat uw beroep is, monsieur. U maakt jacht op het Beest en bent bang dat hij ook u kan verwonden. Wat zou u bereid zijn te betalen om geen loup-garou te worden?' Hij stond op, rammelde even aan het handvat waarmee de rookklep werd bediend en verdween toen naar de kamer ernaast. Jean wierp een bezorgde blik op het raam, zag Pierre en Antoine voor het huisje staan. Aan hun gebaren was duidelijk te zien dat ze weer eens ruziemaakten. 'Bestaat er dan een middel tegen?' Terwijl hij naar het zachte gerinkel van flessen en bekers uit de kamer ernaast luisterde, dacht hij aan de afgelopen dagen waarop ze als vagebonden hadden rondgetrokken. Hoewel hij zijn zoons elke avond met ketens vastbond, was het meer dan eens voorgekomen dat hij wakker werd en hen zonder kluisters had aangetroffen. Het was volstrekt duidelijk dat ze, door de verandering in een garou, in staat waren uit hun boeien te glippen. Pierre en Antoine herinnerden zich de volgende morgen dan niet wat ze hadden gedaan en wachtten ongerust de nieuwe berichten af over wat het Beest in hun omgeving had aangericht.

Maar Jean wist tenminste wel dat niet alle doden aan Pierre en Antoine konden worden toegeschreven. Het Beest sloeg telkens weer toe in streken te ver weg van hun huidige schuilplaats om in één nacht heen en weer te kunnen afleggen. Penchenat kwam weer tevoorschijn en hield een sierlijke flacon in zijn rechterhand die er tussen zijn sterke vingers erg breekbaar uitzag. 'Een aftreksel,' legde hij uit. Het donkere brouwsel golfde tegen het doorzichtige glas en liep weer als een dikke stroop naar beneden. 'Gemaakt van wolfskruid en andere geheime ingrediënten. Het helpt tegen slijm, zwarte gal en verdikte lichaamssappen, maar ook tegen waterzucht en jicht.' Hij zette de flacon zachtjes op de tafel. 'Het wordt ook aanbevolen tegen lepra en koorts.'

'En ook tegen de beet van een loup-garou?'

'Uiteraard.'

'U bent wegens kwakzalverij uit Parijs verdreven, monsieur Penchenat. Moet ik u dan geloven dat dit spul werkt?' Jean daagde de dokter opzettelijk uit om te zien hoe hij zich zou verdedigen. 'U kunt dat misschien aan onnozele dorpelingen verkopen, monsieur, maar niet aan mij.'

'De aconitum in mijn aftreksel kan iedere wolf doden, en als u wordt gebeten, verjaagt het de garou uit uw aderen voordat deze zich in u kan vastzetten.' Penchenat ging zitten en leunde met zijn armen op tafel. 'Ik werd uit Parijs verbannen omdat de markies mij niet om redenen betreffende mijn ambacht maar mij om persoonlijke redenen van kwakzalverij beschuldigde. Tot mijn grote genoegdoening is hij een halfjaar na mijn vertrek gestorven. U kunt mij vertrouwen, monsieur. Ik heb al meer mensen van de dood gered dan menige kwakzalver die zich apothecarius durft te noemen.' Hij schoof een beker naar zijn gast en schonk wat wijn voor hem in. 'Paulus van Aegina schreef reeds in zeshonderdveertig na Christus dat aconitum wolven doodt.' Hij proostte met de fles. 'U ziet dat ik een man van de wetenschap ben, monsieur, niet alleen een door velen verguisde beul. Menigeen noemt mij nog altijd een medicus.'

'Hoeveel kost het?'

'Zeventig livre. Of twee louis d'ors. Wat u toevallig bij u hebt.'

'Zó veel? Dat is een jaarinkomen!'

'Welnu, als u het Beest neerschiet, krijgt u bijna vierduizend livre. Maar als het Beest ú te pakken krijgt, wacht u een vreselijk lot. Dan zijn mijn zeventig livre een goede investering, vindt u ook niet, monsieur?'

Jean dacht erover na en besloot dat hij maar op het aanbod moest ingaan, ook al was het allesbehalve voordelig. Sceptisch keek hij naar de kleine hoeveelheid in het met een kurk afgesloten en met was verzegelde flesje. 'Is dat voldoende voor drie mannen? Ik ben met mijn zoons op jacht.'

'Beslist niet. Maar ik kan u aan nog meer helpen.'

'Maakt u het dan niet zelf?'

'Nee.' Penchenat glimlachte. 'Er zijn ingrediënten voor nodig waar men niet eenvoudig aan kan komen en ik heb plechtig beloofd daarover te zwijgen. Een vriendin van me levert het aan mij. Maar ik verkoop alleen iets als ik er absoluut van overtuigd ben dat het werkt.'

Jean stak zijn hand uit naar de flacon, maar de beul greep zijn arm bliksemsnel vast. Zijn greep was stevig, maar de glimlach verdween niet van zijn gezicht. 'Nee, nee, nee! Pas als u hebt betaald mag u er aankomen, monsieur.'

Jean wierp de verlangde louis d'ors op tafel. 'Hoe snel na de beet moet je het opdrinken?'

'Onmiddellijk daarna,' was het antwoord. Penchenat nipte zichtbaar tevreden aan de wijn. 'Anders werkt het niet meer. Of liever gezegd, u zou de mens met het drankje van het leven beroven. De garou heeft zich dan namelijk al zo stevig in het lichaam genesteld dat hij de ongelukkige onvermijdelijk mee de dood in sleurt.'

Jean vloekte inwendig. Dus kon hij het brouwsel alleen gebruiken om zichzelf te redden, mocht een van zijn zoons hem in een roes aanvallen – of het Beest zelf. Waarom had hij dat toch niet eerder gevraagd? Hij stond op, dronk in één teug zijn wijn op en zette de beker terug op tafel. 'Vergeet die andere twee aftreksels maar. Dit is voor ons genoeg. Meer dan een van ons zal het Beest niet aanvallen. De andere twee zullen hem vervolgens kunnen neerschieten.' Hij draaide zich om.

'Moge geschieden wat u zegt. U weet toch wel dat u zilveren kogels nodig hebt om een garou te doden, hè?' vroeg Penchenat. 'En vergeet niet dat als een van uw zoons toch een garou mocht worden, er geen redding meer voor hem is. Behalve natuurlijk,' voegde hij er bijna terloops aan toe terwijl hij mes en wetsteen weer pakte, '... als u het Beest doodt dat verantwoordelijk is voor zijn gedaanteverandering. Dan zou u zijn bloed voor een genezende drank kunnen gebruiken. Wilt u misschien het recept kopen? Om het zekere voor het onzekere te nemen, bedoel ik.'

Jean draaide zich om en smeet zijn laatste spaarcenten op tafel. 'Geef het me.'

'Tot uw dienst, monsieur.' Penchenat legde mes en wetsteen weer terug op een lap en liep opnieuw naar de kamer ernaast.

Jean was in één klap bijna een arme man geworden. Het was heel duur om met een loup-garou de strijd aan te binden. En nu ook nog zilveren kogels! Waar haalde hij het geld voor die bijzondere munitie vandaan? Zijn normale opbrengsten uit de verkoop van dierenhuiden zouden niet genoeg zijn.

Hij keek naar de boeken die netjes geordend op de planken tegen de muur stonden. Het leken verhandelingen over medische vraagstukken, maar er waren ook filosofische werken bij. Ongebruikelijk veel. Geen wonder dat hij uit Parijs was weggegaan – met zo'n bibliotheek werd je er onmiddellijk en onvermijdelijk van verdacht een atheïst te zijn. Penchenat sprak bovendien heel openlijk over de middelen die hij verkocht. Hij mocht van geluk spreken dat juist eenvoudige mensen hekserij als zeer nuttig beschouwden. Niemand zou hem hier aangeven.

Penchenat had nu nog meer tijd nodig dan toen hij de eerste keer was verdwenen. Hij kwam terug, blazend over een vlekkerig vel papier dat hij horizontaal in zijn handen hield.

'Ik heb een afschrift voor u gemaakt, monsieur,' legde hij uit. Hij wierp een laatste blik op de letters, rolde het vel op en stopte het in een leren foedraal. 'Nu bent u tegen de vloek van het Beest beschermd. Ik wens u en ons dat u hem zo snel mogelijk neerschiet.' Hij legde de rol in de geopende hand van de wildschut. '*À Dieu*.'

Jean stapte naar buiten in het winterzonlicht en verbaasde zich dat hij alleen Pierre aantrof. Bang dat er iets ergs was gebeurd vroeg hij: 'Waar is je broer?'

Pierre wees naar een glooiing aan de voet van een berg. 'Hij zei dat zijn bloed begon te koken en dat hij ervandoor moest om ons niet in gevaar te brengen. Hij komt terug zodra het Beest in hem weer tot rust is gekomen,' legde hij zachtjes uit, zodat Penchenat, wiens nieuwsgierige, door een pruik omlijste gezicht aan het venster was verschenen, hem niet kon verstaan.

Jean kon niet meer ophouden met vloeken. Met zijn goede ogen zag hij in de verte een flink aantal donkere stippen in de witte sneeuw die zich tussen de bomen en struiken door bewogen. Het leken schapen met een troepje kinderen dat de kudde hoedde. Antoines voorliefde voor de zwakkeren profiteerde weer eens van de gelegenheid. 'En hoe voel jij je?'

'Goed. De koorts schijnt me deze keer te worden bespaard,' antwoordde Pierre. 'Heeft het wat opgeleverd, vader?'

'Daar hebben we het later nog wel over. Eerst moeten we een ramp zien te voorkomen.' Hij zette het op een drafje, voortdurend de voetsporen van Antoine volgend. Pierre kwam hem achterna.

Achter hen werd de deur van de hut opengegooid. 'Messieurs, is 't het Beest?' riep Penchenat hun opgewonden achterna. 'Is het hierheen gekomen? Moet ik naar het dorp lopen om hulp te halen?'

Vader en zoon spaarden hun adem, ze moesten zich haasten.

'En als het Beest nu komt?'

'Dan steken we het dood!' antwoordde Jacques-André Portefaix overmoedig op de vraag van zijn vriendje, terwijl hij met de door zijn vader gemaakte spies zwaaide. Daarmee kon hij zich tegen de vraatzuchtige wolf verdedigen. Hij was de grootste van de totaal zeven kinderen in de leeftijd van acht tot dertien jaar die in de bergen niet ver van het dorp Villaret voor het vee zorgden, en de onbetwiste leider van de groep. 'Dat zijn jullie toch met me eens?'

De jongens knikten geestdriftig, maar de beide meisjes schenen niet in het minst warm te lopen voor Jacques-Andrés heldenmoed. Hij kon aan ze zien dat ze blij zouden zijn wanneer ze weer thuis waren, veilig achter de granieten muren en beschermd door de sterke armen van hun ouders.

De schapen begonnen ineens te blaten en hieven hun kop op. Ze roken iets in de wind en zetten het op een lopen, weg van hun hoeders.

Jacques-André vermoedde wat dat gedrag betekende. Zoekend keek hij om zich heen terwijl een paar andere kinderen probeerden de bange dieren tegen te houden. Jacques hield zijn spies nog steviger vast, spiedde rondom, stak in de eerste de beste bremstruik en pookte in het kreupelhout. Toen ritselde er plotseling iets opzij van het pad.

'Het Beest!' riep hij opgewonden. Hij tilde zijn wapen op en sloeg op een ondergesneeuwde berg bladeren zodat het wit omhoogstoof. Niets.

De harde schreeuw van een meisje alarmeerde hem. Hij draaide zich om en ontdekte tot zijn ontzetting werkelijk een op een wolf lijkend dier dat nog geen vijf pas van hen vandaan als uit het niets was opgedoken. 'Snel, bij elkaar!' riep hij. 'Ga met de ruggen tegen elkaar staan en steek jullie spiesen naar voren.'

Ook al was de angst nog zo groot, de jongens en meisjes gehoorzaamden hem. Ze hadden die manoeuvre al talloze keren geoefend, maar ze hadden nooit gedacht dat ze het roofdier werkelijk zouden tegenkomen.

Het Beest kwam rustig naderbij, ging plat op de grond liggen en gedroeg zich meer als een kat dan als een wolf. De staart stond bijna kaarsrecht omhoog en de rode ogen vestigden zich strak op de kinderen toen het wezen rondom hen begon te lopen. Het zocht een makkelijk slachtoffer uit.

Jacques-André was verschrikkelijk bang, maar dat wilde hij niet aan het Beest laten merken. Stiekem hoopte hij dat hij degene zou zijn die dat ondier met zijn spies zou doden, die eigenaardige mengvorm van hond, wolf en nog iets anders. Zelfs de lelijkste bastaardhond zag er nog niet zo weerzinwekkend uit – en zo groot en gevaarlijk al helemaal niet!

Het Beest had zijn keuze gemaakt. Bliksemsnel schoot het tussen de spiesen door, stond plotseling midden tussen de krijsende kinderen – en viel Joseph aan, het op een na jongste en kleinste jongetje. Schreeuwend verdween hij onder de reusachtige, met klauwen uitgeruste poten. Het Beest had geen enkele interesse in de andere kinderen, zag ze kennelijk niet als een bedreiging. Kwijlend keek hij naar zijn kronkelende slachtoffer, trok zijn bek open en beet midden in het gezicht van de jongen. De schreeuwen van het kind werden op een ijzingwekkende manier gesmoord.

'Steek hem dood!' brulde Jacques-André nadat hij over de eerste schrik heen was en de andere kinderen aanstalten maakten om uit angst voor hun vijand weg te lopen. Hij haalde uit en ramde de punt van zijn spies met alle kracht die hij in zich had in de flank van het dier. En al waren ze banger dan ze ooit in hun leven waren geweest, twee jongetjes sprongen naar voren om hun aanvoerder te helpen.

Hoewel ze het Beest niet dodelijk verwondden, waren de spieswonden toch pijnlijk. Grommend en met ontblote tanden liet het Beest de kermende Joseph los, schoot met één verre sprong tussen de kinderen uit en zeeg een paar pas van hen vandaan neer. Maar het ondier bleef daar zitten alsof er niets aan de hand was, kauwde smakelijk op iets en werkte het naar binnen.

De kleine groep viel uiteen. De meisjes wilden wegrennen en hielden niet meer op met krijsen en huilen. 'Wees stil!' brulde Jacques-André. 'Kom hier, snel! Weer allemaal bij elkaar, spiesen in de aanslag! En let beter op!' waren zijn nieuwe aanwijzingen. Toen zag hij ineens het bloed van het Beest aan zijn wapen. 'Kijk dan, je kunt hem verwonden!' De kinderen gingen in een kring om de gewonde jongen staan die door de pijn zijn bewustzijn had verloren; het bloed liep over zijn kapotgebeten gezicht en stroomde door de sneeuw op de bevroren aarde.

'Daar komt-ie weer!' loeide ineens een van de meisjes vol angst, maar ze liet haar spies niet zakken. Nee, ze liet hem vallen en wierp zichzelf op de grond, haar handen beschermend boven op haar hoofd. 'Heilige Moeder van God...'

Het dier deed net alsof het een sprong wilde maken, maar dook toen onder de spiesen door en hapte naar het been van het volgende kind. Deze keer had hij Jean uitverkoren, het jongste jongetje. Hij sleurde hem weg en rende regelrecht naar een dichte haag van bremstruiken.

'Laten we 'm smeren!' riep Jacques Coustou met een bevende stem. Hij gooide zijn wapen op de grond, draaide zich om en rende weg. De meisjes die niet meer ophielden met huilen, gingen hem achterna.

'Kom terug!' schreeuwde Jacques-André.

'Hij vreet ons een voor een op als we zo doorgaan!'

'Ik ga liever samen met mijn vriendje dood dan het op te geven!' Jacques-André moest en zou jagen op het Beest en hem zijn prooi afhandig maken.

Na een paar passen merkte Jacques-André dat de bodem onder zijn voeten zacht werd. In zijn vlucht was het Beest door een niet-bevroren zompgat gelopen.

De poten van het Beest zakten telkens weer weg in de met gras bedekte smurrie, en het gezamenlijke gewicht van zijn slachtoffer en hemzelf trok hen het slijk in. Zijn achtervolger was echter licht genoeg om er niet in weg te zakken.

En toch dacht het Beest er geen moment aan om Jean los te laten. De kleine jongen werd door de linkervoorpoot tegen de zachte aarde gedrukt en af en toe hapte het dier bloederige stukken vlees uit het jongetje. Jean schreeuwde en kermde.

'Laat hem los!' brulde Jacques-André en hij richtte zijn spies op de brede kop en de kwetsbare ogen. Uiteindelijk raakte hij hem in de zwarte, stinkende bek. Het Beest begon woedend te blazen.

Onverwachts doken nu ook de andere kinderen weer op. Aangestoken door de moed van hun aanvoerder renden de jongens en meisjes schreeuwend en lawaai makend dichterbij om op het Beest in te steken. Maar hoe Jacques-André en zijn dappere vriendjes zich ook inspanden, ze raakten de griezelige rode ogen niet één keer. Maar de voortdurende aanvallen van de kinderen gaven het ondier in elk geval niet de tijd om zijn prooi te doden.

'Hoepel op!' Jacques-André ramde zijn spies precies in de neus van het Beest. Met een klagend geluid sprong de weerwolf achteruit en liet hun vriendje met rust, likte zijn gevoelige snuit... en liet na een korte adempauze weer agressief zijn kop zakken. Het grommen veranderde en kondigde de volgende aanval aan. Deze keer, dat was duidelijk te zien, zou het Beest de aanvoerder van de kinderen pakken en hun verzet op die manier breken. Het legde de oren plat tegen de kop.

'Trek hem weg!' verordende Jacques-André die het Beest nu onverschrokken de weg versperde zodat zijn vrienden de gewonde Jean in veiligheid konden brengen.

Er kwam beweging in de vacht, daaronder spanden zich de spieren van het imposante dier. De kaken klapten kwijlend open en wachtten tot ze zich om een keel konden sluiten.

Precies op dat moment kwam er een oudere man aangerend. Hij kreeg net op tijd het verraderlijke zompgat in de gaten, knielde aan de rand neer en bracht zijn musket in de aanslag. Een tweede, jongere man dook eveneens op. Ook hij richtte zijn wapen. De schoten bulderden kort na elkaar.

Rechts en links van het Beest spatte natte aarde op terwijl de kogels klotsend in het zompgat vlogen. De opgeluchte Jacques-André hoorde aan de stemmen achter zich dat nog meer mensen toesnelden, aangevoerd door Penchenat die hen met zijn kreten aanspoorde.

Zo'n overmacht werd het Beest te veel. Hij vluchtte, sprong door een beek, rolde even door het met rijp bedekte gras alsof hij zijn nederlaag van zich af wilde wrijven, voordat hij uiteindelijk in de dichte bremstruiken en het aangrenzende pijnbomenbos verdween.

Op datzelfde moment werd Jacques-André overvallen door een razendsnel toenemende moeheid. Voorzichtig liep hij uit het zompgat en zakte naast zijn vriendjes en aan de voeten van de dorpelingen in de sneeuw, zo wit als een laken. Hij kon geen pap meer zeggen.

Jean Chastel klopte de jongen goedkeurend op de schouder. 'Je bent een dapper joch. En de eerste die het Beest met een spies op de vlucht heeft gejaagd.'

'Dat hebben uw musketten gedaan, messieurs.'

De vrouwen bekommerden zich om de beide gewonde kinderen. Ze waren verschrikkelijk toegetakeld, maar ze zouden het overleven.

Jean Chastel zag dat een van de vrouwen voor een paar munten een flesje van de beul kreeg aangereikt. Gevuld met dezelfde vloeistof als in de flacon die hij voor veel geld van Penchenat had gekocht. De man had tegen hem gelogen om de prijs op te drijven.

De vrouw goot het drankje in de keel van haar zoon en hield zijn mond dicht omdat hij het weer uit wilde spugen. Smekend praatte ze op hem in en ten slotte slikte hij het met een van walging vertrokken gezicht door. Waarschijnlijk stond het tweede slachtoffer dezelfde procedure te wachten opdat hij ook niet door de vloek van de garou zou worden getroffen.

'Hé, we hebben helden!' schreeuwde een van de mannen. Hij trok de herdersjongen van de grond en tilde hem hoog in de lucht. 'En Jacques-André Portefaix is hun leider. Breng hem naar die mislukkeling van een Duhamel, dan kan hij de kapitein laten zien hoe je zoiets aanpakt! Dát moet de koning te weten komen!' De kinderen werden op de schouders van de volwassenen genomen en terug naar Villaret gedragen. Het werd gevierd als een overwinning op het Beest.

De Chastels en Penchenat bleven achter.

'Zo ver is het al gekomen,' bromde de beul terwijl hij snel de munten in zijn zak opborg die de vrouwen hem hadden gegeven. 'We zijn al blij wanneer we alleen al een ontmoeting met het Beest overleven.' Hij keek naar Jean en Pierre. 'U zult het spoor vast wel weer vinden, messieurs. Ik wens u veel geluk en de zegen van God.' Hij grijnsde. 'Mocht het flesje leeg zijn dan weet u waar u mij kunt vinden. Mijn drankjes bieden bescherming. Voor zover u ze kunt betalen.' Een vrolijk melodietje fluitend liep hij over het smalle, besneeuwde pad weg en verdween achter een granietrots.

'Het deugt niet dat iemand veel geld verdient aan de angst van mensen,' merkte Pierre op terwijl hij zijn musket laadde. Hij had evenals zijn vader met opzet langs Antoine geschoten om zijn leven niet in gevaar te brengen. 'Wat fantastisch dat die kinderen het hebben overleefd,' voegde hij er zachtjes aan toe. 'Die drankjes zullen hen hopelijk mijn lot besparen.'

'Dat hoop ik ook. Ja, je broer en jij zijn van alle slachtoffers van dat wezen toch het beklagenswaardigst,' zei Jean fel. 'Wat je broer aanricht, is niet zijn schuld.' Hij hing zijn zware wapen over zijn schouders. 'Er is er maar één verantwoordelijk voor die moorden en verminkingen. En die zal er ook voor boeten.' Hij dacht aan het vel papier met het recept dat zijn zoons van de lykantropie zou moeten bevrijden. Zonder het bloed van het Beest konden ze niet worden gered.

Zwijgend liepen ze om het zompgat heen en volgden de bloedsporen die Antoine op de witte sneeuw en de hagen had achtergelaten. Waarschijnlijk zouden ze hem in de struiken naast zijn kleren vinden, zijn mond rood van het bloed van de kinderen, zijn ogen opengesperd en zijn verstand nog gevangen in de laatste, wegebbende resten van het Beest in hem.

Hoe vaak nog, vroeg Jean zich bedroefd en tegelijkertijd woedend af.

11 februari 1765, omgeving van Malzieu, Zuid-Frankrijk

'Mijn god, wat zijn het er veel.'

De zachtjes en verbijsterd uitgesproken woorden van Pierre Chastel die naast zijn vader liep, werden niet door de mannen om hen heen gehoord. Daarvoor maakten die te veel lawaai. Laarzen snelden over stenen, door sneeuw, gras en plassen, kruithoorns sloegen klapperend tegen gordels, veldflessen klotsten, uit rugzakken voor de proviand klonk voortdurend gerammel en geratel. Een ongebruikelijk leger was op mars gegaan.

De beide wildschutten liepen in een colonne van minstens tweehonderd jagers. Uit alle hoeken van het koninkrijk waren deze mannen naar de Gévaudan gekomen om de beloning te incasseren die door koning Lodewijk XV op de kop van het Beest was gezet: voor tienduizend livre loonde het de moeite om huis en haard een paar maanden te verlaten. En niet alleen de Fransen hadden geld nodig: om zich heen hoorden de Chastels een mengelmoes van talen waartussen ze zo goed als zeker Duits, Italiaans en Engels herkenden. Het Beest van de Gévaudan was ondertussen beroemd, had zijn weg gevonden naar kranten en tijdschriften in heel Europa en trok jagers en avonturiers van overal vandaan.

De vreemdelingen sleepten soms gevaarlijk uitziende buksen met zich mee, hadden vizieren en zelfs verrekijkers op de lopen gemonteerd om het Beest met het perfecte schot te kunnen doden. Een Italiaan hijgde onder de last van een belegeringsmusket dat minstens twintig pond woog en kogels ter grootte van een mirabel uitwierp. Zijn twee kompanen tilden zich een breuk aan het houten onderstel.

Jean maakte zich ernstige zorgen om Antoines gezondheid, en wel om twee redenen. Niet lang na de gebeurtenissen bij Villaret was hij weer ten prooi gevallen aan de vloek van het Beest en sindsdien niet meer thuisgekomen. Het aantal slachtoffers steeg. De wildschut was bang dat het echte Beest zijn jongste zoon had benaderd en hem tot nog meer wandaden aangespoord. Hem leerde hoe je nog beter kon doden.

Kapitein Duhamel en de edelen uit de streek hadden de grootste jacht ooit afgekondigd. Duhamel had de provinciebesturen bevolen veertigduizend boeren uit alle omliggende parochies te sturen om vandaag als drijver in de bossen en op de vlaktes aan te treden, terwijl eenheden van honderd man jagers op heuvels hun stellingen zouden betrekken. Een gebied van tweeduizend vierkante mijl zou op die manier met veel vertoon en met inzet van enorm veel manschappen en materieel worden bejaagd.

Jean en Pierre hadden zich aangesloten om de in een loup-garou veranderde Antoine op de een of andere manier tegen de dodelijke kogels te beschermen. Maar ze hadden nog geen idee hoe ze dat moesten aanpakken. Eén schutter kon je met opzet aanstoten om zijn schot te laten afzwaaien, maar met honderden mannen was dat volstrekt onmogelijk.

Ze waren onderweg naar een heuvel met uitzicht op de rand van een bos. Hun afdeling vormde de tweede linie, mocht het Beest ontsnappen aan de kogels van de vierhonderd jagers op de eerste heuveltop. Daar bevonden zich ook de jonge markies d'Apcher en de jonge *comte* de Morangiès met een troep schutters uit eigen gelederen. Voor deze laatsten was de uitgeloofde beloning niet de belangrijkste motivatie om mee te werken. De arrogante, invloedrijke comte had zich al meerdere keren openlijk over de onbekwaamheid van Duhamel beklaagd. Hij zou het Beest alleen al overhoop willen schieten om de kapitein nog een vernedering te bezorgen. Jean floot hard en de dragonder, die in dienst van Duhamel was en aan het hoofd van hun colonne stond, draaide bars zijn hoofd om.

'Hoe ver nog?'

'Tot daar.' De dragonder wees naar de helling vijfhonderd pas voor hen. Hij wilde er nog iets aan toevoegen, maar op datzelfde moment werd er op een signaalhoorn geblazen. De wind voerde het geluid van trommels en geroep uit het bos met zich mee: de drijvers rukten op naar de rand van het bos. De dragonder vloekte. 'Ze zijn te vroeg. Vooruit, opschieten!' beval hij de jagers die vervolgens overgingen in een snelle draf om de helling te bestijgen. Ondertussen barstten verderop musketten los.

'God, sta Antoine alstublieft bij,' fluisterde Pierre moedeloos. Toen ging hij zijn vader achterna die zich langs de andere jagers drong om als eerste op de heuvel te kunnen gaan staan.

'We verlaten ons niet op God,' zei Jean met een grimmig gezicht terwijl hij bij het inhalen expres tegen de Italiaan opbotste die zijn evenwicht verloor en samen met zijn belegeringsmusket omviel. Vier andere jagers vielen over hem heen en er ontstond een kluwen van geweerlopen en ledematen die veel gelach en gevloek oogstte.

De Chastels stonden boven op de heuvel. Onder hen strekte zich een brede, ondergesneeuwde weide uit waar de wind de sneeuw her en der tot walletjes had opgestuwd die hoogstens voor blikken maar niet voor kogels dekking boden. Juist daar lagen maar twee kleine granietrotsen die elders in de regio alomtegenwoordig waren.

De drijvers waren door Duhamel zo gegroepeerd dat alle dieren die zich in het bos bevonden, alleen over de vlakte tussen de heuvels door konden vluchten.

Een stelletje overmoedige jagers had per abuis het vuur op een ree geopend. Ze was nog maar net tussen de boomstammen te zien geweest en had, op de vlucht voor het onbekende lawaai, nog niet haar voorpoot in de sneeuwvlakte gezet, of minstens vijftig kogels waren op haar af gesuisd en hadden haar compleet uiteengereten. Er resteerde nu alleen nog maar een bloederige hoop reeënvel die stuiptrekkend aan de rand van het bos lag.

'Ik ben blij dat ik vandaag geen drijver ben,' zei de dragonder lachend terwijl hij zich oprichtte in het zadel van zijn paard. 'Die idioten schieten echt op alles wat dat bos uit komt.'

Jean probeerde vertwijfeld een list te verzinnen terwijl de tweehonderd jagers zich opstelden. Ook de Italiaan bereikte de top van de heuvel en vereerde de wildschut met een boze blik en een stortvloed van buitengewoon onvriendelijk klinkende Italiaanse woorden.

'We moeten ze afleiden,' zei Jean tegen Pierre. 'We doen alsof we er vast van overtuigd zijn dat het Beest aan de andere kant achter ons langs sluipt. Ze zullen ons in hun hebzucht naar die tienduizend livre graag willen geloven. Als er eentje begint te schieten, doet de rest wel mee.'

'En hoe krijgen we dat voor elkaar?' Zijn zoon was niet overtuigd.

Jean trok de hanen van zijn musket naar achteren. 'Doe mij maar gewoon in alles na,' luidde zijn simpele aanwijzing.

De dragonder reed achter de jagers langs om de voorbereidingen van de mannen in ogenschouw te nemen. 'Heb het lef niet om net zo in het wilde weg te schieten als die anderen op de eerste heuvel!' waarschuwde hij hen met luide stem. 'Pas als we een wolf zien of iets wat op het Beest lijkt, wordt er gevuurd. Jullie hebben de tekening van dat ondier gezien. Wie een drijver raakt, zal smartengeld aan hem moeten betalen of een schadeloosstelling aan zijn familie. Het hangt dus allemaal van je eigen trefzekerheid af.'

De man naast de Chastels lachte zuur, haalde een kogel uit zijn munitiebuidel en laadde zijn geweer. Pierre kon heel duidelijk zien dat er een merkteken op de kogel stond. 'Dat, jonge vriend, is voor de zekerheid,' zei hij met een sterk accent nadat hij Pierres blik had opgemerkt. 'Als ik het Beest omleg, kan iedereen zien dat het mijn werk is. Ik deel mijn beloning met niemand.' Zijn ooit kostbare kleren zagen er gehavend uit, alsof hij ze al heel lang droeg. In zijn donkerblauwe, geborduurde rock gaapten de gaten en zijn laarzen moesten honderden mijlen hebben afgelegd.

'Verdomme, dat ben ik helemaal vergeten!' riep zijn buurman aan de andere kant. Snel sneed deze met een mes zijn initialen in de kogel. Niet lang daarna stond het merendeel van de schutters op de heuvel te krassen, waarbij ze straal vergaten dat het lood bij het binnendringen in het lichaam zou vervormen. Als het projectiel een bot raakte, zou de kogel helemaal uit elkaar barsten.

'Mijn naam is Pierre Chastel, dat is mijn vader Jean. Waar komt u vandaan, monsieur?' vroeg Pierre nieuwsgierig aan de man die ongeveer even oud was als zijn vader. 'Aan uw spraak te horen, hebt u een lange reis gemaakt.'

'Uit de Boekovina.' Hij nam zijn driesteek af, waardoor zijn korte, grijze haar zichtbaar werd, en maakte een buitengewoon hoffelijk aandoende buiging. 'Mag ik mij even voorstellen? Virgilius Malesky, ooit een trotse landeigenaar, maar uit Moldavië gevlucht voor de hospodars.' Hij zette zijn hoed weer op. 'Mocht u ooit die kant op reizen, monsieur Chastel, weet dan dat er met de Ottomanen en hun fanarioten niet te spotten valt.'

'Fanarioten?'

'Stadhouders, mijn jongen.'

Pierre voelde zich oliedom door al die woorden waar hij niets van begreep. Noch wist hij waar de Boekovina of Moldavië lag, noch wat een hospodar was. Alleen het begrip Ottomaan zei hem wat. 'Dus wel meer dan een reis van een week?' gokte hij voorzichtig, wat aan Malesky, die een knijpbrilletje met blauwe glazen uit een blikken etui haalde en op zijn slanke neusbrug zette, een grijnslach ontlokte.

'Attentie!' riep de dragonder plotseling. 'Wolven!'

En inderdaad schoten zeven grijspelzen het bos uit. Ze hadden de vele mensen voor zich allang geroken en niet gedurfd de vlakte over te steken, maar de oprukkende drijvers lieten hun geen andere keus. Vlak achter elkaar renden ze langs de eerste heuvel.

Een minutenlang durend geknal en geknetter barstte los, de vuurmonden flitsten en rookten, boven de heuveltop stegen kleine kruitwolkjes op die zich aaneensloten tot grote walmen. Sneeuw spatte van de vlakte op, jankend zakten vier wolven door hun poten, sloegen meerdere keren over de kop en kwamen doorzeefd en bloederig aan hun einde. Drie ontkwamen min of meer ongedeerd aan het eerste salvo.

Jean en Pierre hieven hun musketten, maar ze zouden niet schieten. Er was geen enkele reden om die wolven te doden. Maar de andere jagers maakten hun wapens gereed, legden aan en concentreerden zich. De dieren jakkerden door. Het eerste schot had nog niet geklonken of de andere musketten sloten zich bij het brute koor des doods aan.

Geen van de wolven ontsnapte aan de stormaanval van lood. Aan de treffer van de Italiaan twijfelde niemand. De dreun van het belegeringsmusket overstemde alles. De enorme kogel drong in de kop van een wolf, sloeg in de lengte door zijn hele lijf en rukte zijn achterlijf eraf.

Jean voelde zich geërgerd door het zinloze doden. Begrijpelijkerwijs werden de grijspelzen door de autoriteiten nog steeds als de hoofdschuldigen aangewezen. Of liever gezegd, men durfde niet officieel te verkondigen dat er op een loup-garou werd gejaagd.

Het uitgebreide herladen van de wapens was begonnen. Alom was het schurende geluid van de laadstokken te horen, het geklop van de kruithoorns, het doffe gekletter van de loden kogels die uit de tassen werden gehaald. Hier en daar uitten jagers luidruchtig hun blijdschap over hun schoten en vooral de Italiaan kon zijn vreugde niet op. Hij huppelde heen en weer, wees voortdurend naar het onherkenbare kadaver en viel zijn vrienden in de armen. De trefzekerheid en de betrouwbaarheid van zijn eerst door anderen verguisde wapen waren bewezen.

'Kan het een beetje opschieten,' verzocht de dragonder op militaire toon. 'Op het slagveld waren jullie allang neergeknald.'

'Het zijn jagers. Die hoeven niet zo snel te zijn als jullie,' diende Malesky hem met een stalen gezicht van repliek. 'Je ziet zelden beren en wolven met musketten door het bos zwerven.'

'Tsjonge, wat zijn we weer lollig!' De dragonder mende zijn paard naar Malesky en drukte het tegen hem aan. 'Als jij je bek niet houdt...'

Malesky pakte onverschrokken het hoofdstel vast en hield het in een ijzeren greep. 'Als ik jou was, zou ik mijn adem maar sparen. Je boezemt me echt geen ontzag in. Je deelt je bevelen om in de houding te gaan staan maar uit aan die beklagenswaardige voetsoldaten van je. Ik ben echter een vrij man die zich niets door jou hoeft te laten welgevallen.'

De dragonder dwong het paard met de druk van zijn dijen om achteruit te stappen. Malesky liet de leren riem los.

'We spreken elkaar na de jacht nog wel, blauwe bril. Dan zal ik die lollige grote mond van jou wel eens even snoeren.' Hij reed naar links weg om de andere jagers te inspecteren.

Het was Jean niet ontgaan dat de Moldaviër niet had geschoten. 'Spaart u uw kogels voor het Beest?' vroeg hij.

De blauwe ogen vestigden zich op het gezicht van de wildschut waarbij het montuur van zijn knijpbrilletje schitterde in de zonneschijn. 'Net als u, neem ik aan.' Hij tilde zijn linkerhand op en beschreef een cirkel. 'Wij drieën zijn de enigen die niet op die beklagenswaardige wolven hebben geschoten.' Hij keek Jean onderzoekend aan. 'U bent Fransman? Uit deze omgeving?' Met een zachtere stem zei hij vervolgens: 'We kunnen de handen ineenslaan en op de wezens jagen die wérkelijk voor die moorden verantwoordelijk zijn. Ik ben ervan overtuigd dat het er twee zijn.'

De Chastels deden hun best hun verrassing te verbergen, maar dat lukte hun allebei niet. Malesky las moeiteloos van hun gezicht af dat hij met zijn opmerking in de roos had geschoten. Maar de onverbloemde voldaanheid van de vreemdeling waarschuwde Jean dat hij beter niets kon onthullen. Zelfs niet in bedekte termen.

'Ik weet niet wat u bedoelt,' loog hij en hij hoopte dat Pierre zijn uitvlucht niet door een ondoordachte opmerking zou verpesten. 'We zien het alleen niet zitten om dieren dood te schieten die er volstrekt niet uitzien zoals de getuigen ze hebben beschreven.'

Maar Malesky had hem door. Hij kwam dichter bij Jean staan, zijn hoofd enigszins scheef. 'U hebt dat schepsel gezien, nietwaar?' Het blauw om zijn pupillen werd groter nu hij besefte hoe het zat. 'Nee... u hebt zelfs oog in oog met hem gestaan! U weet precies hoe hij eruitziet en daarom hebt u niet op die onschuldige wolven geschoten.' Zijn gefluister had een enigszins dreigende ondertoon gekregen. Pierre deinsde onwillekeurig een halve stap achteruit. 'En u jaagt al langer op hem.'

'Onzin,' perste Jean hees tussen zijn lippen door. 'We kennen dat dier van de tekeningen die Duhamel overal heeft aangeplakt,' hield hij vol. Hij probeerde de Moldaviër met zijn eigen wapens te bestrijden. 'Denkt u dan dat het iets anders is dan een wolf? Een beer of een uit een dierenverblijf ontsnapt roofdier? Of gelooft u soms in die sprookjes over een loup-garou die moeders aan hun kinderen vertellen om hen vroeg in bed te kunnen krijgen?'

De Moldaviër nam de tijd voor een antwoord. 'Ik heb me vergist. Vergeeft u mij mijn opdringerige gedrag,' verontschuldigdde hij zich met een zachte stem. 'Maar inderdaad beschouw ik die Beesten als wezens die in sommige gevallen uit... uit een volstrekt ander deel van deze wereld afkomstig zijn. Er komen maar twee wezens in aanmerking: een afgerichte hond, van een gefokt ras dat ons onbekend is en die zijn baas is zoekgeraakt of door deze om duivelse redenen tegen mensen wordt opgehitst, of het...'

Hij werd door hard geroep onderbroken. De volgende groep wolven stormde het bos uit en werd ook kapotgeschoten. Deze keer lukte het geen van hen om tot de tweede heuvel door te dringen.

'Een hond?' flapte Pierre er ongelovig uit terwijl hij het afslachten van de wolven met zijn ogen bleef volgen. 'Honden zien er toch heel anders uit.' Hij beet op zijn lippen, zo snel waren de woorden hem ontglipt.

'Anders dan op die tekeningen, dat zeker,' vulde Malesky hem aan. Hij had kennelijk niet gemerkt dat de zoon van de wildschut zichzelf had verraden. 'Het kan een kruising zijn tussen een samsun en een hyena die mensen verscheurt. De beschrijvingen van een mogelijke kruising zouden kunnen kloppen. Uit het gedrag van het Beest kan men opmaken dat hij met mensen bekend is en het op vrouwen en kinderen heeft voorzien. Makkelijke prooien.'

'Wat is een "samsun"?' vroeg Pierre. 'Bedoelt u een leeuw?'

'Het is een hond uit het Ottomaanse Rijk die door een Ottomaanse geleerde zo is genoemd.' Malesky dacht even na. 'De precieze betekenis van het woord is me ontschoten, maar zo'n samsun zou met dubbele kettingen aan de lijn moeten worden gehouden. Ze schijnen zo groot als een ezel te zijn en zo wild als een leeuw.'

'Hebt u gestudeerd, monsieur?' vroeg Jean, die onder de indruk was van wat deze vreemdeling allemaal wist. Als hij niet had geweten dat zijn eigen zoon als weerwolf in de regio huishield, dan zou hij zonder meer instemmen met de man, zo overtuigend klonk hij.

Malesky glimlachte. 'Ik heb tijdens mijn omzwervingen veel gelezen. In alle boeken is men het erover eens dat geen wolf zijn slachtoffers zodanig verminkt en alleen de ingewanden zou opvreten.'

'Het zou om een ziek dier kunnen gaan,' merkte Jean op.

'Dat gelooft u toch zelf niet? Als een wolf aan hondsdolheid zou lijden waardoor hij tot zulke daden werd gedreven, dan was hij ondertussen allang aan zijn eind gekomen.' Hij klakte afkeurend met zijn tong toen de laatste wolf het slachtoffer van een kogel werd.

'Dat ben ik met u eens. Wat is die andere mogelijkheid waarover u het had? Wat een samsun is weten we nu, maar wat is een hyena?'

'Een op een hond lijkend roofdier dat in Afrika voorkomt. De stokmaat is drie voet en zijn lichaam kan bijna twee pas lang worden. Hij is lelijk en ziet er eigenaardig genoeg uit om door een naïeve boer voor een schepsel uit de hel te worden versleten.' Malesky keek in de richting van het bos, waarin het dreunen van de drijvertrommen steeds luider klonk. Weldra zouden ze tevoorschijn komen, maar nog altijd geen teken van het Beest. 'Het is mogelijk dat zo'n hyena bij een dierententoonstelling is ontsnapt.'

'Maar de koning... Zouden zijn geleerden niet op dezelfde gedachten als u zijn gekomen?' Pierre blies in zijn koude handen om ze te warmen. 'Waarom blijft hij jacht op wolven maken, terwijl alle tekenen in een andere richting wijzen?'

'Omdat er makkelijk op te jagen valt,' antwoordde Malesky. 'De aanblik van dode wolven kalmeert de mensen. Bij drijfjachten zoals deze is de kans groot dat onze beide Beesten zich laten opjagen. Het is net zoiets als vissen met een groot net: in dit geval is het grootste deel bijvang, terwijl de vissers slechts twee bijzondere exemplaren in handen willen krijgen.' Hij wees naar de zoom van het bos. 'De drijvers komen eruit. Moge God hen behoeden voor voorbarige schoten of een voltreffer van het moordinstrument van onze Italiaanse vriend.'

Er ontstond opschudding onder de tweehonderd mannen op de heuvel. Ook zij hadden de beweging tussen de bomen gezien en richtten hun musketten. De Italiaan stond onafgebroken in zichzelf te kletsen, spoorde zichzelf aan, trok de haan van zijn wapen naar achteren en drukte de kolf stevig tegen zijn schouder. Het zwaartepunt lag weliswaar op het houten onderstel en verminderde de enorme terugslag, maar toch kreeg de schutter bij elk schot een flinke optater.

Een van de drijvers stapte zwaaiend met een rode wimpel het bos uit. Hij zou de gespannen afwachtende jagers waarschuwen dat vele honderden mannen hem op de voet zouden volgen en er absoluut geen trekkers meer mochten worden overgehaald.

Zijn signaal werd weliswaar door gezwaai vanaf de heuvels bevestigd, maar de musketlopen zakten niet. De angst was te groot dat het Beest toch onverwachts zou opduiken en een van de mededingers er met de tienduizend livre vandoor zou gaan.

Langzamerhand verscheen de eerste haag van drijvers op de weide. De opluchting omdat ze het griezelige wezen niet waren tegengekomen, was van hun gezichten af te lezen. De spiesen, mestvorken en eenvoudige stokken die ze ter bescherming bij zich droegen, hadden hun een zeer ontoereikend gevoel van veiligheid gegeven. De smalle strook voor het bos vulde zich met mensen, Jean en Pierre konden flarden van gesprekken opvangen en er werd gelachen.

'Zo te zien heeft Duhamel weer een nederlaag geleden,' merkte Pierre op terwijl hij zijn best deed niet te blij te klinken. 'Ik wil wedden dat hij binnenkort samen met zijn dragonders zal worden teruggeroepen. De ontevredenheid onder de mensen groeit. Wat er vandaag is gebeurd, maakt dat er niet beter op.'

Jean keek naar de andere heuvel waar hij de comte aan zijn prachtige kleding kon herkennen. Hij zat op zijn paard, met één hand in zijn zij, en observeerde het terrein aandachtig. Waarschijnlijk was hij blij dat de door de kapitein georganiseerde jacht niet meer dan een paar dode wolven had opgeleverd.

Malesky hief ineens zijn hoofd op. 'Het is nog niet voorbij.'

Zijn woorden waren nog niet weggestorven of de drijvers aan de noordelijke rand van het bos begonnen ineens hard te schreeuwen. Ze stoven uiteen en probeerden zo snel mogelijk bij het kreupelhout weg te komen, achteruitlopend met hun primitieve wapens voor zich. Het tumult werd uiteraard door de jagers opgemerkt. De musketten zwenkten naar links en werden op de betreffende plek gericht. De schutters letten niet op het gezwaai met de rode wimpel dat hen moest weerhouden om te vuren – en toen stoof ineens een grauwbruine schaduw tussen de drijvers door en maakte nuttig gebruik van hen als dekking.

Jean meende zijn zoon in het Beest te herkennen. 'Hij is het,' fluisterde hij tegen Pierre. Hij keek gespannen naar de Italiaan die zachtjes in zichzelf kletsend klaarstond om het zware musket in te zetten. Voordat het wezen in de gevarenzone kwam, waren de jagers op de eerste heuvel aan de beurt. Ondanks de gebrulde waarschuwingen van de dragonders die achter hen langs reden, gebeurde het toch: een van de mannen schoot zonder rekening te houden met de drijvers, en onmiddellijk daarop brak het bekende knetterende geweervuur weer los. De boeren op de besneeuwde weide doken in de witte massa en zochten beschutting tegen de dodelijke kogelregen. Enkelen lukte het wonderwel om achter een granieten rotsblok te glippen, maar tientallen werden door de kogels geveld of verwond. Schreeuwen galmden over de vlakte en vermengden zich met het onophoudelijk geknal van de musketten.

'Zo klinkt het nou op een slagveld,' zei Malesky vol medeleven. Hij maakte niet één keer aanstalten om zijn wapen op te heffen. 'Arme drommels.'

Met de beloning van de koning voor ogen wilden de schutters op de eerste heuvel niet ophouden. Ze laadden hun geweren telkens weer, salvo na salvo werd afgegeven terwijl het bloed van de drijvers de sneeuw rood kleurde. De jachtkoorts sloeg over op anderen. De Italiaan liet zich verleiden een twijfelachtig schot te lossen. De reikwijdte van het belegeringsmusket was enorm, en prompt trof het schot een boer. Zijn arm werd eenvoudigweg afgerukt, de man viel als een luciferhoutje om. Vloekend laadde de Italiaan zijn musket weer. Het scheen hem volstrekt niet te interesseren wat hij had aangericht.

Ook het Beest bleef niet ongeschonden.

Hij was bijna langs de eerste heuvel toen hij plotseling begon te huilen en een groteske sprong in de lucht maakte en nog een paar wankele passen doorliep voordat een tweede en een derde kogel hem raakten. Voor Jean en Pierre op de tweede heuvel was hij dichtbij genoeg om de gaten in zijn lijf en het rood in de sneeuw te kunnen zien.

'O, nee,' fluisterde de wildschut ontdaan en hij greep Pierres arm vast die wilde wegrennen om zich beschermend voor zijn broer te gooien. 'Niet doen. Hij leeft.' Bij de weerwolf die ze hadden gedood, was de gedaantewisseling terug in een mens pas door de dood in werking getreden. Er gebeurde nu nog niets met Antoine.

De jagers wisten evenwel niets van de bijzonderheden van een loup-garou. Een man of tien stormde de eerste heuvel af, stuk voor stuk hard schreeuwend dat zijn kogel het Beest had gedood. Allemaal maakten ze aanspraak op de beloning, uitten dreigementen en sloegen met de kolven van hun musketten naar degenen die hen wilden inhalen.

De comte had zich eveneens in beweging gezet. Hij galoppeerde op zijn paard de helling af, passeerde de jagers en reed op het vermeende kadaver af.

'Doe me na,' was de korte aanwijzing die Jean aan Pierre gaf. Hij hief zijn wapen op, draaide zich naar rechts en richtte op een klein groepje struiken. Rap na elkaar trok hij aan de trekkers, vuurde vlak langs de geschrokken jagers in het struikgewas. Pierres schoten volgden onmiddellijk daarna. Zonder ook maar één woord te zeggen, herlaadden ze hun musketten en renden eropaf.

'Heilige Moeder! Er zijn echt twee Beesten!' riep Malesky opgetogen. Daarmee bracht hij een hysterie bij de jagers teweeg die ook graag in het genot van tienduizend livre wilden baden. Ze zetten het op een lopen, schoten op de struiken en maakten de vierhonderd andere concurrenten op de onverwachtse tweede gelegenheid attent. Het schieten begon opnieuw.

Jean hield in en liep terug. Zijn list was geslaagd, hij had de meute op het verkeerde spoor gezet.

Toen hij zich omdraaide en naar de plek keek waar de weerwolf lag, vochten nog maar vier mannen om het recht op de beloning. Ze duwden elkaar weg, schudden hun vuisten, zwaaiden dreigend met hun musketten. De comte drong hen met zijn paard opzij en deelde trappen met zijn laarzen uit. Kennelijk was hij van mening dat hij het Beest had geveld. De dragonders galoppeerden naderbij om de overblijfselen van het wezen te inspecteren en de comte bij te staan tegen de vreemdelingen die maling aan zijn titel hadden.

Volledig onverwachts sprong het Beest overeind en stoof langs de overrompelde jagers weg.

'Hou hem tegen!'

Jean schoot voor de schijn achter hem aan, maar uiteraard misten de kogels hun vermeende doel. Het Beest keek al rennend achterom, vestigde zijn rode ogen op hem, en Jean geloofde dat hij daar zoiets als herkenning en dankbaarheid in zag.

'Zo niet, lamzak.' Malesky verscheen naast Jean en knielde om een betere schietpositie te krijgen. Hij wilde net de trekker overhalen toen de comte precies voor zijn loop langsreed. Hij joeg op het Beest en probeerde het vanaf de rug van het paard met zijn degen dood te steken. Niemand waagde het om een schot te lossen; het doden van een edelman had ernstiger gevolgen voor de schutters dan de dood van een drijver.

'Rot op, verwaande idioot,' mompelde Malesky en hij liet zijn musket niet zakken. Toen hij de zo gewenste opening voor een schot kreeg, wierp Pierre zich tegen hem aan en viel samen met hem in de sneeuw.

Na een geweldige spurt van sprongen die zeker negen pas lang waren, verdween het Beest tussen een verzameling granietrotsen, waarbij hij zelfs de comte en de dragonders op hun paarden achter zich liet, en ontsnapte.

Pierre hielp de Moldaviër weer op de been en klopte de sneeuw van rock en mantel. 'Vergeeft u mij, monsieur,' verontschuldigde hij zich met een voorgewend schuldgevoel. 'Ik struikelde. Mag ik u op z'n minst uitnodigen voor een warme kruidenwijn, ook al heb ik de kans op een beloning voor u verprutst?'

Jean zag aan Malesky dat hij Pierre geen seconde geloofde. De vreemdeling scheen een vaag vermoeden te hebben dat de schoten in de struiken een afleidingsmanoeuvre waren geweest. Desondanks bekrachtigde hij het voorstel met een handslag. 'Ik waarschuw u: ik zal de duurste wijn bestellen die de waard mij kan aanbevelen.' Hij zette zijn knijpbrilletje weer recht.

De dragonder, die hun jagersgroep had geleid, reed op hen af. 'Wat moest dat nou, Chastel?' snauwde hij. 'Er is helemaal geen spoor te vinden in dat verdomde bosje waar je op schoot.'

Jean haalde zijn schouders op. 'De jachtkoorts moet mijn blik hebben vertroebeld.' Hij wees naar de vlakte waar nog steeds gewonde drijvers in de sneeuw lagen te kronkelen. Er reed een kar heen waarop de door schoten geraakte mannen werden getild. 'Maar ik heb tenminste geen mensen verwond.'

'Je wist dat het gevaarlijk was.' Met een brute ruk wendde de dragonder zijn paard en keerde naar de eerste heuvel terug om kapitein Duhamel verslag uit te brengen.

'Eén ding hebben alle soldaten gemeen: ze zijn niet bijster snugger.' Malesky keek van vader naar zoon. 'Messieurs, zullen we deze ijshel verlaten? Mijn wijn wacht.'

Ze liepen in de richting van het dorp. De comte passeerde hen op de helling naar beneden, zwaaide met zijn degen en kreeg applaus van zijn entourage. Ze bewezen hem eer alsof hij een buitengewoon moedige held was, omdat het bloed aan zijn wapen bewees dat hij dichter bij het Beest was geweest dan wie dan ook.

Pierre en de Moldaviër praatten met elkaar over het leven in de Gévaudan, terwijl Jean aan de verwondingen van Antoine liep te denken. Geen normaal wezen zou die overleven. De beul scheen gelijk te krijgen: een loup-garou kon alleen met zilver worden gedood.

X

Rusland, Sint Petersburg, 13 november 2004, 07.43 uur

Eric von Kastell werd met een enorme kater wakker. Hij had in tijden niet meer zo diep geslapen. De alcohol had zijn verstand verdoofd en zelfs de nachtmerries zodanig bedwelmd dat hij niet schreeuwend was ontwaakt. Of althans, hij herinnerde het zich niet.

Eric ging achter de computer zitten. Het internet was een goudmijn voor zowel wetenswaardigheden als zogenaamde *infotrash*. Eric wist dat rommeltje uitstekend te scheiden in waarheden, halve waarheden en bedenksels die je van de waarheid probeerden af te leiden. Op een stuk rauwe ham kauwend, genietend van de zoute smaak, zat hij op de toetsen te rammen en wist de eindeloos verre verwijzingen naar zijn zeer bijzondere prooi op te diepen. De kunst was om tussen de regels door te lezen; en om de signalen van de Beesten te herkennen die ze op de plaats van het misdrijf achterlieten. Zijn vader had hem dat geleerd, zoals hij hem alles had geleerd.

Bij uitzondering was het deze keer een vrij eenvoudige klus. De gedaantewisselaar scheen geen haast te hebben om de stad te verlaten. Zijn volgende slachtoffer was gevonden: een jongetje dat op een dichtgevroren gracht had geschaatst en op de al bekende manier was toegetakeld.

Eric schoor zich, en om in de besneeuwde straten zo min mogelijk op te vallen, trok hij warme kleren in lichte kleuren en zijn witte lakjas aan. Hij pakte een zilveren dolk, een Makarov-pistool en een Bernadelli uit de wapenkamer en kroop nogmaals achter het stuur van de Porsche Cayenne. Hij scheurde de weg op in de richting van de dichtgevroren gracht om met zijn zoektocht te beginnen.

De politie was nog ter plaatse. Met klapperende tape was de gracht over een groot gebied afgezet, maar de talloze bruggen boden meer dan genoeg mooie staanplaatsen voor kijklustigen. En voor hem. Eric zette zijn vaalwitte wollen muts op, nam de elektronische veldkijker mee en zocht een niet al te dichtbij gelegen brug om niet de aandacht te trekken van een of andere slechtgehumeurde politieman.

Hij wurmde zich tussen het leger van sensatiezoekers door naar voren en troefde hen allemaal af – ook al was het vanuit hoogstaande motieven – door zijn indrukwekkende, ultramoderne verrekijker uit te pakken. De lenzen leverden hem haarscherpe beelden op van de plaats delict; met een druk op de knop sloeg hij in de geheugenchip op wat hij dacht dat belangrijk was: de krassporen in het ijs, de staat waarin de dode jongen verkeerde.

Ineens ving Erics goedgetrainde neus tussen de verschillende odeurs van de hem omringende Sint Petersburgers een geur op die absoluut helemaal niet in een geciviliseerde stad thuishoorde: wolf. En het was zelfs een behoorlijk intense geur. Zo intens dat het leek of er een exemplaar direct achter hem langsliep en wilde zeggen: *vang me alsjeblieft*.

Snel liet hij de kijker zakken en keek achterom. De lucht kwam van een figuur die een legeranorak in sneeuwcamouflagekleuren, laarzen, een beige thermobroek en zo'n lelijke muts met omhooggeklapte oorkleppen droeg. Van achteren gezien verraadde alleen de manier van lopen dat het om een vrouw ging. Eric snoof de lucht nog één keer diep op. Ze rook niet naar wolf, nee, ze stonk ernaar.

De vrouw wierp een blik op de bloedrood gekleurde ijsvlakte, maakte een paar aantekeningen en zette haar weg ijlings voort. Eric ging haar achterna. Ze liep de straat uit, sloeg een paar keer af en stortte zich daarna in de wirwar van steegjes waarin zich alleen echte Sint Petersburgers of verdwaalde toeristen begaven.

Hier was geen enkele roebel aan het eeuwfeest van de stad gespendeerd: afbladderende witkalk, vervallen gevels en afbrokkelende stenen bepaalden daar het beeld. De schaduwen leken er donkerder; de zon had niets te zoeken in dit deel van Sint Petersburg en onderwierp zich aan de heerschappij der duisternis.

De vrouw leek er volstrekt geen oog voor te hebben. Ze merkte ook niet dat hij achter haar aan liep – en zich steeds meer over haar geur verbaasde. De ene wolfsidentiteit stapelde zich op de andere, waardoor een opeenhoping van wildgeuren ontstond die je hoogstens voor een hol kon waarnemen.

Was hij soms een roedel op het spoor?

Eric voelde zich plotseling onderbewapend. Het semi-automatische jachtgeweer lag nog op de achterbank van de Cayenne, hij had slechts de pistolen en een dolk bij zich. Bovendien had hij amper veertig patronen.

De vrouw was voor een grote, houten deur blijven staan en drukte zonder aarzelen op de bovenste bel. Hij liep vlak langs haar en deed alsof hij een huisnummer zocht. Hij zag haar bevallige gezicht, de fraai gewelfde zwarte wenkbrauwen. Donkerbruin haar kwam onder de muts vandaan en Eric merkte onmiddellijk dat zijn verlangen werd gewekt. Ze bezat die typisch Russische sexappeal, zelfs in die onflatteuze kleren. Lust en verstand gingen de strijd met elkaar aan, waarbij het verstand deze keer de overhand behield. Hij snoof nog een keer de lucht op. Wolf, onmiskenbaar. Maar rook ze ook naar weerwolf?

De vrouw dribbelde onrustig op dezelfde plaats en deed twee stappen achteruit om naar het bovenraam te kijken. 'Meneer Nadolny, kom naar beneden!' Ze had de zin in het Duits geroepen. Haar stem klonk diep en vol.

Het antwoord verbaasde zowel haar als Eric.

Het glas van het raam explodeerde terwijl het lichaam van een man met een hoge boog uit zijn huis vloog. Hij had zo veel snelheid dat hij tegen de muur van het tegenoverliggende huis klapte, waar zijn hoofd een akelige, rode vlek achterliet, voordat hij achterover op het plaveisel van kinderhoofdjes viel. Het kraken van zijn nek of een ander bot klonk zo hard dat Eric het gevoel had dat hij er vlak naast stond.

De vrouw kromp ineen, was blijkbaar even totaal uit het lood geslagen. Ze hield haar hand voor haar mond en had vijf, zes seconden nodig om weer tot enig helder denkwerk in staat te zijn. Toen pakte ze haar mobieltje en belde een dokter. Hij hoorde de woorden: 'ambulance' en 'ongeluk'.

Erics theorie over gedaantewisselaars werd aan het wankelen gebracht. Normaliter meden ze ziekenhuizen en alles wat met geneeskunde te maken had, uit angst dat door de onderzoeken hun afwijking aan het licht zou komen. Ze vertrouwden op het ongelooflijke regeneratievermogen van hun lichaam. Er klopte iets niet.

Hij keek omhoog, zijn handen in zijn jaszakken, en zag het bovenlichaam van een man met een bivakmuts die vooroverboog en zijn pistool met geluiddemper op de vrouw richtte. Ze was zo van slag dat ze het gevaar niet in de gaten had.

Eric moest binnen een seconde een besluit nemen. Omdat hij niet wist welke rol deze vrouw in het geheel speelde, besloot hij haar te helpen. Sneller dan een wolf kon toehappen, trok hij de Makarov en schoot een kogel in de bovenarm van de man. Schreeuwend verdween de gedaante met bivakmuts, maar hij had wel zijn wapen laten vallen. Dat knalde naast de vrouw op de grond en verbrijzelde. Onderdelen van metaal en plastic vlogen weg en het magazijn roetsjte de goot in.

De brunette liet haar mobieltje zakken en keek eerst angstig naar Eric en vervolgens naar boven, voordat ze zich omdraaide en wegrende.

'Ho, wacht nou!' Hij hield zijn pistool op zo'n manier vast dat voorbijgangers dat niet onmiddellijk konden zien, en spurtte achter haar aan.

Toen hij langs de deur van het huis kwam waar de vrouw had gestaan, ging deze plotseling open. Twee onherkenbare figuren met bivakmutsen stonden op de drempel... met machinepistolen in de aanslag.

Eric vertrouwde volledig op zijn intuïtie. En zoals zo vaak liet die hem niet in de steek: een van zijn laarzen flitste omhoog en trapte van onderaf tegen de loop van de voorste aanvaller, het salvo van kogels zoefde over zijn muts en perforeerde de muur aan de overkant. Tegelijkertijd schoot hij op de tweede man, miste hem opzettelijk op een paar centimeter na, maar dwong hem wel weg te duiken.

Eric opende het gevecht van man tot man. De meeste mensen onderschatten de kracht van een pistoolloop als je daarmee doelgericht slaat. Tenslotte is die van metaal en weegt een paar honderd gram. In combinatie met de juiste hoeveelheid spierkracht bezorgt een klap daarmee het slachtoffer een uitstapje naar het land der dromen.

Eric trof raak. De Makarov kwam in aanvaring met het jukbeen en velde de aanvaller ter plekke. Hij sprong over de in elkaar zakkende man, pakte de andere bij zijn kraag, beukte twee keer achter elkaar met zijn ellebogen in zijn gezicht, en ramde vervolgens zijn schedel tegen de houten deur. Bewusteloos viel ook deze man op de grond.

Stemmen kwamen naderbij, laarzen stommelden de trap af, en een slecht gericht salvo uit een volautomatisch geweer stanste vuistgrote gaten in de deur. De schutter had scherpe patronen geladen die een enorm doordringingsvermogen hadden. Gelukkig gebruikten de mannen geen hagel, anders had een verdwaald kogeltje Eric ondanks de slechte prestaties van de schutter toch nog kunnen treffen. Eric besloot de vrouw achterna te gaan. Die zou hem meer te vertellen hebben dan die woedende brigade kerels met bivakmutsen, die in een nagenoeg eindeloze stroom van de bovenste verdieping werden aangevoerd. Agenten van de regering? Deed er niet toe! Eric rende terug de straat op. Kogels vlogen om zijn oren, vraten zich in muren, in restanten van de deur en de voorgevel van het huis ernaast. Alom gruis, stof en geknal.

De vrouw liep ver, ver voor hem uit, bij het einde van de steeg. Ze keek over haar schouder en verdween toen naar links.

Hij achtervolgde haar met de grootste snelheid die zijn koude spieren konden opbrengen, en kwam steeds dichterbij, tot ze bij de volgende straathoek plotseling voor hem stond, een busje pepperspray in de hand.

'Wie bent u?' vroeg ze hijgend en in het Russisch. Hij schatte haar eind twintig. 'Wat is er met Nadolny gebeurd? Waarom wilden ze me neerschieten?'

'Rustig maar.' Hij tilde voorzichtig zijn armen op om haar te laten zien dat hij haar geen kwaad wilde doen. 'U kunt Duits met me praten,' zei hij op een, wat hij hoopte, geruststellende toon. 'Ik heb geen idee wat er aan de hand is. Ik kwam toevallig langs en wilde u helpen. Meer niet.'

'Ja, dat zal wel. En alle Duitsers in Sint Petersburg lopen zeker met een wapen rond.' Ze luisterde naar dreunende laarzen die dichterbij kwamen.

'Dat zijn die mannen die uw vriend uit het raam hebben gegooid,' zei Eric. 'Kom, we smeren 'm, en dan legt u me straks maar uit waarom ze u en hem wilden doden.'

'Ik... ik weet het niet!' Ze klonk wanhopig.

'Heeft het met dat doden van mensen door wolven te maken?' Hij gaf haar op die manier een hint dat hij meer wist dan hij eerst had voorgewend. En dat verraste haar. De vrouw liet haar arm met het pepperspraybusje zakken.

'Wolven? In de tv-journaals zeiden ze niets over wolven.'

Op dat moment kwam een van de achtervolgers in z'n eentje de hoek om, de loop van zijn geweer stom genoeg naar beneden gericht. Hij zag Eric te laat, was al veel te dichtbij en betaalde zijn ijver met bewusteloosheid, veroorzaakt door een snelle slag met de zijkant van Erics hand tegen zijn hals. Eric wilde liever nog geen doden in zijn kielzog achterlaten.

De vrouw rende al weer bij hem weg.

'Verdomme, hou daarmee op! U hebt mij nodig als u levend uit Sint Petersburg wilt komen.' Hij gunde zich de tijd om de bewusteloze man snel te fouilleren, en vond een klein medaillon, dat hij samen met een portemonnee en de legitimatiepapieren inpikte. Daarna zette hij de achtervolging op de onbekende vrouw weer in.

Eric ging zijn neus achterna, maar dat werd hem al snel letterlijk te veel: het geurspoor van de wolf leek hem echt, maar het was te vermengd met andere geuren. En ze had niet eens geprobeerd om die door wassen te verwijderen, zoals de meeste gedaantewisselaars deden.

Hij haalde haar in, pakte haar schouder en sloeg het pepperspraybusje uit haar hand. Met weinig inspanning kon hij haar tegen de muur drukken. Hij trok zijn zilveren dolk en hield die met de vlakke kant tegen haar linkerwang.

Niets.

Een lykantroop zou zich hebben verzet en geprobeerd aan het metaal te ontsnappen, en niet zoals zij vol angst naar zijn witte lakhandschoen hebben gestaard. Dat het zilver geen schade aanrichtte, betekende niet, zoals hij in het verleden had geleerd, dat hij absolute zekerheid had, maar het luchtte hem niettemin op. Er was geen reden om haar onmiddellijk te doden.

'Neemt u me niet kwalijk.' Hij haalde de dolk weg. 'Hoe heet u en wat doet u in Sint Petersburg? Waarom die belangstelling voor die moorden?'

Ze staarde strak naar zijn lichtbruine ogen. 'Het is geen toeval dat u voor dat huis stond, hè? U hebt mij en Nadolny geschaduwd.'

Eric besloot een deel van de waarheid te onthullen. 'Geloof het of niet, maar uw jas ruikt verschrikkelijk naar hond of wolf. Daarom heb ik me naar u omgedraaid toen u op de brug stond.' Nu kwam de leugen. 'Ik zag dat u wat opschreef en nam aan dat u journaliste was. Ik wilde u vragen of u misschien meer over die moorden wist.'

'U kunt ruiken dat ik met wolven te maken heb? En dat zou ik moeten geloven?'

'U doet maar wat u niet laten kunt.'

Voetstappen naderden en een radio kraakte. De achtervolgers hadden het nog lang niet opgegeven. Ze hadden zich nu opgedeeld.

'Wegwezen hier.' Eric pakte de hand van de vrouw en rende de straat door tot ze uiteindelijk bij de Cayenne waren. Niet bepaald zachtzinnig duwde Eric haar in de auto en toen keek hij nog een keer achterom. Geen spoor meer van de achtervolgers. Mooi zo.

Eric klom achter het stuur. 'En, bent u journaliste?' vervolgde hij hun gesprek.

'Wolvenonderzoekster,' corrigeerde ze hem en ze glimlachte voor het eerst, ook al was het met enige moeite. 'Nadolny en ik zijn wolvenonderzoekers. We hebben in de omgeving van Sint Petersburg verscheidene sporen bestudeerd en geobserveerd wat de invloed van de stad op de dieren is. Het is enigszins vergelijkbaar met het fenomeen van ijsberen die zich plotseling in de bebouwde kom wagen ofschoon ze van nature...' Ze hield op en stak hem een hand toe. 'Magdalena Heruka. Dank u wel dat u daarnet mijn leven hebt gered, meneer...?'

'Eric. Zeg maar Eric tegen me.'

'Als jij Lena tegen me zegt.' Ze keek achterom en hij vermoedde dat ze naar de mannen uitkeek die hen op de hielen hadden gezeten. 'Wat had dat met die dolk daarstraks te betekenen?'

'Een test,' antwoordde hij kort en bondig.

Lena lachte. 'Testte je of ik op metaal of zilver reageerde? Geloof je in weerwolven?' Haar opgewektheid verdween onmiddellijk toen ze de verrassing op zijn gezicht opmerkte. 'Grapje,' zei ze nadrukkelijk. 'Ik maakte alleen maar een grapje.'

'Hoe kom je zo ineens op weerwolven?' vroeg hij en hij keek tersluiks naar de achterbank waar het geweer onder een deken verborgen lag. Ze mocht het absoluut niet zien.

'Ik hou me bezig met wolven en dan stuit je op een gegeven moment onvermijdelijk op de legendes. Allerlei legendes.' Lena keek naar de dichtgevroren gracht, waar twee politieagenten ervoor zorgden dat kijklustige of perverse lieden geen bebloede stukken uit het ijs hakten. 'Je wilt toch niet zeggen dat je zo naïef bent dat je daarin gelooft?' Ze vestigde haar donkergroene ogen op zijn markante gezicht en doorzag minstens een deel van de waarheid. 'Jeminee, je gelooft er wel in!' Ze barstte even in lachen uit en sloeg tegen het handschoenenkastje. 'Het is toch niet te geloven!'

'Lena, vertel eens wat jij en je collega hebben gedaan zodat de regering jullie daarom uit de weg wil ruimen,' onderbrak hij haar bars.

'Hoezo de regering?'

'Wie lopen er anders uitgerust met bivakmutsen en geweren door Sint Petersburg?'

Ze dacht een moment na. 'Misschien heb je wel gelijk. We... we hebben in de buurt van een verboden gebied rondgezworven. Nadolny heeft toen veel foto's gemaakt en gefilmd.' Ze werd spierwit. 'We moeten naar zijn huis! Het werk van een halfjaar ligt daar opgeslagen.'

Hij gaf haar de verrekijker, klapte de daaraan gekoppelde lcd-monitor uit en opende op het schermpje zijn opnames van de plaats delict. 'Kun je me iets over die sporen vertellen?' Terwijl Eric startte en wegreed, keek Lena nieuwsgierig naar de beelden. 'Dat zijn overduidelijk sporen van klauwen, klauwen met nagels zoals van een grote katachtige. Niet de nagels van een hond of een wolf.'

'Zou het van een beer kunnen zijn?'

'Mmm... Nee, ook niet.' Lena zette het beeldscherm uit en legde de verrekijker op de achterbank. Ze zag de kolf van het Bernadelli-geweer. 'Eric, je bent echt heel erg overtuigd van het bestaan van weerwolven, hè?'

'Als jíj er voortaan maar niet in gelooft,' zei hij, terwijl hij dertig meter voor de voordeur van Nadolny's woning stopte. 'We zijn te laat.'

Een politieauto stond dwars op de rijweg en had een stuk straat afgezet. Agenten in uniform en in burger liepen rond, raapten hier en daar wat van de grond of maakten foto's, anderen spraken met buren.

'Misschien nog niet.' Lena blies even hard uit. 'Tot zo.' Ze sprong uit de Cayenne, stak de straat over en stapte rechtstreeks op de overheidsdienaars af. Maar vlak voor hen sloeg ze af en liep één huis voor dat van Naldolny in.

Eric hield het gedrag van de politieagenten in de gaten. Niemand had nog nota genomen van de als een spiegel glimmende Cayenne, maar het zou niet lang meer duren. Als Lena en hij niet snel verdwenen, was de kans groot dat hij gecontroleerd zou worden.

Na tien minuten keerde Lena terug. En ze deed precies wat je in zo'n situatie nooit ofte nimmer moet doen: ze rende!

Twee agenten tilden hun hoofd op en keken stomverbaasd in haar richting. Eric hield zich in om niet overhaast op het gaspedaal te trappen zodat de motor begon te brullen, omdat het er dan nog meer als een vlucht zou uitzien. Maar toen een van hen zijn radio pakte, werd het tijd.

Lena sprong in de Porsche en hield een dik diplomatenkoffertje tegen zich aan gedrukt. 'Wegwezen hier!'

'Gordel om.'

'Wat?' Ze keek naar de geüniformeerde agenten die op hun auto afliepen.

'Eerder ga ik niet rijden. Gordel om.'

Vloekend gehoorzaamde ze hem. De Cayenne kwam ronkend tot leven en reed weg, opvallend langzaam en volgens alle verkeersregels. Pas toen het blauwe zwaailicht van een politieauto werd ontstoken en de sirene begon te loeien, trapte Eric hard op het gaspedaal. In het navigatiesysteem voerde hij als plaats van bestemming een datsja in waar hij samen met zijn familie af en toe de weekenden had doorgebracht. Daar moest hij heen. En niet alleen omdat ze daar veilig waren.

'Tweehonderd meter rechtdoor, bij de kruising links afslaan.'

'Hoe heb je die onderzoeksgegevens te pakken gekregen?'

'Er zit een tussendeur in de gang van dat andere huis. Die was met behang afgeplakt, maar Nadolny heeft me er ooit een keer over verteld. Een of andere gril van de vorige huurder. Na een beetje wrikken gaf het behang mee. Zo ben ik de woning binnengeslopen,' vertelde ze opgewonden.

'Ongemerkt?'

'Natuurlijk niet. Moet jij maar eens plotseling door een muur heen komen. Maar ik kon aannemelijk maken dat ik bij het onderzoek was betrokken.' Lena haalde een plastic kaartje uit haar jas. 'Mijn bibliotheekkaart uit Moskou. Die heb ik heel even aan die jongens van de technische recherche laten zien en me voor een rechercheur van het bijstandsteam uitgegeven. Kennelijk waren ze erg onder de indruk van de opdruk "Moskou".'

'En toen heb je gewoon tegen ze gezegd dat je wat meenam?'

'Ja, inderdaad.' Ze glimlachte. 'Maar toen de echte speurders binnenkwamen, ben ik 'm toch maar snel gesmeerd.'

'Nu links afslaan. Daarna vierhonderd meter rechtdoor.'

Erik stuurde de Cayenne met een flink vaartje de bocht in, zeilde over de kruising en reed tot Lena's ontzetting recht op een promenade naast een dichtgevroren gracht af. Ondertussen zaten er twee auto's achter hen aan. Onopvallende, donkergrijze Volvo's met veel pk's.

'Eric, wat doe je?'

'Driehonderd meter rechtdoor.'

Eric wees naar de tomtom. 'Hoor je dat niet?' Hij week uit voor twee voetgangers en manoeuvreerde de terreinwagen zo vlak langs een lantaarnpaal dat er zelfs geen velletje papier tussen paal en buitenspiegel had gepast.

'Dat ding is kapot!'

'Nog tweehonderd meter, daarna links afslaan.'

'Nee, hoor. Hij neemt alleen de snelste weg.'

Lena zocht naar een brug naast de promenade, maar zag er niet één. 'Waar wil je dan in godsnaam links afslaan?' Mensen, geparkeerde auto's, verkeerslichten vlogen langs het zijraam. De Cayenne reed nu honderd kilometer per uur, de motor snorde tevreden en blies de benzine met volle kracht in de injectiepompen. Lena klampte zich aan de greep op de deur vast. 'Eric, er is niks!'

'Wedden van wel?'

'Eric!'

'Nu links afslaan.'

Hij scheurde met een levensgevaarlijke snelheid over de andere weghelft, kruiste het verkeer en schoot dwars over de promenade op de trappen af die op een aanlegsteiger in de gracht uitkwamen. 'Daar is onze afrit.'

'Dat meen je niet,' fluisterde ze.

'Na vijftig meter rechts afslaan.'

De banden rammelden over de trappen naar beneden, Eric en Lena werden door elkaar geschud tot de Porsche op de houten planken van de steiger was aangekomen en met honderd kilometer per uur op het einde af scheurde.

De Cayenne schoot de lucht in.

Lena schreeuwde.

Netjes verend landde de terreinwagen na een sprong van zo'n twee meter op het dikke ijs in de gracht, hopste een paar keer en slingerde.

'Opgelet, nu rechts afslaan.'

Millimeters voor de zijmuur van de gracht kreeg Eric het tollende voertuig weer onder controle, remde, stopte heel even en gaf toen weer gas. In zijn achteruitkijkspiegel zag hij dat de Russische politieauto's van net zo'n stunt afzagen en boven op de promenade bij de trappen bleven staan.

'Je bent hartstikke geschift,' zei Lena buiten adem en ze veegde het bloed van haar onderlip. Ze moest erop gebeten hebben toen de veiligheidsgordel met een ruk was vastgeslagen en de voorwaartse beweging van haar bovenlichaam had onderschept.

'Alleen omdat ik naar de raadgevingen van een vrouw luister?' zei hij grijnzend terwijl hij de aanwijzingen van de vrouwelijke tomtomstem opvolgde die hen al snel uit de wirwar van dichtgevroren grachten loodste waar niemand op hen rekende. Ze hadden de politie afgeschud.

Nadat ze Sint Petersburg hadden verlaten, telefoneerde Eric met Anatol en vertelde hem wat er was gebeurd. Daarna belde hij zelf de politie om de Porsche als gestolen op te geven.

Lena volgde zijn acties aanvankelijk zwijgend. Pas toen de Porsche over de bosweg naar de datsja reed en met overgave door de sneeuw ploeterde, zei ze nadenkend: 'Je bent te goed georganiseerd om krankzinnig te zijn, Eric. Ben ik soms in het spervuur tussen verschillende geheime diensten of zoiets terechtgekomen?'

'Dat zou je haast denken.' Eric herkende het dak van het houten huis en trok nog één keer snel op. Hij wilde nu eindelijk die onderzoeksgegevens zien om iets over de dood van Nadolny te weten te komen.

Hij parkeerde de Porsche op zo'n manier dat ze er onmiddellijk mee konden vluchten, daarna stapten ze samen door de sneeuw naar de voordeur.

Het was ijzig koud, de temperatuur was binnen nauwelijks hoger dan buiten, maar gelukkig waaide het niet. Eric maakte in de open haard een groot vuur aan. De warmte verspreidde zich al snel, verdreef de kou en ontdooide de ijsbloemen op de ramen.

'Wil je ook thee?' Eric stond met een ketel bij de deur om sneeuw te halen. De antieke pomp werkte bij deze temperaturen niet.

Lena had haar muts afgezet en haar schouderlange haar hing nu los. Ze knikte en maakte zich nuttig door het fornuis in de keuken aan te maken.

Eric keek naar haar en vond haar erg handig. 'Je kunt wel zien dat je heel veel tijd in de natuur doorbrengt.'

Ze wierp een blik over haar schouder. 'Omdat ik weet hoe je een fikkie moet stoken?' Lena streek glimlachend een sliert haar achter haar oor en Eric viel zomaar ineens als een blok voor haar. Het had niets met de lust te maken die hem regelmatig overviel en hem ertoe dreef om jacht op mooie vrouwen te maken, om één nacht met ze te vrijen en ze daarna te vergeten. Dit was... anders. Een warm, prikkelend gevoel in zijn buik dat omhoog naar zijn hoofd kroop en dat hij in deze vorm niet kende. En dat hij al helemaal niet kon gebruiken, omdat hij zeker wist dat het hem en haar in de problemen zou brengen wanneer hij eraan toegaf. Bovendien had hij er helemaal geen trek in. Gevoelens waren voor hem als een knellend keurslijf. En hij kon absoluut niet tegen wat voor keurslijf dan ook.

Eric pakte het kleine flesje uit de kast dat hier zoals in alle onderkomens van zijn familie klaarstond, en verliet snel de hut. Haastig draaide hij de dop eraf, liet drie druppeltjes op zijn hand vallen en likte ze eraf. De bekende smaak verspreidde zich over zijn tong, het bijbehorende gevoel in zijn hoofd volgde onmiddellijk.

Daarna schepte hij sneeuw in de ketel en ademde een paar maal achter elkaar diep in en uit. Helder en koud schoot de lucht door zijn neus in zijn longen waardoor hij moest hoesten. Min of meer tot bedaren gebracht keerde hij terug.

Lena zat al aan de tafel die ze naast de haard had geschoven en bestudeerde uitgeprinte teksten, foto's, de handgeschreven notities en schetsen. Een laptop stond opengeklapt naast haar, maar ze had hem niet aangezet. 'Hij moet eerst op kamertemperatuur komen,' legde ze uit zonder haar ogen op te slaan. 'Anders kan er kortsluiting ontstaan, vanwege de condens op kwetsbare onderdelen.'

Eric zorgde voor de thee. 'Al iets ontdekt?' riep hij hard terwijl hij de pot en de kopjes klaarzette. Hij deed zijn jas uit. Zowel in de keuken als in de kamer werd het al behaaglijk warm. Hij vond het jammer dat hij niet zoals anders naakt kon rondlopen. Oké, hij kon het wel, maar met het oog op zijn vrouwelijke bezoek conformeerde hij zich maar aan de gewoontes van de grote massa.

'Ik weet niet waarnaar ik moet zoeken,' antwoordde Lena op luide toon. 'Ergens iets op de achtergrond, een gebouw, een structuur die niet in het landschap past? Wat kunnen we hebben gefotografeerd dat de Russische regering niet openbaar wil maken? Een huis? Een bord? Een langskomend vliegtuig in de verte?'

'Zoek maar door.'

Eric belde Anatol en haalde het medaillon dat hij van zijn achtervolger had afgepakt uit zijn broekzak. 'Anatol, ik beschrijf je iets en ik wil dat je zo snel mogelijk uitzoekt wat het is.' Hij hield het sieraad voor zijn ogen. 'Goud, massief, zo lijkt het. Het heeft een reliëf, ik zie aan de ene kant een rivier die op een berg ontspringt en waarin een' – hij kneep zijn ogen geconcentreerd samen – 'een fluit? Ja, een fluit drijft. Een panfluit. Zo eentje waar Zuid-Amerikanen in voetgangerszones op spelen.' Hij draaide het amulet om. 'Op de andere kant is een koning op een troon te zien, de schrifttekens zien er als Oudgrieks uit, maar ze zijn moeilijk te ontcijferen. En achter zijn troon staat een gigantische wolf.' Hij draaide zijn mobieltje om, fotografeerde beide zijden met de ingebouwde camera en zond de gegevens door naar Anatol. 'Zoek uit wat het is, alsjeblieft.'

Daarna goot hij water op de thee en liep balancerend met de kopjes en de pot op een klein dienblad de keuken uit.

Lena had het ondertussen aangedurfd om de laptop aan te zetten. Ze bekeek de ene na de andere opname van talloze wolven, bestudeerde de achtergrond, zoomde in en uit. Dankbaar nam ze de kop thee aan en warmde haar handen.

'Ik... ik moet ineens gek zijn geworden. Een collega sterft, ik heb geen flauw idee waarom, maar in plaats van naar de politie te gaan, zit ik hun onderzoek dwars. En ik rij met een volstrekt onbekende man, die weliswaar mijn leven heeft gered maar overduidelijk in weerwolven gelooft, naar een afgelegen hut.' Ze nipte voorzichtig aan de thee. 'Dat mag je wel een zeer, zeer merkwaardige dag noemen, Eric. Maar...' voegde ze er met een scheve glimlach aan toe, 'de thee smaakt tenminste goed.' Ze knipoogde door de warme damp heen.

Eric ging tegenover haar zitten. 'Geloof maar dat het voor mij net zo'n ongebruikelijke dag is als voor jou.'

'Waarom geloof ik je dan niet?' Lena keek demonstratief om zich heen. 'Je rijdt in een dure auto, op de achterbank ligt een geweer, je kent Sint Petersburg verdomde goed en schrikt er niet voor terug om het met de politie aan de stok te krijgen. Ben je soms een superheld?' Haar donkergroene ogen vingen zijn blik. 'Of liever gezegd: ben je van het goedaardige of van het kwaadaardige soort?'

'Ik ben Eric.' Als hij nog twee seconden langer naar haar gezicht zou kijken, zou hij haar moeten kussen. 'Laat me die opnames eens zien. Misschien ontdek ik iets.' Het was zijn manier om te vluchten voor het opkomende gevoel van genegenheid dat uitsteeg boven het primitieve verlangen naar seks. Hij pakte de map met foto's en bestudeerde de afdrukken zwijgend. Hij merkte dat Lena naar hem keek.

'Hoe komt iemand erop om in weerwolven te gaan geloven?' vroeg ze plotseling. 'Heb je te veel horrorfilms gezien of zo?'

'In elke legende zit wel een vleugje waarheid.'

'Dus je denkt ook dat vampiers bestaan.'

'Ik ben er nog niet één tegengekomen.'

'Weerwolven dan wel?'

'Niet één.' Hij dronk zijn thee en voegde er in gedachten aan toe: *maar tientallen.* 'Wat fascineert je zo aan wolven, Lena?' Hij pakte de volgende map, maar het opschrift *Plitvice* maakte hem niet nieuwsgierig naar de inhoud. Kroatië lag bijna tweeduizend kilometer ver weg. Eric gooide de map op tafel terug. Tenslotte was het hem al gelukt om haar van het onaangename onderwerp af te leiden.

'Vanaf dat ik kon lopen horen wolven al bij mijn leven. Mijn vader deed ook onderzoek naar ze en hij nam me vaak mee op zijn reizen door Amerika. Ik deel zijn passie, maar Rusland trok me meer. Hier wordt minder gedaan om ze te beschermen en ik probeer daar verandering in te brengen. Weet je, wolven...' Ze zocht naar woorden. 'Het is moeilijk uit te leggen. Het gaat me om hun karakter, hun soort in z'n totaliteit, hun sociale gedrag binnen een roedel, de slimheid van schuwe dieren,' zei ze enthousiast. 'En nog steeds denken mensen dat het moorddadige schapenvreters zijn.'

Eric wilde net op haar reageren, toen hij de rand van een foto zag die uit de map *Plitvice* stak. Doordat hij de map nogal onzachtzinnig had neergegooid was er een opname uit gegleden waarop hij een bruinrode vacht en kleine, puntige oren zag. 'Tering,' fluisterde hij. Hij boog zich naar voren om de opnames te bekijken en legde de map open.

Het Beest staarde hem aan.

Ze zat met haar rug half naar de camera in het kreupelhout bij een uiteengereten wildzwijn en had haar lange, bebloede snuit net uit de open buik van haar prooi getild. De roodgloeiende ogen keken recht in de lens. Van alle gedaantewisselaars waar Eric en voorheen zijn vader jacht op maakten, stond dit wezen, dat Nadolny zonder enige twijfel had ontdekt, absoluut als allerhoogste op hun prioriteitenlijst.

Lena merkte dat hij verstijfde, keek naar de foto en hapte naar adem. 'Wat is dat in hemelsnaam?' Ze pakte de foto uit zijn hand. 'Zo'n wolf heb ik nog nooit gezien,' zei ze na een tijdje onzeker en ze draaide de opname om. '10 juli 2004, westoever Kozjakmeer,' las ze de aantekening. 'Dat is in het nationaal park van Kroatië. Een prachtige omgeving.'

Door deze foto werd er voor Eric een volledig ander licht geworpen op de eerdere gebeurtenissen die dag. 'Hoe goed kende je Nadolny?'

'Hij was een kennis van mijn vader, hij kwam vaak bij ons op bezoek en...'

'Gedroeg hij zich vreemd in Sint Petersburg?'

'Vreemd?' Lena fronste haar voorhoofd. 'Waar slaan die vragen op? Hij is gedood en het...'

'Precies, Lena,' onderbrak hij haar. 'Hij is gedood.' Eric wees naar de foto. 'Daarom.'

Ze zag er verward uit. 'Ik snap het verband niet.'

Hij wilde een poging wagen om haar uit te leggen wat hij nog nooit aan iemand had verteld. Het kwam door haar groene ogen, haar gezicht en haar geur dat hij misschien meer vertelde dan goed was. 'Waar jouw kennis foto's van heeft gemaakt, is waar mijn familie al eeuwen op jaagt.'

Lena begon ongelovig te lachen. 'Kom je weer met je weerwolven aanzetten?'

'Ja, Lena. Ik ben niet gek, en geloof me, ze bestaan echt. Ik noem ze gedaantewisselaars, omdat ze zich...'

Lena schaterlachte. 'Eric, vergeef me, maar dat is belachelijk.'

'Leg mij dan maar eens uit wat dat voor een wolf is,' zei hij woedend terwijl hij naar de foto knikte. 'Noem jij me de soort dan maar.'

'Een...' Haar ogen gleden snel over de foto.

Voordat ze kon antwoorden, zette hij haar nog meer onder druk. 'En die gloeiende ogen? Je wilt toch niet beweren dat het led-lampjes zijn?'

'Van een flitser...'

'Een natuurfotograaf met een flitser? En bij het afdrukken hoor je zeker iedere keer *pang* uit de camera, zodat die dieren denken dat ze al dood zijn en netjes blijven zitten.' Hij boog zich dichter naar haar toe, snoof haar geuren op: zweet en vervluchtigde deodorant, en de rest van wolf die van haar jas afkomstig was. 'Wat je ziet, Lena, is een gedaantewisselaar,' zei hij onheilspellend en met verbittering in zijn stem. 'Een hybride soort die verschillende kenmerken van gedaantewisselaars in zich verenigt en meedogenlozer doodt dan alle andere die ik ken.'

Lena slikte, de geur van angst hing plotseling om haar heen.

'Ik denk dat ze Nadolny heeft gezien en achterna is gegaan. Zie je dat het Beest recht in de lens kijkt? Ze wist dat hij daar stond. Niets ontgaat haar. Als ze wil.'

Lena trok haar hoofd een beetje tussen haar schouders alsof ze bescherming zocht. Haar linkerhand dwaalde langzaam naar haar zak alsof ze hem wilde warmen. 'Je maakt me bang.'

'Nadolny is het Beest van Sint Petersburg voor wie ik hierheen ben gekomen. Híj heeft twee onschuldige kinderen gedood en verscheurd. Hij is door het Beest in Kroatië gebeten en geïnfecteerd.' Eric sloeg met zijn vuist op tafel. Lena kromp ineen. 'Aha, nu weet ik wat ze van plan is! Ik weet het! Ze heeft Nadolny laten lopen om de aandacht van zichzelf af te leiden. Ze wist dat Nadolny niet met zijn nieuwe lichamelijke vermogens en lusten kon omgaan en aandacht zou trekken,' legde hij gepassioneerd uit. Hij pakte Lena bij haar schouders en van opwinding kneep hij hard. Te hard. 'Begrijp je het, Lena? Dat beestmens zit in Kroatië en houdt zich om de een of andere reden gedeisd. Ze bereidt zich op iets voor. Begrijp je?'

'Zeg je daarmee dat die mensen in zijn huis wisten dat hij een weerwolf was en hem wilden doden? Net als jij?'

Eric knikte geestdriftig. 'Ja! Ja! Vermoedelijk wel. Nadolny is niet uit het raam gegooid, hij is gesprongen. Hij wilde voor de jagers vluchten!' Hij liet haar los en zijn ogen richtten zich op de foto van het Beest. 'Luister, Lena, de wereld zit er voller...'

Verder kwam hij niet. Lena rukte de pepperspray uit haar zak en spoot midden in zijn gezicht. 'Het spijt me, Eric, maar je bent krankzinnig!' Daarna gaf ze hem met alle kracht die ze in zich had een trap tussen zijn benen, griste alle onderzoeksgegevens bij elkaar en rende naar de deur. Het sleuteltje van de Porsche zat in zijn jasje dat naast de voordeur hing. Eén graai was genoeg. Ze verdween naar buiten.

De Cayenne sloeg onmiddellijk aan. Ze trapte hard op het gaspedaal en volgde de bandensporen die de auto op de heenweg had achtergelaten. Ze werd nog liever vanwege autodiefstal gearresteerd dan nog langer bij die knappe maar helaas geestesgestoorde man te blijven die haar leven had gered.

Waarom ontmoette ze nu nooit eens een man die net zo natuurlijk en normaal was als de wolven waarmee ze de meeste tijd in haar leven doorbracht?

XI

24 mei 1765, Malzieu, Zuid-Frankrijk

Vier maanden waren verstreken. Meer mensen waren gedood. Het Beest had ruim dertig slachtoffers geëist. Geen jager en geen soldaat lukte het om haar dood te schieten hoewel ze zich telkens weer aan mensen liet zien. Ze leek zich vrolijk te maken over haar achtervolgers.

Jean Chastel en zijn zoons kwamen Virgilius Malesky sinds hun gezamenlijke jachtavontuur steeds vaker tegen. Af en toe bekroop Jean het gevoel dat de Moldaviër hen stiekem bij hun trektochten over de bloeiende weidegronden en door de bossen en wouden van de Gévaudan achtervolgde. Zodra ze dachten dat ze hem hadden afgeschud, wachtte hij hen wonderbaarlijk genoeg in het volgende dorp weer op. Maar Malesky leek iedere keer zo oprecht blij met het weerzien, dat ze hun wantrouwen in hem weliswaar niet helemaal verloren maar het zo veel mogelijk probeerden te onderdrukken. Malesky jaagde net als zij op het Beest. In tegenstelling tot Duhamel, die niets had bereikt, en zijn opvolgers de Dennevals, had hij in elk geval begrepen dat je mensen uit de buurt en hun kennis van de streek nodig had om het Beest te vinden. In het spoor van de drie mannen gaf hij zichzelf waarschijnlijk de meeste kans op succes.

Geen van de drie Chastels was daarom verbaasd toen ze de Moldaviër weer in Malzieu zagen en hij hen meteen aansprak terwijl ze tussen de feestvierende massa's in de straten van het stadje langs hem liepen.

'*Bonjour*, vrienden,' begroette hij hen uitbundig en hij bestelde bij het kraampje waarvoor hij stond, drie extra bekers wijn. 'We zijn net op tijd. Die beste mensen hier vieren een voorjaarsfeest.' Hij reikte hun de bekers aan en betaalde de waard. Ze proostten met elkaar. 'Onder ons gezegd: er is voor het Beest toch geen betere plek dan hier? Zo'n grote keuze aan meisjes en jongens zal het bijna nooit kunnen vinden.' Hij knipoogde over de rand van zijn knijpbrilletje heen. 'Het lot heeft ons hier bijeengebracht om dat ondier te pakken te krijgen en eindelijk te doden.'

Pierre zuchtte en nipte aan zijn wijn. Jean nam weliswaar een flinke slok, maar zette zijn beker toen weer neer. Alleen Antoine leegde de beker in één teug, lachte en bestelde er nog een.

'Hebben jullie al gehoord over die arme Gabrielle Pélissier? Het Beest heeft eerst haar hoofd afgerukt en later weer op de stomp gezet.' Malesky keek weer over de rand van zijn blauwe brillenglazen. 'Uiteraard pas nadat hij van het bloed van het meisje had gedronken.'

'Hoe lang bent u al hier, monsieur Malesky?' vroeg Jean. 'Of hebt u die sprookjes onderweg opgedaan?'

'Ik beschouw die berichten als waar. Evenals dat men het Beest in gezelschap van een tweede wezen heeft gezien.' De Moldaviër begon op een ondoorgrondelijke manier te glimlachen. 'Ik weet, mijn beste Chastel, dat je denkt dat ik jullie achtervolg. In werkelijkheid is het zo dat ik het Beest achtervolg en probeer van tevoren in te schatten waar het heen zal gaan. Omdat we jacht maken op dezelfde prooi, komen we elkaar voortdurend tegen.' Hij wees tussen de menigte door naar een bord dat boven de mensen zachtjes in de wind heen en weer zwiepte en waarop de naam van een herberg stond: Le Calice. 'Maar deze keer is ons gezelschap beroemder. De Dennevals hebben daar hun intrek genomen.'

Antoine haalde zijn schouders op. 'Ik ben niet bang voor die Normandiërs. Ze hebben net zo weinig succes als die domme Duhamel. Voor mijn part scheppen ze maar op dat ze in Normandië twaalfhonderd wolven hebben omgelegd. De Gévaudan is anders dan het vlakke land waar zij wonen.' Weer dronk hij zijn beker wijn in één keer op. Het effect van de alcohol was al merkbaar: onrustig keek Antoine om zich heen, gaapte meisjes aan, en als ze bloosden grijnsde hij schunnig naar ze. 'De een nog mooier dan de andere.' De derde beker werd hem aangereikt. Hij wilde hem aan zijn lippen zetten, maar zijn vader legde een hand op zijn arm en duwde die naar beneden. 'Rustig aan met die wijn,' bromde hij. 'Je hebt een helder verstand nodig. Straks heb je jezelf niet meer in de hand.'

Pierre wist wat zijn vader daarmee bedoelde. De loup-garoukolder in de broers lag op de loer, wachtte op een gelegenheid om hun menselijke geest te onderdrukken, uit te breken en het Beest de overhand te laten krijgen. Het was hem, de zachtaardigste van de twee broers, de afgelopen maanden bijna gelukt om niet meer de omgeving af te struinen en mensen te doden. Hij geloofde dat in elk geval. Telkens wanneer de fatale koorts hem overviel, werden zijn herinneringen uitgewist. Maar hij was al een hele tijd niet meer met bloed aan zijn handen en kleren bijgekomen.

Het merkwaardige was dat hun vader er nooit bij was wanneer ze van gedaante veranderden. Het enige wat hij hun kon vertellen, was dat ze er bij het begin van zo'n aanval razendsnel vandoor gingen en dat hij hen later altijd weer in mensengedaante aantrof.

Pierre had zijn vader al vaak gesmeekt hem en Antoine thuis te laten, in de kelder op te sluiten, tot het Beest was gedood. Maar Jean had dat tot nu toe geweigerd. Hij durfde het niet in zijn eentje tegen dat gevaarlijke schepsel op te nemen. Ze was te snel, te sterk en te slim voor één belager. Hij had hen nodig om op de loup-garou te jagen, ook al wist hij dat hun gedaantewisseling elk moment in gang kon worden gezet. De jacht werd daardoor als een tweesnijdend zwaard en zou in dat geval meer nadelen dan voordelen kunnen opleveren. Maar volgens zijn vader kon het niet anders.

Antoine wachtte tot Jean zijn aandacht op de markt had gericht, klokte de wijn toen snel naar binnen en stak zijn roodgekleurde tong uit naar Pierre. 'Met die Normandiërs zal het ook op een fiasco uitlopen. De comte zegt dat ook,' zei hij expres heel hard. Zijn wangen waren rood aangelopen. 'Het Beest is sluwer dan jullie allemaal denken.' Uitdagend dwaalde zijn blik over de gezichten van de omstanders. Door het musket op zijn rug en zijn hand op de knop van zijn pistool werden veel boeren ervan weerhouden om te reageren.

'Hou je mond, Antoine!' beval zijn vader geërgerd. 'We zoeken wel een onderkomen waar jij je roes kunt uitslapen.' Hij greep hem bij de arm vast en trok hem mee naar de herberg. Pierre en Malesky kwamen hen achterna.

'Helemaal ongelijk heeft uw broer denk ik niet,' zei de Moldaviër terwijl hij in het voorbijgaan de uitgestalde waren op de kraampjes bekeek. 'Het is waar dat de Dennevals verstand hebben van het gedrag van wolven, maar zoals Antoine opmerkte: ze kennen deze streek nauwelijks. En de comte de Morangiès beklaagt zich net zo over hen als over Duhamel. De Dennevals hebben dus vijanden op twee en op vier poten.'

'Weet ú hier dan wel de weg?' vroeg Pierre sceptisch. 'Begrijpt u me niet verkeerd, monsieur Malesky, maar u komt net zo onbeslagen ten ijs als die Normandiërs.'

'Niet helemaal. U kent de streek niet waar ik vandaan kom, monsieur Chastel, anders zou u dat niet zeggen.' Het gezicht van Malesky kreeg een dromerige uitdrukking. 'In het deel van de Boekovina waar ik heb gewoond, zijn de wouden dichter dan in de Gévaudan. Af en toe heb ik heimwee naar al die eiken, beuken en sparren. Ik heb daar op talloze bruine beren, wolven en vossen gejaagd, monsieur, en ik ken alle slimmigheden van die dieren.' Hij lachte. 'Hoewel we natuurlijk niet moeten vergeten dat de hulp van u en uw vader in deze omgeving voor mij onbetaalbaar is.'

Antoine en Jean waren bij de ingang van Le Calice aangekomen, waar aan de voeten van twee mannen zes volwassen bloedhonden lagen. Ze hoorden ongetwijfeld bij de Dennevals uit Normandië, wachtten rustig en ontspannen in de schaduw van het gebouw op het begin van de drijfjacht.

'Ik heb gehoord dat het de beste bloedhonden van Frankrijk zijn,' zei Malesky vol bewondering. 'Geen wonder dat koning Lodewijk de Normandiërs samen met hen hierheen heeft gestuurd. Ze zeggen dat die honden bij de achtervolging onvermoeibaar zijn en ze zouden zelfs over droge grond een spoor kunnen vinden waarvan niets meer is te zien.'

Pierre hield zijn pas in. Door de diepliggende ogen van de honden en de plooien in de loszittende huid zagen de dieren er triest en erg onschuldig uit... maar hun neuzen maakten hen voor Pierre gevaarlijk. *Slaan ze aan als ze me ruiken? Storten ze zich op me?* Hij bleef staan en deed alsof hij iets in een kraampje had ontdekt.

Malesky vertelde verder over hun goede eigenschappen. 'Zelfs na het oversteken van een rivier vinden ze aan de overkant de geur terug. Er zijn gevallen bekend waarbij ze een spoor meer dan zestig mijl hebben gevolgd hoewel het al meerdere dagen oud was.' Pas op dat moment zag hij dat Pierre voor een stalletje met haarkammetjes was blijven staan. 'Wat nu, monsieur Chastel? Ik sta werkelijk versteld van uw interesses.'

Zijn vader en Antoine liepen langs de honden.

De twee die het dichtst bij de deur lagen, tilden onmiddellijk hun kop op en snuffelden in hun richting. Ze begonnen opgewonden te hijgen en te janken, totdat de hele roedel overeind sprong en ze met moeite door hun begeleiders aan hun lijnen achteruit konden worden getrokken.

Maar het lukte zijn vader en zijn broer veilig naar binnen te vluchten. Hij moest die klus nog klaren, en dat zou niet makkelijk worden. De bloedhonden waren door Antoines geur opgeschrokken en lieten zich niet meer kalmeren. Ze snuffelden nu onophoudelijk, tilden hun koppen hoog op of schoven met hun leerachtige neuzen door het stof van de straat om verdachte luchtjes op te vangen.

Terwijl Pierre er nog over na stond te denken hoe hij langs die honden kon komen zonder nog meer aandacht te trekken, zag hij een gezicht in de menigte dat hem vertrouwd tussen al die vreemde mensen voorkwam. En hij kon nog net zien dat lang, bruin haar onder een zwart netje en een strookje van een donkerrode japon achter een tent verdwenen.

'Florence!' zei hij van blijdschap harder dan de bedoeling was. Hij pakte het eerste het beste kammetje, gooide een paar munten naar de handelaar en rende weg. 'Zeg maar tegen mijn vader dat ik zo kom,' riep hij naar Malesky en hij wurmde zich tussen de feestgangers door.

'Die jeugd toch,' zei de Moldaviër begrijpend glimlachend. Hij schoof zijn knijpbrilletje recht en werd getrakteerd op het lage decolleté van een losjes dichtgeregen blouse waarmee een jonge boerin hem een royale inkijk op haar borsten gaf. Toen ze zich schijnbaar alleen voor hem naar voren boog, zag hij haar donkere tepelhoven. 'Ach ja, het is weer lente,' mompelde hij en hij liep fluitend op de ingang van Le Calice af.

De bloedhonden interesseerden zich niet meer dan twee korte snuffels voor de man. Ze bleven echter rukken aan hun lijnen en moesten door hun verzorgers met een enorme krachtsinspanning in bedwang worden gehouden. Ze gehoorzaamden niet, of ze nu werden toegesnauwd of verleidelijke mergpijpen kregen aangeboden.

Malesky bleef staan, draaide zich om en keek naar de argeloze massa's in de straatjes van Malzieu. Was het Beest al hier? Hij nam zich voor nog alerter dan anders te zijn en liep het gebouw binnen.

Hij zag Jean en Antoine Chastel bij de tapkast staan terwijl ze met de waard onderhandelden. Malesky nam aan dat de vader de aangeschoten zoon naar een kamer wilde brengen en daarna weer meteen naar beneden zou komen. Daarom zocht hij in de overvolle gelagkamer naar zitplaatsen.

Behalve aan de tafel van een vrouw van een jaar of twintig die afwezig naar haar volle bord met eten zat te staren en zich niet verroerde, was er niets meer vrij. Malesky liep op haar af, nam zijn versleten driesteek af en boog voor haar. 'Bonjour, mademoiselle. Staat u mij toe dat ik aan uw tafel kom zitten?'

De vrouw, die eenvoudige boerenkledij droeg, bleef onbewogen zitten.

'Mademoiselle?' Malesky stelde zich nog een keer voor. En toen ontdekte hij een diep, zeer recent litteken bij haar rechteroor en een niet minder lelijk uitziende wond die van de aanzet van haar sleutelbeen naar haar schouder liep. De Moldaviër herkende ze onmiddellijk als bijtsporen.

Een blonde jongen van een jaar of zestien in eenvoudige kleren en met een veel te ernstig gezicht kwam naar hem toe. 'Vergeeft u me, monsieur, maar mijn zus Jeanne wil niet onbeleefd zijn. Gaat u zitten als u wilt en als u zich niet aan haar gedrag stoort. Ze is voor het eerst weer onder de mensen.' Hij ging naast haar zitten en begon haar te voeren.

Jeanne at het eten werktuiglijk op, haar gelaat bleef uitdrukkingsloos.

Malesky ging ook zitten. 'Ik leef oprecht met u mee,' zei de Moldaviër, waarna hij brood, worst en wijn voor twee personen bestelde omdat hij Chastel weer beneden verwachtte. Desnoods kon hij wat er overschoot als voedselvoorraadje in zijn rugzak stoppen. Hij zag het pistool in de gordel van de jongen.

'U bent weer een van de velen die in de Gévaudan hun geluk komen beproeven door op het Beest te jagen,' zei de knaap onverwachts tegen Malesky. 'Aan uw accent hoor ik dat u een buitenlander bent.' Hij keek hem aan. 'Maar binnenkort zult u al weer onverrichter zake afdruipen. Monsieur Denneval en zijn zoon schieten dat ondier dood.'

'Daar bent u zeker van, *petit monsieur?*' antwoordde Malesky beleefd. 'Dat dacht men ook van Duhamel en zijn onbekwame dragonders. Totdat de koning hen terugfloot en die wolvenjagers uit Normandië stuurde.' Hij proefde de wijn en besloot vol walging om het bij één glas te laten. De wijn smaakte muf, verschaald. 'Ik wil wedden dat hij over hoogstens vier maanden door de volgende pechvogel wordt vervangen die Lodewijk de Vijftiende naar het Granietland stuurt.'

Zonder het te willen had hij bij de jongen een gevoelige snaar geraakt, vermoedelijk zijn eer aangetast. De knaap ging rechtop zitten. 'U vergist zich, monsieur. Ik escorteer de Dennevals en kan u verzekeren dat ze de zaak beter aanpakken dan die soldaten.'

'U, *petit monsieur?*' Malesky wees naar het pistool. 'Ik zie echt wel dat u bewapend bent, maar u hebt toch wel gehoord dat het Beest tegen heel wat meer is opgewassen dan dat beetje lood dat uw wapen uitwerpt?'

De jongen schraapte met zijn lepel de fijngekauwde restanten weg die nog aan de lippen van de vrouw plakten en veegde haar mond af. 'Dat pistool is maar één van de vele wapens. Ik heb tijdens de jacht ook altijd een buidel met petroleum bij me om naar het Beest te slingeren en haar in brand te steken. Ze is bang voor vuur.'

'Ik wil niet indiscreet zijn, *petit monsieur*, maar is u al het genoegen vergund dat u op uw jonge leeftijd oog in oog met het Beest hebt mogen staan?'

'Het was géén genoegen.' De jongeman aaide de wang van zijn zus. 'Mijn naam is Jacques Denis. Jeanne en ik waren begin maart de geiten en de schapen aan het hoeden op een weide niet ver van Malzieu. We hadden een schuilplaats gezocht en ik had onmiddellijk een vuurtje aangelegd. En toen stond dat monster ineens voor ons. Ze viel Jeanne aan en beet in haar hoofd. Ze had mij omvergegooid en ik wilde niets liever dan mijn zus helpen. Met blote handen sloeg ik in op dat smerig stinkende schepsel, en toen dat niet hielp, heb ik het Beest een trap gegeven. Ze liet Jeanne los en viel in de vlammen. Ik zweer u, monsieur, de schreeuw die dat wezen uitstootte was niet van deze wereld – en toch vatte haar vacht geen vlam. Ze schudde het vuur van zich af en rende weg.' Hij zuchtte en aaide de hand van zijn zus. 'We hebben Jeanne naar huis gebracht. Ze heeft schade geleden aan haar ziel, dat zei de pater. Ze heeft zeker maanden nodig om weer te herstellen... maar misschien blijft ze wel voor altijd in deze toestand tussen waken en slapen in.' Met een vastberaden uitdrukking op zijn gezicht klopte Jacques op de greep van zijn pistool. 'Monsieur Denneval heeft me dit gegeven toen ik me bij hem als gids aanmeldde. Het Beest zal sterven, en ik zal het met mijn eigen ogen zien, zeker weten.'

Ongemerkt was Antoine Chastel bij hen komen staan en had meegeluisterd. Plotsklaps daverde zijn harde, rauwe lach door de gelagkamer en wees hij met zijn uitgestrekte wijsvinger naar Jacques; hij kon niet meer bijkomen. 'Moet je horen wat dat onderdeurtje zegt wat hij allemaal kan,' zei hij honend. 'Het Beest had gewoon helemaal geen trek in jou, dat was alles. Je stinkt te veel naar je geiten en schapen.'

Jean kwam gehaast naderbij en gaf Antoine een reeks harde oorvijgen. Antoine begon vervolgens zachtjes te giechelen terwijl hij zijn armen beschermend voor zijn gezicht hield. De andere gasten keken verbaasd naar het tafereel maar bemoeiden zich er niet mee. Iemand met zo'n botte, grote bek verdiende die optaters wel. Antoine liep glurend tussen zijn armen door naar de trap en grijnsde wellustig.

Malesky rook de decente geur van zeep en zag in zijn ooghoek de japon van een vrouw naast zich verschijnen. Jacques hief zijn hoofd op. 'Marguerite! Fijn dat je er bent. Jeanne en ik wilden net opstappen om op de markt te gaan kijken. Het gezelschap hier' – hij keek naar Antoine – 'bevalt ons niet zo. Ga je mee?'

De Moldaviër draaide zich om, stond op en boog voor de jonge vrouw die van dezelfde leeftijd was als het onfortuinlijke slachtoffer van het Beest. Marguerite was zonder enige twijfel apart te noemen: haar eenvoudige jurk versterkte de indruk dat er een bijzonder mooie bloem in een eentonig korenveld voor hem stond. Ze knikte.

De boerenjongen zette zijn pet op. 'Ik wens u veel succes, monsieur,' zei hij tegen Malesky. 'Moge God u bijstaan.'

De drie verlieten Le Calice, waarbij Marguerite de apathische Jeanne aan de hand meenam. Ook de Chastels waren verdwenen. Het was de wildschut gelukt om zijn aangeschoten zoon de trap op naar een kamer te dirigeren.

Na een tijdje – de Moldaviër had zich ingehouden om niet ook Jeans portie te verorberen – keerde Jean van boven terug en ging zitten. Hij zag er doodop uit. 'Mijn zoon is een lastig sujet,' zei hij ter rechtvaardiging. 'Hoe graag zou ik niet willen zeggen dat hij eigenlijk een door en door goed mens is.' Hij sneed de worst in plakken. 'Ik hoop dat hij zijn roes uitslaapt en daarna weer heer en meester over zijn tong is. Heer en meester over zijn verstand zal hij hoogstwaarschijnlijk nooit worden.' Nauwelijks had hij zijn tanden in het eerste stuk worst gezet of hij besefte dat zijn andere zoon er niet was. 'Waar is Pierre?'

'Ik moest tegen u zeggen dat hij zo komt. Hij kocht een kammetje en stortte zich toen in de menigte.' Malesky hoorde de bloedhonden buiten nog steeds janken en blaffen, ze waren niet meer rustig te krijgen. 'Ik geloof dat hij een naam noemde... Florence?'

Zonder enige uitleg stond Jean op, pakte zijn musket en liep naar de uitgang.

'Hé! Wat is er?' De Moldaviër kwam haastig overeind en liep hem achterna om te voorkomen dat twee jonge mensen zouden moeten lijden vanwege een paar woorden die hij had gezegd, of hun leed op zijn minst te verzachten. 'Wacht, monsieur!'

Pierre liep achter de bruine haardos in het netje aan die hij telkens weer tussen de hoeden, petten, kappen en haren van de feestgangers ontdekte. Florence stapte vastberaden door, sloeg meerdere keren af en leek geheel zeker van zichzelf. Het bracht hem tot de overtuiging dat ze een doel had en niet aan het slenteren was. Voor de kraampjes om haar heen had ze geen enkele belangstelling.

Hij versnelde zijn pas om dichter bij haar te komen, raapte al zijn moed bij elkaar om haar in te halen en ging toen voor haar staan. 'Bonjour, mademoiselle Florence.' Bij de blik in haar lieftallige gezicht sloeg het zweet hem onmiddellijk uit en zijn handen werden vochtig. Zijn stem stokte. Alles wat hij tijdens zijn korte achtervolging aan mooie woorden had bedacht, verdween als sneeuw voor de zon uit zijn geest. Vooral haar glimlach was daar debet aan, want die was zo betoverend als een zonsopgang boven de Mont Mouchet, zo verrukkelijk als de geur van heide en zo puur als het water uit de bronnen van de Gévaudan.

'Bonjour, monsieur Chastel,' antwoordde ze vriendelijk maar toch een beetje schuw. 'Hoe gaat het met u? Ik heb vaak aan die middag van onze ontmoeting gedacht en tot de Heer gebeden dat hij u van uw lasten mocht bevrijden.' Haar bruine ogen glommen van blijdschap, ook al meende Pierre een vleugje zwaarmoedigheid te zien.

'Nu ik u zie, zijn die gevlogen,' liet hij zich meteen ontvallen. Zijn geest laafde zich aan haar schoonheid, bewonderde haar adellijke, bleke gelaat, haar prille wasdom, haar tot bloei komende lichaam, haar slanke vingers die verlegen met de knoopjes van haar japon speelden. Ook zij was zenuwachtig.

'Ach, monsieur!' Florence glimlachte nog stralender, waarmee ze Pierre het laatste beetje zekerheid schonk dat hij smoorverliefd op haar was. 'U met uw complimenten ook, monsieur.'

'O, hou toch op. Ik ben nauwelijks ouder dan jij en al helemaal geen monsieur. Ik ben Pierre.' Hij stak haar zijn hand toe die ze aarzelend vastpakte, en hij voelde haar zachte huid tegen de zijne.

'Dan moet u... dan moet je mij Florence noemen.' Alsof ze zich ineens weer herinnerde wat haar zo snel door de straten had voortgedreven, keek ze zoekend om zich heen. 'Heb je misschien de eerwaarde abdis gezien? We zouden elkaar bij de tent van het klooster ontmoeten, maar ik heb haar en de andere zusters nergens kunnen ontdekken, of ze hebben de tent nog niet opgebouwd.' Ze richtte haar blik weer op hem. 'Je mag mijn hand wel loslaten, Pierre. Ik loop niet bij je weg.'

Zijn hoofd werd bloedheet. 'Vergeef me, ik wilde je niet in verlegenheid brengen.' Snel trok hij zijn hand terug en stak haar het kammetje toe. 'Mag ik je een cadeautje geven?'

Ze trok haar wenkbrauwen op en de bevalligheid van die beweging zou een koningin niet hebben misstaan. 'Hoe wist je dat ik in Malzieu was? Loop je me soms voortdurend achterna?'

'Nee!' riep hij snel. 'Nee, ik zag je daarnet en...' Hij hield midden in zijn zin op, omdat ze het kammetje aanpakte en het bewonderend van alle kanten bekeek.

'Dank je wel. Ik vind het heel mooi en zal er zuinig op zijn.' Ze boog naar voren... en gaf de jongeman volkomen onverwacht een vluchtige kus op de wang. 'Je hebt me zo-even een nog veel groter cadeau gegeven.'

In Pierres buik dansten de vlinders, zijn benen voelden zo week als was. 'Wanneer zien we elkaar weer?' vroeg hij als in een roes. Hij wilde haar het liefst voor de ogen van iedereen in zijn armen sluiten, haar tegen zich aan drukken en haar voelen en ruiken. Maar het was niet netjes om de pupil van de eerwaarde abdis op zo'n manier voor schut te zetten. 'Ik zou graag met je praten, ver van nieuwsgierige ogen en oren, en alles over je te weten willen komen,' ratelde hij door. 'Zullen we elkaar weer in de pelgrimskapel van Saint Grégoire ontmoeten?'

Ze knikte zonder te aarzelen.

'Ik kan je alleen niet vertellen wanneer we weer in de buurt komen. Het hangt af van waar het Beest heen gaat en waar ze mensen doodt.' Hij keek langs haar heen en dacht heel even de driesteek van zijn broer Antoine te zien die op hen afkwam. Dat ontbrak er nog maar aan.

Florence stopte het kammetje in een plooi van haar japon. 'Ik vind het niet erg om te wachten, Pierre. Zodra je in de kapel bent, steek dan een kaars aan en zet die dan in het linkerraam naast het schilderij van de Heilige Gregorius. Dat kan ik vanuit mijn kamer zien en zo zal ik weten dat je er bent.'

Achter Pierres rug schreeuwden de mensen door elkaar omdat ze geschrokken waren. Het diepe geblaf van honden was te horen, gevolgd door het vloeken en brullen van een man die probeerde de dieren te pakken te krijgen.

De bezoekers van het lentefeest stoven uiteen en vormden een haag. De jonge wildschut, die zich had omgedraaid om naar het tumult te kijken, zag ineens dat de bloedhondenmeute recht op hem afrende. De fijne neuzen lieten zich niet om de tuin leiden.

Hij wendde zich tot Florence, die doodsbang naar de dichterbijkomende goudbruine honden staarde, om snel afscheid te nemen.

'Ik... ik ben bang... voor honden,' stamelde ze trillend, en voordat Pierre haar kon geruststellen, rende ze naar rechts weg om de meute te ontvluchten. Hij schrok. Door het kammetje was zijn geur overgebracht op Florence en nu zouden de honden ook haar achternagaan! Ze kon onmogelijk aan die honden ontsnappen, die aanzienlijk sneller waren dan een vrouw in een lang gewaad. Florences opgewonden bewegingen zouden de voor de jacht afgerichte honden alleen maar nog meer uitdagen om haar hardnekkig te blijven volgen.

Pierre rende achter Florence aan om haar tegen de woedend blaffende honden te beschermen. Het was allemaal zijn schuld. Een loup-garou moest geen cadeautjes aan anderen geven wanneer er jachthonden in de buurt waren. Het was beter dat hun tanden zich in zíjn vlees boorden dan in het hare.

Hij trok een spurtje om het meisje in te halen en stelde vol bewondering vast dat ze bijna net zo snel was als hij. Ze zigzagde behendig tussen de mensen door die in de weg stonden, terwijl hij ze opzij moest duwen.

De meute jakkerde kwijlend achter hen aan.

Florence en Pierre renden nu zij aan zij. Hij pakte haar hand en trok haar mee. Te laat bedacht hij dat hij op die manier zijn Beestengeur nog sterker op haar overdroeg en haar voor de honden nog interessanter maakte.

Het toeval schoot hen te hulp en leidde hen langs een kraam met kruiden. Al rennend griste Pierre daar een zakje kostbare peper weg. Het fijngemalen poeder zou de neuzen en ogen van hun vierpotige achtervolgers irriteren en hun reukvermogen verstoren, maar het was nog niet het juiste moment om van de zwarte specerij gebruik te maken.

Ze stormden de markt af. Florence hijgde en kon bijna geen adem meer krijgen. Zo lang zouden ze deze snelheid niet meer kunnen volhouden. De bloedhonden waren nu vlakbij, omdat geen kraam en geen mens hen meer afremde. Nu konden ze hun volle snelheid ontwikkelen.

'Naar links,' schreeuwde Pierre en hij duwde haar een smalle steeg in, strooide de peper op straat en trok haar aan de hand verder. 'Niet staan blijven!'

Ze renden Malzieu uit en kwamen op een grasveld met fruitbomen.

'Klim daarin!' beval Pierre terwijl hij naar de knoestige stam van een oude appelboom wees. Toen het Florence niet lukte om met haar schoenen steun op de schors te vinden, pakte hij haar in de taille en gooide haar met een zwaai omhoog. Ze greep een tak vast en trok zich er zelf kreunend op.

Het woedende geblaf van de bloedhonden waarschuwde Pierre. Eén hond uit de meute was volhardend genoeg geweest om zich niet door de peper in zijn neus van de achtervolging af te laten brengen.

'Pierre, kom omhoog!' schreeuwde Florence buiten zichzelf van bezorgdheid. 'Hij vliegt je nog naar de keel!'

Het lukte hem om nog net op tijd in de boom te klimmen en zich op de tak te zwaaien waarop Florence zat. 'Pak mijn kruithoorn, doe het dekseltje open en als de hond precies onder ons staat, laat dan het kruit heel langzaam naar beneden stromen,' instrueerde hij haar. Intussen pakte hij de reservevuursteen van zijn musket uit zijn leren tas en hield hem tegen het lemmet van zijn mes.

Seconden later sprong de bloedhond blaffend tegen de stam op, leunde er met zijn voorpoten tegen en staarde woedend omhoog naar de voor hem onbereikbare mensen.

Florence deed met rappe, trillende vingers wat Pierre haar had opgedragen en het zwarte poeder sneeuwde op de hond. Snel deed ze het dekseltje dicht. Eén vonk die Pierre met steen en mes op het juiste moment voortbracht, was genoeg om van het kruit plotseling een knetterende vonkenregen te maken die op de bloedhond neerdaalde. Het beetje zwartkruit was niet voldoende om de hond in vuur en vlam te zetten, maar het was wel genoeg om zijn vacht flink te schroeien en hem op de vlucht te jagen. Jankend rende hij weg.

Opgelucht wierp Florence haar armen om Pierre, drukte zich tegen hem aan en verborg haar gezicht in zijn hals. Na enige aarzeling sloeg hij zijn armen om haar heen en aaide haar kalmerend over haar hoofd. Tranen van opluchting stroomden over haar wangen.

Snotterend liet ze hem los en hij droogde haar tranen met de zakdoek die hij sinds hun eerste ontmoeting als talisman bij zich droeg. Florence herkende die onmiddellijk en glimlachte. Hij bette de zakdoek nu wat langzamer om haar ogen, boog zijn hoofd naar voren, slikte zenuwachtig... en haar lippen ontmoetten de zijne.

Zodra hun monden elkaar raakten, werd hij door een gevoel van gelukzaligheid en warmte vervuld zoals hij nog nooit had gevoeld. Pierre drukte haar steviger tegen zich aan, voelde haar borsten door de stof van haar kleren. Hij schrok van zijn eigen zachte gekreun en het vuur van de begeerte dat in zijn schoot ontwaakte.

Florences handen gleden liefkozend over zijn borst, schoven nieuwsgierig onder zijn hemd... en verstijfden. Ze had het litteken ontdekt dat hij aan het gevecht met de loup-garou had overgehouden. Er kwam abrupt een einde aan de zoete vloed van hartstochtelijke kussen. Ze trok haar hoofd naar achteren, keek vragend naar zijn gezicht en drukte haar linkerhand even op zijn voorhoofd. 'Je gloeit helemaal, Pierre. Wat is er met je?' vroeg ze bezorgd.

Niet nu! Lieve Heer, sta me bij en bewaar me voor een gedaantewisseling! Hij had gedacht dat zijn opwinding verantwoordelijk was voor zijn warme gevoel, maar hij merkte dat de oude vertrouwde koorts – die hij zo haatte en waar hij zo bang voor was – zich nu weer aankondigde.

'Florence, ga terug naar Malzieu,' zei hij met enige moeite terwijl hij zich uit de boom liet zakken. Hij werd ineens duizelig en de fruitbomen draaiden als een draaitol om hem heen. Hij zakte in elkaar. Pierre hoorde dat Florence wat tegen hem zei toen ze van de tak sprong, en zag haar als door een sluier boven zich. 'Alsjeblieft, ga weg! Breng jezelf in veiligheid,' kraste hij voordat zijn verstand weggleed in de duisternis en hij in de schaduw van de appelboom zijn bewustzijn verloor.

24 mei 1765, Malzieu, Zuid-Frankrijk

'Monsieur Chastel, pas op!'

Ook zonder de waarschuwing van Malesky zou hij de aanstormende honden zijn ontweken. Hij had het opgewonden geblaf al van ver gehoord en drukte zich tegen de muur van de steeg die naar het marktplein leidde.

De dieren baanden zich een weg door de menigte, kropen snel onder de benen van de mensen door en vonden overal wel een gaatje om vooruit te komen. Niets hield hen tegen wanneer ze een spoor volgden. Op grote afstand volgde een schreeuwende hondenbewaker, die met bloedende handen achter de ontsnapte dieren aan rende om hen te pakken te krijgen. De honden hadden zich waarschijnlijk met grote felheid losgerukt waardoor hun lijnen diep in zijn vlees hadden gesneden.

De Moldaviër en de wildschut wisselden snel een blik: ze dachten hetzelfde.

'Gelooft u dat de honden midden in Malzieu de geur van het Beest hebben opgevangen?' sprak Malesky zijn gedachten hardop uit. 'Zou het Beest zich misschien in een van de huizen hier hebben verstopt, en staan wij op het punt de eigenaar te ontmaskeren?' Hij haalde zijn knijpbrilletje uit zijn etui, poetste het even snel aan zijn jas op en klemde het op de brug van zijn neus. Het blauw van de glazen gaf zijn gezicht een vastberaden en onverschrokken uitdrukking. 'Of nemen we aan wat de mensen zeggen, namelijk dat het een loup-garou is die in zijn menselijke gestalte rondloopt... Zou het zo kunnen zijn dat de honden hem ruiken?'

Jean deed zijn uiterste best om zijn schrik te verbergen. 'Nee, hoogstwaarschijnlijk niet. Die honden hebben gewoon slecht te eten gehad en hebben het spoor van een dier geroken. Op de markt krioelt het er nu eenmaal van.' Daarna deed hij alsof hij in de menigte een oude bekende had ontdekt. 'Wacht hier, monsieur Malesky. Ik ben zo weer terug. Ik ga even iemand *bonjour* zeggen,' riep hij terwijl hij zich midden in het feestgewoel stortte. Na twee stappen dook hij weg en maakte zich daardoor volkomen onzichtbaar voor de Moldaviër. Hij had geen enkele behoefte aan gezelschap wanneer hij naar Pierre zocht om hem tegen de bloedhonden van de Dennevals bij te staan.

Malesky grijnsde. 'Zo, monsieur Chastel gaat dus liever alleen op jacht.' Hij ging naast een stalletje op een leeg kistje staan en keek uit naar Chastel of de honden, want waar zich een van die twee bevond, zou zeker ook het Beest zijn. Zo makkelijk schudde niemand hem af.

Jean dwaalde tussen de wirwar van tentdoeken en had geen flauw idee hoe hij Pierre zo snel mogelijk zou kunnen vinden. De omstandigheden waren allesbehalve gunstig.

Verdomme, waarom moeten die Normandiërs uitgerekend nu opduiken, dacht hij geërgerd. Daarmee verminderden zijn kansen om het Beest dat verantwoordelijk was voor alle ellende, in z'n eentje te pakken te krijgen en te doden. Als de Dennevals de loup-garou eerder dan hij neerschoten, zouden ze hem waarschijnlijk niet toestaan een flinke hoeveelheid bloed af te tappen waarvan hij een middel zou kunnen brouwen om het lijden van zijn zoons te verlichten. Hij had het recept van de dokter zorgvuldig verstopt, want als het zou worden gevonden, stond hem zeker een beschuldiging wegens hekserij te wachten. Uit het gezwets over zijn afkomst zou een zekerheid ontstaan die voor het gerecht voldoende was om hem te veroordelen.

Hoewel Jean zijn uiterste best deed het geheim van zijn zoons binnenskamers te houden, was het een zware belasting voor hem. Voortdurend was hij bang dat ze werden gepakt en in een regen van kogels zouden sterven. Meer dan eens had het maar een haartje gescheeld. Bovendien had hij last van een enorme gewetenswroeging, want als hij hen dekte door zo veel mogelijk te verdoezelen, was hij net zo schuldig als zij aan de moorden die ze pleegden. Maar niemand, helemaal niemand mocht achter de waarheid komen. Er zou Antoine en Pierre dan onmiddellijk een proces worden aangedaan waarbij ze op de brandstapel zouden eindigen, en hijzelf zou als medeplichtige worden terechtgesteld. Na zo'n groot aantal afslachtingen zou er geen genade worden verleend. En in het ergste geval zou het echte Beest na de dood van haar drie belangrijkste achtervolgers nog steeds rondzwerven, dodend en het zaad van het kwaad verspreidend.

'Monsieur Chastel, u in Malzieu?'

Hij kromp ineen van schrik. In zijn haast en door afgrijselijke beelden geplaagd, had hij de vrouw niet opgemerkt die nu voor hem stond. En zij was wel de laatste die hij wilde zien.

'De wegen van de Heer zijn ondoorgrondelijk,' begroette hij de abdis. Ze droeg een zwarte tunica met een gordel, een zwarte scapulier, en over de lichte kap die haar haren bedekte, lag een zwarte sluier. Hoewel het al zomers warm was en een overjas niet meer nodig was, droeg de slanke vrouw over haar ordegewaad een *flock*, een mantelachtig bovenkleed. 'Volgt u nog altijd het spoor van het Beest? U hebt medestrijders uit Normandië gekregen, heb ik vernomen.'

'Maakt u zich maar niet bezorgd om mijn problemen. Roep alleen uw pupil tot de orde en leg haar aan de ketting voordat ze haar klauwen in mijn zoon slaat,' antwoordde hij, terwijl hij volstrekt zijn best niet deed om haar vriendelijk te bejegenen.

'Florence? Die is nog niet hier. Ik heb haar weggestuurd om de marktmeester te gaan zoeken.' Gregoria keek hem ernstig aan en wees naar de tent die de nonnen net hadden opgezet. 'Monsieur Chastel, kan ik u even onder vier ogen spreken?'

Verbaasd volgde hij haar de donkere ruimte van de tent in waar het naar verse kruiden en geitenkaas rook – handelswaren van de zusters om de inkomsten van het klooster aan te vullen. In haar zwarte kledij verdween Gregoria bijna volledig tegen de achtergrond van het tentdoek, haar gezicht en handen leken wel lichaamloos.

'Goed, monsieur... Uw zoon loopt achter mijn pupil aan,' begon ze zachtjes.

'Verbaast u dat?' zei hij luid. 'Ze gaf destijds in de kapel al knipoogjes naar hem. Het is nu eenmaal een jongeman in de bloeitijd van zijn jeugd die niet ongevoelig zal zijn voor een aantrekkelijk meisje zoals Florence.' Hij wees naar de uitgang. 'Zij heeft hém het hoofd op hol gebracht. En zo-even kon ze het ook weer niet laten, hoorde ik van monsieur Malesky. Leert men dat in uw kuise klooster?'

Gregoria's rechterhand greep de zilveren rozenkrans aan haar gordel en haar vingers wandelden langs de kralen. 'U vergist zich, monsieur. Ik bedoelde Pierre niet,' corrigeerde ze hem op vriendelijke toon en ze keek hem daarbij strak in de ogen. 'Ik heb Antoine meerdere keren bij de buitenmuur gezien. Ik herkende hem zo goed als ik u nu voor me zie, monsieur Chastel. Hem en de grootste van zijn honden.'

Zopas had hij zich nog vanwege de onverwachte berichten over Pierres uitstapjes geërgerd, nu sloeg zijn gevoel om in bezorgdheid. Hij kende de noodlottige voorliefdes van Antoine wel en begreep onmiddellijk wat dat voor Florence zou kunnen betekenen, mocht het hem gelukken ongemerkt in haar nabijheid te komen. Zijn jongste zoon gaf de bloemetjes maar kort de gelegenheid om hun knopjes open te laten gaan; lukte het hem niet snel genoeg, dan kon het gebeuren dat hij ze met geweld openbrak.

Gregoria zag dat Jean bezorgd was. 'Ik veroordeel niemand om wat ik over hem of haar van anderen krijg te horen, maar over uw Antoine doen verhalen de ronde waardoor ik vrees voor de eerbaarheid van mijn pupil. Zijn verleden bij de barbaren in Algerije en Marokko zal tot deze verdorvenheid hebben geleid die ik duidelijk bij hem waarneem.' Ze raakte zijn arm aan. 'Ik smeek u, monsieur Chastel, verbiedt hem verder nog bij haar in de buurt te komen.'

Jean hoefde niet te aarzelen. 'Dat beloof ik u,' stemde hij met haar in. 'En u mag er andersom op letten dat ze Pierre met rust laat. Hij heeft zijn verstand hard nodig om mij bij de jacht te kunnen helpen. Als hij in gedachten bij haar en een heimelijk liefdesuurtje is, kan dat dodelijke gevolgen voor hem hebben.'

Gregoria knikte. 'Er zal niets tussen die twee gebeuren zolang Florence zich binnen de muren van Saint Grégoire bevindt. Dat zweer ik bij God den Heer.'

Jean lachte wrang. 'Zweer maar bij iets betrouwbaarders, dan wil ik u wel geloven.' Hij probeerde haar arm af te schudden.

'U bent zoals altijd onbeschoft en respectloos, monsieur!' Ze trok haar hand terug, maar kwam wel dichterbij om hem strak in zijn gesloten gezicht aan te kijken. 'Maar uw gedrag richt zich niet tegen mij, nietwaar? Waarom bent u zo in uw geloof verbitterd, monsieur Chastel? Wat is u aangedaan dat u noch in God, noch in de Kerk wilt geloven?'

De oprechte belangstelling van Gregoria, die hij op die manier nog nooit bij een geestelijke was tegengekomen, maakte hem onzeker, en hij kon geen minachtende opmerking meer over zijn lippen krijgen. Anders dan de schijnheilige priesters die zeiden dat je water moest drinken maar die zelf wijn met emmers tegelijk naar binnen klokten, een leven als een baron leidden en buitengewoon veel belangstelling toonden voor het geld in hun kas, had hij bij haar ineens het gevoel dat ze echt wilde weten wat er in hem omging. Wat zijn moeilijkheden waren. Daarom zweeg hij, liep naar de uitgang en verdween zonder te groeten.

Gregoria volgde de wildschut met haar blik terwijl ze met haar rechterhand bewust de eerste kleine kraal van haar rozenkrans pakte om een Ave Maria te bidden. Ze zag nu in dat God haar Jean Chastel als beproeving had gezonden, om hem terug in de gemeenschap der gelovigen te leiden. Want alleen dat kon de betekenis zijn van haar sterker wordende belangstelling voor deze ongewone man. Iets anders was verboden.

Gregoria dacht ineens aan Florence. Ze verliet de tent en riep twee novicen bij zich om haar pupil te zoeken die vast en zeker in de wirwar van kraampjes, tenten en linnen doeken was verdwaald. Tot haar grote verrassing ontdekte ze Jean Chastel, die besluiteloos naast de ingang stond.

Voordat ze hem kon vragen naar de reden waarom hij daar nog rondhing, kwam er een ruiter aangegaloppeerd. Hij leidde zijn paard op onverantwoordelijke wijze tussen de mensen door die vloekend opzijsprongen, met hun vuisten schudden en bedreigingen naar zijn hoofd slingerden.

'Laat me erdoor!' schreeuwde hij buiten zichzelf. 'Ik moet hulp halen! Het Beest heeft Marguerite Martin te pakken genomen, buiten op de velden, in de richting van Saint-Privat-du-Fau!'

Jean rukte zijn musket van zijn schouder en rende weg. Hij had het dorp nog niet verlaten of een tiental woedende mannen kwam hem al met mestvorken, spiesen en dorsvlegels achterna.

Ze vonden de plek onmiddellijk.

Bij de toegang tot het dorp, waar de weg de velden in liep, lag de mooie Marguerite op haar rug in haar eigen bloed, het regelmatige gezicht getekend door onvoorstelbare angst en pijn. Vlak onder de kin gaapte een groot gat waar zich eerder de keel van de jonge vrouw had bevonden. De scheuren in haar japon getuigden van de kracht waarmee de klauwen van het Beest haar tegen de grond hadden gesmeten.

Toen een enorme en woeste schreeuw klonk, krompen ze allemaal ineen. De jonge Jacques Denis rende ijlings op haar af, wierp zich naast zijn dode vriendin op de knieën en barstte in tranen uit. Zijn lichaam schokte krampachtig, en hij snikte en vloekte zonder ophouden.

'Iets heeft het Beest gestoord,' zei Malesky plotseling naast de wildschut. Hij knielde ook naast het lijk neer. 'Dat ondier heeft die arme meid de keel afgebeten en moest er toen vandoor voordat het haar kon opvreten.' Hij keek omhoog naar Chastel. 'We kunnen het spoor volgen.'

Jacques hoestte en haalde zijn neus op. Hij staarde vol haat naar de wond. 'Dat heeft het Beest met opzet gedaan,' brulde hij woedend. 'Het wil me alleen maar pijn doen!' Hij sprong op en veegde de tranen van zijn wangen. 'Vandaag is het de laatste dag van het Beest!' riep hij schor, en de mensen stemden luidruchtig met hem in.

De hondengeleiders van Denneval verschenen met een tiental bloedhonden, om hen vast warm te laten lopen voor de ophanden zijnde jacht en hen de reuksporen in zich op te laten nemen. 'De Dennevals komen zo dadelijk. Ze moesten hun paarden nog zadelen,' legde een van hen uit.

'Dat duurt me te lang.' Jacques weigerde op de komst van de wolvenjagers te wachten. 'We gaan nú op jacht!' Hij sloeg een lijn uit de hand van een van de hondenwachten. Opgewonden snuffelend liepen de drie honden om Marguerites lijk en begonnen onmiddellijk het spoor van het gevluchte Beest te volgen. Jacques rende achter hen aan. Het volk uit Malzieu, evenals Malesky en Jean, sloten zich bij hem aan, maar de hondengeleiders bleven besluiteloos staan.

De stoet ging richting Amourettes. 'We hebben een goede kans om de beloning te incasseren,' zei de Moldaviër onderweg. 'Behalve die *petit monsieur* heeft niemand een geweer of een pistool bij zich.'

In het hoofd van de wildschut buitelden de gedachten over elkaar heen. Alleen Pierre en het echte Beest kwamen voor de dood van Marguerite in aanmerking, omdat Antoine tussen de lakens zijn roes lag uit te slapen. Hij zou er niet toe in staat zijn geweest. Laat het Pierre niet zijn geweest, smeekte Jean in zichzelf. 'Ja, misschien hebben we eindelijk geluk,' antwoordde hij mat.

'U hebt Pierre niet kunnen vinden?'

'Nee.'

'Heeft hij soms zijn liefje gevonden?'

De toon waarop Malesky dat zei was vriendelijk-plagend, de vraag zeker niet kwaad bedoeld, maar hij strooide zout in de wonde. 'Hou op!' snauwde Jean hem toe. 'Mijn zoon moet zich verre houden van die nonnenpupil. Ze is niks voor hem. Ze is een verwend nest en begrijpt niets van het leven in de Gévaudan. Ze zou onder één baal hooi al bezwijken.'

Malesky gaf niet op. 'Wie maakt zich daar nu druk om? Misschien is ze wel een goede partij, monsieur Chastel, brengt ze geld in het laatje van uw zoon. Hoe is ze in het klooster terechtgekomen? Heeft ze soms een bruidsschat meegebracht?'

'Het wordt nooit wat met die twee en nu wil ik er niets meer over horen,' bromde de wildschut nors.

Zwijgend volgden ze het spoor dwars door de velden. Ze liepen door akkers, lieten de gemeentegrens van Malzieu achter zich en kwamen ten slotte in de buurt van het dorpje Amourettes.

Voor zich hoorden ze ineens kreten van ontzetting en ze waren bang dat deze dag nog een tragedie voor hen in petto had. Toen ze dichterbij kwamen, zagen de jagers twee luid wenende moeders. Ze schreeuwden onafgebroken maar waren volstrekt niet te verstaan. Een van hen hield een bebloed, stukgescheurd hemd omhoog en drukte het daarna tegen zich aan alsof het haar kind was.

'Doorlopen!' vuurde Jacques Denis het gezelschap aan. Een paar mensen dreigden te blijven staan om voor de ontredderde vrouwen te zorgen, maar hij draafde langs hen. 'Als we het spoor niet blijven volgen, zullen het niet de laatste moeders zijn die om hun kinderen wenen.'

Malesky keek vol medelijden naar de vrouwen die aan de rand van het korenveld op de grond neerzakten en met nog meer geweeklaag om hun verlies rouwden. 'Mijn God,' fluisterde hij aangedaan, terwijl hij zichzelf dwong zijn blik op de hobbelige weg te houden om niet te struikelen. 'Waarom staat U dat toch toe?'

Een paar mannen uit Amourettes sloten zich bij hun groep aan en vervingen degenen uit Malzieu die te moe waren geworden om door te gaan. De jacht op het Beest werd een estafette die een kwartier later de omgeving van Mazet naderde.

Het Beest liet voor haar achtervolgers een volgend spoor na. Midden op de diep uitgesleten weg vonden ze het afschuwelijk toegetakelde lijk van een meisje van hooguit dertien jaar. Om haar heen lagen een grote mand van wilgentenen, brood, een flink gedeukte, blikken kan en lege mokken. Vermoedelijk had het kind de resten van een maaltijd voor de landarbeiders naar huis terug willen brengen toen ze door het Beest werd aangevallen en met beten in haar hals en in haar gezicht werd gedood. Ook deze keer had het Beest de buik van het slachtoffer opengereten en de darmen eruit gerukt. Vanwege haar achtervolgers had het ondier echter nog een keer van een vreetpartij moeten afzien.

Door de aanblik van het meisje dat zelfs voor een soldaat nauwelijks te verdragen was, begonnen vier mannen onmiddellijk luidruchtig kokhalzend over te geven. En een van hen viel flauw.

'Het Beest lokt ons regelrecht in de val,' voorspelde een boer uit Amourettes onzeker. 'We moeten haar volgen en dan pakt ze ons stuk voor stuk ergens in een bos.' Hij week achteruit. 'Niemand kan mij dwingen om die duivel te volgen. Niet zonder dat er een priester bij is die ons tegen die kwade krachten kan beschermen.'

'Verman uzelf, monsieur,' zei Malesky, die zelf zichtbaar wit om de neus was geworden. Hij probeerde niettemin het moreel hoog te houden. 'Monsieur Chastel en ik hebben musketten, en we hebben genoeg ervaring om het tegen het Beest op te nemen. En monsieur Denis is in dienst van de ervaren wolvenjagers Denneval.' Zoekend naar de zestienjarige knaap keek hij om zich heen, maar hij zag hem nergens. 'Monsieur Denis?'

Een van de boeren wees naar rechts. 'Daar loopt hij! Hij gaat de honden achterna! Ze gaan richting Marcillac!'

'Ongeduldige lamzak!' Jean, kletsnat van het zweet en dorstig, schudde zijn laatste restje kracht wakker om de jongeman achterna te gaan die in zijn verlangen naar wraak geen oog meer had voor de gevaren bij deze jacht. In zijn eentje zou hij sneller het slachtoffer van de loup-garou worden dan een grasspriet onder een laars wordt vermorzeld.

Maar geen van de mannen uit Amourettes en Malzieu durfden Jacques en Jean achterna te gaan. De onnadenkende woorden over kwade krachten die het Beest zouden beheersen, hadden hen aan het denken gezet en bang gemaakt. De woede over de wrede moorden was niet meer de allesoverheersende kracht in hun verstand die hen voortdreef.

Malesky veegde het zoutige zweet uit zijn blauwe ogen. Donkere vlekken op zijn rug, zijn borst en in de oksels van zijn rock toonden aan dat de Moldaviër zowat aan het einde van zijn Latijn was. Maar hij dacht niet aan opgeven en keek Jean en Jacques na.

'Met z'n tweeën kunnen ze niet tegen het Beest op!' zei hij om een beroep op de groep te doen. Hij liep een paar passen en draaide zich toen nog een keer om. 'Waar wachten jullie nog op? Als we dat Beest vandaag niet grijpen, dan zal er morgen weer bloed worden vergoten, en dan kan je eigen familie het slachtoffer worden!' Hij wakkerde hun ergste angsten aan, en zowaar zetten de eersten het weer op een drafje. Maar het duurde lang voordat het gros van de mannen weer in beweging kwam. Malesky staarde ingespannen voor zich uit. De wildschut en de jongen waren al in een berkenbos verdwenen.

Jean hijgde, zijn longen brandden, en de steken in zijn zij maakten hem meer dan duidelijk dat zijn lichaam het tempo van Jacques Denis niet lang meer aan zou kunnen. De jongeman rende tussen de bomen door, vijftig pas voor de wildschut uit, vloog letterlijk door het kleine bos, en niets kon hem weerhouden om met hetzelfde vaartje door te rennen.

'Wacht!' riep Jean. 'Zo word je een makkelijk slachtoffer!' Jacques luisterde niet naar hem.

Tegenover wie zouden we komen te staan? Die vraag kon Jean niet van zich afzetten. *Wordt het Pierre of het echte Beest?* Misschien was de redding van zijn zoons dichterbij dan ooit in de afgelopen paar maanden.

Ineens schoten hem de woorden van de beul te binnen. Zilveren kogels! Hij had geen zilveren kogels geladen. Een heftige huivering voer door zijn lichaam. Maar toen dwong hij zichzelf, zo goed als dat bij deze afmattende jacht mogelijk was, om zijn gezonde verstand te gebruiken. Hij dacht aan de eerste ontmoeting in de Vivarais, toen Antoine met een musketlading de loup-garou had onthoofd. Nee, hij had geen zilveren kogel nodig als het hem maar lukte om die kop van die afschuwelijke romp te schieten.

Het werd lichter in het bos. Tussen de berken door zag hij op een afstandje een paar eenvoudige boerenhuizen waar het Beest vast en zeker heen wilde om het volgende kind dood te bijten.

Jean verliet het bos en kwam hijgend tot stilstand op een weide met hoog gras dat in de zachte meiwind heen en weer wiegde. Jacques was al halverwege het dorp, met de honden die bij hem liepen. Hij hoorde een vrouw gillen. 'Jacques!' riep Jean buiten adem. 'Wacht nou...'

Op datzelfde moment schoot het Beest omhoog uit het gras direct naast de jongeman en sprong tegen hem op.

Jacques' reactie werd door haat ingegeven. In plaats van op de vlucht te slaan, ontweek hij het Beest en stootte toe met zijn bajonet.

Van het in zijn schouder binnendringende lemmet leek het Beest nauwelijks last te hebben, het wierp zich grommend en blazend op zijn vijand en duwde Jacques naar beneden. De bloedhonden sprongen blaffend om de vechtenden heen, zonder in te grijpen – kennelijk waren ze door de Dennevals afgericht om de prooi in het nauw te drijven maar niet aan te vallen, wat voor de jonge Denis noodlottig dreigde te worden.

Jean bracht zijn musket in de aanslag, rende naderbij en hoopte een schot te kunnen lossen, maar door het voortdurende heen en weer bewegen in het gevecht tussen mens en Beest was dat niet mogelijk. Even verderop lag een zwaargewonde jonge vrouw in het platgetrapte gras dat rood van het bloed was. Haar ogen waren opengesperd en ze schreeuwde zonder ophouden. Het Beest had alweer toegeslagen, ondanks de achtervolgers.

'Hou vol!' Hij duwde de bajonet onder de loop in zijn houder en stak naar de loup-garou die daarop huilend wegsprong en de wildschut met gloeiende ogen aanstaarde. Voor Jean bestond er geen twijfel meer: hij had de aanstichtster van alle kwaad voor zich, niet zijn zoon Pierre.

'Nou, herken je me nog?' zei hij zachtjes tegen haar en hij ging voor Jacques staan die het was gelukt om zich niet door die tanden te laten verwonden. 'Val me dan aan, hels wezen, dan kan ik je kop van je romp schieten.'

In Marcillac had men ondertussen gemerkt wat zich op de weide afspeelde. Iedereen in de omgeving had gehoord of gelezen hoe het Beest eruitzag, en dus pakten de boeren hun eenvoudige wapens en renden op de jagers af om hen te helpen.

Jean zag hen in zijn ooghoek naderen en vloekte. Als hij het kostbare bloed wilde hebben, moest hij opschieten. Hij spande de haan van zijn musket en richtte vanuit de heup, om het wezen niet door het aanleggen van zijn geweer voor het schot te waarschuwen.

De afschuwelijke kop van het Beest draaide zich om naar de mensen uit Marcillac, daarna keek ze naar de bosrand waar Malesky en de andere mannen tevoorschijn kwamen. Voor de ogen van de wildschut zette het dier zich af voor een enorme sprong: en vanuit stilstand droeg deze haar vijf pas ver over de woest tekeergaande honden. Ze wist dat ze het tegen zo'n overmacht zou afleggen en koos ervoor om te vluchten. Op vier poten haastte ze zich weg.

'O, nee!' riep Jean vertwijfeld. Hij richtte snel en schoot beide lopen achter elkaar leeg.

De kogels drongen binnen in het schouderblad en de nek en door de inslag klapte het Beest tegen het gras. Ze kroop als een gewond mens op haar buik door, terwijl de gaten in haar vel zich al weer sloten.

'Je ontsnapt me niet!' Met grote sprongen vloog Jean op haar af, het musket met bajonet als een spies voor zich.

Het Beest leefde weer volledig op, kwam overeind en begon te rennen toen Jean bijna bij haar was. Normaliter zou Jean haar hebben ingehaald, maar zijn benen waren door de uitputtende achtervolging loodzwaar geworden, waardoor het Beest met elke stap meer afstand tussen hem en haarzelf kon scheppen.

Woedend wierp Jean zijn musket naar het Beest. De bajonet boorde zich tot de helft in de rug van de loup-garou... en gleed er weer uit. Er bleef een diepe wond achter, die echter in een oogwenk ophield met bloeden en net zo snel genas als de schotwonden.

'Nee! Het moet me lukken! Jij...' Jean struikelde over een molshoop, viel in het gras, kwam hard neer en gleed twee pas door. Hij wilde al weer opspringen toen hij merkte dat zijn lichaam hem niet meer wilde gehoorzamen. Luid kermend drukte Jean zijn verhitte gezicht in de natte grashalmen, dood- en doodmoe en wanhopig, terwijl de bloedhonden blaffend links en rechts langs hem renden en het spoor van het Beest weer opnamen.

Jean rolde zich kreunend op zijn rug, staarde naar de hemel en rook het bloed van het Beest. Zo dichtbij... en toch weer ontsnapt! Het beetje bloed aan zijn bajonet was vast niet genoeg om het tegengif te maken.

'Monsieur Chastel, gaat het?' Malesky's hoogrode gezicht schoof voor de hemel. Zijn knijpbrilletje stond wankel op zijn neusbrug die door het zweet glibberig was geworden. 'U hebt die jongeman en dat meisje het leven gered. Mijn complimenten!' Hij stak zijn hand uit om de wildschut te helpen opstaan, en het ontging Jean niet dat hij er bijzonder tevreden uitzag.

'Ik kan uw vreugde niet delen,' zei Jean lusteloos, en hij liet zich toen overeind helpen. Hij stond nu naast de Moldaviër, die het vervelend vond dat anderen zijn gevoelens van zijn gezicht konden aflezen. 'Ze zal nog meer mensen doden, maar u kijkt alsof we haar voor eens en altijd hebben neergeschoten.'

'Nee, u begrijpt me verkeerd,' suste Malesky hem. 'Het gaat er alleen maar om... Ik ben blij dat u niets is overkomen, monsieur.' Snel keek hij opzij; dreunende paardenhoeven trokken de aandacht van iedereen.

De Dennevals stoven het berkenbos uit, kwamen bij Jacques tot stilstand en spraken even met hem. De oudste van de twee Normandiërs knikte goedkeurend naar de wildschut en tikte tegen de punt van zijn hoed om hem te begroeten. De jongste trok Jacques bij zich op het paard, en toen reden ze verder, de honden achterna.

'Hij zal haar ook niet te pakken krijgen. Of wíj vangen haar of niemand,' voorspelde Malesky. Hij pakte Jeans musket van de grond, gaf hem dat aan en keek naar het bloed dat aan zijn vingers was blijven kleven. Hij rook eraan. 'Verbazingwekkend, nietwaar?' zei hij. 'Ik ruik noch zwavel noch een andere stank die je met een schepsel uit de hel in verband zou brengen.'

Hij draaide zich om, bukte zich om het rode bloed af te vegen. De wildschut zag donders goed dat hij zijn vinger vlak daarvoor snel naar zijn mond bracht. Jean vond dat gedrag meer dan merkwaardig. Hij deinsde er echter voor terug om er een opmerking over te maken, maar besloot Malesky voortaan wel beter in de gaten te houden. 'Laten we maar naar Malzieu terugkeren,' zei hij vermoeid en hij laadde zijn musket weer. Hij moest weten hoe het met Pierre ging.

Zwijgend liepen ze dezelfde weg terug naar het dorp, waar de verschrikkelijkste dag sinds het binnendringen van het Beest in de Gévaudan de zon had zien opkomen.

Jean maakte zichzelf ernstige verwijten. Vier slachtoffers binnen korte tijd, min of meer voor de ogen van haar achtervolgers. Het Beest dreef de spot met hen, nam hen bij de neus en daagde hen uit. Het was opnieuw een demonstratie van haar macht, haar superioriteit tegenover mensen. En vooral tegenover hem. Want met elke dode groeide zijn schuld, dat geloofde hij in elk geval. Niets zou die ooit kunnen wegwassen. En op momenten zoals deze verlangde hij naar hulp van God.

Tegen het vallen van de avond slaagden ze erin Malzieu te bereiken, waar iedereen zich had verschanst. Alle deuren en ramen zaten potdicht, de kraampjes en tenten op het marktplein waren verlaten, en waar mensen hadden moeten dansen, was het uitgestorven.

'Ik hoop dat u de slaap kunt vatten, monsieur Chastel,' zei Malesky ten afscheid in de herberg. 'U zult degene zijn die haar doodt, ik weet het zeker.' Hij ging naar zijn kamer.

Jean stapte zijn eigen onderkomen binnen. Antoine lag snurkend in een van de bedden, met een lege fles wijn in zijn rechterhand die hij tijdens de afwezigheid van zijn vader kennelijk had leeggedronken. Pierre zat gehurkt, geheel naakt, op zijn matras, de benen opgetrokken en zijn armen eromheen geslagen, zijn gezicht tussen zijn knieën gedrukt.

Op de grond lagen zijn kleren.

Besmeurd met bloed.

XII

Rusland, Sint Petersburg, 13 november 2004, 23.51 uur

Lena griste her en der haar kleren weg en kwakte ze onopgevouwen in haar koffer. Haar schip naar Tallinn vertrok over een halfuur en van daaruit zou ze het vliegtuig naar Londen nemen. Daar zou ze bij een kennis voorlopig veilig zitten.

De Cayenne had ze aan de stadsgrens laten staan en de rest van de rit per taxi afgelegd. De politie was bij haar hotel, het Alexander, langs geweest om haar te zoeken, zoals haar bij de receptie was medegedeeld, maar ze was niet van plan zich op het bureau te melden. Een van die rechercheurs zou haar vast en zeker herkennen als de vrouw die in een gestolen SUV van een plaats delict was weggevlucht.

Ze wierp even een blik naar buiten en zag een zware sneeuwjacht. Het was maar goed dat ze besloten had de boot te nemen. Bij deze chaos bleef het vliegveld gegarandeerd potdicht.

Lena keek nog een laatste keer om zich heen om te zien of ze niets was vergeten en schoot haar groene jack aan, omdat ze haar andere jas bij die gek in de datsja had laten liggen. Lena rilde. Kennelijk had zich hier in Sint Petersburg een hele rits idioten verzameld. Met haar ene hand sleepte ze de koffer naar de deur, in de andere hield ze het busje pepperspray, klaar voor gebruik. Wie er ook maar sneller op haar afkwam dan normaal zou de volle laag krijgen. Met dat wapen voelde ze zich iets veiliger... en ze schrok des te meer toen ze de deur opendeed. 'Meneer Nadolny?'

Lena staarde de man aan die in een onbekende zwarte jas voor haar stond. De zoom van een witte doktersjas kwam eronderuit en zijn naakte voeten staken in lichtblauwe plastic sandalen. Hij moest uit een ziekenhuis zijn gevlucht.

'Maar hoe...'

Zijn rechterhand schoot naar voren en pakte haar bij de keel vast. Met geweld duwde hij haar terug in de kamer. Lena trok het pepperspraybusje omhoog, hield het vlak voor zijn neus, drukte op de knop en toen...

... gebeurde er helemaal niets! Het busje was leeg. Waarschijnlijk omdat ze het Eric iets te goed had willen laten voelen.

'Dievegge!' Nadolny, de vroeger zo tengere man van een jaar of veertig, gaf haar met zijn vrije hand drie harde klappen in haar gezicht waardoor haar hoofd in zijn stevige greep heen en weer zwiepte. Lena verloor bijna haar bewustzijn. 'Geef me mijn foto's terug,' gromde hij. En hij gromde werkelijk. Lena had te lang met wolven gewerkt om het niet te horen.

Hij smeet haar achterover op de divan. Ze viel eroverheen, maakte een koprol en landde op het glazen bijzettafeltje. Krakend en in scherven uiteenspattend ging het aan diggelen, en alleen vanwege haar dikke jack liep ze geen sneeën op.

Nadolny stortte zich ondertussen op haar koffer. Hij trok zich niets van de sloten aan. De nagels van zijn merkwaardige, klauwachtige vingers scheurden het nylon aan flarden en wroetten tussen haar kleren tot hij op het koffertje met de onderzoeksgegevens stuitte.

De kamer leek om haar heen te draaien. Lena ging kreunend op haar knieën zitten. Pas toen ze de furieuze man op zich af zag komen, drong het tot haar door dat het misschien slimmer was geweest te doen alsof ze bewusteloos was en te wachten tot hij weer was verdwenen.

Hij pakte haar bij haar schouders en smeet haar hard terug tegen de grond. 'Met wie heb je gesproken?' vroeg hij woedend. 'Wie waren die kerels in mijn huis?'

'Alstublieft, meneer Nadolny...' Hoewel zijn gezicht vlak voor het hare zweefde, zag ze geen verband om zijn hoofd of pleister op zijn voorhoofd. Maar na zijn klap tegen de muur had ze duidelijk zijn opengereten huid gezien. Het knakken van zijn wervelkolom of andere botten echode nog zachtjes na in haar herinnering. Maar Nadolny droeg geen gipskorset, geen spalkverbanden, niets van dat alles. Zijn bewegingen waren soepel, alsof hij zojuist uitgerust terugkwam van een vakantie op een fitnessboerderij. En zijn ogen... zijn ogen gloeiden net zo rood als van die merkwaardige wolf die hij had gefotografeerd! Het leken wel led-lampjes die in plaats van koud licht een vlammende woede uitstraalden.

Hij boog zich dreigend over haar heen. 'Verrader!' gromde hij en hij hapte naar haar. Hij... hápte naar haar! Lena rukte in een reflex haar hoofd naar achteren en stootte dat hard tegen de leuning van de divan. Sterretjes verschenen voor haar ogen. Ze hoorde Nadolny kreunen en er kraakte en knakte van alles.

Nauwelijks kon ze weer wat zien of ze gilde van ontzetting.

Nadolny's gezicht was veranderd in een afgrijselijk verwrongen smoelwerk. De menselijke trekken waren vermengd met iets anders, iets gevaarlijks. Dikke, roodbruine haren ontsproten uit zijn huid, in de zich vormende snuit stonden scherpe hoektanden en scheurkiezen, kwijl druppelde over de knarsende, trekkende onderkaak, terwijl het gehemelte zwart kleurde. De man maakte gorgelende, hijgende geluiden en Lena meende bijna zoiets als de aanzet van een wolvenhuil te horen. Toen begon hij haar met beide handen toe te takelen.

Nadolny raakte haar tegen de borst en in het gezicht. Door zijn kracht schoof ze twee meter over het tapijt. De man die vroeger nog niet eens een glazen pot met groente had kunnen openen, was plotseling zo sterk als een rugbyprof.

Wegwezen hier! Alleen die ene gedachte dreunde door Lena's hoofd. Haar gezicht brandde waar het ruw over de vloerbedekking was geschuurd. *Wegwezen! Snel!* Kreunend kroop ze naar de deur.

Blazend sprong hij voor haar en versperde haar de reddende weg naar de uitgang. Hij ging op zijn hurken zitten, pakte haar lange, donkerbruine haren en trok haar hoofd naar achteren. De andere klauw boorde zich door haar jack, haar trui en haar hemdje tot op haar rug. Lena schreeuwde – niet zozeer vanwege de pijn, maar meer vanwege de gruwel en die afschuwelijke rode ogen die ze niet meer kon verdragen.

De deur vloog open. Lena zag tussen haar fladderende oogleden een paar witte leren laarzen met metalen neuzen, en toen verloor ze het bewustzijn.

Eric had hem al op de trap geroken. Door de doffe dreunen en de andere geluiden uit de kamer kon hij zich wel voorstellen wat zich daar op dat moment afspeelde.

Nog voordat hij bij de deur was, trok hij de P9 en bereidde zich voor op het gevecht. Nadolny behoorde nog niet lang tot de wezens der duisternis. Dat betekende dat hij in het wilde weg te werk ging en absoluut geen enkele controle over zichzelf had. In het begin waren ze allemaal zo.

Eric drong de kamer binnen en zag in één oogopslag dat hij niet veel later had moeten komen. De van gedaante wisselende Nadolny stond over Lena gebogen, hunkerend naar vlees, dronken van de geur van de vrouw en zich vast en zeker verheugend op het drinken van haar warme bloed. En daardoor had hij te veel tijd nodig om op de nieuwe bedreiging te reageren.

Toen Nadolny zich op Eric wilde storten, was hij te laat. De Sig Sauer had twee Glaser-projectielen uitgespuugd die slechts met een zeer geringe afstand van elkaar midden in zijn borst insloegen. De kracht van de klap stopte hem onmiddellijk. Nadolny begon te janken – een luid gekrijs van schrik – en zakte dood boven op Lena in elkaar.

De schoten, het sissende bloed dat over haar heen liep en het stuiptrekken van het zich veranderende lichaam haalden haar uit haar bewusteloosheid. Schreeuwend draaide ze zich onder het lijk vandaan, drukte zich met de rug tegen de muur. Haar blik was glazig.

'Lena? Hoor je me?' Hij strekte zijn hand uit en raakte haar schouder aan. 'We moeten hier weg! Waarschijnlijk is de politie al onderweg, en geloof me, die zullen te veel vragen stellen waarop we geen van beiden een antwoord hebben.'

Ze deinsde achteruit, haar met bloed besmeurde haren hingen in haar gezicht en schilderden fijne rode lijntjes op haar huid. Ze verkeerde in een shocktoestand en zag Eric helemaal niet.

Maar er was nu geen tijd meer voor toegepaste psychologie. 'Het spijt me.' Eric ging op zijn hurken bij haar zitten – en sloeg haar hard in haar gezicht. Lena zakte verdoofd in elkaar.

Hij gooide haar over zijn schouder, pakte de opengereten koffer en rende de trap af naar de achteruitgang waar hij de Cayenne had geparkeerd. Op hetzelfde moment dat ze wegreden, draaide een politieauto de straat in. Maar de agenten hadden hen niet in de gaten. Zo nu en dan had ook hij geluk.

Lena kwam kreunend bij. Zo ver haar veiligheidsgordel en haar jack het toelieten, voelde ze aan haar rug. Toen ze haar trillende hand terugtrok, kleefde er bloed aan.

'Er zal een litteken achterblijven, maar hij heeft je niet geïnfecteerd,' stelde Eric haar gerust zonder zijn hoofd om te draaien. 'Lykantropie wordt alleen overgedragen door een beet.'

Lena sloeg haar handen voor haar gezicht en huilde zachtjes.

Eric reikte haar de spons aan waarmee hij anders de beslagen voorruit schoonveegde. 'Hier. Meer heb ik je helaas niet te bieden.'

Ze snotterde, pakte de spons aan en wiste er haar wangen en ogen mee af. 'Verdomme!' zei ze met een hese stem. 'Verdomme, verdomme!' Met haar voorhoofd tegen het zijraam geleund staarde ze naar de langsflitsende lichten van Sint Petersburg.

Eric gaf haar de tijd om zichzelf weer bij elkaar te rapen en minstens een beginnetje te maken met het verwerken van wat haar zojuist was overkomen. Hij was blij dat ze, voor zover hij kon beoordelen, haar verstand niet had verloren, zoals hij in het verleden meer dan eens had gezien bij mensen die een ontmoeting met een gedaantewisselaar hadden overleefd. In tegenstelling tot wat altijd wordt beweerd, is de psyche veel kwetsbaarder dan het menselijk lichaam.

'Ik ben mijn vader en moeder kwijtgeraakt door gedaantewisselaars,' doorbrak hij de stilte. 'Mijn vader heeft me opgeleid, aan mij hun sterke en zwakke kanten laten zien en me mee op jacht genomen.'

Lena kreunde. 'Eigenlijk had ik liever gehad dat je krankzinnig was geweest.' Ze liet haar hoofd zakken en keek naar haar handen waaraan haar eigen bloed en dat van Nadolny kleefde. 'Maar je bent het niet.' Ze klapte de zonneklep naar beneden en keek kritisch naar haar gezicht. De afdrukken van Nadolny's handen waren nog duidelijk te zien, de plekken onder haar ogen zwollen op. 'Hoe lang doe je dit al?'

'Twaalf jaar. Er zijn er behoorlijk veel,' antwoordde hij. Hij sloeg af en reed de Cayenne door het verkeer terug naar het herenhuis van de von Kastells. 'Moet je je pepperspray nu niet pakken?'

Ze glimlachte vermoeid. 'Maak je niet ongerust. Hij is leeg.' Ze bekeek hem van opzij. 'Hoe kom je op het spoor van die...?'

'Gedaantewisselaars of weerwezens? Lykantropie is slechts een verzamelnaam die verwijst naar het vermogen om van menselijke en dierlijke gedaante te veranderen. En ik bedoel daarmee niet die arme gekken die dénken dat ze een wolf zijn en zich zo gedragen. Dat is een psychische aandoening. Je hebt gezien waar het wel om gaat.' Eric wist dat ze hem nu geloofde. Hoe kon ze ook anders?

'Zeg je nou dat er niet alleen weerwolven bestaan, maar ook...'

'Er bestaan allerlei verschillende soorten, precies. Het hangt van hun oorsprong af, hun cultuur. Zoals ik al zei, zit er in alle legendes een kern van waarheid, of die nu gaan over weerjaguars in Argentinië, weerjakhalzen in Egypte of weertijgers in India.' Hij keek haar ernstig aan. 'Geloof die legendes maar.'

'Ze weten wel netjes uit beeld te blijven,' zei ze met een vleugje terugkerende humor. 'Hoe weet jij waar een lykantroop zich ophoudt?' Ze leek hoe langer hoe meer gegrepen door het onderwerp.

'Ze begaan fouten. Gedaantewisselaars begaan vroeg of laat altijd fouten. Behalve...' Hij zweeg.

'Hoe bedoel je?'

'Bijvoorbeeld door een stommiteit die ze uithalen. Sommige worden op hun zwerftochten in dierengedaante gezien en dan ontstaan er verhalen zoals in Engeland een paar maanden geleden: *Vrouw ziet zwarte panter in Londense ondergrondse*. Herinner je je die krantenkop nog? Een dier in een voor de soort vreemde omgeving is altijd een goede aanwijzing voor de aanwezigheid van een lykantroop. En dan heb je ook nog hun begerigheid naar mensenvlees waar ze aan moeten toegeven. Beestachtige moorden zijn een indicatie, ook al hebben die wezens genoeg verstand om hun daden te maskeren.'

'Nadolny...' Lena trok haar wenkbrauwen samen. 'Wat er van Nadolny was geworden had nauwelijks nog een greintje verstand.'

'Hij was nog maar kort een van hen. Mettertijd leren ze pas de wildheid van het dier in bedwang te krijgen, tenzij ze worden getergd.' Hij reed de binnenplaats van het herenhuis op, stapte uit en hielp haar uit de Cayenne. 'Ik kijk eerst even naar die krabben op je rug, daarna ga je onder de douche en slapen. Morgen hoor je nog meer.' Op datzelfde moment drong het tot hem door dat hij met net zo'n autoriteit als zijn vader had gesproken.

Lena voelde zich te uitgeput om te protesteren. Bovendien was het haar duidelijk dat ze in haar situatie nergens heen kon – zelfs niet naar een openbaar toilet – zonder dat ze duizend vragen van de politie zou moeten beantwoorden. Ze vond het wel best dat hij haar hielp. Het huis waarin hij haar binnenleidde, bezorgde haar een gevoel van veiligheid. Ze kon zich enigszins ontspannen. 'Zijn er ook gedaantewisselaars die in een vriendelijk, fatsoenlijk dier veranderen?' vroeg ze met een spoortje van een glimlach. 'Bestaan er ook weercavia's?'

Eric lachte. 'Dat durf ik niet te zeggen. Als er weercavia's bestaan, hebben ze tot nu toe nog geen negatieve aandacht getrokken.' Hij genoot ervan dat ze glimlachte. Dat ze tegen hém glimlachte. 'Ik hoop maar dat je je goede humeur niet kwijtraakt als ik die krabben desinfecteer.'

Hij bracht haar naar een van de logeerkamers. Ze trok haar bovenkleding uit en draaide zich om voordat ze het haakje van haar bh losmaakte. 'Beschouw het maar als een teken van vertrouwen dat ik je de rug toekeer,' zei ze terwijl ze haar haren opzij hield. 'Liet je daarstraks nou doorschemeren dat een van die wezens geen fouten begaat?'

'Dat is nu ook verleden tijd. Door die foto heb ik eindelijk een spoor van dat monster te pakken.' Hij trok het lampje op het nachtkastje naar zich toe en richtte het op de wonden. Ze waren niet diep, maar ze zouden zeker kunnen gaan ontsteken als hij er geen jodium op smeerde. Hij kon het niet over zijn hart verkrijgen om tegen haar te zeggen dat de verwondingen van een weerwolf lelijke littekens achterlieten. Een smet op haar prachtige lichaam en zachte huid. 'Nu kan ik dat wezen eindelijk een halt toeroepen.'

'Dat klinkt alsof er een lange voorgeschiedenis aan vastzit.'

'Een geschiedenis van tweehonderdveertig jaar.' Eric verzorgde haar snel, plakte er een watervaste pleister op. 'Bij gelegenheid zal ik je die wel eens vertellen.'

Hij liet haar alleen zodat ze een douche kon nemen. Toen Eric haar wat te eten bracht, bleek ze al te slapen. Zachtjes verdween hij weer.

Die nacht bood hij weerstand aan zijn behoefte om de druppeltjes te nemen. In plaats daarvan ontstond een merkwaardig kleurrijk schilderij dat anders was dan alle schilderijen die hij de afgelopen jaren had gemaakt. Dimitri zou het niet kunnen verkopen.

XIII

5 juni 1765, omgeving van Saugues, Zuid-Frankrijk

Jean stapte flink door over de weg die naar het grote dorp leidde. Op zijn rug hing zijn rugzak. Daarin zaten huiden die hij op de markt wilde verkopen om een paar livre te kunnen verdienen. Hun voortdurende omzwervingen in het spoor van het Beest waren een aanslag op hun middelen van bestaan. Zijn zoons en hij moesten toch ergens van leven?

Om hem heen tussen de loodkleurige granieten rotsen groeide en bloeide de Gévaudan. Bij een naïef persoon zou dat de indruk kunnen wekken dat alles was zoals het hoorde. Maar Jean was op de hoogte van de laatste aanvallen een paar dagen geleden waarbij een jongen en een meisje het leven hadden gelaten. Niets was zoals het hoorde.

De Dennevals organiseerden de ene jacht na de andere in het gebied van de drie bergen, de Mont Chauvet, de Mont Mouchet en de Mont Grand. Precies daar waar Antoine en Pierre woonden. En hij. De Normandiërs vermoedden iets.

Dat was nog een reden waarom hij Saugues liever had gemeden: het geroddel. Hij werd niet alleen onrustig van de grote hoeveelheid mensen, maar ook van de blikken en het gefluister achter zijn rug. Ze zouden elkaar aankijken en smiespelen over de zoon van de heks die weer in het dorp was. Maar zijn huiden kochten ze graag. Het kostte hem iedere keer enige zelfoverwinning om naar het dorp te gaan, maar dat liet hij nooit merken. Voor de mensen daar leek hij nu net zo stug en afwijzend als altijd.

Hij passeerde de eerste huizen en volgde de straat naar de markt. Daarbij kwam hij langs het huis van de oude Yvette Chabrol en het verbaasde hem dat de voordeur wijd openstond. Yvette bezat net zo'n twijfelachtige reputatie als hij, omdat ze een zonderlinge vrouw was. Niemand wist hoe oud ze precies was, maar zolang Jean zich kon herinneren, was Yvette er geweest. Was ze tachtig? Negentig?

Jean bleef staan en luisterde of hij binnen iets hoorde. Er klonk zacht gekreun. 'Madame?' riep hij. Maar hij kreeg geen antwoord. Snel stapte hij naar binnen om te kijken of het wel goed met haar ging.

Tot zijn verbazing zag hij in de kleine slaapkamer bij Yvettes bed abdis Gregoria zitten. Ze zat half met haar rug naar hem toe en merkte hem niet op. Ze wrong een lap uit boven een kom met water, wiste daarna het bezwete voorhoofd van de oude vrouw en hielp haar rechtop te gaan zitten. Voorzichtig gaf Gregoria haar wat thee te drinken. Jean kon de kamillegeur bij de deur ruiken.

'Ziet u nu wel, dat gaat best, madame Chabrol,' zei ze zachtjes maar bemoedigend. 'Die kruiden helpen tegen het hoesten en zullen u goed doen. De Heer heeft u met een hoge leeftijd gezegend en u zult nog menigeen in Saugues overleven, zo God het wil. Maar zorg beter voor uzelf. Dek uzelf 's nachts goed toe.' Ze liet Yvette terug in de kussens zakken. 'Ik kom volgende week weer bij u langs. Morgen komt zuster Magdalena.'

De oude vrouw greep haar hand vast. 'Dank u, eerwaarde abdis. Moge de Here u voor uw moeite belonen,' zei ze buiten adem.

'U hoeft mij niet te bedanken.' Gregoria schudde haar bedekte hoofd. 'Ik doe het gaarne, madame Chabrol.'

'Maar u hebt vast wel wat beters te doen dan zich te bekommeren om een stervende,' protesteerde Yvette reutelend. Haar longen zaten vol vocht. Jean kende dat geluid. Hij schatte in dat ze hoogstens nog een dag of twee te leven had en durfde geen aandacht te trekken. Als Yvette zou schrikken, kon de dood eerder intreden... en zou hij zichzelf een nog slechtere naam bezorgen.

'Wie heeft het op zo'n mooie dag als vandaag nu over de dood, madame Chabrol?' zei de abdis glimlachend terwijl ze het voorhoofd van de vrouw weer bette. 'Laat die kruiden hun werk maar doen. Ik zal voor u bidden en dan zult u zien dat u snel weer gezond en fris zult ontwaken.'

'Kom ik wel in de hemel, eerwaarde abdis?' Yvettes stem haperde meer en meer. 'U moet namelijk weten dat ik in mijn jonge jaren niet altijd kuis ben geweest.'

'Ik zal voor u bidden. Omdat u uw zonden toegeeft, zult u vast en zeker in de hemel komen, madame Chabrol. Maar blijf voor die tijd nog even leven, alstublieft.'

Jean zag dat Gregoria met een snelle beweging een traan uit haar linkerooghoek wegveegde. Ze besefte wel degelijk dat Yvettes laatste uur was geslagen.

Yvettes knokige hand pakte de witte hand van de abdis vast en kneep erin. 'Maar priester Frick heeft na de biecht gezegd dat God alleen de zielen van de vroomste mensen opneemt, eerwaarde abdis.' De oude vrouw zat kennelijk in angst over wat haar aan gene zijde te wachten stond.

'Wees maar niet bang, madame Chabrol.' Gregoria aaide haar geruststellend over haar grijze haar. 'God houdt van alle mensen. En nu moet u weer beter worden.' Ze stond op.

Jean draaide zich om en sloop de deur uit. Hij wilde niet dat ze hem zag.

Zijn beeld van de abdis was ineens aan het wankelen gebracht. Hij had haar daar absoluut niet verwacht en al helemaal niet dat ze zich om Yvette bekommerde. Of dat Yvettes ophanden zijnde dood haar aan het hart ging. Tot nu toe had hij haar als een kille non van adellijke afkomst beschouwd die zich net als alle andere geestelijken gedroeg. Wat hij had gezien en gehoord, verbaasde hem. Ze moest dus meer zijn dan alleen arrogant en verblind door haar geloof. Verbazingwekkend.

In gedachten verzonken liep hij met grote passen door de steegjes naar de markt en zonder op zijn omgeving te letten spreidde hij naast de fontein zijn waren uit. Het duurde niet lang of de eerste mensen toonden belangstelling voor zijn eekhoornvelletjes. Hij onderhandelde met hen maar verkocht de vellen voor geen sous onder de prijs.

De lucht betrok en rook vochtig. De aanwakkerende wind voerde donkere wolken met zich mee. In de verte zag Jean grijze sluiers die tot op de aarde hingen. Regen stortte zich uit over bergen en weiden.

'Bonjour, monsieur Chastel,' hoorde hij een meisje vlak naast hem zeggen.

Hij draaide zich naar haar om. 'Ah, bonjour, Marie Denty.' Hij zakte door zijn knieën en gaf haar een hand. Ze glimlachte en keek hem stralend met haar grote, bruine ogen aan. Ze had een japon van grof linnen aan en een wit mutsje op haar donkerblonde haar. De mand die ze bij zich had, was bijna net zo groot als zij. 'Jee, wat word je groot en je wordt met de dag mooier,' zei hij plagend. 'Heb je al veel huwelijksaanzoeken gehad?'

'Ik ben toch pas tien,' verweerde het meisje zich verlegen.

'Pas tien jaar?' Jean klapte in zijn handen alsof hij verbaasd was. '*Incroyable*, maar je ziet er al als een dametje uit.' Hij kietelde haar buik en ze lachte haar onbezorgde lach. Vanbinnen werd hij er blij van. 'Heeft je maman je gestuurd?'

'Ja, monsieur Chastel.' Ze wees naar de kraampjes om hen heen. 'Groente en gerookt vlees moet ik halen.'

'Aha, er komt dus soep bij jullie op tafel,' concludeerde hij terwijl hij in zijn tas rommelde. 'Ik heb iets voor je.' Hij gaf haar een knipoog.

'O, wéér een beestje?' Ze zette de gevlochten mand op de grond en zocht in de zak van haar japon. 'Kijk, ik heb die andere allemaal bewaard.' Marie liet hem de zes uit hout gesneden figuurtjes zien die hij haar had gegeven, twee grote en vier kleine. 'De andere kinderen zijn allemaal jaloers op me,' gaf ze vol trots toe. 'En dan zeg ik altijd dat ik ze van u heb gehad, monsieur Chastel.'

Hij gaf haar een aai over haar bol en haalde zijn nieuwste houtsnijwerkje tevoorschijn. Het was een half afgemaakte vogel van beukenhout, ongeveer zo groot als Maries handpalm. 'Ik maak hem nu voor je af,' beloofde hij terwijl hij zijn mes pakte. Terwijl het meisje verwachtingsvol toekeek, legde hij de laatste hand aan de vogel. Dunne spaanders vielen op de grond, het hout gaf steeds meer details prijs. Ondertussen vielen de eerste regendroppels. Het was slechts een waarschuwing voor het dreigende onweer.

'Een zwaluw!' jubelde Marie toen ze de vogel herkende.

'Een zwaluw,' bevestigde Jean. Hij boorde er met de punt van zijn mes een gaatje in, reeg er een dun leren riempje door en gaf het meisje zijn cadeau. 'Hoe vind je 'm?'

'Heel mooi,' zei Marie stralend en ze pakte de hanger vol ontzag aan. Ze hing hem om haar nek en sloeg haar armen om de wildschut. 'Dank u wel, monsieur Chastel.'

'Geen dank,' bromde hij verlegen en hij duwde haar van zich af.

'Kom, nu snel boodschappen doen. Anders hebben jullie straks niets te eten en ben je kletsnat voordat je thuis bent.'

Ze pakte haar mand. 'Het kan me niks schelen wat de mensen over u zeggen, monsieur Chastel. U bent altijd aardig tegen me. U bent de liefste die er is, behalve papa en mama dan.' Ze liep weg, zwaaide naar hem vanaf de kraam van de vleeshouwer en gaf de man haar mand.

Jean volgde haar met een goedige blik in zijn ogen tijdens haar naarstige tocht over de markt, en ontdekte toen ineens de abdis. Ze stond naast de kraam van een groentehandelaar, haar witte handen voor haar lichaam gevouwen, en had kennelijk naar zijn gesprekje met Marie gekeken. Haar verrassing was van haar gezicht af te lezen. Minstens dezelfde verrassing die hij had gevoeld toen hij haar bij Yvette Chabrol had zien zitten. Hoe langer hij naar haar keek, hoe meer ze hem aan het beeld van een heilige deed denken.

Maar toen werden de hemelsluizen geopend en kletterde de regen op Saugues neer. Vloekend griste Jean zijn huiden bij elkaar en rende naar een luifel. De abdis zocht ook deze schuilplaats op, maar Jean deed net alsof hij haar niet had gezien. In plaats daarvan propte hij neergeknield zijn koopwaar in zijn rugzak. Hij zou toch niets meer verkopen.

'Bonjour, monsieur Chastel,' zei Gregoria vlak achter hem, waardoor het onmogelijk was om haar nog langer te negeren. 'Was u daarnet niet toevallig in het huis van madame Chabrol?'

'Nee.' Hij stond op en keek haar aan. 'Niet toevallig.'

Haar zwarte habijt was doorweekt door de regen en had nu een matte glans. Voor een deel plakte de stof tegen haar slanke lichaam, waardoor het meer van haar figuur liet zien dan voor een abdis normaal was.

'Ik hoorde u roepen en wilde uiteindelijk achteromkijken. U was sneller dan ik. Maar waarom hebt u niets gezegd?'

'Om dan die oude madame de stuipen op het lijf te jagen? Nee, dat laat ik liever aan priester Frick over.'

Haar donkere wenkbrauwen gingen omhoog en ze keek hem verwijtend aan. 'Dat u zich de moeite gaf zachtjes te doen, siert u. Dat u ons hebt afgeluisterd minder.'

Hij glimlachte zonder dat hij het wilde. 'Vreest u soms dat ik uw woorden heb onthouden? Die oude madame was al bang genoeg. En dat allemaal dankzij die vette paap met zijn gezwets over de hel die voor zondaressen zoals zij wacht.'

Gregoria schraapte haar keel. 'Verraste het u dat ik niet één lijn met hem trek?'

'Ja.'

'Monsieur Chastel, God is barmhartig. Waarom zou hij willen dat een oude vrouw, die op de drempel tussen leven en dood staat, haar laatste dagen in angst slijt?'

'Ik had het niet over God. Ik had het over priester Frick,' corrigeerde hij haar. 'Herinnert u zich nog wat ik in de bossen van de Vivarais zei? Frick is een van de vele figuren in soutane door wie ik de Kerk verafschuw. Nu weet u ook waarom.'

Ze hief haar hoofd op. 'Ik begrijp het, monsieur Chastel. Het was niet terecht wat hij heeft gedaan. En ook al is het niet aan mij om een priester te berispen of te bekritiseren, toch zal ik hem erop aanspreken.'

Jean had zich al ingesteld op de volgende woordentwist en werd door haar toegeeflijkheid overrompeld. Hij kon niets anders zeggen dan: 'U... Bent u alleen in Saugues?'

'Nee. De andere zusters gaan nog langs de huizen van de zieken. In onze tuin groeien kruiden ter genezing van vele ongemakken.' Gregoria strekte haar hand uit en hield hem in de regen. 'U kunt heel goed met kinderen overweg, monsieur Chastel.'

'Hebt u naar me gekeken?'

'Zoals u naar mij hebt gekeken.' De wind zwiepte de regen door de straten. Gregoria hield haar blik gericht op de gevels van de huizen waar het water van afdroop. 'Kent u dat kleine meisje goed?' Ze trok haar arm terug en schudde het water van haar hand.

'Ze heet Marie Denty. Haar vader en ik gingen vroeger vaak samen op jacht. Dat is veranderd toen ik mijn vrouw moest verplegen.' Hij keek naar de plek waar het water greep op de houtspaanders kreeg en ze langzaam over de doorweekte grond meevoerde. 'Ze is als een dochter voor me. En ik voel me vereerd dat haar ouders mij hun vertrouwen schenken.'

'Ik ken de roddels over u, monsieur Chastel. En ik moet toegeven dat ik na onze eerste ontmoeting geneigd was die te geloven.' Ze knikte naar hem. 'Maar vandaag heb ik ontdekt dat ze niet waar kunnen zijn. God zal mij mijn fouten vergeven. En u danken voor uw deelneming die u madame Chabrol hebt getoond.' Ze zweeg even. 'U weet dat de Dennevals inlichtingen inwinnen over u en uw gezin? Ze stellen vooral veel vragen over uw zoon Antoine en zijn honden.'

'Ik snap niet wat u bedoelt.'

'Ze zijn bij mij in het klooster geweest om me te ondervragen, omdat andere mensen niets meer wilden zeggen zodra ze de naam Antoine Chastel hoorden. Dat vinden de Dennevals... opmerkelijk,' ging Gregoria verder. 'Is u bekend dat uw zoon door de meeste mensen slechts "die man" wordt genoemd, omdat ze bang zijn om zijn naam uit te spreken?'

'Ik weet het,' zei Jean met moeite. 'Hij is niet altijd zo'n zonderling geweest. Ik... ik herken hem soms zelf nauwelijks meer. Door zijn verblijf in den vreemde is hij veranderd.'

'Let op hem, monsieur Chastel,' raadde ze hem bezorgd aan. 'En dat zeg ik niet alleen vanwege mijn pupil. Er wordt verteld dat de koning woedend is en na meer dan zestig doden en veertig gewonden resultaten wil zien. De Normandiërs hebben het op Antoine en zijn honden gemunt. Het zou niet zo ingewikkeld zijn om een daarvan als het Beest bij de koning af te leveren.'

Jean pakte de rugzak, knikte naar haar en vluchtte de regen in. Hij was er niet aan gewend dat mensen zo vriendelijk met hem praatten, en van de abdis had hij al helemaal geen waarschuwing verwacht. Ze verwarde hem en maakte het hem lastig om haar net als andere papen te haten.

Gregoria keek de wildschut na die zich door de modder weghaastte en met een paar munten in zijn zak Saugues verliet. Ze had de kleine houten figuurtjes gezien die bij de oude Yvette op tafel stonden. Het was wel duidelijk wie die had vervaardigd.

Ineens schoot er een gevoel door haar heen dat haar gelofte en waardigheid haar verboden. Ze onderdrukte het onmiddellijk met een gebed: haar natte vingers vlogen over de kralen van de rozenkrans. Er mocht in haar leven nooit ofte nimmer meer dan naastenliefde voor een ander mens bestaan.

Nooit ofte nimmer.

XIV

Rusland, Sint Petersburg, 14 november 2004, 10.33 uur

Anatol liet Eric bij het ontbijt een uitdraai zien. Hij had de foto's van het medaillon laten vergroten.

'Wat heb je daarover ontdekt, Anatol? Ach, laat me eerst zelf maar even kijken,' zei Eric. Hij legde zijn croissant opzij, pakte de foto's, bestudeerde een tijdje de eerste vergroting en vertaalde de tekst: 'Goddelijke Lycaon, koning van Arcadië, heerser over alle wolven.'

Anatol kon het niet laten om zich ermee te bemoeien en wees naar de symbolen. 'Vermoedelijk staan ze voor de kwaliteiten van Arcadië: de fluit voor de god Pan, de rivier moet de Styx zijn die naar het heet door Arcadië stroomde, en de bergen staan voor het landschap dat daar overheerste.'

Eric maakte zijn bril met zijn servet schoon, bekeek de afdrukken nog nauwkeuriger en schreef de vertaling met grote letters op de foto. 'Lycaon en Arcadië, zo, zo.' Hij draaide zich om naar de geopende deur nog voordat Lena kon aankloppen. Ondertussen kende hij haar geur. Nee, geen parfum maar haar eigen, opwindende, heerlijke geur. 'Kom binnen.'

'Het ontbijt staat al klaar,' voegde Anatol er vriendelijk aan toe. De mannen stonden op toen ze bij de tafel was aangekomen en ging zitten.

Ze zag er onder de te grote ochtendjas als een meisje uit. Haar natte haren had ze voor het gemak met een elastiekje in een paardenstaart samengebonden. Onder de ochtendjas zag hij een blank huidje. Ze rook frisgewassen en toch naar zichzelf.

'Goedemorgen.' Dankbaar knikte ze naar Anatol. 'Ik hoopte eigenlijk vanochtend wakker te worden en te constateren dat het allemaal een droom was,' zei ze tegen Eric. 'Maar de pijn in mijn rug kon niet wachten om me aan de realiteit te herinneren.' Ze nam een slok koffie waarbij haar ogen op de foto vielen. 'Lycaon?'

Eric stak zijn hand in zijn broekzak en legde het amulet voor haar bord. 'Dat heb ik bij een van die mannen met bivakmutsen gevonden. Anatol was zo vriendelijk om het uit te zoeken.' Hij nam wat tartaar. 'Ken je die legende?'

'Die koning werd door Zeus in een wolf veranderd,' zei Lena nadenkend.

'Wil je een paar mythes bij het ontbijt?' Eric kruidde de rauwe tartaar met een beetje zout en nog minder peper. 'Lycaon was een megalomane tiran die geen enkel respect voor de goden had en zichzelf Wolf noemde. Zeus riep hem ter verantwoording, maar Lycaon lachte hem uit en wilde een bewijs hebben dat hij met een God van doen had: hij wilde Zeus doden, en mocht Zeus dat overleven dan zou de koning ervan overtuigd zijn dat hij de oppergod voor zich had. Als galgenmaal zette Lycaon hem zijn eigenhandig gedode zoon voor. Zeus merkte onmiddellijk dat het mensenvlees was en veroordeelde de koning ertoe voortaan als wolf onder de wolven te leven. Als een kwaadaardige wolf moest hij rondzwerven om zijn bloeddorst te stillen.'

Lena schepte suiker in haar koffie en huiverde toen ze zag hoe Eric, saillant passend bij het verhaal, van het rauwe vlees zat te genieten. 'De hele geschiedenis kende ik niet.'

'Het geloof in weerwolven hangt waarschijnlijk ook samen met mensenoffers. Volgens de overlevering zouden die tot in de vierde eeuw voor Christus ter ere van de koning der wolven op de top van de berg Lycaion zijn gebracht. Wie van het offervlees proefde, werd een wolf die na tien jaar pas weer zijn oude gedaante terugkreeg, volgens een andere legende.' Eric schoof de jam naar haar toe. 'Je vindt zoet toch lekker bij het ontbijt?' Hij bedankte Anatol met een knikje, waarna de man de kamer verliet.

'Kaas met jam. Op elkaar,' legde ze uit. 'Lekkerder bestaat niet.' Ze belegde een broodje met haar persoonlijke creatie. 'Zou je me, nu het jou en de gebeurtenissen van gisteren is gelukt om mij in weerwolven te laten geloven, er nog meer over willen vertellen?'

'Weet je zeker dat je nog meer wilt horen, Lena?'

'Absoluut zeker.'

Eric veegde zijn mondhoeken af. Hij kreeg zelden de kans zijn kennis uit te dragen. 'Zoals ik al zei, gaat de oorsprong van het geloof in weerwolven tot eeuwen geleden terug. In bijna alle culturen in de wereldgeschiedenis vind je verhalen over de gedaantewisseling van mensen in dieren of tekeningen van wezens die half mens half dier waren. Dat begint in het stenen tijdperk, waarin sjamanen in overeenkomstige vermomming de geest van het prooidier aanriepen. Inuits en indianenstammen doen dat tegenwoordig nog altijd.' Hij leunde achterover, pakte zijn koffiekop en keek uit het raam over de daken van Sint Petersburg. 'De geschiedschrijver Herodotus spreekt over volken die zich in wolven veranderden. Odin had volgens de Noord-Europese mythologie zijn wolven Geri en Freki altijd bij zich, en ook de oude Germanen kenden de weerwolf. Bij opgravingen uit de steentijd in de Schwäbische Alb heeft men een diermensbeeldje gevonden dat tussen de dertig- en veertigduizend jaar oud is.'

'Wat concludeert men daaruit?'

'Dat het fenomeen minstens zo oud is als de mensheid.'

'Maar waar komt het vandaan?'

'Daar heb ik geen antwoord op. Feit is dat er weerwolven bestaan en dat ze na de vervolgingen in de middeleeuwen zo veel mogelijk in het verborgene leven. Sinds ze in Zwitserland, de Franse Alpen, de Dauphiné, in de Savoie, Bourgondië en Lotharingen in het kader van heksenprocessen werden vervolgd. Als je de oude geschriften mag geloven, richtten de weerwolven in de zestiende eeuw in Pruisen, in het vroegere Lijfland en in Litouwen meer schade aan dan normale wolven. Daarom mochten ze worden afgeschoten. Tot de belangstelling in de negentiende eeuw afnam. En in de twintigste eeuw geloofde niemand meer in ze. De gerieflijk moderne, rationele wereld. Dat maakt alles eenvoudiger voor ze.'

'Zijn er processen tegen ze gevoerd?' Lena kon nauwelijks geloven wat ze hoorde.

'Zeker weten. Er is bijvoorbeeld het geval Steffen Klöne, die in 1590 in Soest in Duitsland werd terechtgesteld. Hij noemde de rechter ook nog de namen van twee andere mannen die zich samen met hem van gedaante zouden hebben veranderd. Als middel om te veranderen diende naast een dierenhuid een touw dat meerdere keren om het lichaam werd geslagen.' Eric dacht even na. 'Een paar van de minder fraaie details zijn me ontschoten. Vroeger kon ik die wel dromen, en mijn vader zou de processtukken uit zijn hoofd voor je hebben kunnen voordragen. Maar goed, de meeste bekentenissen werden door middel van folteringen afgedwongen en daarom gaat men er tegenwoordig van uit dat in die tijd onschuldige mensen naar de slachtbank werden geleid. Vaak was dat ook zo. Maar als je de bewaard gebleven verslagen juist weet te interpreteren, dan zie je dat ook honderden weerwezens zijn gepakt.' Hij zette zijn kopje neer. 'Ik wil je wat laten zien.' Hij verdween en kwam al snel weer terug met een map, sloeg die open en legde hem voor haar neer. 'Dat is een aardige verzameling. Lees maar als je er zin in hebt.'

Eric ging weer op zijn plek zitten. Terwijl Lena begon te bladeren, pakte hij een vel papier en een potlood. Hij keek aandachtig naar haar en liet de punt daarna snel over het papier glijden.

Lena's belangstelling was gewekt voor een geval dat zich in 1598 in de buurt van Paderborn in het noordwesten van Duitsland zou hebben afgespeeld. Het kostte haar moeite om het Oudduits te lezen, maar niettemin kon ze de ware toedracht ontcijferen. Een man die men ervan beschuldigde dat hij zich met behulp van een gordel in een wolf had veranderd, werd op uiterst wrede wijze terechtgesteld: terwijl hij nog leefde, sneed men zijn buik open, haalde zijn hart eruit en stopte dat in zijn mond. Het lijk werd in vier stukken gehakt en tot as verbrand. Maar met zijn hoofd deden de Paderborners iets heel bijzonders. Ze roosterden het lichtjes, zetten het als 'afschrikwekkend voorbeeld' met een ijzeren staaf op een rad, met daaronder een houten wolf.

Lena kauwde langzamer, sloeg bladzijde voor bladzijde om en kon niet bevatten wat zich ooit in Europa had afgespeeld. Vaak werden herders, zwakzinnigen of bedelaars veroordeeld, zelden een vooraanstaand lid van de gemeenschap. Het was dus niet zo gek om te denken dat deze processen slechts een manier waren om onwelgevallige, rechteloze mensen uit de weg te ruimen. Maar veel verschrikkelijker dan deze verslagen over processen en terechtstellingen, waren de berichten over de gruweldaden waarvan de gedaantewisselaars werden beschuldigd. 'Waarom doden ze mensen?' vroeg Lena nadat ze het verslag over een regelrecht bloedbad had gelezen. 'Ik weet wel dat Lycaon door Zeus werd vervloekt... maar hoe zit het dan bij wezens zoals Nadolny was, de echte weerwezens? Waarom haten die mensen?'

Eric tekende verder en dacht lang na voordat hij antwoord gaf. 'Het is niet per se haat. Hun diepere motivatie is in feite honger. Eerlijk gezegd denk ik dat de meesten in principe niet slecht zijn, net zomin als je een roofdier kunt verwijten dat hij zijn instinct volgt en doodt. Maar het blijven roofdieren die vooral een bedreiging voor de mens vormen. En ze kunnen onschuldige mensen infecteren. Dus moet er tegen ze worden opgetreden.'

'Een eenvoudig rekensommetje,' zei ze met een sarcastische ondertoon. Als wolvenonderzoekster kende ze die simpele, radicale argumentatie heel goed. Vaak genoeg had ze met schapenfokkers gediscussieerd die op eigen houtje met hun geweer wolven omlegden, hoewel dat niet mocht. Nuchter bezien verloren de meeste boeren meer schapen door ongelukken dan door wolven. Lena betrapte zichzelf er nu op dat het weinig scheelde of ze begon sympathie voor weerwezens te voelen... maar het scheelde gelukkig nog net genoeg.

'Ik vind het echt niet leuk om ze te doden!' zei Eric ineens kwaad. 'Maar wat moet ik anders? Moet ik soms met ze praten en vragen of ze willen ophouden met mensen opvreten of de vloek door te geven?' Zijn reactie was heftiger dan zijn bedoeling was geweest. 'Ik wou dat er een afkickkliniek bestond waar die Beesten leerden om op groentes over te stappen!'

'Maar je zei zelf dat ze niet allemaal slecht zijn.'

'Niet altijd.' Eric zuchtte, deed zijn best rustig te blijven. Ineens snakte hij naar zijn druppeltjes. 'Als je je nog meer in de mythologie van verschillende landen zou verdiepen, zou je ontdekken dat weerwezens in sommige kringen zelfs als heiligen en absoluut goede wezens worden vereerd.'

Lena schonk zich nog een kop koffie in. 'Ben jij ooit zo'n vriendelijk weerwezen tegengekomen?'

'Niet dat ik weet.' Hij aarzelde. 'Ik... ik maak geen onderscheid als een van die Beesten me aanvalt. Er bestaan geen knuffelweerwolven.' Even viel er een pijnlijke stilte tussen hen. Uiteindelijk doorbrak Eric hun zwijgen met een glimlach. 'Maar om op je vraag naar weercavia's terug te komen: er zouden ongevaarlijke lykantropen moeten bestaan die zich in reeën of zeekoeien...'

Lena proestte het uit en de koffie spoot uit haar mond. 'Zeekoeien?'

‘Zeekoeien,’ bevestigde hij gespeeld serieus. Geboeid volgde hij een zwarte koffiedruppel die langs haar hals over haar borst in haar badjas verdween. Hij was er jaloers op. ‘Ze veranderen in zeekoeien. Maar die ben ik nog niet tegengekomen. Alleen de allerslechtsten komen op mijn pad.’

‘Zou je een weerzeekoe doden?’

Hij aarzelde geen seconde toen hij antwoordde: ‘Ja.’

‘Waarom?’

‘Ze zouden een plezierboot kunnen aanvallen.’

Lena keek hem strak en ongelovig aan. Pas na vijf seconden drong het tot haar door dat hij haar voor de gek had gehouden. Ze schaterlachte en Eric glimlachte zielsgelukkig.

‘De ongevaarlijken, voor zover die bestaan, zouden me waarschijnlijk geen problemen bezorgen. Maar ik kom altijd alleen maar weerwezens tegen die grenzeloos verdorven zijn en ernaar streven om steeds meer gruweldaden te plegen. Ook zonder honger houden die ervan om mensen te verscheuren die hulpeloos aan hen zijn overgeleverd. Zogezegd de echte psychopaten onder de weerwezens. Ik heb geen medelijden met ze.’ Hij legde het vel papier en zijn potlood opzij.

‘Zo iemand bedoelde je ook toen je het over een wezen had dat geen fouten beging,’ giste ze terwijl ze nog nagenoot van de zoete-hartige nasmaak van aardbeienjam en Goudse kaas op haar tong.

Eric had respect voor haar scherpzinnigheid, maar zei dat niet. ‘Ja. Je hebt gelijk. Dat weerwezen is een hybride, een bastaard, een kruising tussen verschillende weerwezens. Ze beheerst haar driften en maakt daar gebruik van. Ga er maar van uit dat ook de mens waarin ze zit, een echt Beest is: meedogenloos, wreed, tot alles bereid. De jacht op dat wezen heeft prioriteit boven de jacht op alle andere weerwezens.’

‘En dat doet jouw familie al meer dan tweehonderd jaar?’

‘Ja.’

Ze zei even niets. ‘Zijn er behalve jou nog meer jagers?’

Eric hield zijn hoofd een beetje scheef. ‘Mijn familie stond er van oudsher alleen voor, afgezien van een paar ingewijde trouwe helpers. Maar het kan best zijn dat er nog meer mensen zijn zoals ik. Ik weet het niet. Ik ben er nog nooit een tegengekomen.’

Lena slikte met moeite. Ze zag een grote melancholie, een eenzaamheid in Erics ogen zoals ze nog nooit bij een andere man had gezien. ‘Door je werk... je plicht, ben je behoorlijk... geïsoleerd geraakt.’

Hij liet even zijn tanden zien en veegde een zwarte sliert haar voor zijn linker brillenglas weg die zijn zicht beperkte. 'Je bent de eerste vrouw die me bij het ontbijt ziet.'

Ze keek hem verbaasd aan.

'Het is moeilijk om iemand te vinden die er begrip voor heeft dat je voortdurend op reis bent en ogenschijnlijk ongevaarlijke mensen neerschiet.'

'Ongevaarlijk...?'

'Vergeet niet, Lena, dat je de neergeschoten Nadolny voor je op de grond hebt zien liggen, niet de weerwolf. Het Beest verdwijnt als de mensenziel... de hemel binnengaat.'

'Je gelooft dat de ziel van zo'n moordenaar in de hemel komt?' vroeg Lena sceptisch.

'Zo verklaar ik het voor mezelf' – Erics stem klonk bijna verontschuldigend – 'om er minstens iets van troost in te vinden.' Hij leunde opzij. 'Zolang ze leven kunnen ze van gedaante wisselen wanneer ze maar willen. Alleen bij vollemaan worden ze ertoe gedwongen drie achtereenvolgende nachten hun wolvengedaante aan te nemen. Dat zijn de uren van de waarheid die ze zowel vrezen als liefhebben. Over het algemeen geven ze er de voorkeur aan in hun dierengedaante rond te zwerven, maar als het tot een gevecht komt, veranderen veel van hen zich tot ze in een soort tussenstadium zijn. Dan hebben ze meer mogelijkheden om aan te vallen en zich te verdedigen. En onervaren tegenstanders zijn makkelijk door de aanblik te intimideren.'

Lena knikte. 'Nou, daar kan ik me wel wat bij voorstellen! Ik dacht dat mijn hart stilstond toen ik dat monster voor me zag staan.'

Eric glimlachte begrijpend. 'Ik heb doorgewinterde kerels flauw zien vallen, anderen scheten in hun broek, en weer anderen werden ter plekke krankzinnig.' Hij kwam overeind. 'En neem me niet kwalijk, alsjeblieft, Lena, maar ik moet nu echt weg. Ik heb Anatol opdracht gegeven je overal heen te brengen waar je maar wilt.'

'En jij dan?' kwam er heel snel over haar lippen.

'Ik moet op reis.'

'Je vliegt naar Plitvice, ja, hè?'

'Nee,' loog hij zonder gewetensbezwaren.

'Haast je dan maar om snel daar te zijn waar je moet wezen.' Lena spoelde haar laatste hap met wat koffie weg. Het had iets vastberadens. Ze dronk de slok koffie zoals anderen een borrel: hoofd in de nek en in één keer naar binnen. Het was het symbolische uitroepteken achter haar woorden. 'Ik ga namelijk ook naar dat nationaal park. Ben benieuwd wat ik allemaal ontdek.'

'Als je het maar uit je hoofd laat!' zei hij dreigend. 'Je weet donders goed wat er in dat soort bossen rondwaart.'

Ze stond op en trok de kraag van de ochtendjas strakker om zich heen om Eric niet te veel van haar lichaam te laten zien. 'Je hebt Anatol opgedragen mij overal heen te brengen waar ik wil,' bracht ze hem in herinnering terwijl ze strijdlustig glimlachte. David liet Goliath zijn tanden zien, hoewel hij geen steen bij zich had. 'Ten eerste ben ik wolvenonderzoekster en sociobiologe, Eric. Derhalve zijn deze wezens vanuit wetenschappelijk standpunt buitengewoon interessant. Ten tweede ben ik vanwege dat wezen door een of andere groep die op deze weerwolf is afgekomen, bijna neergeschoten. Dat zijn zeer goede redenen om me meer in het onderwerp te verdiepen. Het is alsof ik het monster van Loch Ness heb ontdekt. Écht heb ontdekt!' Ze wierp een blik op de tekening. Het was een wirwar van korte lijntjes die soms dicht bij, soms verder van elkaar stonden. Zoals bij een puntjestekening voor kinderen was er een patroon in te herkennen: haar gezicht!

Eric vroeg zich af of het wel een goed idee was geweest om Lena zoveel toe te vertrouwen. Hij had de pest aan de gevolgen van deze gevoelens waaraan hij niet was gewend: je werd te vertrouwelijk en het maakte je blind. Bovendien kende hij haar eigenlijk helemaal niet. 'Je bent toch hopelijk niet van plan er een wetenschappelijke verhandeling over te schrijven?' vroeg hij half serieus.

Ze liep langs hem naar de deur. 'Wat is daar zo erg aan?'

'Niemand zou je geloven. Je zou je reputatie verliezen.'

'Ik ben in het bezit van een heel goede foto. En als ik uit Plitvice terugkom, heb ik vast en zeker nog meer bewijzen.'

Eric greep bliksemsnel haar bovenarm vast en trok haar hard terug. 'Waag het niet!' Zijn gezicht kreeg een nog onheilspellender uitdrukking en zijn ogen leken van binnenuit op te lichten. 'Het zou een ramp veroorzaken,' voorspelde hij. 'Een aantal weerwezens zal zich in het openbaar vertonen, een verbond sluiten, zich door een stelletje gekken laten vereren. Anderen zullen zich nog beter verstoppen en hun helpers erop uitsturen om hun macht te misbruiken. De bang gemaakte meerderheid van de mensen zal proberen alle weerwezens te doden. Het zou niets anders dan een regelrechte oorlogsverklaring zijn. En geloof mij maar, de weerwezens zullen die aanvaarden – en de mensen zullen het afleggen.'

Lena keek naar zijn vingers die pijnlijk haar arm omknelden. Een stalen klem had niet strakker kunnen zitten. 'Je ziet het allemaal veel te pessimistisch in, Eric.'

'Nee. Het zou het einde van de mensheid betekenen.'

'Zoveel weerwezens kunnen er niet zijn. Bovendien zijn ze in de middeleeuwen al een keer flink gedecimeerd, zoals je me zelf vertelde.' Ze kronkelde. 'Laat me los, je doet me pijn.'

Hij was niet van plan zijn vingers te ontspannen en haar te laten gaan. 'Ze zullen het niet nog een keer laten gebeuren. We hebben nu niet meer met primitieve herders of machtsbezeten burgermannetjes te maken. Ze zullen allemaal stomverbaasd zijn wanneer ze erachter komen hoeveel zware criminelen en bazen van grote bedrijven alleen bij vollemaan hun ware gezicht tonen. Hoeveel politici waarschijnlijk tot hun soort behoren. De weerwezens zijn nooit zo machtig als nu geweest. Maar als ze bedreigd worden, neemt het Beest in hen de controle over. Ze zullen over de hele wereld om zich heen gaan bijten en het virus verspreiden, en binnen de kortste keren zal het hier wemelen van die wezens. En waarom?' De druk van zijn vingers nam nog meer toe. 'Omdat de wolvenonderzoekster en sociobiologe Magdalena Heruka zo nodig moest scoren.'

Lena kon geen woord meer uitbrengen. De wildheid in de ogen van Eric, zijn pure kracht bracht haar tot zwijgen en maakte haar zowel angstig als gefascineerd.

Het drong tot Eric door dat hij haar bang maakte en hij liet haar los. 'Neem maar van mij aan dat het beter is als de haat van de gedaantewisselaars zich op mij richt in plaats van op de andere zes miljard mensen op deze aardkloot.' Hij glipte snel langs haar. 'Ik zal je meenemen naar Plitvice. Dan kan ik je tenminste in de gaten houden,' zei hij vanaf de drempel. 'Geef Anatol je kledingmaat. Dan zal hij je wat passende kleren bezorgen.'

Lena zag Eric geluidloos achter de deur verdwijnen terwijl haar linkerhand over haar kloppende bovenarm wreef. De blik in zijn eigenaardige ogen had haar tot in haar ziel geraakt, gevoelens opgeroepen, en haar aan het denken gezet. Ze voelde zich... onzeker.

En dat werd er niet beter op toen ze drie uur later in het vliegtuig naar Zagreb zaten.

XV

11 juni 1765, omgeving van Auvers, Saint Grégoireklooster, Zuid-Frankrijk

Jean Chastel kon niet geloven dat hij het werkelijk had gedaan: hij was vrijwillig naar de plek gegaan die hij nog niet zo lang geleden de nonnenbajes had genoemd.

Uiteraard was er een aanleiding voor zijn bezoek aan Saint Grégoire: hij moest uitzoeken of Antoine nog altijd stiekem bij het klooster rondhing. Dat was belangrijk. En toch vond Jean het verdacht dat hij ineens geen weerzin voelde bij de gedachte de abdis onder ogen te komen, hoewel hij de reden daarvoor nog niet tegenover zichzelf durfde toe te geven.

Hij wachtte binnen in het klooster naast het lage, lange, stenen gebouw waar de pelgrims en gasten werden ondergebracht. Direct daarnaast lag de kaasmakerij. Dat rook hij aan de geur die uit het smalle raam kwam. Op de eerste verdieping bevond zich een bescheiden werkplaats waar de zusters voor eigen gebruik stoffen weefden en kleren naaiden; hij hoorde het klapperen van de schachten, het gezoem van spinnewielen, en zag dat een paar nonnen grote klossen garen naar buiten droegen.

Ondanks de bedrijvigheid die tussen die muren werd ontplooid, voelde Jean een bepaald soort rust over zich heen komen. Zijn blik dwaalde naar de indrukwekkende kloosterkerk met zijn kruisgang waaromheen nog meer gebouwen stonden.

'Monsieur?' Een non was ongemerkt op hem afgekomen. 'Mag ik u naar de eerwaarde abdis brengen?'

Hij liep achter haar aan, langs een grote kruidentuin naar een vrijstaand huis dat op enige afstand van het dormitorium stond. Ze ging hem voor door een deur die in een werkvertrek uitkwam en droeg hem op daar te wachten.

De kasten van licht berkenhout stonden vol boeken. Aan de aanduidingen op de ruggen te zien ging het om de kasfolianten van het klooster. De jaartallen op de boekbanden liepen terug tot meer dan vierhonderd jaar geleden. De nonnen hadden zich kennelijk de moeite getroost oude aantekeningen over te schrijven om een helder en volledig overzicht te behouden.

Jean dwaalde door de ruimte en merkte dat zich nergens aan de kale, grijze muren wereldlijke versierselen bevonden. Alleen een groot kruisbeeld, een schilderij van de Heilige Gregorius en een Mariabeeld onderbraken de monotone kleur van de granietstenen.

Op de tafel van de abdis lagen zowel schrijfgerei als zeer gedetailleerde aantekeningen. Hij zag getallen over verbruikte garens en de verkoop van kaas, en een openliggende jaaragenda waarop een dag was aangestreept: 24 mei.

Zijn nieuwsgierigheid was onmiddellijk gewekt.

Het bezoek aan de markt... of de aanvallen van het Beest?

Jean luisterde of er voetstappen naderden. Hij hoorde niets, dus kon hij wel even onbespied een wat uitvoeriger blik riskeren. Hij liep om de tafel heen en sloeg de bladzijden om.

Tot zijn verbazing waren alle afslachtingen van het Beest zorgvuldig op de juiste dagen genoteerd. En zelfs de namen van de plaatsen waar zich de gruweldaden hadden voorgedaan. Ook de laatste aanvallen van 1 juni.

Waarom interesseerde haar dat?

Jean herinnerde zich ineens de eerste keer dat ze elkaar hadden ontmoet – in het bos bij Viviers, vlak voor de dood van de loup-garou en het opduiken van de tweede. En later was ze ook in Malzieu geweest...

Weet ze iets af van de weerwolf waar ik op jaag?

Een enorme achterdocht maakte zich van Jean meester. Hij liep naar het raam van waaruit je de kruidentuin kon overzien. Als wildschut kende hij de planten die in het bos groeiden. Hij probeerde zich te herinneren welke kruiden de abdis toen in haar mand bij zich had gehad...

en zag tot zijn verbazing dat die ook in grote hoeveelheden in de zorgvuldig onderhouden tuinbedden stonden. Maar als die in Saint Grégoire voldoende voorhanden waren, waarom had Gregoria zich dan al die moeite getroost om ze in het wild te zoeken? En ook nog eens helemaal alleen?

Zijn gedachten werden onderbroken. De deur achter hem ging open. Jean draaide zich met een ruk om en zag Gregoria binnenkomen. Haar gezicht glom van het zweet en in het donkere habijt zaten diepzwarte vlekken.

'Van harte welkom, monsieur Chastel.' Ze waste haar handen met de gereedstaande aardewerken lampetkan. 'Ik kom regelrecht van het veld, het onkruid moest met wortel en al worden verwijderd. Slechts de Heer weet waarom Hij het daar zo welig laat tieren waar wij onze vruchten verbouwen.' Ze droogde haar handen af. 'Het lijkt wel alsof u verbaasd bent, monsieur. *Ora et labora* is het motto van onze orde: bid en werk. Lanterfanten en duimendraaien is ons vreemd.'

Ze ging aan de tafel zitten, fronste haar voorhoofd toen ze zag dat haar jaaragenda op 1 juni lag opengeslagen, en stopte hem snel in een lade. Zonder dat ze het merkte, glipte een vodje papier op de grond dat onder haar stoel bleef liggen. 'Waarmee kan ik u helpen, monsieur? Als u het Beest zoekt, dat is niet hier.'

'Weet u het zeker?' Het antwoord was eruit voordat hij er erg in had. Snel nam Jean zijn driesteek af om haar aandacht af te leiden. Toch viel het hem op dat Gregoria nauwelijks merkbaar ineen was gekrompen. En haar rechterhand legde ze om de rozenkrans die om haar nek hing. 'Nee, ik ben niet op jacht. Ik ben hier vanwege Antoine. Ik wilde horen of hij zich sinds ons gesprekje in Malzieu nog een keer heeft laten zien.'

Ze knikte vriendelijk. 'Bedankt voor uw bezorgdheid. Nee, ik heb hem en zijn hond niet meer gezien. Dat lucht me bijzonder op en Florence heeft gelukkig niets van zijn heimelijke toenaderingen gemerkt. Ze... ze zou er zeer van zijn geschrokken.'

Jean had het gevoel alsof ze wat minder arrogant was. Nu was het zijn beurt om een stap in háár richting te doen. 'Ik wilde u nogmaals voor uw advies bedanken, wat de Dennevals betreft.'

'Ik vond het niet meer dan correct om u daarvan op de hoogte te brengen. Wanneer die Normandiërs verdachtmakingen koesteren, zouden ze dat recht in uw gezicht moeten zeggen en zich niet als een stelletje snode spionnen mogen gedragen.'

Ineens schoten Jean de woorden van de Moldaviër over Florence te binnen. 'Nu we het toch over vragen stellen en openheid hebben, waar komt uw pupil eigenlijk vandaan?'

'Vanwaar deze nieuwsgierigheid, monsieur?'

'Mijn zoons zijn van haar gecharmeerd, schijnt het. Heb ik dan niet het recht om meer over haar te weten? Of is dat een geheim?'

Gregoria vouwde haar handen. 'We weten het niet. Ze lag op een nacht in een mand voor onze poort,' zei ze na een poosje. 'We hebben niets gevonden wat ons uitsluitsel over haar herkomst zou kunnen geven. Maar het buideltje met gouden munten en de regelmatige jaarlijkse betalingen die het klooster middels een bode ontvangt, sluit uit dat het om een boerenkind gaat.' Haar grijsbruine ogen dwongen hem de onuitgesproken belofte af om deze informatie niet door te vertellen.

Hij was blij met het vertrouwen dat ze hem schonk. 'Ik begrijp het.' Vermoedelijk was Florence dus het onwettige kind van een edelman die geen moord op een pasgeborene had willen begaan en het liever had afgestaan.

'Monsieur Chastel, wilt u een ogenblik plaatsnemen?' stelde de abdis voor. Hij knikte en ging tegenover haar zitten, evenwel zonder zijn musket weg te zetten. Hij hield hem rechtop, de hand om de geweerlade zoals een koning zijn scepter vasthoudt.

'Ik heb helaas ook uw Pierre niet meer in de kapel gezien,' zei Gregoria. Ze bood hem wat water aan, dat hij dankbaar aannam. 'Ik had het gevoel dat hij niet zoals u afwijzend tegenover God en de Kerk staat. Hebt u soms op hem ingepraat en hem ook verboden naar Saint Grégoire te gaan? Dat zou ik buitengewoon jammer vinden. God luistert graag naar gebeden in Zijn huis.'

'God?' zei Jean minachtend snuivend. Hij vond dat het gesprek een te christelijke wending dreigde te nemen. 'Ik ben klaar met God.'

Ze keek hem recht in zijn ogen, vriendelijk maar ook onderzoekend alsof ze daarin kon lezen wat hij voelde. 'Waarom, monsieur Chastel?' Ze boog naar voren. 'En laten we priester Frick nu even buiten beschouwing laten. Ik heb u die vraag al in Malzieu gesteld, voordat we werden onderbroken. God doet niemand wat.'

Hij beet op zijn tanden. 'Inderdaad,' zei hij vol verachting. 'God doet niemand wat, ook geen goed. Hoe kan Hij anders toestaan dat...' Hij hield zich ineens in.

'Wát heeft Hij toegestaan, monsieur?'

'Nee, laat maar.' Jean schudde zijn hoofd, verzette zich er innerlijk tegen om aan haar zijn twijfels te openbaren. Maar iets bracht hem er ten slotte toe door te gaan. Sinds hij haar bij de stervende vrouw had gezien en hun gesprekje daarna in Saugues, plaatste hij de abdis niet meer op één lijn met andere vertegenwoordigers van de Kerk. 'Wilt u dat werkelijk weten? Nou, het is nogal moeilijk om in de God der liefde te geloven als je dagelijks het onrecht ziet waartegen Hij niets onderneemt. Waar is de God der gerechtigheid als je Hem nodig hebt? Wanneer straft Hij de hebzuchtigen en de onbetrouwbaren? Wat heeft de wereld eraan als Hij in het hiernamaals oordeelt en niet hier op aarde?' Zonder het echt te willen werd Jean vijandig. 'U verkondigt Zijn woord, abdis. Hoe lukt het u om te geloven wat u de mensen vertelt?' Hij wees door het raam naar buiten. 'U kent Frick. Hebt u gezien hoe weelderig hij en die papen zijn gehuisvest? Welke rijkdommen ze oppotten en dat ze van de boeren giften voor de Kerk eisen? Tienden innen om hun eigen schuren en zolders te vullen?' Hij leunde naar voren en sloeg ineens hard met zijn krachtige hand op de bladzijden van het kasboek. 'En hoe zit het met uw eigen klooster? Wat gebeurt er met het geld dat u ontvangt? Slaat u de louis d'ors op in de kloosterkerk of draagt u ondergoed van gesponnen goud?'

Gregoria bleef rustig. Ze had bijna haar doel bereikt: zijn luide gevoelsuitbarsting toonde aan dat ze dieper tot hem was doorgedrongen dan ooit een geestelijke vóór haar. Ze hoorde het verdriet en de verbittering in zijn stem. Zijn woede over het gedrag en de levensstijl van menige geestelijke was waarschijnlijk oppervlakkig. Er was nog iets anders, een bijzondere gebeurtenis in zijn leven waardoor hij zich van het geloof had afgewend. Ze herinnerde zich iets dat hij eerder had gezegd.

'U had het erover dat u uw echtgenote hebt verzorgd. U hebt God gesmeekt haar te genezen, haar bij te staan in haar ziekte. En toch is ze gestorven,' zei ze zachtjes en meelevend, terwijl ze haar linkerhand op de zijne legde die nog steeds op het boek lag.

Jean zei niets. Hij beet op zijn tanden, maar kon niet verhinderen dat zijn woede hem in één klap in de steek liet. 'Ze lag... ze lag een jaar lang met koorts in bed,' fluisterde hij uiteindelijk. Het greep hem hevig aan dat de schokkende herinneringen, die hij zo diep dacht te hebben weggestopt, naar boven kwamen en hem zo levendig voor de geest stonden. 'Van een trotse, bewonderenswaardige vrouw die mijn kinderen baarde en een onwankelbaar geloof in God had, werd ze een schaduw van zichzelf, terwijl de priesters bij ons in en uit liepen, hun gebeden bleven opdreunen en een goed woordje voor ons deden zolang ik hun maar genoeg livres gaf.' Zijn ogen werden vochtig.

Ontroerd zag Gregoria dat een traan langzaam over het anders zo grimmige gezicht van de man rolde. Nu ze zijn onverbloemde verdriet zag, voelde ze oprecht medelijden met hem.

Jean probeerde zijn emoties te bedwingen. 'Toen het geld op was, zag je die voorname papen helemaal niet meer. Ook God, tot wie ze dagelijks bad, zweeg. Anne... ze stierf veel te jong, en ik bleef alleen met mijn kinderen achter.' Met een broze stem sprak hij deze laatste zin uit voordat hij als een klein kind begon te huilen.

Gregoria wist eerst niet wat ze moest doen. De ruwe, afwijzende Jean Chastel, om wie altijd iets koninklijks en kranigs had gehangen, huilde nu! Weer onderging het beeld dat ze van hem had een verandering.

Aarzelend stond ze op en liep naar hem toe. Ze legde zijn hoofd beschermend tegen haar buik en aaide zachtjes over zijn haar. Ze vermoedde dat hij al jarenlang niemand meer zo in vertrouwen had genomen – misschien was dit wel de eerste keer sinds de dood van zijn vrouw.

Jean liet zijn musket vallen, sloeg zijn sterke armen om haar lichaam en zocht geborgenheid en warmte bij haar.

Gregoria schrok. Al heel lang was ze niet meer zo door een man aangeraakt. Zijn nabijheid riep herinneringen op aan haar vroegere leven. Herinneringen waar ook zij al jaren niet meer bij had stilgestaan.

'Monsieur Chastel...' Ze probeerde zich uit zijn omarming te bevrijden.

'Toen Antoine uit die verre landen was teruggekeerd en zijn... zijn vreemde neigingen toenamen, zeiden die papen tegen me dat het een beproeving van de Heer was,' zei hij snikkend tegen haar lichaam. 'Een bepróéving! Hebben mijn zoons en ik echt nóg een beproeving nodig?' Hij keek afwezig naar haar omhoog, zijn ogen vuurrood van het huilen. 'Begrijpt u dat ik van zo'n God wel afstand kan doen?' fluisterde hij.

Ineens werd hij zich ervan bewust wie hij vasthield, liet haar los en deinsde achteruit. 'Vergeeft u mij. Ik was...' Hij zonk tegen de leuning van de stoel en zat te trillen, nog steeds aangeslagen, doordat wat hij jarenlang had weggestopt, uit zijn binnenste naar buiten was gebroken. 'Ik was mezelf niet.'

Gregoria moest diep inademen: de druk van Jeans armen had haar de adem benomen. Of was het zijn nabijheid geweest? Ze leunde tegen de werktafel. 'Nee, monsieur Chastel,' zei ze stamelend en onderwijl hopend dat haar als een bezetene kloppende hart tot bedaren kwam. 'U was uzelf wel degelijk en u hebt eindelijk uw hart gelucht van alles wat u bedrukte. Ik...'

Plotseling zwegen ze allebei.

De klok van de kloosterkerk sloeg luid en schel en beiden krompen als betrapte zondaren ineen.

'Ik moet naar het middaggebed,' verontschuldigde Gregoria zich. Ze rukte zich los van de aanblik van Jean en haastte zich naar de deur. 'Als u over uw verdriet wilt praten... u weet waar u mij kunt vinden. De Heer zegene uw pad en laat u de waarheid vinden.' Ze verdween door de deur naar buiten.

Jeans gevoel van verdoofdheid trok weg, de beelden uit het verleden verbleekten zienderogen en verloren hun kracht. Hij zuchtte diep... en voelde zich onbeschrijfelijk opgelucht. Het had hem goed gedaan om met haar te praten. Hij pakte zijn musket van de vloer en zette zijn driesteek op. Zijn blik viel door het raam op de binnenhof waarover de abdis met grote passen wegliep. Het had hem goed gedaan om haar vast te houden.

Wat gebeurt er met me? Wat doet dit klooster met mijn verstand?

Toen Jean aanstalten maakte om te vertrekken, viel hem het papiertje op dat uit Gregoria's agenda was gevallen. Hij bukte om het te pakken en op tafel te leggen. Daarbij viel het vanzelf open.

Het handschrift en de regels kende Jean maar al te goed.

Hij was in het bezit van hetzelfde afschrift dat hij voor veel geld had gekocht.

XVI

Hongarije, Budapest, 15 november 2004, 18.43 uur

Eric en Lena zaten in Budapest vast.

Diverse factoren waren daarvoor verantwoordelijk, ten eerste het slechte weer, ten tweede de staking van de luchtverkeersleiders en ten derde een onverwachts opgekomen stevige verkoudheid van de wolvenonderzoekster waarvan ze eerst volledig wilde herstellen.

Dus had Eric een tweepersoonskamer geregeld in een smaakvol hotel aan de Pest-kant van de Hongaarse hoofdstad, en was daarna de straat op gegaan om ergens medicijnen voor Lena te halen. Bovendien moest hij frisse lucht hebben om te kunnen nadenken.

De wandeling over de besneeuwde, boomrijke boulevards en de brede pleinen van Pest maakte indruk op Eric, en dat was bijzonder. Tenslotte was hij al heel vaak in heel veel vreemde steden geweest.

Deze kant van de stad, op de vlakke oostelijke oever van de Donau, was buitengewoon aantrekkelijk vanwege de grote verscheidenheid aan prachtige koffiehuizen, de *Kávéház*. Sommige daarvan waren zeer vermaard, zoals het *Gerbeaud* waar nog altijd de sfeer van de negentiende eeuw hing. Van het elegante interieur, dat hij van buitenaf kon zien, was keizerin Sissy al zeer gecharmeerd geweest. Eric betwijfelde echter of ze ooit een van die lekkere taartjes had gegeten – met haar magere figuurtje.

In het voorbijgaan bekeek hij de *Erzébet hid*, de Elizabethbrug. Het was een van de zes bruggen die de stadsdelen Buda en Pest met elkaar verbonden. In het schijnwerperlicht zag de brug er indrukwekkend en tegelijkertijd koninklijk uit; de werkelijkheid vervaagde en bracht het verleden met zijn Oostenrijks-Hongaarse monarchie weer tot leven. Met een beetje fantasie kon je zelfs de sporadische dubbelgangers van Sissy voor echt verslijten: reclamemaaksters van de toeristenbureaus die foldertjes uitdeelden aan de weinige rondslenterende toeristen die net als Eric het dikke pak vallende sneeuw trotseerden. Het gezicht van één zo'n dubbelgangster kreeg voor Erics geestesoog de trekken van Lena. Prompt ergerde hij zich. Nog een bewijs dat hij te vaak aan de wolvenonderzoekster dacht van wie hij nog steeds nauwelijks iets wist.

Zijn gedachten werden onderbroken door het geriedel van zijn mobieltje dat zich ondertussen met het melodietje van *Maja de Bij* aandiende. Telkens als Eric die melodie hoorde moest hij onwillekeurig grijnzen. Wat hij de laatste tijd veel te weinig deed.

Eric nam het gesprek aan. 'Ja?' Een van zijn nijvere bijtjes voorzag hem van langverwachte informatie.

'Hallo, chef. Op zo'n korte termijn heb ik nog weinig kunnen vinden, maar vooralsnog klopt haar versie van haar leven.' De stem behoorde toe aan een vrouwelijke hacker die hij persoonlijk nog nooit had ontmoet en ook niet wilde ontmoeten. Ze hoefde alleen maar voor – zijn – geld alles te doen waar hij haar om vroeg. Legaal en illegaal. Ze noemde Lena's woonplaats. 'Er zijn geen politiedossiers over Magdalena Heruka, zelfs geen meldingen van verkeersovertredingen. Haar naam duikt op in verschillende publicaties over het gedrag van wolven, evenals de naam van een man met dezelfde achternaam. Uit de afbeeldingen maak ik op dat het om haar vader gaat, maar dat zal ik nog even checken. Als hij het is, is hij bij een brand in een houten hut aan Destruction Bay om het leven gekomen. Dat is in Canada. De moeder woont in Berlijn.'

'Verder nog wat?'

De hackster gaf hem alle verdere informatie die ze had verzameld, en Eric was heel blij om te horen dat er geen aanwijzingen waren voor een man in Lena's leven. 'Op de inkomende server van haar e-mailaccount, dat u me hebt gegeven, stond niets. Het laatste bericht is van één november. Een orderbevestiging voor een tijdschrift over dieren.'

'Mooi zo. Hou me op de hoogte.'

Eric hing op. Zijn ogen dwaalden naar de hemel en vonden de maan die zich elke avond een beetje meer scheen te hebben volgevreten. De geliefde en gevreesde nachten van de waarheid waarop de zilveren schijf vol aan het firmament stond, kwamen snel naderbij. De ijskoude stralen zouden zich op de aarde werpen en de Beesten uit hun menselijke huid verdrijven waarin ze zich maar al te graag verscholen. Wolven in schaapskleren. Het was de tijd van de roes, van de jacht en... van de dood. Want in deze drie nachten van de vollemaan lag de jager op de loer, tot de tanden gewapend, uitgerust met hightechzilvermunitie of een eenvoudig zilveren mes, al naargelang tijdstip en plaats. En met hondenfluitjes. Want die, dat wist Eric uit ervaring, waren bijzonder geschikt om wolvengedaantewisselaars tot het uiterste te tergen.

Voor 25 november moest het achter de rug zijn. Hij had geen zin om bij vollemaan in een afgelegen nationaal park te vertoeven waarin het stikte van de bruine beren, wolven en lynxen. Je wist maar nooit hoeveel daarvan gedaantewisselaars waren, buiten degene die hij en Lena zochten.

Eric schudde die sombere gedachten van zich af en liep de apotheek binnen waar een gezette man van een jaar of zestig in een witte doktersjas op het punt stond de kas op te maken. 'Verstaat u mij, meneer?' vroeg Eric in het Engels. Als antwoord kreeg hij een vriendelijk knikje. 'Mooi zo. Ik heb een middel tegen een stevige griep nodig. De dame in kwestie is vijfentwintig jaar, weegt nog net geen zeventig kilo en wil als het even kan morgen weer in Budapest kunnen rondlopen om bezienswaardigheden te bekijken.'

'Geen probleem!' De apotheker lachte. 'U komt uit Oxford. Dat hoor ik aan uw accent.'

Eric liet hem in de waan. Hij kostte hem al moeite genoeg om oppervlakkig adem te halen en zo min mogelijk lucht te inhaleren. Van de sterke geur die afkomstig was van allerlei substanties uit de moderne, chemische geneeskunde en de ingrediënten van traditionele zalfjes en aftreksels, kreeg hij maagpijn.

De man stapelde een berg verpakkingen voor Eric op. 'Dat moet volstaan.' In zijn nagenoeg onleesbare handschrift schreef hij de doseringen op. 'Morgenmiddag is ze weer de oude, dat beloof ik u.' Hij had zijn hand op het bovenste doosje gelegd alsof het de bijbel was. 'Ik kan het toch niet op mijn geweten hebben dat uw vrouw onze mooie stad zou moeten missen.' Hij toetste de bedragen op de kassa in die ten slotte 53,98 euro aangaf. Kennelijk waren ze goed voorbereid op toeristen uit het aangrenzende Oostenrijk. 'Of wilt u in Britse ponden betalen?' bood hij aan.

Eric gaf hem achtendertig pond en kreeg als bedankje een stuk zeep en een pakje papieren zakdoekjes.

Zodra hij weer op straat stond, zag hij ze. Drie mannen stonden niet ver van de apotheek, midden in de sneeuwjacht, en deden alsof ze de karig ingerichte etalage van een donkere banketbakkerszaak bekeken. Niemand met ook maar een beetje verstand zou op dit uur van de dag en bij dit weer voor een gesloten winkel stilstaan waarin achter de etalageruit een stuk papier lag waarop in het cyrillisch TE HUUR stond. Het had zo zijn voordelen om meerdere talen te beheersen.

Eric sloeg de eerstvolgende zijstraat in en rende naar het eerste het beste portiek dat hij kon vinden om daarin weg te duiken. Daarna gluurde hij voorzichtig om een hoekje en wachtte op zijn mysterieuze achtervolgers.

Het trio kwam onprofessioneel de straat in gelopen, keek koortsachtig om zich heen, rende verder en passeerde zijn schuilplaats zonder hem op te merken.

Eric overwoog langer dan anders wat hem te doen stond. Het was duidelijk dat hij, slechts uitgerust met zijn zilveren dolk en het keramiekmes, in het nadeel was tegenover drie tegenstanders. Daarentegen bood het belabberde weer hem voldoende bescherming om lang genoeg uit het zicht te blijven. Hij hing het tasje met medicijnen aan een roestige spijker in het deurkozijn, zette zijn bril af en stopte die in zijn zak. De wereld om hem heen werd in de verte wazig, maar zijn ogen reageerden daarentegen wel gevoeliger op beweging.

Stilletjes naderde hij de achterste van de drie mannen en sloeg hem hard met het heft van zijn zilveren dolk in zijn nek. De man zakte in elkaar en viel in de papperige sneeuw. Het geluid alarmeerde de andere twee, die eerst – dat zag Eric aan hun verbaasde gezichten – dachten dat hij per ongeluk een smak had gemaakt.

De man links van hem deed een greep in zijn jaszak, maar toen raakte Erics vuist hem al vol op zijn neus. Nog voordat hij van de pijn was bekomen, hagelde een razendsnelle serie harde slagen op zijn hoofd en zijn bovenlichaam neer en werd hij achterwaarts tegen de muur van een huis gesmeten. Eric gebruikte daarvoor alleen zijn linkerarm, de rechter hield zijn zilveren dolk ontspannen vast.

De man stuiterde terug van de muur en vloog recht op de volgende klap in zijn plexus solaris af. Bewusteloos zakte hij in elkaar.

Eric stelde zich op voor de laatste man en keek naar de rode bloedsporen op zijn witte lakhandschoenen. 'Praten we nu of moet ik je eerst in elkaar timmeren, sneeuw in je broek stoppen om je weer bij te laten komen en je vingers met mijn hakken bewerken voordat je me uitlegt van welke club jij en je legertje lid zijn?' vroeg hij in het Engels.

De laatste tegenstander had een machinepistool getrokken en op Eric gericht. 'Jij en je onderzoekster bemoeien zich niet meer met onze aangelegenheden,' zei hij.

'Je bent dus een vriend van de Beesten. Wat moesten jullie van Nadolny?'

'Dat goddelijke wezen had bescherming nodig. Tegen zichzelf en tegen mensen zoals jij.'

'En daarom is hij uit het raam gesprongen?' Eric liet zich niet door het wapen intimideren.

'Hij behoorde nog niet lang tot de goddelijken. Hij was te verward en te nerveus. Hij begreep onze goede bedoelingen verkeerd.' De man likte zijn gebarsten lippen.

'Goddelijken? Je noemt die Beesten góddelijk?'

'Lasteraars zoals jij hebben de...'

Eric wilde de rest van de zin niet afwachten, want daarna zou onvermijdelijk een schot volgen. Hij sprong onverwachts naar voren, het lemmet van de dolk schoot over de handrug van de man en sneed de pezen door. Het machinepistool viel in de sneeuw. De man schreeuwde ingehouden en trapte naar hem. Eric ontweek de laars, zakte bliksemsnel door zijn knieën en gaf de man met zijn vuist een ram tegen zijn genitaliën. Luid kreunend hapte zijn tegenstander naar adem en viel achterover op de straat. Het gevecht was afgelopen. Eric had wel voor hetere vuren gestaan.

Voor de zekerheid testte hij hoe de drie mannen op de aanraking met zilver reageerden. Omdat er niets bijzonders gebeurde, beperkte hij zich tot het meenemen van de wapens en magazijnen en het kerven van dunne sneetjes op hun keel, en liet hen zo in de sneeuw liggen. Het verbaasde hem niet dat hij bij allemaal een amulet vond. Eenzelfde amulet als hij de man met de bivakmuts in Sint Petersburg had afgepakt. Omdat hij dacht dat ze voor de staat werkten. Nee, zijn belagers behoorden tot een volstrekt andere club.

Het hotel en Lena wachtten. Ze konden maar beter verkassen. Dan zouden ze tenminste van die lastige kerels af zijn die hen voor de executie van Nadolny ter verantwoording wilden roepen. Hij wilde ze niet nog een keer een kans geven. Hopelijk begrepen ze de waarschuwingen in hun keel: dat hij hun genade had verleend. Deze ene keer nog.

Hij haalde het medicijnentasje op en vertrok.

In de hotellobby stond hem de volgende verrassing te wachten. Ze had dikke winterkleren aan, zat in het oog lopend in de kleine *kávéház* van het hotel, las een Franse krant en slurpte aan haar koffie. Ze wilde absoluut door hem worden gezien. Toen hij binnenkwam, hief ze haar hoofd op en monsterde hem met haar bruine ogen.

'*Bonjour, mon frère.*' Justine vouwde de krant met veel geritsel en nogal slordig op. 'Heb je alles wat je wilde?' Ze stak een sigaret op terwijl hij op haar afliep. 'Je hoeft je niet te haasten, hoor. De kleine slaapt en ze heeft ook geen koorts meer. Overigens... *merci* dat je me die Duitse rechercheurs meteen op m'n dak hebt gestuurd.'

Eric koos de fauteuil recht tegenover haar zodat de receptioniste het zicht op Justine werd ontnomen. 'Je schijnt het tot een sport te hebben verheven om me te achtervolgen.'

'Ik ben alleen maar even in Sint Petersburg geweest om te zien wat je daar ineens zo nodig te doen had. Ik maak me bezorgd om mijn deel van de erfenis.' Ze knipoogde, blies de rook in zijn gezicht en lachte zachtjes. 'En wat zie ik? *Mon dieu*, je veroorzaakt een enorme deining in de orde. Geen wonder dat ze je uit de weg willen ruimen.'

De orde? Hij zette het zakje met medicijnen neer. 'Ken je die lui?'

'Wat heeft onze vader jou eigenlijk bijgebracht? Als je een betere speurneus was in plaats van alleen maar in het wilde weg her en der snoekduiken te maken, zou je ze ook kennen. Je hebt het aan de stok gekregen met de Orde van Lycaon.' Ze gebaarde naar de kelner. 'Wat wil je hebben? Ik trakteer.'

Eric bestelde mineraalwater zonder koolzuur en een kop thee. 'Wat is dat voor gezelschap?' vroeg hij toen ze weer alleen waren.

Zijn zus grijnsde wolfachtig, wat hem zowel aan zijn vader als aan zijn eigen grijns deed denken. 'Ze zijn het tegendeel van jou, Eric. Je kent de Lycaonmythe toch wel?'

Hij knikte.

'*Bon*. Volgens hen werd Lycaon niet door Zeus gestraft, maar in een hoger wezen veranderd. Al zijn nazaten zijn derhalve goddelijk.' De kelner naderde met de drankjes. Ze zwegen en wachtten tot hij weer was vertrokken. 'Ik heb al meerdere malen met ze te maken gehad. Ze vereren loups-garous, ze beschermen ze tegen jagers en streven ernaar op een dag zelf zo'n goddelijk wezen te mogen worden. Ze hebben een of ander duister ritueel waarbij ze of sterven of een loup-garou worden. Een soort duel of *quelque chose comme ça*.'

'Vrijwillig?' Eric hapte naar lucht. 'Shit, dat ontbrak er nog maar aan,' bromde hij en hij besloot zijn stiefzus voorlopig op haar woord te geloven en het later op de een of andere manier te toetsen. De vraag wie haar had opgeleid en wie haar inlichtingen bezorgde, kon wel wachten. 'Wat weet je verder van ze af?'

Justine trok de volgende sigaret uit een etui, stak die met een lucifer aan en nam een trek over haar longen. '*Bien sûr*, ik weet het, het is ongezond, ik zou longkanker of Joost mag weten hoeveel andere soorten kanker kunnen krijgen,' zei ze luchtig toen ze zijn gezicht vol weerzin zag. 'Nee, ik niet. Geen kanker voor ons soort. Maar ik lever de staat wel veel accijnzen op zonder dat de gezondheidszorg een cent voor me hoeft uit te geven.'

Eric zag dat er geen banderol op het pakje zat. Op de zwarte markt gekocht. Dat paste wel bij haar. 'Waar zit de hoofdzetel van die orde?'

'Wat denk je, mon frère?'

'Overal en nergens.'

'*Très bien*.' De peuk balanceerde in haar mondhoek. 'Ik weet weinig van ze af. Of liever gezegd' – ze leunde met haar armen op het tafelblad en kwam met haar bovenlichaam naar voren – 'ik vertel het je niet. Je zou wel eens geen teamspeler kunnen zijn, *bien*, en ik wil je daar niet toe dwingen. Zoek je informatie maar zelf. Maar ik weet wel hoe wíj tot zaken kunnen komen.' Grijnzend keek ze hem in de ogen, haar houding was een en al provocatie.

'Ik heb het al een keer tegen je gezegd: geldgeil rotwijf.' Eric bleef rustig, ook al moest hij zich ontzettend inhouden.

'*Bon*, dan moet je het zelf maar weten.' Justine dronk flink geïrriteerd haar koffie op. 'Ik geef je alleen nog het advies het spoor van dat tuig niet langer te volgen, *mon frère*. Die drie mannen waren *seulement* amateurs, maar de experts van de orde zijn onderweg. Dat staat vast.

Jullie willen dezelfde buit in handen krijgen, al is het om verschillende redenen.' Ze stond op. 'Ik wens jou en je kleine *loupette bonne chance*. Dat zul je nodig hebben. Tegen het Beest en tegen de orde.' Ze zette haar muts op en vertrok zonder te betalen. Eric had van alles verwacht, maar dit niet. De volgende keer zou hij haar stevig aan de tand voelen. Tot die tijd zou ze een raadsel blijven dat onmiskenbaar dezelfde trekken als zijn vader vertoonde. Hij zou Anatol het een en ander over haar laten uitzoeken.

Eric gooide een paar bankbiljetten op tafel en keerde terug naar hun kamer waar hij eerst voor Lena wilde zorgen. Op de deur naar hun gemeenschappelijke onderkomen waren geen krassen of andere beschadigingen te zien. Dus had Justine zich of met bluf naar binnen gekletst of ze was een verdomd goede inbreekster.

Lena lag onder de dubbele hoeveelheid dekens, haar bruine haren plakten van het zweet aan haar voorhoofd, maar haar temperatuur, dat voelde hij met zijn hand, was gezakt.

Hij ging op de rand van het bed zitten en haalde zachtjes de medicijnen uit het tasje. Hij legde ze op volgorde en zette een karaf met water en een glas op het nachtkastje.

Hij dacht aan de Orde van Lycaon. Zijn vader had daar nooit gewag van gemaakt. Een pas opgerichte club? Of wisten ze zich gewoon erg goed te verbergen? Zat die raadselachtige Fauve daar misschien achter? Bij de volgende ontmoeting zou hij een van zijn belagers aan een verhoor onderwerpen. Om die reden besloot Eric het hotel niet te verlaten. Als die amateurs dom genoeg waren, zouden ze nog een keer proberen hem om zeep te helpen.

Lena zuchtte, draaide zich om en strekte haar arm uit. Haar vingers kregen zijn hand te pakken en sloten zich eromheen.

Hij bleef zitten, keek naar haar ontspannen gezicht, de naakte schouder en de aanzet van haar borsten die verleidelijk onder de dekens uit piepte. Door het zweten en de warmte in de kamer werd Lena's eigen geur versterkt tot een betoverend luchtje dat hij nauwelijks kon weerstaan.

Eric boog zich langzaam over haar heen en kuste haar zachtjes op haar voorhoofd. Hij proefde het zout, likte het van zijn lippen en kwam weer overeind. Omdat ze hem niet losliet, bleef hij op het bed zitten om de wacht te houden.

XVII

16 augustus 1765, Saugues, Zuid-Frankrijk

'Dat Beest is hels gebroed!' De dikke priester verhief zijn onaangenaam schelle stem, zodat iedereen die in het logement zat het wel moest horen. 'De Heer zal ons tegen dat monster bijstaan, maar pas nadat we van onze goddeloosheid zijn doordrongen en voor onze fouten boete hebben gedaan.'

'Aha, nu wordt het weer leuk.' Malesky zette zijn knijpbrilletje op om de man in de tabberd van een rondtrekkende prediker beter te kunnen zien. Jean at verder, Antoine en Pierre richtten hun aandacht op de spreker. De jongste van de twee broers grijnsde uitdagend.

'Doet boete, zusters en broeders, bidt opdat u zult worden gehoord en God de Heer u vergeeft. Pas wanneer u uw reine hart tot het kruis wendt, zal het Beest bedwongen kunnen worden.' De priester stak de bijbel omhoog en dwaalde tussen de tafels door. 'Waarlijk, ik zeg u, zie af van zonden en onreinheden zodat het Beest van ons wordt weggenomen.' Naast een paar kaartspelers bleef hij staan en veegde de kaarten van tafel. 'Kansspelen zijn zonde! En de zonde trekt het Beest aan!' kijfde hij.

De kaartspelers, die de priester een jaar geleden vanwege wat hij net had gedaan een pak rammel hadden gegeven en op straat gegooid, bleven nu als brave schooljongetjes zitten en lieten de preek over zich heen komen.

'De bisschop heeft opgeroepen tot gemeenschappelijk gebed, maar alleen in de kerk. Stuurt hij zijn dienaren nu ook al de kroegen in?' Jean spoelde met een slok wijn het brood in zijn mond weg. 'En wat vindt God ervan dat jullie de mensen met kletspraat naar Zijn pijpen willen laten dansen en misbruik van hun angsten maken?' riep hij en hij veegde zijn mond met zijn hand af.

De priester draaide zich met een ruk om. Zijn ogen schoten vuur. 'Broeder Chastel, jij die aan de rand van het dorp bij de wilde dieren woont en zich nooit in het huis des Heren laat zien, juist jij' – zijn opgezwollen wijsvinger wees beschuldigend in zijn richting – 'en je diepgezonken zoons zouden moeten bidden! Keer terug in de schoot van de moederkerk en leg tegenover God getuigenis af van je zonden, opdat ook de zwartste gewetens van de Gévaudan helder en rein zullen schitteren. Alleen het licht verdrijft het Beest! Kogels noch messen zullen baten.' Hij danste met waggelpassen naar de deur en trok hem open. 'Doet boete, en de Heer zal deze gesel van ons wegnemen,' zei hij hijgend ten afscheid en vertrok.

Malesky schudde zijn grijze hoofd en nam zijn knijpbrilletje van zijn neus. 'Nee, leuk was-ie niet, alleen maar heel erg theatraal. We hebben hier wel betere gehad.' Hij proefde van de landwijn die de waard hem had gebracht. 'Als je bedenkt dat het Beest hier al meer dan een jaar huishoudt, kun je het de mensen niet kwalijk nemen dat ze in bovennatuurlijke zaken zoals demonen en geesten gaan geloven.' Geamuseerd keek hij naar een van de kaartspelers die zich bukte om de kaarten van de grond op te rapen maar door zijn vriend daar met een gebaar van werd weerhouden. Niemand wilde er verantwoordelijk voor zijn dat het Beest naar Saugues kwam.

Malesky's woorden werden dankbaar opgepikt door de lieden aan het tafeltje naast hen. 'Als u het mij vraagt is het geen loup-garou en ook geen wolf. Het zijn druïden die het doen! Ze brengen offers aan een of andere oude god en dan geven ze de wolven de schuld,' zei een eenvoudig geklede man vol overtuiging. 'Ik heb eergisternacht zelf gezien dat een paar vermomde figuren bij de oude menhirs rondzwierven. Moge God hen voor hun daden straffen.'

'Druïden? Werkelijk, dat is een variant die ik nog niet kende. Ik wist wel van heksen die elkaar op de toppen van de Drie Bergen ontmoeten. De parochie van La Besseyre is in elk geval beroemd om zijn mannelijke en vrouwelijke heksen.'

Jeans mond vertrok. Ook al was het niet de bedoeling van de Moldaviër geweest, daarmee werd de naam Chastel wel weer tot onderwerp van gesprek gemaakt. Hij, de zoon van een heks.

Malesky haalde een bundel kranten uit zijn rugzak waarvan er een aantal oud en verfomfaaid uitzagen, maar er zaten ook gloednieuwe exemplaren tussen. 'Het heeft me een vermogen gekost om de bode te betalen die de gazetten uit Bordeaux hierheen heeft gebracht, maar ze zijn onderhoudend. Ze maken ons Beest beroemd.'

Onmiddellijk werd hem gevraagd iets uit de kranten voor te lezen.

Malesky schraapte zijn keel. '*La Gazette de France* schrijft over een vrouw uit Rouget, Jeanne Jouve, die met haar drie kinderen in haar tuin werd aangevallen. U kunt zich wel voorstellen dat ze haar kinderen uit de bek en de klauwen van het dier wilde rukken, en vooral de jongste werd telkens weer door het Beest gepakt. Op het moment dat de vrouw het tegen het Beest dreigde af te leggen, kwam een schaapsherder aangerend die het kind in de bek van het Beest zag en met zijn spies op hem in stak.' De mensen om hem heen hingen aan zijn lippen en het was muisstil geworden. 'Het Beest sprong over een laag weilandmuurtje terwijl hij het arme slachtoffer nog steeds tussen zijn tanden vasthield, maar de hond van de schaapsherder ging hem achterna. Het Beest liet het kind vallen, draaide zich om en gaf de hond een schop waardoor hij verscheidene passen ver door de lucht vloog, en daarna sloeg het Beest weer op de vlucht.' Hij draaide de pagina om. 'De herder kreeg van de koning voor zijn moed een beloning van driehonderd livre.'

'Bravo!' riep de waard. 'Dappere man.' Hij keek naar de gast die beweerd had dat er mensen achter de afslachtingen staken. 'Hoe verklaar je dat dan?'

'Dat was een wolf,' zei de man beledigd. 'Maar die andere aanvallen met dodelijke afloop, dat zijn mensen geweest.'

'En waar hebben de gebroeders Chaumettes tussen Rimeize en Saint-Chély dan op geschoten toen ze een herder ervoor behoedden dat hij werd verscheurd? Op een man in een wolvenvel?' haakte een andere gast erop in. 'Twee schoten, maar het Beest stond weer op en een dag later heeft dat ondier bij Venteuges weer een jong meisje gedood.' Hij blies. 'Ik zeg u dat het een loup-garou is.'

'Wie weet. De *English Saint James' Chronicle* vermoedt dat we met een nieuwe specie van doen hebben die hoog uit de bergen is gekomen.'

Malesky wees naar een artikel. 'Hoe het ook zij, dat die afslachtingen maar doorgaan is de reden waarom we nu in plaats van de onfortuinlijke Dennevals met de luitenant van de Koninklijke Jagers, monsieur François Antoine de Beauterne, in de Gévaudan zitten opgescheept.' Hij keek naar Jean. 'Hij zou de beste schutter in het koninkrijk moeten zijn.'

'Maar er is helemaal niets veranderd,' zei de vrouw van de waard verontwaardigd achter de tapkast. 'Hij rijdt ook in mooie gewaden en met zijn hele entourage door de omgeving rond, en hij maakt schetsen van het landschap in plaats van op het Beest te jagen.'

Jean hield verder zijn mond. Toen de Dennevals – die hem met hun onophoudelijke gevraag over zijn familie terroriseerden – door de Beauterne werden afgelost, had hij zich opgelucht gevoeld. Het was een publiek geheim dat de jonge comte de Morangiès graag de prestigieuze jachtpartijen wilde leiden in plaats van zich door de knechten van de koning te laten betuttelen en zich aan hen te moeten onderwerpen. Er werd verteld dat de comte al brieven vol klachten over 'die nieuwelingen' naar Parijs had gestuurd, omdat er geen enkel succes werd geboekt. Jean begroette de onenigheid tussen de jagers. Daar hadden zowel zijn zoons als hij alleen maar baat bij.

Malesky spreidde de kranten voor zich uit. 'Kijk, hier, helemaal vol met ons Beest! Zelfs in Engeland en Duitsland hebben ze het erover.' Hij grijnsde en hield een karikatuur omhoog waarop Lodewijk XV was te zien die achter een lachend, op een hond lijkend dier aan liep uit wiens bek een tiental armen en benen staken. 'In Engeland zijn ze er dol op om de koning belachelijk te maken. Incapabel is nog het vriendelijkste woord dat ze daarbij bezigen.'

'In dit land is iedereen incapabel om het Beest neer te schieten.' Antoine lachte hard en vrolijk. 'Niemand krijgt dat ondier te pakken. Dat zegt de comte ook. Slechts één man uit onze omgeving zou het kunnen.'

'Luitenant de Beauterne lukt het wel.' Luid dreunde er een stem door de ruimte. Er was een stevige man opgestaan in een blauw uniform van de Koninklijke Garde en met de onderscheidingstekenen van een kapitein. 'Hij heeft meer verstand van jagen dan iedereen bij elkaar.'

Antoines lichaam raakte gespannen; hij zat klaar om zijn verbale tikken op de vingers door vuistslagen te laten volgen. Maar Jean bleef rustig. 'Hij mag dan misschien verstand van de jacht hebben, net zoals monsieur Denneval, maar hij heeft geen kaas gegeten van de Gévaudan. Daarom zou het feit dat hij eerst de omgeving verkent, voordat hij zinloze drijfjachten laat plaatsvinden, wel eens een teken van zijn slimheid kunnen zijn.' Hij schoof een stuk brood in zijn mond. 'We zullen wel zien wat hij bereikt.'

'En wie mag u dan wel wezen, monsieur, dat u voor die krakeelmaker naast u in de bres springt?'

'U hebt zichzelf ook niet voorgesteld, waarom zou ík dat dan moeten doen?' diende Jean de man van repliek terwijl hij naar de deur wees om zijn zoons te verstaan te geven dat ze vertrokken. Hij wilde zich niet met een zinloos twistgesprek inlaten. Hij stond op, Pierre en Antoine volgden zijn voorbeeld. Maar Malesky wilde de ontwikkelingen nog even afwachten.

'Jij bent die Chastel!' werd de wildschut nog achternageroepen. 'Dat woudmens dat met dieren praat. Wie weet wordt het Beest niet gevangen omdat jij dat schepsel een schuilplaats biedt.' Deze woorden kwamen akelig dicht bij de waarheid en Pierre liet schuldbewust zijn hoofd hangen.

Jean hoorde stoelpoten over de houten vloerdelen schuiven, er was nog iemand opgestaan. Hij voelde de angst in zich opwellen.

'We hebben gehoord dat jij en je zoons vaak daar opduiken waar het Beest iemand aanvalt. Heb je er soms iets mee te maken, Chastel?' Een tweede agressief klinkende stem had zich bij de kapitein aangesloten. 'Zijn we in deze gelagkamer nu soms dichter bij de oplossing van dit raadsel gekomen dan buiten in de bossen van de Gévaudan?'

'Mijn zoons en ik zijn jagers die de tienduizend livre van de koning willen verdienen.' Hij dwong zichzelf rustig te blijven, riep zijn trillende benen tot de orde en liep naar de uitgang. Onderweg greep hij zijn zoons vast die aanstalten maakten om op de twee mannen af te stormen, en trok hen mee. 'Vraag maar aan monsieur Malesky of we iets met die bloedbaden te maken hebben.'

'Maar ik vraag het aan jóú, Chastel,' ging de eerste van de twee mannen door. 'Je zoon Antoine loopt achter kleine meisjes en jonge vrouwen aan. Wekt het geen achterdocht bij je dat het Beest jacht op dezelfde soort prooien maakt?'

Nu was de maat vol. Deze vreselijke beschuldiging en plein public mocht Jean niet over zijn kant laten gaan, en dus draaide hij zich om zodat hij beide sprekers in de ogen kon kijken. De tweede, kleinere man droeg de kleuren van de Duc d'Orléans, een bloedverwant van de koning. Nu werd het dubbel zo gevaarlijk, want iedere kritiek kon als majesteitsschennis worden uitgelegd. 'Messieurs, hoedt u voor dergelijke kletspraatjes,' waarschuwde hij hen. 'Ik laat me dit niet welgevallen.'

Antoine hief zijn vuist. 'Kom maar op, blaaskaken! Dan zal ik wat verstand in jullie kop slaan.'

De kleinste van de twee vreemdelingen keek hem onderzoekend aan. 'Moet je die in zijn kuif gepikte hond horen blaffen. Of moet ik zeggen, dat in zijn kuif gepikte Beest?' Hij wees naar de uitgang. 'Eruit en scheer jullie weg naar de Mont Chauvet, zoals alle mannen in de parochie door de Beauterne in naam der koning is bevolen. Vandaag wordt er gejaagd.'

Jean pakte zijn zoons en duwde ze hardhandig naar buiten voordat ze toch nog op de vuist gingen. Zo snel als ze konden haastten ze zich naar de Mont Chauvet om mee te doen aan de drijfjacht. En om niet nog meer verdenkingen op zich te laden.

De Chastels stonden opgesteld op een grote granietrots om beter zicht te hebben op de omgeving aan de voet van de indrukwekkende berg en op de zoom van een dicht bos dat zich langs de hellingen van de Mont Chauvet uitstrekte. Boven de boomgrens lagen met stenen bezaaide, schrale heidevelden vol bremstruiken. Op enige afstand verhieven zich de steile toppen van de Mont Mouchet en de Mont Grand. Er leek geen einde aan de jacht te komen. Zo nu en dan hoorden ze het knallen van musketten, waarvan de echo's uit kloven kwamen gerold en vertraagd van de berghellingen terugkeerden.

'Het is verbazingwekkend dat er überhaupt nog wolven zijn die kunnen worden doodgeschoten,' zei Pierre en hij luisterde. 'De Beauterne heeft hen allemaal in naam der koning de oorlog verklaard.'

'Het is niet best dat de Beauterne dit gebied als verblijfplaats van het Beest beschouwt,' antwoordde Jean, terwijl hij zijn hoofd omdraaide naar Antoine die languit op de grond lag voor een dutje, de driesteek over zijn gezicht. 'Jouw doen en laten lokt hem hierheen.'

'Míjn doen en laten? Pierre is net zo schuldig als ik,' antwoordde Antoine met een gedempte stem, maar ze konden horen dat hij daarbij grijnsde. Het kon hem steeds minder schelen dat hij meedogenloos mensen doodde en verminkte.

Jean sloeg woedend Antoines hoed weg. 'We gaan Surtout opofferen.'

Antoine kwam met een ruk omhoog, zijn ogen fonkelden. 'Wat?'

'Het is de beste verklaring en zal de Beauterne tevredenstellen. We geven hem een dier dat toch al door alle mensen verdacht wordt.' Jean had lang over deze stap nagedacht. 'Daarna breng ik je weg tot ik het echte Beest heb neergeschoten.'

'Jullie blijven allebei met je poten van Surtout af!' snauwde Antoine. 'Ik wil het niet hebben. Hij wordt níét jullie zondebok.'

Door het geluid van snel hoefgetrappel keken de drie mannen op. Ze zagen een ruiter die vanuit het westen hun uitzichtpunt naderde. Het was de eerste keer dat Jean hem van dichtbij zag: Jean François Charles, comte de Morangiès, zesendertig jaar oud, er goed uitziend en nog beter gekleed. Hij was de zoon van de oude comte die in tegenstelling tot zijn nakomeling zeer hoog stond aangeschreven.

Jean wist dat de jonge comte officier was geweest en roemloos uit het leger was ontslagen. Sindsdien zorgde hij er met zijn gedrag voor dat de goede naam van zijn familie flink werd beschadigd. Vrouwen, kansspelen van allerlei slag, ook wel eens een duel als hij zich daartoe geroepen voelde. Nu eens was hij in de Gévaudan, dan weer in Parijs.

Jean zette zijn hoed af voor de aanzienlijk jongere man. '*Bonjour, seigneur.*'

De Morangiès, een modieuze driesteek op zijn witte pruik, zijn musket achteloos over zijn schouder, knikte nauwelijks zichtbaar. 'Ik groet u, messieurs. Heeft u nog resultaten geboekt?'

Antoine grijnsde amicaal naar de edelman alsof het een kroegmaat van hem was. 'Nee, seigneur.' Hij floot hard en onmiddellijk kwam Surtout uit de bosjes vlak naast de comte tevoorschijn.

Jean hield zijn adem in. Normaliter beschouwde de mastiff alles – behalve zijn baas – als een bedreiging waarop hij zich met liefde wilde storten. Maar tot Jeans verbazing keek Surtout geen moment omhoog. Hij ging hijgend met zijn tong uit zijn bek naast hun rotsblok zitten.

'Jammer, jammer,' zei de Morangiès met gespeeld medelijden. 'Nu heeft de wonderjager des konings alweer gefaald. Dat zal het hof zeker interessant vinden. Nog altijd sterven er mensen, afgeslacht door een Beest dat zijn slachtoffers ondertussen zelfs uitkleedt en hun kleren aan de kant van de weg laat liggen. Als u het mij vraagt, zijn we op jacht naar een demon in plaats van naar een wolf.' Hij tilde zijn hoofd op en zijn ogen richtten zich op de hellingen van de Mont Chauvet. 'Het schijnt dat het voor vandaag is gedaan, messieurs.'

Jean volgde de blik van de comte en zag dat er drijvers over de met stenen bezaaide velden naar beneden kwamen. Ze sleepten twee magere wolven met zich mee, meer had de jacht niet opgeleverd. Te weinig om de mensen gerust te stellen.

'Monsieur Chastel,' zei de Morangiès vriendelijk tegen Antoine, 'weest u alstublieft zo goed om in de komende dagen een van uw welpen naar mijn kasteel in Villefort te brengen. Ik zoek weer honden die iets in hun mars hebben.'

'Zeer zeker, seigneur.' Antoine bleef grijnzen.

'Mooi zo.' De Morangiès wendde zijn paard. 'Breng de Beauterne de hartelijke groeten van mij over. Ik wacht niet langer, ik heb wel wat beters te doen dan mijn waardevolle hengst schrammen te bezorgen als ik hem door die van de teken wemelende bremstruiken moet jagen, mijn rock te beschadigen en op magere wolven te schieten.' Hij hief zijn hand op. '*Au revoir, messieurs.*'

Ze beantwoordden zijn afscheidsgroet. Toen hij buiten gehoorsafstand was, staarde Pierre zijn broer aan. 'Wat moet jij nou met de comte?'

'Ik bezorg hem zijn honden,' zei hij luchtigjes. Hij ging weer op de rots liggen en deed zijn ogen dicht. 'Hij weet hun kwaliteiten te waarderen.'

Jean vermoedde wat de comte met de honden wilde uitspoken. 'Honden die voor hem vechten tegen weddenschappen, ja, hè?'

'Wat is daar erg aan? Ik fok de beste.' Zonder iets te zien wees hij met zijn hak naar Surtout. 'Al zijn nakomelingen hebben gewonnen. De comte zou me graag meenemen naar Parijs. Daar kan ik met mijn honden heel veel geld verdienen, in plaats van dat hongerloontje van de markies terwijl ik op zijn bos pas.'

Weer kwamen er paarden aan, deze keer van de andere kant. Twee mannen, die tot de eenheid van de Beauterne behoorden, menden hun rijdieren een eindje van de Chastels vandaan uit een bosje het smalle pad op. Jean herkende hen onmiddellijk; het waren de twee mannen met wie ze in Saugues op een haartje na op de vuist waren gegaan. Hij wist inmiddels ook hoe ze heetten. De achternaam van de kleinste was Lachenay en hij was jager in dienst van de Duc d'Orléans, de andere heette Pélissier en behoorde tot de Koninklijke Garde.

Surtout gromde woedend, waardoor de paarden bleven staan.

Antoine deed zijn ogen open en tilde zijn hoofd op. 'Aha, kijk eens aan,' zei hij zachtjes en hij keek toen om zich heen. Er was verder niemand te zien. 'Die komen als geroepen voor een pak slaag.' Hij keek naar Surtout. 'Let op, Surtout!' siste hij. De reu ontblootte zijn lange tanden die zeker niet onderdeden voor die van het Beest.

'Ben je gek geworden?' Pierre sprong van de rots en pakte de mastiff bij zijn halsband. 'Ik heb hem vast, hoor, messieurs!' riep hij naar hen. 'U kunt dichterbij komen.'

'Is het echt veilig?' vroeg Lachenay voor de zekerheid.

'Ja!' riep Pierre. 'Er kan u niets gebeuren.'

Pélissier begon als eerste te rijden, maar na tien pas zakten de hoeven van zijn paard plotseling weg. Het dier was onmiddellijk in alle staten en probeerde aan de verzwelgende aarde te ontsnappen. Hij nam een enorme sprong en wierp Pélissier af, die daarna tot zijn middel in de weke grond wegzakte.

'Een zompgat,' zei Antoine luid lachend en hij klapte enthousiast in zijn handen. 'Uitstekend gedaan, Pierre! Uitstekend!'

'Ik wist niet dat er daar één zat,' zei Pierre verbouwereerd terwijl hij zijn vader aankeek. Jean zat op de rots en zag hoe de gardist steeds dieper wegzakte. Het slijk stond nu al tot zijn borst. Lachenay durfde niet dichterbij te komen en wist niet hoe hij zijn vriend moest helpen.

Jean beviel het wel. Hij kwam die twee dadelijk wel te hulp, maar ze mochten nu nog een beetje boeten voor wat ze in het logement hadden gezegd. 'Hadden jullie maar beter op de weg moeten letten!' riep hij.

'Uw zoon zei dat het veilig was!' schreeuwde Pélissier buiten zichzelf. Lachenay had een lange tak afgebroken en stak die de gardist toe.

'Ik bedoelde vanwege de hond,' verdedigde Pierre zich. Hij keek zijn vader verbaasd aan die absoluut geen aanstalten maakte om in beweging te komen. 'Wat is er? Wil je soms zien hoe hij verzuipt?'

'Ja, heel graag!' krijste Antoine die zich een bult lachte. 'Laat die ploert maar in het moeras verzuipen! Dat komt ervan als je de streek niet kent, stelletje blaaskaken!' Hij gleed van de rots af. '*Alors*, onderdeurtje! Beweeg je niet te veel, anders wordt je broek sneller van je kont getrokken dan een hoer dat doet!'

Lachenay was het ondertussen gelukt om Pélissier houvast te geven en hem langzaam uit het slijk te trekken. De gardist raakte zijn beide laarzen en zijn degen kwijt, een offergave aan het moeras.

Jean grijnsde. Dat scheelde hem weer zweetdruppels. Maar voor de koninklijke gardist was de zaak nog niet afgedaan.

Hij zocht zich een weg om het zompgat heen, kwam inclusief smerigheid en stank op Antoine af en pakte hem bij zijn kraag. 'Schoft! Galgenaas! Ik laat je in het gevang smijten totdat het vlees van je botten is gerot!'

Jean gleed van de rots op de grond om in te grijpen voordat er ongelukken gebeurden. Pierre kon Surtout nog net in bedwang houden. De hond probeerde als een razende bij Pélissier te komen die hij onmiddellijk zou hebben verscheurd.

Antoine brak los uit de greep van de gardist en begon hem onmiddellijk te slaan. Maar Lachenay stond inmiddels naast Pélissier en gaf Antoine een klap in zijn gezicht waardoor hij achterover tegen de rots tuimelde. 'O, nu wordt het pas echt leuk!' riep Antoine. 'Surtout, af!' En toen ging hij de twee mannen te lijf.

Het werd een wilde knokpartij waarbij Jean en Pierre wel moesten ingrijpen. Antoine deelde met zo'n kracht klappen uit dat de neuzen van de vreemdelingen al snel braken, hun ogen werden dichtgeslagen en opzwollen, en hun lippen en huid barstten. De mastiff bleef na het bevel van zijn baasje zitten alsof hij wortel had geschoten, gromde en blafte, maar kwam niet tussenbeide.

Bij een poging een hoekstoot van Antoine af te weren, brak Lachenay zijn onderarm, en de daaropvolgende zwaaistoot verbrijzelde zijn bovenkaak. Bebloede tanden vielen op de grond.

Pélissier had Pierre tegen de grond gegooid en wilde Jean aanvallen toen Antoine hem van opzij besprong waardoor hij eerst tegen de rots en daarna op de grond kwakte. Met een rauwe kreet tilde Antoine zijn laars op, de hak gericht op de schedel van de overwonnene.

'Stop!' Het was Lachenay gelukt om ondanks zijn verwondingen zijn musket op Antoine te richten.

Zonder na te denken pakte Jean zijn eigen musket en legde aan op de jager van de Duc. 'Weg met dat wapen!' Pierre rolde om en greep ook zijn geweer. De loop zwenkte naar Lachenay.

Antoine hield zich in omdat hij begreep wat zijn volgende actie tot gevolg zou kunnen hebben. Langzaam liet hij zijn laars zakken en in plaats daarvan spuugde hij naar de liggende man; zijn groene ogen fonkelden woest. 'Dat komt er nu van.' Antoines lange, zwarte haar hing als een donkere wolk om zijn gezicht en verborg zijn witte gelaat.

'We gaan,' beval Jean bars en hij liet zijn musket zakken. Zijn hart klopte als een bezetene terwijl het tot hem doordrong wat voor vreselijke dingen hij zojuist met zijn zoons had aangericht.

'Ik wil eerst nog...'

'WEGWEZEN!'

De volgende dag, toen de Chastels weer op jacht waren, werden ze door een groep soldaten overmeesterd en gearresteerd.

XVIII

Hongarije, Budapest, 16 november 2004, 07.43 uur

Eric werd wakker van de pijn in zijn nek. Hij opende zijn ogen en zag Lena in ochtendjas naast zijn koffer staan. Ze keek naar de heldere vloeistof die uit een flesje op haar geopende hand druppelde.

Eric zette zijn bril op zodat hij beter kon zien. Het flesje kwam niet uit de aangeschafte berg medicijnen... maar uit zijn toilettas! Lena telde de druppeltjes mee en zou het middel – als hij haar niet tegenhield – oplikken, zoals op het flesje stond voorgeschreven. Hoe kon zij weten dat het niet het op het etiket vermelde goedje was? Haar hand ging naar haar mond.

'Niet doen!' Eric vertrouwde er niet op dat ze naar hem luisterde. Hij nam een snoekduik vanuit het bed en wierp zich op haar. Tijdens hun val haalde hij nog een kunststukje uit door om haar heen te draaien zodat ze boven op hem zou landen en zich niet door de smak verwonden. Ze vielen op het tapijt.

Ze lag boven op hem. Haar ochtendjas stond wijd open waardoor haar borsten open en bloot en verleidelijk dicht voor Erics gezicht bungelden. Hij zag elk nog zo klein detail, bijvoorbeeld het minuscule levervlekje boven de linkertepel, de gladde rozerode tepelhoven en een vaag litteken onder de rechterborst. Hij was dol op secundaire geslachtskenmerken.

Maar deze aanblik werd hem ontnomen, omdat Lena de panden van de jas tegen elkaar trok. Haar groene ogen zagen er boos en overdonderd uit terwijl ze probeerde haar haren uit haar gezicht te strijken. 'Ik ben erg benieuwd naar je uitleg,' zei ze. Ze kroop niet van hem af.

'Wie heeft er tegen je gezegd dat je in mijn toilettas mocht kijken?'

'Ik had keelpijn en in je gezinszak vol wondermiddeltjes kon ik niets vinden. Toen heb ik mezelf veroorloofd even te kijken.' Ze rook aan haar hand waarop nog steeds wat vocht glinsterde. 'Is het over de houdbaarheidsdatum heen?'

'Het is speciaal voor mij gemaakt,' zei hij ontwijkend en hij genoot van haar geur die hem als een verrukkelijke golf omspoelde. De warmte van haar lichaam drong door haar ochtendjas en zijn kleren heen tot op zijn huid. Het wond hem mateloos op. 'Ik heb dat flesje ermee gevuld omdat ik niets anders bij de hand had.'

'Het helpt dus niet bij keelpijn?'

'Het is niet tegen keelpijn.' Hij keek demonstratief naar beneden. 'Ben ik lekker? Wil je zo op me blijven liggen?'

'Wat is het voor middeltje?'

'Dat gaat je niks aan.'

'Maar stel nou dat ik daardoor samen met jou bij de douane word gearresteerd?'

Het werd Eric nu echt te veel: of hij kuste haar ter plekke en verleidde haar of ze moest van hem af voordat ze zijn mannelijke opwinding zou gaan voelen, wat hij een beetje gênant vond. Ook dat was geheel nieuw. Hij had zich er nog nooit voor geschaamd om een aantrekkelijke vrouw zijn begeerte te tonen.

Hij besloot het verleiden maar naar een later tijdstip te verschuiven. 'Wat wil je als ontbijt?'

Ze begreep dat die koppige klootzak er verder niets over wilde zeggen. Nu ze van de eerste schrik was bekomen, werd ze zich ervan bewust dat ze met enigszins gespreide benen op zijn dijbeen lag. Een langwerpige zwelling drukte het leer van zijn broek tegen haar naakte lies. Lena zocht Erics blik, verlangde naar zijn stilzwijgende goedkeuring voor wat ze op het punt stond te doen.

Haar handen leken hun eigen gang te gaan. Haar rechterhand streek langs zijn gezicht, over de zwarte bakkebaarden, over zijn sikje. Ze voelde hoe de zwelling tegen haar lies toenam en harder werd. 'Heb ik je al bedankt omdat je mijn leven hebt gered?' vroeg ze hees. De lust sloeg op haar stem.

Hij slikte. 'Ik hou niet van nummertjes uit verplichting.'

Ze grijnsde. 'Vertel dat maar tegen die slang in je broek.' Lena boog haar hoofd naar voren. 'En het zou me een genoegen zijn, geen verplichting.' Haar bruine haar kriebelde in zijn gezicht en haar lippen stonden een klein stukje open.

Nu was het echt gedaan met Erics beheersing. Hij schoof haar ochtendjas open, kwam daarbij overeind, stroopte hem van haar schouders af, drukte zijn gezicht in haar hals en kuste haar. Zijn handen streelden haar borsten.

Lena trok zijn hemd uit. Hij voelde haar vingers uitdagend over zijn rug strijken; ze ademde sneller. Hij kon haar opwinding ruiken die uit iedere porie drong en naar bevrediging verlangde.

'Jouw job is goed voor je spieren,' zei ze plagend. Ze ging op zijn dijbeen zitten en maakte zijn riem en de knoop van zijn broek los. Haar hand glipte in zijn onderbroek. Wat ze te pakken kreeg en uit de stof bevrijdde, maakte haar gretig. Ze trok de rest van zijn kleren met een ongelofelijke snelheid uit, hielp hem overeind en dirigeerde hem naar het bed.

Eric grijnsde breed en liet zijn hoofd hangen. Zijn lichtbruine ogen in combinatie met zijn lange zwarte haar dat met een diepe schaduw over zijn gezicht viel, zagen er gevaarlijk en agressief uit. Lena moest even slikken; Eric leek op dat moment wel dierlijk, puur, en heel mannelijk.

Zijn gezicht bewoog weer naar haar hals, rook aan haar zonder dat zijn neus haar huid beroerde. Hij snoof haar geur op, lette op iedere nuance en verkende zo haar lichaam, gleed naar beneden, tussen haar borsten door over haar platte buik tot in haar kruis, terwijl de puntjes van zijn haren over haar huid streken. Hij genoot ervan, nam de tijd en maakte haar hoe langer hoe meer tot zijn slavin.

Pas nu mochten zijn handen echt meedoen, aaiden haar middel, haar buik, en kwamen aan de binnenkant van haar dijen tot stilstand. Zijn tong gleed zachtjes over haar intiemste delen, dook naar binnen en raakte de plek aan waarmee hij haar buiten zinnen kon brengen. Lena hapte naar adem, een opwindende tinteling joeg door haar onderlichaam en behendig liet Eric die genadeloos toenemen.

Zonder dat ze het merkte, deed hij een condoom om. Ze kromp ineen toen hij haar bij haar heupen pakte en op zijn schoot trok. De spieren van zijn naakte bovenlichaam en zijn armen trilden. De kracht waarmee hij haar optilde en op zijn penis liet zakken, was goed gedoseerd, doelgericht maar niet dwingend.

Lena verlangde naar hem. Langzaam liet ze hem bij haar naar binnen glijden, centimeter voor centimeter, je reinste genot en foltering omdat het haar niet snel genoeg ging. Ze duwde Erics bovenlichaam naar beneden en nam het initiatief over. Ze reed op hem, bewoog kreunend, haar stevige borsten zwaaiden lichtjes in het ritme mee.

Hij liet haar haar gang gaan, streelde haar liezen, liefkoosde haar witte buik, tot hij zag hoe dicht ze bij haar opperste extase leek te zijn. Nu was het zijn beurt om haar mee te voeren naar de voor haar nog onbereikte hogere regionen van de lust.

Eric kwam snel omhoog, duwde haar onverwachts naar achteren en ving haar bovenlichaam op vlak voor ze het bed zou raken. Zijn heupen volgden de beweging en zorgden dat hun eenheid niet werd verbroken. Lena schreeuwde zachtjes van de schrik en van deze tot nu toe onbekende opwinding.

Eric ontdekte al snel welke bewegingen ze prettig vond, las zijn prestaties aan Lena's extatische gezichtsuitdrukking af. Haar gekreun werd steeds luider, en ten slotte verloor ze de controle over zichzelf. Eric hield niet op met zijn kwellingen, zijn vingers speelden met haar gevoeligste plekjes terwijl hij de snelheid van zijn stoten opvoerde.

Lena zweette. Hij tilde haar weer op en drukte haar bovenlichaam tegen het zijne om in haar geur op te gaan, likte haar huid, haar borsten, proefde het zout. Het was zijn drug.

Met een onderdrukte schreeuw bereikte ze haar hoogtepunt, haar nagels sloegen zich in zijn rug en tekenden daar bloedige rode lijnen.

Eric tilde haar van zich af en legde haar op haar buik op het laken. Hij spreidde langzaam haar benen, zo ver mogelijk. Ook hij wilde meer, kon niet ophouden, verlangde naar de totale openbaring. Hij streelde haar billen, zijn vingers gleden slechts licht over haar vrouwelijkheid en vergrootten het verlangen opnieuw één te worden. Toen drong hij bij haar naar binnen. Lena kwam onmiddellijk klaar. Ze schreeuwde niet, maar hij merkte het aan de spiertrekkingen, aan haar handen die de deken vastklampten, en aan aan haar diepe, lage gekreun.

En hij begon pas.

Na het vierde orgasme maakte hij een eind aan haar verrukkelijke kwelling en trok zich terug. Hij sloeg zijn armen van achteren om haar heen en kuste haar natte nek. Ze smaakte geweldig. Nooit meer zou hij die smaak vergeten.

Lena's hart ging als een razende tekeer en leek niet meer tot rust te kunnen komen. 'Doe dat nooit meer,' zei ze buiten adem toen ze weer wat kon zeggen – en ze bedoelde eigenlijk precies het tegenovergestelde.

Hij gleed met zijn vingers over haar schouderblad, beet haar zachtjes in haar nek en stond op. Iets was anders dan anders geweest, meer dan alleen maar de pure daad. Hij had een emotionele nabijheid gevoeld, een vibratie waar hij bang van werd en die hij tot nu toe nog nooit had toegelaten. Dat was... niet goed.

De telefoon rinkelde. Eric liep naar het toestel en liet doorverbinden. Het gesprek was kort. 'De receptie,' legde hij even later aan Lena uit en hij trok zijn onderbroek aan. 'Kleed je aan. Het vliegveld is weer open. We ontbijten daar.'

Lena rolde om, in haar ogen was teleurstelling te zien en verbazing over zijn weer zo kille houding. Maar ze zei niets. Deze man bleef voor haar ondoorgrondelijk.

XIX

19 augustus 1765, Saugues, Zuid-Frankrijk

Het stonk verschrikkelijk in de kerker, de grond was koud en vochtig. De Chastels bevonden zich in een grote, rechthoekige cel met één wand geheel bestaand uit tralies waardoor de bewakers hun gevangenen voortdurend in de gaten konden houden.

Jean en Pierre lagen opgerold tegen de rechtermuur, op de met vochtig stro bedekte vloer, en sliepen. Antoine zat ineengedoken op een half vermolmde brits onder het smalle lichtgat waardoor slechts één zonnestraal in hun kerker viel. Hij wist niet hoe hij de komende dagen moest doorkomen. Hoe hij een gedaantewisseling kon onderdrukken. Zijn hele lijf kriebelde, zijn huid jeukte continu. Zijn verstand verzette zich tegen het idee nog langer in dit hol te moeten doorbrengen. Het Beest in hem schreeuwde om zijn vrijheid, sloeg vanbinnen tegen zijn huid en ging tekeer, dreigde tevoorschijn te komen en zich met geweld een weg uit zijn gevangenis te banen.

Zachte stappen klonken, een gedaante in een zwarte cape daalde de trap af en bleef voor de tralies staan. De hoed wierp een schaduw over het gezicht waardoor het onherkenbaar was. Een zwarte handschoen wees naar Antoine. 'Kom hier,' fluisterde een bekende stem. 'Doe zachtjes, zodat de anderen niet wakker worden.'

'*Seigneur le comte!*' Antoine stond onhoorbaar op en haastte zich naar de Morangiès.

De man glimlachte. 'Je hebt de honden niet gebracht die je me had beloofd. Toen ik op onderzoek uitging waar je was gebleven, hoorde ik wat jullie met z'n drieën hadden uitgespookt.'

Antoine liet zijn hoofd zakken. 'Die smeerlappen hadden het verdiend.'

De vuist van de comte schoot naar voren, pakte Antoines jas en trok hem ruw tegen de tralies. 'Idioot die je bent!' siste hij woedend. 'Laat je toch niet altijd zo meeslepen! Hoe kon je nu zo stom zijn om mannen in dienst van de Duc en de koning aan te vallen? Normaliter word je daarvoor tot de galeien of God mag weten waar tot dwangarbeid veroordeeld.' Hij duwde hem plotseling weer naar achteren. 'Heb je ook maar enig idee hoe moeilijk het zal zijn om jullie uit de gevangenis te halen?'

'Denkt u... denkt u dat u kans ziet ons te redden?' Antoine zette grote ogen op en zonk voor hem op zijn knieën. 'Mijn eeuwige dank, seigneur!'

'Niemand mag er ooit achter komen dat ik jullie heb geholpen, begrepen?' zei hij met een snijdende stem. 'De Beauterne is door het hof hierheen gestuurd en je moet zijn invloed niet onderschatten. Maar het zal me lukken. En als het mij niet lukt, dan mijn vader wel.' De Morangiès glimlachte kil en gaf Antoine een stevige maar goedbedoelde tik tegen zijn stoppelige wang. 'Wie zou mij anders zulke goede honden kunnen leveren? Zonder jou win ik gewoonweg niet.'

'Niemand kan dat, seigneur. Dat heb ik al een keer op Menorca bewezen, nietwaar?'

'Inderdaad, Antoine.' De Morangiès keek naar Pierre die zich kreunend op zijn zij had gerold. 'Nog even geduld en dan gaan we naar Parijs. Ze zijn daar al heel nieuwsgierig naar wat die door jou gefokte honden kunnen presteren.'

'Seigneur, die de Beauterne...' zei Antoine aarzelend. 'Hij drijft ons steeds meer in het nauw. Het is bijna niet meer mogelijk om ongemerkt...' Zijn gezicht kreeg een angstige uitdrukking. 'Seigneur, ik ben bang dat hij mijn honden doodschiet. Mijn lieve vrienden. Dan is het met het fokken ook gedaan...'

'De Beauterne zal binnenkort geen probleem meer zijn. Ik heb een plannetje waardoor we definitief geen last meer van hem zullen hebben. De voorbereidingen worden op dit moment getroffen,' onderbrak de comte hem. 'En tegen jou, Antoine, zeg ik alleen maar: wees voorzichtig!' Hij gaf hem een klap op zijn schouder. 'Binnenkort zijn jullie weer vrij. Dat beloof ik je.' Met een elegante zwier draaide hij zich om en klom de trap weer op.

'Mijn eeuwige dank, seigneur!' riep Antoine hem met gedempte stem achterna terwijl hij zijn hand ten afscheid ophief. Snel keerde hij terug naar de brits, trok zijn benen op en keek naar de lichtvlek op de bodem van hun cel. Hij was volkomen rustig. De spanning in zijn lijf, de knagende angst was plotsklaps verdwenen, het Beest weer zo mak als een lammetje. Op de comte kon hij vertrouwen. Zijn goede vriend. Zijn mentor.

21 september 1765, in de buurt van Saint-Marie-des-Chazes, Zuid-Frankrijk

Hoe meewarig luitenant Antoine de Beauterne ook door de mensen was behandeld toen hij door de Gévaudan dwaalde en de ene schets na de andere van de heidevelden, grasvlaktes, bossen, bergen en heuvels maakte, nu bleek toch dat de gevolmachtigde van koning Lodewijk XV zijn werk zeer zorgvuldig aanpakte. Het Beest scheen echter te hebben begrepen dat het net van de Beauterne zich langzaam om haar sloot – en brak volledig onverwachts uit. Er waren meldingen dat er in de omgeving van Langeac weer een paar mensen waren aangevallen, ver buiten het gebied van de Drie Bergen waar de Beauterne vermoedde dat het hol van het Beest lag. De volgende drijfjacht werd naar dat dorp verplaatst.

Op een nevelige dag in september riep de Beauterne op tot een grote jacht in de bossen van Pommier, waaraan ook Jean Chastel weer kon deelnemen. Hij had het al voor zich gezien dat hij de rest van zijn leven in een steengroeve zou moeten doorbrengen. Om een echter voor hem onverklaarbare, maar niettemin zeer heuglijke reden had de rechter in Saugues hem en zijn zoons vrijgelaten en hun alleen een vermaning gegeven dat ze de volgende keer bij een dergelijk voorval absoluut niet meer op zo'n milde behandeling hoefden te rekenen. Zijn zoons had hij achtergelaten in een van Antoines hutten, vastgeketend in de kelder. Jean had nieuwe kluisters aangebracht die zouden moeten voorkomen dat ze zich na hun gedaantewisseling uit de boeien konden bevrijden. Alleen op die manier wist hij zeker dat geen van beiden tijdens de jacht in de gedaante van een loup-garou recht in de loop van zijn geweer zou kijken.

Het Beest moest eindelijk de dood vinden. Te vaak was ze aan hem en andere jagers ontsnapt. Bovendien was zijn geweer deze keer met zilveren kogels geladen.

Nog maar net op het verzamelpunt aangekomen zag hij de Moldaviër en Jacques Denis weer. Jean telde in totaal veertig jagers, minstens honderd drijvers en twaalf honden die aan hun lijnen trokken en rukten.

'Bonjour, monsieur Chastel,' riep Malesky blij en hij liep op hem af, zoals zo vaak met het knijpbrilletje met blauwe glazen op zijn neus. 'Hebt u uw nachten in de kerker van Saugues goed doorstaan? U neemt het me toch niet kwalijk dat ik niet bij dat knokpartijtje heb ingegrepen?'

'Hebt u het gezien?'

'Ik kwam uit het bos en zag het gebeuren. Maar ik wilde liever mijn vrijheid behouden, om mijn krachten met het Beest te kunnen blijven meten. Daarom heb ik niet ingegrepen.' Hij keek Jean onderzoekend aan. 'Vreemd genoeg schijnt ze een rustpauze ingelast te hebben zolang u buiten gevecht was gesteld. Heeft ze soms op u gewacht?'

'Ik neem het u niet kwalijk, monsieur Malesky, dat u niets hebt gedaan, maar uw toespelingen beginnen nu wel erg op dat domme gezwets te lijken dat ik een paar weken geleden in het logement moest aanhoren, en u weet hoe het is afgelopen met degenen die hun mond niet konden houden.' Jean knipoogde en deed net alsof hij het niet serieus meende, maar de Moldaviër begreep het verkapte dreigement maar al te goed. 'Wat de kerker betreft, dat is een ervaring die ik u beslist een keer kan aanraden,' zei hij zwakjes glimlachend. Hij herinnerde zich dat hij Antoine drie keer bewusteloos had moeten slaan om hem te behoeden voor een gedaanteverandering en aldus hun eigen leven veilig te stellen. Pierre had weinig problemen met hun gevangenschap gehad; hij had geen enkele aanval gehad. Waarschijnlijk omdat hij een sterker karakter had dan zijn broer.

'Monsieur Chastel, wat ben ik blij u weer te zien.' De blonde Jacques kwam bij hen staan, zijn musket in zijn linkerhand, en gaf hem een hand. 'Heb ik u na Malzieu wel bedankt dat u mijn leven hebt gered?'

'Dat hebt u, monsieur Denis. Misschien doet zich voor u vandaag de gelegenheid voor om het mijne te redden.' Jean had besloten de jongeman als een volwassene te behandelen. Hij had te veel meegemaakt om nog een kind te kunnen zijn. Jean wees naar Jacques' wapen. 'Een fraai exemplaar.'

'Een afscheidsgeschenk van monsieur Denneval.' Jacques zou blij moeten zijn met het musket, maar hij klonk verbitterd. Hij nam het de Normandische wolvenjagers ronduit kwalijk dat ze hem in de steek hadden gelaten en onverrichter zake – afgezien van honderden dode wolven en hun pelzen – uit de Gévaudan waren afgemarcheerd. Het Beest, dat zijn zus de kolder in de kop had bezorgd en zijn vriendin Marguerite had gedood, liep nog steeds vrij rond. 'Sinds de Dennevals de aftocht hebben geblazen, ga ik op eigen houtje op jacht.'

Malesky keek naar de andere jagers. 'Als ik hen zo zie, ben ik niet bang dat ik die tienduizend livre aan een van hen kwijtraak, behalve misschien aan die schotvaste luitenant de Beauterne zelf.'

Zijne Majesteits Persoonlijke Haakbusdrager, zoals zijn officiële titel luidde, ging juist boven op een omgevallen boomstam staan zodat iedereen hem kon zien. Hij was als een prins en niet als een jager uitgedost, maar toch maakte hij nauwelijks indruk. De dure kleding, de pruik en de hoed leidden veel te veel af van de man die erin stak. Achter hem stond Pélissier, nog steeds met flink wat zichtbare tekenen overgehouden aan de vechtpartij. Hij wierp Jean een blik vol haat toe.

'Bonjour, messieurs! Vandaag zal het geluk ons bij deze jacht gunstig gezind zijn, en u zult begrijpen waarom ik zoveel weken heb besteed om een indruk van de omgeving te krijgen. Thans komt de genade Gods ons te hulp. Het Beest is bij ons weggegaan en hierheen getrokken. De sporen die ik heb gevonden, wezen mij naar de Béalkloof, en daar zullen wij onze wolf omleggen die door menige bijgelovige een Beest en een bovennatuurlijk wezen wordt genoemd.' Hij wees voorbij de velden naar het bos dat zich rondom de kloof uitstrekte. 'Daar verbergt ze zich 's nachts, en u zult zien dat we haar kunnen neerschieten als welke andere Iezegrim ook. We vormen een kordon en lopen zo het bos in, trekken de strop om de kloof steeds strakker aan tot er geen ontkomen meer aan is.' Hij sprong van zijn primitieve podium, deelde de jagers en de drijvers in groepen in. De jacht kon beginnen.

In een brede linie marcheerden ze op het bos af dat er tegen de grijze horizon en door de dunner wordende mistflarden uitzag als een uitgeknipt silhouet. Zwermen kraaien stegen op uit de afgeoogste akkers en vlogen spiraalsgewijs omhoog tot ze in de nevel verdwenen en ze de mannen alleen nog maar met hun *kra-kra* achtervolgden.

'Dat verdomde rotweer!' vloekte Malesky terwijl hij zijn brillenglazen met een zakdoek van de neergeslagen condens bevrijdde. 'Ik hoop maar dat het kruit in de pan niet onbruikbaar wordt. Die nevelsluiers zijn nog erger dan regen.'

Eindelijk hadden ze het bos bereikt. Binnen niet al te lange tijd zouden ze het volledig hebben omsingeld, en nadat het hoornsignaal had geklonken dat aangaf dat de kring van drijvers en jagers was gesloten, drongen ze het bos binnen.

Niemand durfde ook maar een geluid te maken.

De drijvers liepen naast de jagers, de punten van hun spiesen en speren schuin naar beneden gericht. Het doel was niet het wezen te verjagen, maar te zorgen dat het niet kon ontsnappen. Een voortdurend gekraak en geknisper, geritsel en een zacht gerammel klonk in het herfstbos. Af en toe glipten eekhoorntjes geschrokken in een boom, hazen hupten er snel vandoor, zo nu en dan rende een ree voor de mensen weg. Meer verroerde zich niet.

Nog niet.

Jean, Malesky en Jacques behoorden tot de eerste groep die bij de ingang van de kloof aankwamen, een spookachtige, steile afgrond die een en al duisternis en griezelige geluiden was.

Een van de drijvers liep weg om de Beauterne in te lichten, de anderen wachtten met gemengde gevoelens van ongeduld, angst en hoop om nu een einde aan de verschrikkingen te maken. Voor eens en altijd.

'Het Beest voelt zich hier vast en zeker op haar gemak,' fluisterde Jacques die de loop van zijn musket niet meer wilde laten zakken sinds ze het bos in waren gelopen. Hij hield vol argwaan in de gaten of er iets in de duisternis bewoog.

Jean knielde naast een spoor neer, onderzocht de pootafdrukken die hij had gevonden en schatte aan de lengte de totale grootte van het dier in. Hij stond weer op en keek naar de Moldaviër, die zijn ogen op een andere plek op de grond gericht hield.

'Een grote wolf, nietwaar, monsieur Chastel? Ik heb van mijn leven zelden een indrukwekkender spoor gezien,' zei Malesky. Maar hij klonk teleurgesteld, hij had op een andere prooi gehoopt.

'Ja, een wolf,' zei Jean en hij vertrapte snel het verse spoor van het Beest dat hij tot nu toe met zijn voet voor de blikken van anderen had kunnen verbergen. Het wezen was pas onlangs de kloof in gelopen: ze moest per ongeluk de nauwe doorgang in zijn gedreven. Zijn hart sloeg van opwinding zo snel als een stampmolen. Jean dacht dat het Beest wel slim genoeg was om de wolf voor te laten gaan en pas uit de kloof te vluchten wanneer de schutters hun musketten opnieuw moesten laden.

De Beauterne naderde samen met de hijgende, aan hun lijnen trekkende honden, zijn musket half in de aanslag. En samen met de comte de Morangiès. 'Messieurs, houd uw musketten gereed. Mijn trouwe honden zullen de wolf uit de kloof jagen.' Hij trok de hanen van zijn geweer naar achteren en om hem heen klonk in veelvoud het geklik toen de veertig jagers hetzelfde deden. Daarna hief hij zijn musket op en legde aan op de ingang van de kloof. 'Laat ze los!' beval hij, en de lijnen van de meute werden losgehaakt.

Luid blaffend renden de honden het ravijn in en werden door de duisternis verzwolgen. Hun geblaf galmde als een echo terug naar de wachtende jagers, werd zachter en zachter, tot het volledig in de uitgestrektheid van de kloof verdween.

Er gebeurde niets.

De eerste jager liet zijn musket zakken; het wapen was samen met de onder het uiteinde van de loop aangebrachte bajonet te zwaar om lang in horizontale positie te kunnen houden. Hij gunde zijn vermoeide armen even rust en tilde ze toen snel weer op om de gelegenheid niet voorbij te laten gaan de held van de hele regio te worden.

Ook Jacques werd moe. Ten slotte ging hij op de grond zitten, trok één knie op en liet het geweer daarop rusten. Het was een gevaarlijke truc, want als het schot zijn doel zou missen en het Beest op wraak zou zinnen, dan bevond zijn keel zich op de juiste hoogte voor de onverbiddelijke tanden.

Ineens werd het opgewonden geblaf weer hoorbaar: de meute was op de terugweg. Wie goed luisterde, hoorde tussen het luider wordende blaffen een woest, zwaar gegrom en af en toe gehuil en gejank. Nu werden alle lopen opgetild, zelfs de meest verzwakte armen spraken hun laatste reserves aan. Maar de mannen zagen nog steeds niets anders dan duisternis. Door het constante gestaar droogden hun ogen uit en dat verleidde hen om te knipperen, wat op zijn beurt ook tot een mislukt schot kon leiden.

Jean concentreerde zich, zijn armen brandden, maar ze trilden nog niet. *Hou vol*, spoorde hij zichzelf aan.

Een enorme wolf kwam uit de kloof op hen afgerend. Het was een vrouwtje. Er kleefde bloed aan haar snuit dat van een van de honden afkomstig moest zijn. Ze zag de mensen die haar insloten en wilde meteen uitbreken.

Het eerste schot werd door luitenant Antoine gelost. De Morangiès en de overige jagers reageerden onmiddellijk na de knal van zijn musket. De kogel van de Beauterne trof de wolf tijdens een sprong in de rechterschouder, heel wat projectielen misten doel, maar eentje raakte de kop. Bloederige stukken vel en een oor werden weggeslingerd en het dier zakte in elkaar.

Toen de kruitdampen waren opgetrokken, stonden Jean en Malesky nog steeds met de loop van hun geweer op de donkere uitgang van de kloof gericht. De ene na de andere hond kwam eruit gerend en samen bleven ze rondom de neergeschoten wolf staan. Tussen het geblaf door klonken nu ook jachthoorns waar sommige mannen in triomf op bliezen om in de wijde omtrek te verkondigen dat de schrik van de Gévaudan was gedood.

'Mijn hoogachting,' zei de comte en hij boog voor de Beauterne. 'U hebt het Beest neergeschoten!' Hoewel het zijn rivaal zojuist was gelukt wat hij zo graag zelf had willen doen, maakte hij toch een zeer gelaten indruk.

'Mijn dank, comte. Messieurs?' De Beauterne draaide zijn met een pruik getooide hoofd verbaasd om naar Jean en Malesky die hun geweren nog steeds op de kloof hielden gericht. 'Rekent u op twee...'

Onverhoeds sprong de doodgewaande wolf op en viel de afgezant van de koning aan, die op het laatste moment alleen nog met zijn musket het dier op afstand kon houden. Hij zag dat de kogel alleen de schedel had geschampt en niet in de kop was binnengedrongen. De gewonde wolvin sloeg haar tanden in het hout en het metaal van het wapen, waardoor ze afbraken. Dat maakte het dier nog woester.

De jagers schoten, weer was er één kogel raak. Maar de wolf rende snel terug, keek achterom en bewoog zigzaggend op een plek in het kordon af waar de afstand tussen de mannen groter was. Het dier liep nu tergend langzaam, alsof ze haar superioriteit wilde tonen.

'U of ik, monsieur Chastel? Anders smeert ze 'm,' vroeg Malesky zachtjes over de haan van zijn musket heen.

'Als u wilt, schiet u die wolf maar neer, monsieur Malesky.'
'Maar waar wacht ú dan nog op?'
'Die vraag zou ik u ook kunnen stellen.'
'Maar ik vroeg het als eerste aan u, beste monsieur Chastel.'
'U bent geen rechter die ik verplicht ben te antwoorden.'

Ten slotte was het Malesky die – in een onverstaanbare taal vloekend – zijn musket van de ingang van de kloof wegdraaide, uiterst nauwkeurig op de nek van de wolf richtte en tweemaal de trekker overhaalde op het moment dat het dier tussen twee drijvers door draafde.

Deze keer bracht het lood de dood. Het gespierde lichaam verslapte onmiddellijk, iedere spanning verdween uit voor- en achterpoten inclusief de tenen, en zelfs uit de staart. De wolf zakte in elkaar, gleed door over de bladeren en bleef toen liggen.

De Moldaviër laadde geroutineerd zijn wapen opnieuw en was daarbij rapper dan Jean, zoals deze uit zijn ooghoek kon zien. Malesky had minder dan twintig seconden nodig voordat hij zijn musket weer in de aanslag kon houden.

'Messieurs! Het is gedaan met de jacht,' stelde de Beauterne vast. Hij kwam naar hen toe en duwde eerst Malesky's geweer naar beneden en daarna dat van Jean. 'Borg uw wapens en kom met mij mee naar het dorp waar we gezamenlijk de dood van het Beest zullen vieren! De klokken van de Gévaudan kunnen nu luiden voor de dood van het Beest en niet meer voor de dood van een van haar slachtoffers.' Hij werd kwaad toen de wildschut zijn musket weer wilde opheffen. 'Monsieur! Het is genoeg,' siste hij. 'Daar ligt het Beest...'

'Nee, dat is het Beest niet, seigneur de Beauterne,' sprak Jean hem zachtjes tegen. 'Tel uw honden maar na, dan zult u constateren dat er vier ontbreken. Geen wolf, zelfs dat indrukwekkende exemplaar niet, is in staat om in zo'n korte tijd vier honden te doden. En kijk maar, een van hen heeft krassen op zijn lijf alsof hij met een kat heeft gevochten, mon seigneur.'

De comte de Morangiès kwam naar voren. 'En ik zeg u dat 't het Beest wél is! Geen normale wolf zou een schot in zijn kop overleven. Een beter bewijs is er toch niet?'

Jean schrok. De uitdrukking in de ogen van de man maakte duidelijk dat hij precies wist dat hij met een doodgewone wolf van doen had! Wat voert hij in zijn schild, vroeg de wildschut zich af.

De comte wendde zich ondertussen tot de eveneens sceptische Malesky. 'U zult terstond getuigen, messieurs, dat we het gezochte wezen hebben omgelegd, anders zorg ik ervoor dat u beiden de ergste ellende van uw leven zult mogen ervaren.'

De Moldaviër sputterde eerst tegen, maar toen riep hij, ook al was het zonder blijdschap in zijn stem: 'Hoera! Lang leve koning Lodewijk de Vijftiende die de achtenswaardige luitenant de Beauterne naar ons toe heeft gestuurd, de man die ons van het Beest heeft verlost!' Hij keek naar de Beauterne. 'Wanneer krijg ik mijn tienduizend livre, mon seigneur?'

'Waarom zou u daar recht op hebben?'

'Ik heb het dier doodgeschoten, weet u nog wel, mon seigneur? U stond er nog geen vier pas vandaan en was na uw gemiste schot uw geweer aan het herladen.'

'U vergist zich,' antwoordde de Beauterne hem nu bars. 'U staat onder mijn bevel en valt derhalve rechtstreeks onder de koning, en daarom kunt u geen aanspraak op de beloning maken.'

Malesky boog. '*Merci beaucoup, mon seigneur.*' Zijn stem droop van de ironie. Van gevaarlijke ironie.

Jean deed een stap in de richting van de Béalkloof, maar de Morangiès greep hem hard bij zijn arm vast. 'En u gaat daar niet in, Chastel, tenzij u voor onbepaalde tijd ergens in een kerker wilt logeren. U weet al hoe het daar is. En de rechter heeft vast en zeker tegen u gezegd dat u niet nog eens op een milde behandeling hoeft te rekenen.' Zijn ongewoon krachtige greep deed Jean pijn. 'Het is het Beest dat daar ligt, begrepen, monsieur?' Hij liet Jean los en liep naar de drijvers toe.

Pélissier bracht de luitenant een zak waaruit hij munten pakte en alle mannen royaal beloonde. Ze moesten allemaal zweren aan iedereen te vertellen dat het Beest was gedood.

Uiteindelijk vertrokken ze. Het kadaver van de wolf werd op een van takken en stammetjes gemaakte baar gelegd en uit het bos meegesleept. 'Ik breng het Beest opgezet naar het hof van de koning in Versailles. De overvallen op vrouwen en kinderen zijn voorbij!' verkondigde de Beauterne luid en hij werd door de omstanders bejubeld. 'De koning is trots op jullie, mannen van de Gévaudan.'

Jean volgde met een boze blik in zijn ogen de comte de Morangiès. 'Het is één groot toneelstuk,' zei hij terneergeslagen terwijl hij voor de laatste keer verlangend naar de ingang van de kloof keek. Het Beest hield hem en Malesky in de gaten, hij voelde haar blik. Ze wist dat er voor haar geen ontkomen meer aan zou zijn geweest – en verkneukelde zich nu in de hulpeloze woede van haar meest verbitterde jagers.

Het verlangen om zich niets aan te trekken van het verbod van de comte was groot. Maar Jeans verstand beschermde hem tegen het begaan van een fout waardoor hij linea recta terug in de kerker van Saugues zou belanden, en die had hij nu wel lang genoeg vanbinnen gezien. En bovendien zouden zijn in de hut vastgeketende zoons dan de hongerdood moeten sterven. Of ze zouden zich op de een of andere manier moeten weten te bevrijden, maar dan zouden ze tot oncontroleerbare Beesten uitgroeien die erger dan ooit in de regio zouden huishouden. Jean ontspande de hanen van zijn musket, hing hem over zijn schouder en liep achter aan de lange stoet door het bos. 'Ik wil wedden dat deze jacht volledig in scène is gezet.'

'U denkt dat iemand die wolf in de kloof heeft gejaagd, zodat we haar daar zouden vinden en neerschieten?' Malesky's mond vertrok. 'Dat is een gewaagde uitspraak, monsieur. Dat zou betekenen...'

'... dat de mensen zich veilig wanen maar nog steeds net zoveel gevaar lopen,' maakte hij Malesky's zin korzelig af. 'Een toneelstukje om de Beauterne en derhalve de koning victorie te laten kraaien.' Hij keek naar de Morangiès die naast de luitenant reed en met hem praatte. Hij kreeg ineens het vermoeden dat de comte erachter zat. Was hij vanaf het allereerste begin al van plan geweest om de schijn te wekken dat de Beauterne, evenals Duhamel en de Dennevals, geen knip voor de neus waard was, zodat hijzelf uiteindelijk aan het hoofd van de jagers zou kunnen komen te staan?

'Dan houden wij nu op met spelletjes spelen, monsieur Chastel,' stelde de Moldaviër voor terwijl hij naar de vrolijke bedrijvigheid voor hen keek. 'U jaagt net zomin als ik op een normale wolf.'

Voordat Jean antwoord kon geven, kwam Jacques bij hen lopen. Zijn jonge, stralende gezicht verraadde dat hij de leugens van de gezant geloofde en ervan overtuigd was dat het Beest was gedood. 'Wat een heerlijke dag!' jubelde hij uitbundig. 'We hebben het Beest doodgeschoten.'

'Ja, we hebben haar gedood,' zei Malesky. Hij nam zijn knijpbrilletje van zijn neus en maakte het schoon aan de revers van zijn jas. 'Wat hadden we zonder die dekselse kerel van een de Beauterne moeten doen die Duhamel en de Dennevals nu vernedert met zijn succes en ze er als domme schooljongetjes laat uitzien,' ging hij vol bijtende ironie door. 'Werkelijk waar, deze seigneur verdient het als held gevierd te worden.' Hij knikte Jean en Jacques toe. 'Messieurs, we zien elkaar toch wel bij het overwinningsfeest in Langeac?'

Op dat moment kwamen ze het bos uit en zei Jean ontwijkend: 'Ik moet naar huis,' en hij sloeg een andere weg in dan de jachtstoet.

'Wanneer vervolgen we ons gesprek dan, monsieur?' riep Malesky hem na. 'Ik kom bij u langs, als het u gelegen komt.' Hij kreeg geen antwoord. De wildschut deed alsof hij hem niet had gehoord, en Malesky glimlachte begrijpend. Ook al had de man niet ingestemd met een bezoek, hij zou binnenkort aan zijn deur kloppen. Achter aan de stoet zetten Jacques en hij hun weg voort naar Langeac.

Onderweg sloten zich boeren en andere eenvoudige lieden bij hen aan die de dood van het Beest graag wilden vieren. Uiteindelijk moesten de jagers een kring om het kadaver van de wolf vormen om haar te beschermen, omdat het gepeupel probeerde als aandenken stukken uit de vacht te snijden.

Luitenant Antoine de Beauterne had een boodschapper vooruitgestuurd, zodat bij hun aankomst op het marktplein van de stad alle voorbereidingen voor een feest waren getroffen. Terwijl de bevolking zich op kosten van Lodewijk XV het eten en drinken goed liet smaken, het 'lang leve de koning' aanhieven en op de klanken van fiedels en trommels dansten, werd de wolf opgemeten en gewogen.

'Luister en huiver, beste mensen!' riep de Beauterne door het lawaai heen. 'Het Beest is iets meer dan zes voet lang en weegt honderddrieënveertig pond!' Een fluistering van diep ontzag steeg op uit de menigte, wat overging in luide *a*'s en *o*'s toen de wolf aan vier touwen omhoog werd gehesen en onder het fronton van het raadhuis opgehangen. De hoektanden waren bijna net zo lang als de vingers van een man. 'Slaak een zucht van verlichting want het Beest is dood! Lang leve koning Lodewijk de Vijftiende!'

De menigte beantwoordde dat blij en opgelucht met gejuich.

Aan het eind van de middag maakten Jacques en Malesky zich op om de stad te verlaten. Ze liepen een poosje samen op toen een jonge vrouw hun tegemoet kwam gerend.

'Dat is Julienne, mijn andere zus!' zei de jongeman. 'Ze wil zeker ook naar het feest.'

Julienne kwam dichterbij, omarmde haar broer en maakte een knixje voor de Moldaviër. 'Ik heb gehoord dat het Beest is neergeschoten,' zei ze snel en buiten adem. Ze wees naar het bos dat je vanaf dit gedeelte van de weg in de verte kon zien liggen. 'Is het daar gebeurd?'

Ze drukte haar broer nog een keer tegen zich aan. 'Ja, echt waar, zusje. We...' Hij wees naar Malesky. 'Híj heeft het Beest doodgeschoten, met twee schoten achter in de nek, nadat ze...'

Maar Julienne schudde haar hoofd. 'Jullie geloven dat 't het Beest is? Nou, ik niet! Ik kwam monsieur Chastel onderweg tegen, en één blik op hem was voldoende om te weten dat de jacht nog niet voorbij is.' Rillend keek ze naar het bos. 'Ik vóél het. Ze is er nog steeds, ligt hier ergens tussen het kreupelhout en houdt ons in de gaten,' fluisterde ze met veel nadruk en angstig. 'Monsieur Chastel weet dat ze nog leeft, ik zag het aan zijn ogen.' Ze gaf haar broer een kus op zijn voorhoofd. 'Ik moet naar Langeac! De mensen moeten worden gewaarschuwd voordat ze naar huis gaan.' Ze stormde als een bezetene weg, recht op het bos af.

'Wacht!'

Ze reageerde niet op het geroep van haar broer. Jacques schudde Malesky snel de hand. 'Onze wegen scheidden zich hier voorlopig, monsieur Malesky. Ik moet mijn zus achterna, ze leek me erg opgewonden en in de war. Het bericht over de dood van het Beest is nog niet helemaal tot haar doorgedrongen. Misschien is haar blijdschap wel te groot.' Hij rende haar achterna.

Malesky poetste zijn knijpbrilletje terwijl hij de jonge mensen nakeek. 'Arme mademoiselle. Ze heeft gelijk, maar niemand zal haar geloven.' Zijn optische hulpmiddel glipte ineens uit zijn hand en viel in het gras. 'Stik!' Hij bukte zich, zocht er op de tast naar en vond het ook... direct naast een verse pootafdruk als van een wolf die uit de richting van het bos was gekomen. En die hij in de afgelopen maanden meer dan eens had gevolgd.

XX

Kroatië, Plitvice, 16 november 2004, 14.33 uur

Vanuit Zagreb reisden ze met een gecharterd propellervliegtuigje verder naar Plitvice. De piloot had er zichtbaar plezier in om zijn beide en enige passagiers de schoonheid van het nationaal park vanboven te laten zien. Eric en Lena keken uit de met ijs omlijste raampjes naar beneden en keken hun ogen uit.

De bitterkoude winter had het kerstlandschap met de zestien meren van Plitvice in één groot *winterwonderland* veranderd. Het middelpunt van het park werd gevormd door een langgerekte, terrasvormige keten van meren die met elkaar waren verbonden door over rotstrappen neerstortende watervallen, ontelbaar veel kleine bassins en stroompjes. De grote hoeveelheid kalk in het glasheldere water verhinderde dat dit schouwspel nu volledig tot stilstand kwam. Maar langs de wild bruisende cascades had zich bevroren schuim in de vorm van glinsterende dikke ijslagen opgestapeld.

Het park rondom de meren was bijna honderdtweeënnegentig vierkante kilometer groot. Vanaf amper duizend meter hoogte zagen de overwegend dichte, deels ongerepte bossen van kale beuken en donkergroene grove dennen er niet uitnodigend uit. Ze lagen als één grote witte deken onder hen, van de buitenwereld afgezonderd en ondoordringbaar. Honderdtweeënnegentig vierkante kilometer speeltuin voor het Beest.

‘Dat wordt niet makkelijk.’ Lena droeg net als Eric een extra dik gevoerd sneeuwcamouflagepak, laarzen, handschoenen en de bijpassende capuchon. In zo’n vliegtuigje zat geen verwarming. Hoogstens een defecte.

Eric zei niets, knikte alleen maar. Van sluipen door een ver van de bewoonde wereld gelegen nationaal park waar geen mens te bekennen was, moest hij niets hebben. Het Beest was daar absoluut in het voordeel.

Ze landden, zoals met de piloot was afgesproken, op een klein vliegveldje waar noch een douane, noch ergens een ambtenaar van staatswege was te bekennen. Dat had weliswaar heel, heel veel geld gekost, maar Eric kon op die manier zonder lastige vragen de in Budapest buitgemaakte wapens het land binnensmokkelen.

Hun piloot beval hun het pension van zijn zwager aan en gaf hun nog een kaartje waarmee ze bij het inschrijven een korting van tien procent zouden krijgen. Eric bedankte hem... en vroeg de taxichauffeur die hen niet lang daarna wegbracht, om hen bij een volstrekt ander onderkomen af te zetten. In dat aanbevolen pension ging hij met opzet niet zitten, omdat ze dan veel te makkelijk te traceren waren.

Het hotel waarin ze hun intrek namen, heette *Rust en Herstel*. Het nationaal park lag omringd door hotels, pensions en andere logeergelegenheden. De door de oorlog geteisterde Kroaten hadden snel geleerd hoe ze met hun ongerepte natuur geld konden verdienen. Het was in elk geval een lichtpuntje in een land waar een bloedige burgeroorlog doorheen was geraasd zoals men in Europa niet meer voor mogelijk had gehouden.

Lena liep als eerste de tweepersoonskamer in. ‘Niet onaardig hier.’ Ze wierp zich op het bed. ‘Niet doorgezakt. Heel goed.’

Eric glimlachte heel even naar haar en keek op zijn horloge. ‘We vertrekken meteen voor een eerste verkenningstocht. Meer kunnen we vandaag niet doen.’ Hij pakte zijn rugzak en stopte er behalve de verrekijker ook nog wat proviand in.

Ze zag dat hij krampachtig probeerde niet haar kant op te kijken. Sinds die ochtend in Budapest was hij steeds afstandelijker tegenover haar geworden. ‘Hadden we dan niet met elkaar naar bed moeten gaan?’ vroeg ze zonder omwegen en zonder teleurgestelde ondertoon.

‘Daar gaat het niet om.’ Hij liep naar de deur. ‘Kom je mee?’

Lena pakte zonder iets te zeggen haar rugzak waarin een dierenartsenuitrusting zat, en liep hem achterna. Hij kon haar niet verbieden bloedmonsters van het wezen te nemen. Ze had stiekem een bevriende wetenschapper op de hoogte gesteld die het bloed voor haar zou analyseren. Lena bleef tenslotte, hoe luguber het ook allemaal was, nieuwsgierig, en dus een ware onderzoeker. Zo'n kans liet ze zich niet ontglippen. Eén ding hield haar vooral bezig.

'Kun je zo'n... zo'n weerwezen niet terugveranderen?' vroeg ze plotseling op de gang.

Eric deed de deur op slot. 'Hoe kom je daar zo op?'

'Je had het toch over een tegenmiddel? Die Beesten doden is één manier. Maar zou het niet beter zijn om de mens in hen te sparen door ze terug te veranderen?'

Ze liepen de trap af en de straat op, en volgden de wegwijzers naar het nationaal park. 'Van zilver gaan ze dood. Is er misschien een metaal dat het Beest uit hen verdrijft? Of... weet ik veel... een niet-dodelijke behandeling met zilver?'

Eric zette zijn sneeuwbril op. Het wit om hen heen schitterde in de zonneschijn en verblindde hem. 'Mijn vader heeft verschillende experimenten gedaan. Hij was de wetenschapper van ons tweeën.' Zijn handen balden zich tot vuisten, wat Lena niet ontging. 'Alles wat hij heeft gebrouwen, hielp niet. Oude recepturen, eigen recepturen – ik ben altijd sceptisch geweest of ze iets waard waren. Bovendien...' Hij hield midden in zijn zin op en keerde zijn gezicht naar haar toe. IJskristallen hadden zich in zijn sikje vastgezet en verleenden de zwarte haartjes een vorstelijke waardigheid. In zijn spiegelende brillenglazen zag ze haar eigen gelaatstrekken, terwijl Erics gezicht er zo kil als dat van een huurmoordenaar uitzag. 'Bovendien is hij door zo'n wezen dat hij wilde genezen, om het leven gebracht. Zijn aantekeningen zijn vernietigd.' Hij zuchtte. 'We doen dit nu samen, Lena, maar hierna scheiden zich onze wegen weer. En je mag echt helemaal niets van wat je hebt meegemaakt en nog zult meemaken, aan wie dan ook vertellen.'

'Normaliter zou je na zo'n uitspraak iets moeten zeggen wat met "Want anders" begint,' zei ze luchtig. 'Ik weet dat je een gevaarlijke man kunt zijn, Eric, maar je zou een onschuldig mens als ik niets aandoen. Bespaar me dus alsjeblieft je pogingen om me te intimideren. Dat heeft op mij sowieso geen effect.' Het kostte haar weinig moeite tegen hem in te gaan, omdat ze zijn ogen niet zag die een onbeschrijflijke uitwerking op haar hadden. Ze wendde zich van hem af en liep snel langs hem voordat hij op het idee kwam om zijn bril af te zetten. 'Wees maar niet bang, Eric. Ik zal aan niemand je geheim verraden, toch ga ik wel wat onderzoek doen. Het zou onvergeeflijk zijn als ik dat naliet. Je zult me moeten doden om me dat te beletten.' Op datzelfde moment bedacht ze dat het niet zo slim was om hem op zulke ideeën te brengen. 'Hoe zit het nu met een tegenmiddel?' bracht ze het gesprek op een ander onderwerp.

'Er bestaat niets. Ik ben bang dat het niet boven wat bijgeloof uitstijgt.'

'Hebben we het met "bijgeloof" over hetzelfde bijgeloof waarin ook de legendes over weerwolven altijd als waar zijn verkocht? Over bijgeloof in vroeger tijden waar in onze rationele tijd meewarig om wordt geglimlacht?' speelde ze de bal venijnig terug. De gedachten aan vampiers en andere monsters uit mythen verdrong ze snel. Stel je voor dat ook dat meewarig behandelde bijgeloof je totaal onverwachts inclusief tanden en klauwen naar de keel zou vliegen? Gewoon niet over nadenken. Weerwolven waren voorlopig meer dan genoeg.

Eric haalde zijn schouders op. 'Zelfs al zou ik het willen, dan nog kan ik je niet meer vertellen. Een vel papier met een of andere sinistere formule dat in het bezit van mijn vader was en waarop al zijn hoop was gevestigd...' Erics stem stokte. Als hij toegaf dat hij nog een deel van die receptuur had, zou ze pas echt op onderzoek uitgaan. Daarmee zou ze zijn en haar tijd verdoen, en ongewild de aandacht op zichzelf richten. '... Ligt verbrand in de puinhopen van ons huis.'

'Van het huis in Sint Petersburg?'

'Nee, in München,' zei hij. 'Het was een recept uit de achttiende eeuw. Niet meer dan een oud stuk papier dat volledig uit elkaar dreigde te vallen. Onleesbaar.'

Ze waren bijna bij de hoofdingang van het park. Eric moest onwillekeurig denken aan die pretfabriek met een vermaarde naam waar mensen zich door meer dan levensgrote pluchen mascottes en te hoge prijzen vrijwillig lieten opfokken. Wat zou er gebeuren als bekend werd welke wezens in deze bossen huisden? Hij zag voor zijn geestesoog al hoe gehaaide zakenlui dat schrikbeeld tot een nog grotere toeristenattractie zouden maken en zouden uitbuiten. Dat ze poppen in weerwolvengedaante door het park lieten lopen en roodgekleurde popcorn verkochten.

Hij betaalde het entreegeld en nam van de caissière een meertalig vodje papier aan. Ongeveer alles was verboden – van het verlaten van de gemarkeerde paden tot het achterlaten van afval, het maken van vuur en het voederen van de dieren. Men zorgde bijzonder goed voor de natuur, die in tegenstelling tot grote delen van de bevolking weinig van de burgeroorlog te lijden had gehad. Helemaal onder aan het velletje werd nog eens benadrukt dat men nooit ofte nimmer de paden mocht verlaten, daar er in delen van het park in de oorlog mijnen waren gelegd. En in deze guerrillaoorlog had men niet alle mijnenvelden aangegeven en later opgeruimd.

Lena en Eric vertrokken. De sporen in de sneeuw maakten hun duidelijk dat hier in de winter maar weinig bezoekers kwamen, hoewel het schouwspel van de natuur in deze tijd heel bijzonder was. Het sneeuwdek om hen heen was tot ver in de omtrek maagdelijk.

'Ben je er soms helemaal niet in geïnteresseerd om die gedaantewisselaars te genezen?' vroeg Lena. Als wolvenonderzoekster, die met wetenschappelijke feiten vooroordelen probeerde te bestrijden, was ze in Erics compromisloze houding teleurgesteld. Ze had zoiets al zo vaak bij boeren, herders en jagers gezien: de niet te vermurwen wil om de wolven tot op de allerlaatste uit te roeien.

'Nee. Ben ik niet meer. Ik heb mijn vaders hoop eigenlijk nooit gedeeld,' gaf hij onomwonden toe. 'Er bestaat een theorie die beweert dat de weerwolf na een halfjaar de volledige controle heeft overgenomen en dat de mens er dan definitief door is veranderd. Daarmee bedoel ik niet de gedaantewisseling. De nachtelijke zwerftochten als wolf maken mensen bijvoorbeeld moe, putten hen uit. Er ontstaat een verschrikkelijke, duurzame dorst, een onstilbaar verlangen naar bloed. Vanaf dat moment is er geen terugkeer naar een normaal leven meer mogelijk.' Hij wees voor zich uit. Een donderend lawaai en geruis hing nu in de lucht. 'Dat moeten we zien!'

Na honderd meter stonden ze aan de rand van een steile kloof. Daardoorheen bruiste het water dat de Meren van Plitvice voedde. Aan de overkant stortte de grote Plitvicewaterval zich drieënzeventig meter in de diepte. Het panorama was adembenemend mooi.

Hij had gehoopt dat Lena door het uitzicht was afgeleid, maar daarin werd hij teleurgesteld. 'En daarom moeten ze worden doodgeschoten, hè?' schreeuwde ze in zijn oor.

'Weerwolven zijn ook als mensen heel rusteloos. De meesten hebben regelmatig last van woedeaanvallen en leggen veel agressiviteit aan de dag. Dat wordt steeds erger,' riep Eric over het geraas van het water heen. 'Sommigen van hen kanaliseren hun woede en haat en richten die op wereldlijke doelen, gaan op zoek naar rijkdom en macht, heel veel anderen zonderen zich steeds meer van de buitenwereld af en worden einzelgängers. Als die eigenschappen zich hebben ontwikkeld is het te laat. Niets kan Beest en mens nog van elkaar scheiden.' Hij knikte naar haar. 'Om je vraag te beantwoorden: ja, ik moet ze doodschieten. Genezing bestáát niet. Na de moord op mijn vader hebben de gedaantewisselaars alleen nog de dood als oplossing opengelaten.'

'Misschien ben je tot nu toe alleen tegen de hopeloze gevallen aangelopen.' Lena weigerde zijn pessimistische standpunt te delen. 'We hebben een halfjaar de tijd om die slachtoffers te redden. Eric, we kunnen samenwerken om die gedaantewisselaars...'

Eric schudde zijn hoofd. 'Je bent een onderzoekster van wólven, Lena, niet van wéérwolven.'

'Hun naturen liggen niet zo ver uiteen, lijkt mij.'

Nu was het haar echt gelukt om hem woedend te krijgen. Hij deed een stap naar haar toe en duwde haar tegen de balustrade. 'Verdomme, gebruik je verstand toch! Je hebt drie dagen geleden voor het eerst van die wezens gehoord en nu wil je míj voorschrijven hoe ik mijn werk moet doen? Mijn familie doet dit al eeuwen...'

'Vroeger smeerde men ook urine op wonden om ze te genezen,' zei ze kwaad. Ze ergerde zich dat hij niet op haar inging. 'Weet je, je vader had gelijk dat hij naar een geneesmiddel zocht. Ík zou proberen een tegenmiddel te maken. Er zullen vast wel ergens nog meer afschriften van zulke oude recepturen zijn te vinden.'

Hij pufte... gaf het op om haar op andere gedachten te brengen. Hij zwoer bij zichzelf om haar niet te redden als ze in gevaar mocht komen. Of minstens pas heel laat. 'Doe maar wat je niet laten kunt, maar je zult het in je eentje moeten doen. Alleen deze reis, daarna gaan we ieder weer onze eigen weg,' herinnerde hij haar er nog een keer aan. Hij liep weg over het pad naar beneden dat naar de vlonders langs en over het meer leidde. Lena stapte hoofdschuddend achter hem aan.

Tijdens hun wandeling over de besneeuwde en soms gevaarlijk gladde, houten planken ontdekten ze meerdere grotten en holen. Ze lagen gedeeltelijk onder water alsof het toegangen tot onderzeese rijken waren. Het schuim van de kleinere watervallen had de oever met rijp en ijs bedekt: op de riethalmen en takken lag de sneeuw een vinger dik.

Eric zou bijna hebben kunnen genieten van deze winterse idylle, als de gedachten aan het Beest er niet waren geweest. In elk geval hadden Lena en hij het kleine voordeel dat hun tegenstander niet op bezoek rekende.

Dat hoopte hij althans.

Aan de oever van het Kozjakmeer kwam hun een groep van vijf Aziaten tegemoet die doorlopend foto's maakten. Ze spraken zachtjes in hun moedertaal en prezen met veel gebaren de betoverende natuur, terwijl een van hen probeerde zijn hondje in te tomen. Eric noemde zulke hondjes altijd denigrerend 'zakmormels'; miniatuurfoksels voor het moderne leven, zodat het beestje in de la onder de sokken paste. Hij had een hekel aan honden. En aan katten.

Uiteraard vroegen de Aziaten met diepe buigingen aan Lena om een foto van de hele groep te maken. Eric maakte van de gelegenheid gebruik om zijn elektronische verrekijker tevoorschijn te halen en naar het water te kijken waar vier elektroboten hun rondjes voeren. Eén druk op de knop was genoeg om de verrekijker op infrarood over te schakelen. Hij zocht de rand van het bos af.

Iets had het hondje onrustig gemaakt. Het kefte en liet zich niet meer kalmeren, haalde zijn neus op voor lekkere hapjes en bedreigingen, en kronkelde als een korte, harige aal in de armen van zijn baasje. Zijn ongehoorzaamheid werd de Aziaat te gortig en hij bestrafte de opstand van het mormeltje nogal ruw: hij haalde een klein fluitje tevoorschijn, zette het aan zijn lippen en blies er hard op.

Lena hoorde geen geluid. Maar het hondje hield onmiddellijk op met spartelen, legde zijn kleine kopje in zijn nek en jankte als een hond van een veel groter formaat. Tegelijkertijd klonk een woest gehuil uit het bos op.

Lena's ogen werden groot, haar nekharen gingen rechtovereind staan en ze kreeg kippenvel. Het was een afgrijselijk, angstaanjagend geluid dat een schaduw over het landschap leek te werpen, de watervallen overstemde, de mensen ineen deed krimpen en tot in het diepst van hun ziel bang maakte. Haar wijsvinger drukte per ongeluk af en legde de van schrik verwrongen gezichten van de Aziaten vast op de geheugenchip van de camera.

Als uit het niets stond Eric ineens naast de man met het fluitje. Ook zijn gezicht was wit. Eric rukte het fluitje woedend uit de handen van de Aziaat en schreeuwde iets in een taal die Lena niet verstond. Aan de klank te horen zou het Japans hebben kunnen zijn. De terechtgewezen man boog snel een paar keer achter elkaar, en nadat ze het fototoestel hadden teruggekregen, liep de groep snel door.

'Wat heb je tegen hem gezegd?' wilde Lena van Eric weten.

'Dat ik heel veel zin had om hem wegens dierenmishandeling aan te geven, en hoe hij het in zijn hoofd haalde in een beschermd natuurgebied vol wilde dieren een hondenfluitje te gebruiken.' Hij trok een heel ontstemd gezicht. 'Stomme klootzak. Ik hou toch ook geen persluchttrompet tegen zijn oor en toeter er maar op los.' Woedend gooide hij het fluitje in de sneeuw en zette de verrekijker weer voor zijn ogen.

Lena bukte en pakte het kleine zilveren voorwerp onopgemerkt uit de sneeuw. 'Dat gehuil... was dat het Beest?'

'Zou best kunnen,' zei hij, ingespannen turend. Daar! Ineens liet de infraroodoptie hem daadwerkelijk een contour ter grootte van een wolf zien, in een zwakke rode kleur afgetekend tegen het blauw van de omgeving. Eric wachtte. Het zou wel eens om de verkenner van een roedel kunnen gaan. Om een doodgewone wolf.

De rode contour bleef alleen en volkomen onbeweeglijk staan. Eric zette de kijker in de normaalstand en onderzocht de plek in kwestie, zonder aanwijzingen voor andere wolven in het kreupelhout te kunnen ontdekken. Niets.

Hij schakelde weer om naar infraroodbeeld en kon niets anders concluderen dan dat de vage rode contour was verdwenen. Alsof die daar nooit was geweest. Zijn vijand had hen van een veilig afstandje gadegeslagen, hen nieuwsgierig bestudeerd en was er weer vandoor gegaan. Het Beest was hier.

En was gewaarschuwd.

'Kom, we gaan.' Hij gebaarde met zijn hand dat ze vertrokken. Hij zag ervan af om Lena over zijn ontdekking te vertellen. 'Morgenochtend vroeg gaan we weer hierheen om de jacht te openen.' Hij liep met grote passen weg.

Lena bleef staan en keek naar het schilderachtige landschap waarin het kwaad zich verborgen hield. Wat haar tot nu toe was overkomen leek nog altijd onwerkelijk, maar ontkennen kon ze het ook niet. De wonden op haar rug herinnerden haar er voortdurend aan. Sinds ze in Kroatië waren, brandden ze behoorlijk pijnlijk. Als ze een middeltje tegen lykantropie zou hebben, zou dat niet gek zijn.

XXI

31 december 1765, omgeving van Auvers, Saint Grégoireklooster

Uiteraard was het gevaarlijk om in je eentje op dit winterkoude middaguur naar het klooster te lopen. Bovendien had hij zijn vader beloofd in de kelder van Antoines hut te blijven. Maar het verlangen naar Florence, haar zoete mond en haar zachte lichaam, was sterker dan zijn verstand en welke belofte dan ook. En welke aardse ketting ook waarvan het slot vandaag door een gelukkige samenloop van omstandigheden niet goed had dichtgezeten. Een stille wenk van het lot.

Pierre had sneeuwschoenen onder zijn dikke laarzen gesnoerd om niet weg te zakken in de sneeuw. Ze bestonden uit een gebogen houten raamwerk en waren met leer bespannen, waardoor je een goed draagvlak kreeg en met aanzienlijk minder inspanning vooruitkwam dan wanneer je probeerde gewoon op laarzen door die witte troep te lopen. Met een beetje behendigheid lukte het zelfs bergafwaarts over de sneeuw te roetsjen en zo krachten te sparen. Sturen deed hij met een lange stok en door de verplaatsing van zijn gewicht.

Het musketgeweer op zijn rug belemmerde hem in zijn bewegingen, maar zonder dat ging hij niet de deur uit. Het gaf hem een veilig gevoel; ook al had luitenant de Beauterne het Beest officieel gedood en was het ondertussen op bevel van de koning zelfs verboden in het openbaar over het Beest te spreken.

Of over het feit dat er toch nog dodelijke aanvallen voorkwamen.

Getuigen hadden het Beest gezien, maar niemand maakte zich er druk om, afgezien van de jonge markies d'Apcher. Voor de koning in Versailles was het Beest dood.

Ze zou weer mensen doden. Hij vond het vooral erg van Julienne Denis, de zus van de dappere jonge Jacques. Ze was op kerstavond verdwenen, en gisteren had men aan het riviertje de Planchette menselijke resten gevonden. Er waren alleen nog maar bevroren lappen vlees, stukgebeten botten en de restanten van ingewanden achtergebleven. En aan het lijk was niet te zien of het om Julienne ging. Jacques en Jean Chastel gaven de zoektocht naar het Beest dan ook niet op; ze namen allebei aan dat de jonge vrouw als maaltijd voor het Beest had gediend.

Pierres mistroostige gedachten verdwenen langzaam. *Nog even en ik ben bij het klooster.* Hij en Florence ontmoetten elkaar zo veel mogelijk – en desondanks veel te weinig – in de naaikamer waar ze tussen de wol en banen stof een liefdesnestje hadden gebouwd. Ze konden elkaar daar hartstochtelijk kussen, zachtjes aaien en het lichaam van de geliefde verkennen; ze streelden elkaar tot ze stilletjes in extase geraakten, waarbij het hen steeds moeilijker viel om niet meer dan wat lustvol gekreun te uiten.

Pierres hart begon sneller te kloppen. Vandaag, na al die weken, zouden ze verder gaan. Ze wilden niet tot hun huwelijksnacht wachten, daarvoor brandde het vuur van hun hartstocht en liefde te fel. Of het nu hoorde of niet, ze verlangden er allebei naar. Hij zag haar bleke lichaam voor zich, stelde zich voor hoe hij haar zachte borsten en haar vochtige, warme schaamstreek met zijn vingers en zijn tong liefkoosde, terwijl zij zijn lid met haar lippen omsloot en hem genot schonk. De gedachten daaraan waren voldoende voor zijn mannelijkheid om ondanks de kou uit zijn sluimering te ontwaken.

Als ze vandaag maar kwam! Al een paar keer, wanneer het hem was gelukt om uit de hut weg te sluipen, verscheen Florence ondanks de afgesproken signalen niet in de pelgrimskapel van waaruit ze samen door de kloosterkerk en over de binnenhof naar de naaierij konden lopen. Bij het volgende weerzien vertelde ze hem dan telkens weer dat de abdis die nacht om de gebouwen van het klooster had rondgezworven. Alsof ze wist wat ze deden. Alsof ze het gevaar rook waarin haar pupil verkeerde wanneer ze zich met een man inliet die een duister geheim met zich meedroeg.

Pierre zag de besneeuwde daken van de kloostergebouwen glinsteren in het licht van de wassende maan. Hij leunde op zijn stok om op adem te komen, maar de lucht was zo ijzig koud dat het pijn aan zijn longen deed. Maar geen inspanning was hem te veel. Zelfs een sneeuwstorm zou hem niet kunnen weerhouden zijn geliefde op te zoeken.

Vannacht gebeurt het. Eindelijk worden we één! En daarna zal ik alles aan vader en de eerwaarde abdis opbiechten en om de hand van Florence vragen. Ik kan niet meer zonder haar leven.

Hij en Florence hadden de kwestie allang samen besproken. Ze hadden elkaar eeuwige trouw beloofd, het maakte niet uit wat Jean Chastel en de abdis daar ook op te zeggen zouden hebben. Alleen het Beest zat hun geluk nog in de weg. Haar dood en haar bloed zouden de vloek kunnen verbreken die op hem rustte. Omdat hij al lang niet meer van gedaante was veranderd, hoopte hij dat het minstens voor een deel door zijn eigen wil kon lukken de gedaanteverandering in een loupgarou te onderdrukken. Hij zou het zichzelf nooit vergeven als hij Florence iets zou aandoen.

Pierre wilde zich net krachtig afzetten toen hij links van hem een hard, abnormaal gehuil hoorde. Een eenzame wolf praatte tegen de maan en kreeg een galmend antwoord terug uit de richting van het klooster.

Er zijn hier in de omgeving toch helemaal geen wolven meer, dacht Pierre... Hij verstijfde. Het Beest? Hij zocht onmiddellijk dekking achter een boom om niet op de lichte sneeuwvlakte te worden gezien. De wind stond gunstig en zou zijn geur niet aan de neus van het Beest verraden.

Hij zag een schaduw over de weide voor de kloostergebouwen bewegen. Afwisselend rende deze op vier poten of ging op zijn achterpoten staan en bewoog als een mens. Het stond buiten kijf wat Pierre daar zag!

Goede genade, zou het me zelf worden vergund om de vloek te verbreken?

Pierre haalde het musket van zijn rug en maakte hem met een paar handgrepen schietklaar, trok de hinderlijke sneeuwschoenen van zijn laarzen en waadde zachtjes door de knarsende sneeuw naar waar hij vermoedde dat het Beest was. Voordat hij die plek bereikte, hoorde hij opgewonden gegrom en geblaf – en toen een blij gejank dat met een lang huilen werd beantwoord.

Voorzichtig schoof Pierre naar voren. En ineens voelde hij de angst in zichzelf omhoogkruipen toen hij besefte dat hij met twee Beesten van doen had.

Antoine kan het niet zijn... of toch wel? En mocht dat zo zijn, hoe kan ik hem dan herkennen?

Zijn musket had net als die van zijn vader twee lopen die voor één Beest wel toereikend waren, maar niet voor twee van zulke tegenstanders. Hij kon niets anders dan de kogels uit de lopen frummelen, meer zwartkruit erin gieten en in één loop dan maar vier kogels tegelijk laden. Daarna sloeg hij een kruis en deed een schietgebedje. *Alstublieft, laat het musket deze druk doorstaan, almachtige en goede God. Maak mij tot uw werktuig tegen het Kwaad.* Hij liet zich in de sneeuw zakken en kroop op zijn buik door een paar struiken heen. Veilig tussen de takken en twijgen door zag hij wat zich op de open plek afspeelde.

De Beesten vlogen op elkaar af, rolden speels grommend en blazend tussen de bomen, namen een dreigende houding tegenover elkaar aan, sprongen naar voren en weer terug. Totdat een van hen, kennelijk het mannetje, aan het langste eind trok en het verliezende vrouwtje tegen de grond drukte. Hij greep haar bekken vast en trok het omhoog. Ze snorde van de voorpret en tilde haar staart op zodat hij bij haar binnen kon dringen, en blafte opgewonden toen hij dat deed en ritmisch begon te stoten.

Pierre keek vol walging naar de Beesten die het met elkaar deden. Hij schoof het musket langzaam uit zijn schuilplaats en legde aan op de kop van het vrouwtje dat zich stilhield en zich overgaf aan de roes van de copulatie. De weerzinwekkende daad had ten minste één voordeel, namelijk dat Pierre wist welke van de twee Beesten met zekerheid zijn broer was.

Zo verdiept in hun instinctieve lusten, waarin Pierre niets herkende van de nobele gevoelens die Florence en hij met elkaar deelden wanneer ze elkaar streelden, merkten ze niets van de man die hen bespiedde. Maar toen hij de hanen van zijn musket spande en ze met een klik sloten, was het met de geheimhouding gedaan. Het geluid waarschuwde het mannetje en de lelijke kop met de doordringende rode ogen richtte zich precies op Pierres schuilplaats. Het Beest zette zich af en sprong naar achteren weg.

God sta me bij!

Pierre schoot op het vrouwtje, dat nog niet doorhad hoe gevaarlijk de situatie voor haar was en wat de prijs was die ze voor dat korte moment van lust moest betalen.

De terugslag door de viervoudige lading benam Pierre de adem. De kolf vloog met zo'n kracht naar achteren dat er iets leek te knappen en hij een gloeiende pijn in zijn schouderblad voelde. Tegelijkertijd hoorde hij het wijfje krijsen. Dus had minstens een van de kogels haar getroffen.

Ik moet dekking zoeken. Pierre kroop achterwaarts uit de struik, stond op en rende naar de eerste de beste boom om zich voor de wraak van de tweede loup-garou op een tak in veiligheid te brengen.

Voordat hij de hoge beuk bereikte, stond het Beest al voor hem.

Hij sprong en versperde hem de weg, ging op zijn achterpoten staan. Hij was groter dan Pierre. De bek stond open en de tanden waren ontbloot, de zwarte mondholte zichtbaar, de vuurrode ogen fonkelden als helse robijnen, de oren lagen plat naar achteren op de brede kop. Pierre kon duidelijk de roodachtige vacht en de karakteristieke strepen herkennen. Hij tilde zijn musket op.

'Antoine!' riep hij, terwijl hij zijn best deed om zijn immense angst voor het wezen niet te laten blijken. 'Antoine, begrijp je me?' Hij kon zich nu enigszins voorstellen hoe zijn eigen slachtoffers zich hadden gevoeld voordat hij hen aanviel, zijn tanden in hen sloeg en hen meedogenloos verscheurde. 'Herken je me? Ík ben het! Pierre, je broer.'

De spieren van het Beest spanden zich, hij bereidde zich voor op een aanval. Maar toen hoorde hij het klagelijke gehuil van het gewonde wijfje dat hulp bij hem zocht.

Dat kon alleen maar betekenen dat Pierre zijn opdracht nog niet had volbracht. Pas als de oermoeder van de vloek dood in de sneeuw lag en ze van haar bloed een tegenmiddel konden brouwen, kwam er een eind aan de nachtmerrie van de broers en de hele regio.

Het Beest gromde naar hem, dook even in elkaar en sprong toen zijwaarts weg. Het beroep dat zijn gewonde metgezellin op hem deed was sterker dan de drang om zijn vijand te vernietigen.

Pierre haastte zich naar de beuk, sprong erin, klom hoger en hoger, tot hij een tak had gevonden van waaruit hij de plek kon zien waar het aangeschoten schepsel lag. Zijn salvo had de kop niet geraakt maar een gat in haar borstkas geslagen. Het bloed, dat zwart leek in het maanlicht, stroomde de sneeuw in, maar de wonden begonnen zich al weer te sluiten. Pierre had geen zilveren kogels gebruikt, daarom volstonden de voltreffers niet om het Beest te doden. Maar wel om haar te verzwakken en haar te dwingen te blijven liggen tot een of andere onzalige kracht haar weer had genezen. Dit was zijn laatste kans!

Hij laadde de geloste loop en legde weer aan op de kop van het wijfje. *Ik ga zo lang op die lelijke schedel schieten tot het laatste stukje van de romp is gerukt.* De jongeman richtte heel precies, vuurde – en schoot raak achter het oor van het Beest! Aan de andere kant van de kop verscheen rook, lappen vlees vlogen weg en sisten na in de sneeuw. Het vrouwtje werd door elkaar geschud, de kop met een ruk naar beneden geduwd.

Die was raak! Haastig begon Pierre zijn geweer te herladen. De loop met de vier kogels hield hij nu achter de hand, omdat je op deze afstand onmogelijk met vier kogels raak kon schieten. *Here God, sta me alstublieft nog wat langer bij! Nog twee schoten en het is met haar gedaan!*

Maar dat wist de mannelijke loup-garou ook. Hij kwam met grote sprongen en grommend op de boom af waarop de schutter zat, richtte zich onder het rennen op zijn achterpoten op en maakte gebruik van zijn vaart om zichzelf met een enorme sprong drie pas hoog tegen de stam te lanceren. De nagels sloegen in het hout. Hij klom als een kat naar boven, ontschorste daarbij de stam en gromde en blies als een razende.

'Antoine, terug!' riep Pierre dwingend en hij richtte zijn musket op het naderbijkomende Beest. 'Ik schiet!'

De garou zag de geweermond en kroop zijwaarts weg, bracht de stam tussen hemzelf en het wapen, en verdween uit het blikveld van de jager. Kleine stukjes bast vielen in de platgetrapte sneeuw en Pierre hoorde dat Antoine zijn scherpe nagels in de beuk boorde en gestaag dichterbij kwam.

Pierre hing het musket op zijn rug en klom ook hoger in de boom. Toen hij een blik naar beneden wierp, zag hij de klauwen, die aanzienlijk sneller dan hij stegen. Nog even en het Beest zou bij hem zijn!

God, vergeef me voor wat ik moet doen. Hij schoof om de stam heen tot hij zijn in een weerwezen veranderde broer zag, pakte zijn geweer, richtte loodrecht naar beneden op de kop en drukte op de trekker van de loop met de vier kogels.

Op datzelfde moment keek Antoine even met vuurspuwende ogen

omhoog en was toen alweer achter de stam verdwenen. De kogels suisden langs zijn kop.

Voordat Pierre nog iets kon ondernemen, werd zijn rechterbeen door een sterke klauw gegrepen. De grommende loup-garou hing er met zijn volle gewicht aan en trok hem met een ruk van de tak.

Ze stortten samen naar beneden. Pierres hoofd sloeg tegen iets hards. Hij verloor het bewustzijn nog voordat hij in de sneeuw neerplofte.

Florence schrok kletsnat van het zweet wakker uit een afschuwelijke nachtmerrie. Haar hart klopte nog steeds als een razende en haar hele lichaam deed pijn. Ze keek door het raam naar buiten: daar heerste de duisternis, en de zwakke maan wierp door de optrekkende wolken een licht met een zilveren glans in haar kamer.

Ze was ingedut! Het boek dat ze had liggen lezen om wakker te blijven, lag naast haar. Gehaast sprong ze zo naakt als ze was uit bed en keek naar het kleine raam van de pelgrimskapel. Ze zuchtte van opluchting toen ze het zwakke lichtje achter het gekleurde glas zag, wat betekende dat Pierre nog steeds op haar wachtte.

Snel gooide ze haar dikke winterjas om haar schouders, schoot haar schoenen aan en sloop door het huis van de abdis de trap af en door de deur naar buiten. Rillend liep ze over de binnenhof en voelde dat ze kippenvel kreeg en haar tepels hard werden. Ze had de sleutel van de kloosterkerk gestolen, deed daarmee de zijdeur open, glipte erdoor en kwam via een binnenruimte bij de doorgang naar de kapel.

Haar voorpret vanwege de liefdesnacht die hun eeuwige band zou moeten bezegelen, groeide met iedere stap, en toen ze de aanbouw binnenstapte, kon ze nauwelijks meer wachten om in Pierres armen te liggen en hem eindelijk binnen in haar te voelen. Het zou haar eerste keer zijn. Zowel nieuwsgierigheid als een beetje angst maakten zich van haar meester.

'Pierre?' zei ze, terwijl ze zoekend om zich heen keek.

'Hierboven,' klonk het gefluisterde antwoord vanaf de galerij.

Ze vloog de houten trap op, deed daarbij haar jas open om hem met de aanblik van haar naakte lichaam te verleiden...

... en verstijfde geschrokken op de hoogste trede.

'Antóíne?' Snel sloeg ze haar jas weer dicht. Hij had al te veel gezien van wat hem niets aanging.

De broer van haar geliefde stond wijdbeens voor haar. Met één hand hield hij de loop van een musket vast waarvan de kolf op de grond rustte, in de andere hield hij een bos heidebrem. In haar ogen leek hij een overwinnaar die deed alsof hij vredelievend was maar ondertussen met geweld dreigde. Het kostte haar weinig moeite om te raden wat hij van haar wilde. En wat hij met geweld zou nemen als ze hem dat weigerde.

'Goedenavond, Florence. Ik wilde bloemen voor je meenemen, maar die zijn in de winter heel moeilijk te vinden.' Hij hield de brem omhoog. 'Ik hoop dat je mijn goede wil waardeert.'

Ze zei helemaal niets, maar draaide zich om en haastte zich de trap af om via de zijdeur naar de veilige kloosterkerk te kunnen ontsnappen. Achter haar lachte hij en amuseerde zich om haar vluchtpoging.

Florence kwam net onder de galerij vandaan toen er een schaduw over haar heen vloog en voor haar landde. Antoine ving de schok met zijn knieën op en ging weer rechtop staan alsof hij over een beekje en niet van een hoogte van drie pas naar beneden was gesprongen. Hij grijnsde satanisch. Zijn lange, zwarte, verwarde haren hingen voor zijn gezicht, zijn groene ogen gloeiden angstaanjagend en zijn tanden leken onnatuurlijk sterk en puntig. Zijn donkere baard was voller geworden.

'Florence, waarom loop je voor me weg? Ben ik niet knapper dan mijn broer?' Hij deed snel een stap in haar richting en greep haar rechterarm vast. Toen trok hij haar naar zich toe, duwde haar jas open en gaapte haar aan. 'Je bent begerenswaardiger dan alle hoeren die ik heb gepakt,' fluisterde hij wellustig en hij streek met de brem over haar linkerborst. 'Het zal heel anders...'

Florence voelde op de tast achter zich, kreeg een kaarsenstandaard te pakken en sloeg Antoine van opzij in zijn gezicht. Het metaal reet zijn huid open en liet een gapende snee in zijn wang achter. De opdringerige jongeman tuimelde achterover op de grond van de kapel.

Florence liep langs hem. De kleine deur lag bijna binnen handbereik toen hij weer uit het niets voor haar opdook en ze van schrik begon te schreeuwen. De wond... was veranderd in een dun, wit lijntje in de baard, alleen het vochtig glimmende rood tussen het zwarte haar herinnerde nog aan de enorme jaap die ze hem had toegebracht!

'Godallemachtig! Wat... wat ben jij?'

Antoine greep haar haren vast en dwong een kus af. Zijn tong likte haar lippen en wilde haar mond binnendringen. Ze deinsde vol afschuw achteruit. Haar ogen waren groot: ze zag een roofdierengebit en hoorde de man als een wolf grommen.

Een koude wind blies plotseling door de kapel. De kaars voor het gekleurde raam flakkerde en ging uit. En toen klonk er een oorverdovende knal.

Florence voelde dat er lucht door haar haren werd gezogen en tegelijkertijd klapte Antoines hoofd bij het inslaan van de kogel naar achteren. Bloed spoot uit de wond onder zijn linkeroog en spatte op Florences naakte borst. Hij kermde van de pijn en dook tussen de kerkbanken weg.

Bij de ingang zag Florence een gedaante staan met een rokend musket in de aanslag. In het gezicht van de man flikkerde in het maanlicht iets metaalachtigs op. 'Snel, mademoiselle Florence, ga weg! Maar zeg hier tegen niemand iets over,' hoorde ze een man met een buitenlands accent zeggen. 'Ik bekommer me wel om dat Beest.'

XXII

Kroatië, Plitvice, 17 november 2004, 22.33 uur

'Nee, het is niet ontstoken, Lena.' Eric plakte de pleister weer over de wond en trok haar onderhemdje en trui naar beneden. 'Het komt door het genezingsproces. Als een wond jeukt, dan sluit hij zich.'

'Het jeukt niet, het brándt!' corrigeerde ze hem kwaad. 'Wat nou als die slimme boeken van jou zich vergissen en het genoeg is om door een weerwolf gekrabd te worden?'

Hij gaf geen antwoord maar pakte de afstandsbediening van de tv. Ze zaten op het bed in hun hotelkamer te zappen om een fatsoenlijke zender te vinden waar ze langer naar konden kijken. De meeste verstonden ze niet, of ze werden om de haverklap door reclame onderbroken. Eric had alleen zijn zwarte, korte onderbroek aan, terwijl zij zowat alle onderdelen van hun camouflagepakken aanhad, hoewel het heel warm in de kamer was.

Lena nam geen genoegen met zijn diagnose. 'En als Nadolny vlak daarvoor nu eens zijn vingers heeft afgelikt?'

Eric keek verbaasd op en moest toen lachen. 'Klopt, dan zou het kunnen.'

'Geweldig,' zei ze zachtjes. 'Ik als weerwolf. Dan mag ik mijn benen zeker nog vaker scheren.' Ze hield haar bruine haar omhoog en liet Eric haar witte nek zien.

Hij had er nu al spijt van dat hij binnenkort niets meer met haar te maken had, en niet alleen vanwege de seks. Eric had de pest in om het te moeten toegeven, maar hij was verliefd op haar, zonder enige twijfel. Uitgerekend datgane waar hij het meest bang voor was geweest, was gebeurd. Dus was er nog een reden te meer om haar uit de gevarenzone weg te halen. En de gevarenzone was voortdurend daar waar hij zich bevond.

'Ga slapen,' raadde hij haar aan. 'Morgen wordt het een zware dag.'

'Door de sneeuw lopen, je oriëntatie niet in dat oerbos verliezen, aan de parkopzichters ontsnappen en een weerwolf doden,' somde ze op. 'Je zou wel eens gelijk kunnen hebben.' Lena schoof op naar haar kant van het bed, boog zich ineens naar hem toe en kuste hem op de mond. 'Welterusten, Eric.' Nog één verleidelijke blik uit haar donkergroene ogen en toen draaide ze zich om. Langzaam kleedde ze zich uit, haar kleren vielen op het tapijt.

Dat was haar kwaadaardige wraak vanwege het feit dat hij haar er niet langer bij wilde hebben: eerst geil maken en dan afwijzen. Eric bekeek haar van opzij: de ronding van haar borsten, de lichte huid die een contrast vormde met haar bruine haar. Door haar bewegingen werd haar geur zachtjes naar hem toe gewaaid, en zijn penis roerde zich. Dat was helemaal oneerlijk! Hij zette snel zijn bril af zodat hij Lena ten minste niet meer scherp kon zien en ze minder sexy werd.

De snelle beweging voor hun raam zou hem mét bril zeker zijn ontgaan. Maar nu viel hem die onmiddellijk op en kwam hij in actie. Erics rechterhand gleed snel onder zijn kussen en hij trok zijn pistool tevoorschijn, de andere strekte zich uit naar de zilveren dolk op het nachtkastje.

En op datzelfde moment explodeerde het raam.

Door de rinkelende schervenregen dook een gedaante met oplichtende rode ogen die zich terstond op Eric wierp. Lena werd genegeerd; eerst moest de grootste bedreiging worden uitgeschakeld.

Erics vingers sloten zich net om het gevest van de dolk toen de belager hem van het bed veegde. Tegelijkertijd rook hij een weerzinwekkende stank, als in een tijgerkooi in de dierentuin: een concentratie van roofdierlucht en pure, opgekropte agressie.

Ze smakten op de grond, het beddengoed met zich mee trekkend. Erics arm met de dolk raakte daarin verward waardoor hij die niet ter verdediging kon gebruiken. De langwerpige snuit leek reusachtig zo vlak voor Erics ogen. Instinctief liet hij het pistool vallen, greep in plaats daarvan de dichte vacht in de keel van de weerwolf vast en remde op die manier de voorwaartse beweging af. De kaken klapten maar een paar centimeter voor zijn gezicht dicht. Eric hoorde de luide klap van de tanden en kiezen en zag het tandvlees achter de ontblote lippen. Bij de stank uit de bek viel die van de vacht volledig in het niet. De kracht van het razende Beest overtrof die van alle vijanden waarmee hij tot nu toe had gevochten. Het Beest drukte Erics arm naar beneden alsof het niets was, de tanden naderden zijn keel; warm druppelde het speeksel op hem neer en liep over zijn gezicht.

Er klonk één, twee, drie keer een knal vlak naast zijn oor, fel bloeiden de vuurbloempjes voor de pistoolmond op en verlichtten de lelijke kop van het Beest. De eerste kogel was door de hals gegaan en het bloed spoot er aan de andere kant uit als bij een flink geschud mineraalwaterflesje. De twee andere verwondden het Beest aan de schouder.

Met een woedende, zeer menselijk klinkende schreeuw schoot het ondier bij Eric weg en sprong op Lena af, die het lef had gehad de Tokarev op te rapen en in het gevecht in te grijpen.

'Nee!' schreeuwde Eric hevig ontdaan en hij pakte het Beest bij haar staart, maar die glipte tussen zijn vingers weg. Het pistool knalde nog twee keer. Lena schreeuwde in doodsangst, overstemd door het triomfantelijke gebrul van de weerwolf.

Eric kon eindelijk zijn arm bevrijden, sprong op en rende op het Beest af. Ze stond op vier poten over Lena gebogen, had haar kop laten zakken en schudde die heen en weer. De benen van Lena, die onder het lichaam van het Beest uitstaken, stuiptrekten. Lena schreeuwde, maar toen werd haar stem rauw en perste zich een gorgelend geluid uit haar keel.

Tot ze verstomde.

'Nee!'

Met alle kracht die hij in zich had, haalde Eric uit en stak naar het Beest.

Grommend sprong het wezen opzij, het lemmet miste het hart en schampte in plaats daarvan de schouder van het afgrijselijke gedrocht. Het jankte, draaide zich snel om en hapte naar Eric.

Hij zag het vele bloed aan de snuit en de brede kop. De ogen fonkelden kwaadaardig, alsof het Beest wilde zeggen: *Kijk maar, ik heb haar gedood, en jij kon er niets tegen beginnen.*

Het Beest sprong.

Eric had op deze aanval gerekend en als een torero ontweek hij het Beest met een uitgekiende draai van zijn lichaam, stootte tegelijkertijd met zijn dolk toe en trof haar in de nek. Het Beest schreeuwde schril, knalde tegen de betimmering van het bed en het lukte haar slechts met heel veel moeite om wankelend overeind te komen.

Erics hart klopte luid.

De roodbruine kleur van de vacht, de zwarte strepen, de rode ogen – hij kende dat afzichtelijke uiterlijk maar al te goed.

Het was hét Beest!

Zijn hele leven had altijd om dit moment gedraaid. Alle offers die hij en zijn familie hadden gebracht, zouden eindelijk lonen. 'Loop naar de hel,' fluisterde hij en hij viel met een hernieuwde, meedogenloze energie aan.

Het Beest week achteruit en vluchtte uit het verbrijzelde raam. Vanuit haar standpunt bezien was het de hoogste tijd om de strijd met haar tegenstander te staken, het slagveld te verlaten en een beter moment af te wachten. De wonden van de zilveren dolk deden ongetwijfeld pijn, en ze was bijna door de laatste houw gedood.

Eric zag zijn aartsvijandin verdwijnen die een duidelijk bloedspoor op het kozijn had achtergelaten. Daarna keek hij naar Lena.

Ze was niet dood.

Nog niet.

Lena rolde van haar rug op haar buik, kermde zachtjes en drukte haar vingers tegen de wond. Een rode stroom gulpte uit haar keel, de metaalgeur van vers bloed steeg in de kamer op. Haar donkergroene ogen stonden wijd open, shock en waanzin voerden een strijd om de macht. Haar linkerarm strekte zich uit om Erics hulp te zoeken.

'Vergeef me,' fluisterde hij.

En toen dook hij het raam uit.

Niemand zou degene hebben geloofd die beweerde een eigenaardige, lelijke wolf te hebben gezien die soms overeind en soms op vier poten door de nacht vluchtte, achtervolgd door een man die alleen een zwarte slip aanhad. Een man die met een onmenselijk hoge sprong over de afrastering van het nationaal park wist te komen, met in zijn hand een zilver glinsterende, met bloed besmeurde dolk.

Maar zo was het wel.

Eric voelde de kou niet, de jachtkoorts pulseerde in zijn aderen en verwarmde hem. Hij zag het Beest in haar zuivere dierengedaante voor zich, joeg haar over de wegen van het park en hield zonder moe te worden haar enorme snelheid bij. Het maakte ook niets uit dat ze aan de zuidkant van het Kozjakmeer het kreupelhout in dook. Een net zo onverbiddelijke jager als zijzelf volgde haar spoor. Hoe sneller ze renden, des te meer bloed het hart uit het lichaam van het verwonde wezen pompte en haar verzwakte.

Eric nam de schrammen van de zwiepende twijgen en doorns op de koop toe. Als het moest had hij er zelfs een arm voor over om het Beest te pakken te krijgen.

Maar ineens was hij haar kwijt.

Hij bleef staan, ademde snel in en uit en luisterde naar de geluiden van het bos. De wassende maan scheen door de bomen, het wit van de sneeuw reflecteerde het licht en verjoeg het absolute donker tussen de stammen. Eric hoorde... helemaal niets. Absolute stilte. Het wezen moest zich achter een boom of een struik hebben verscholen, in de hoop dat Eric haar niet in de gaten zou krijgen. Hij snoof diep en zocht in de zuivere lucht naar de stank van het Beest of de geur van haar bloed. Had hij nu maar zijn verrekijker bij zich gehad. Op de infraroodstand had haar lichaamwarmte haar onmiddellijk verraden.

Eric stond in de kou en tuurde om zich heen.

Tergend langzaam maar onverbiddelijk verstreek de tijd.

Geen van beide doodsvijanden bewoog zich.

Nu kroop de ijzige kou toch Erics lichaam binnen. Zijn armen en benen begonnen te trillen. Lang zou hij dit niet meer uithouden. De strategie van het Beest werkte.

Nee, dat mocht niet!

'Laat je zien!' schreeuwde hij zijn woede uit zijn lijf. 'Moet dát het einde worden? Dat ik doodvries en jij leegbloedt?'

Er ritselde iets links van hem. Sneeuw viel zachtjes van takken en twijgen.

Eric hield de dolk in zijn vuist vast met het lemmet naar beneden en keek slechts heel even in die richting, omdat hij ervan overtuigd was dat de aanval van een andere kant zou komen. Hij brak een doornige tak af en kraste daarmee over zijn armen, zijn borst, zijn schouders; zijn levenssap sijpelde uit de schrammen. 'Kom mijn bloed dan drinken als je durft!' riep hij uitdagend. Het zoete aroma verspreidde zich langzaam over het donkere, stille bos. Voor een hongerige en gewonde vleeseter was 't het onweerstaanbaarste lokaas. 'Je zult het heerlijk vinden en het zal je kracht geven.' Erics lichaam zag eruit alsof het met een zweep van dunne nylondraden was afgeranseld. 'Ruik je mijn...'

Plotsklaps kwam een schaduw ter grootte van een wolf rechts van Eric uit het kreupelhout tevoorschijn en sprintte in een rechte lijn door de sneeuw op hem af. Glinsterende witte wolken stoven op. Eric moest aan een haai denken die het water doorploegt om zijn prooi te pakken. Hij dook weg en wachtte op de klap van de botsing.

Het Beest zette zich af met alle kracht die ze nog in zich had en sprong met de woede van een door God verstoten engel recht op deze mensenzoon af. De wijd open bek gericht op zijn keel.

Eric deed iets onverwachts: hij tilde zijn linkerarm op en liet toe dat de scherpe hoektanden zich door het vlees van zijn onderarm boorden tot op het bot. De pijn was onbeschrijfelijk, vuur en ijs schoten er tegelijkertijd doorheen en aan het gedempte gekraak te horen, brak het bot door de drukkracht van de kaken alsof het niet meer dan een tak was. Eric viel achterover en het Beest landde boven op hem.

De prijs die het weerwezen voor haar gelukte aanval betaalde was hoog. De zilveren punt van de dolk drong het zachte onderlijf binnen, Eric rukte de snijkant omhoog naar zich toe, probeerde de buik over de lengte van het lichaam tot de ribben open te rijten.

De rode ogen van het Beest vlamden op, maar ze doofden nog niet. De brede kop schudde Erics arm heen en weer, deed een poging die uit het ellebooggewricht te trekken en af te rukken, en toen stootte Eric het lemmet van onderaf in de keel van het Beest.

'Sterf dan eindelijk!'

Nog meer bloed spoot op Eric, liep – voor het zilver vluchtend – sissend over zijn schrammen en spoelde de korsten eraf.

De kracht van het weerwezen nam af, maar niet helemaal. Ze wist dat het haar dood betekende als ze nog langer bleef. Van het ene op het andere moment liet ze Eric los en rende, zo snel als haar zware verwondingen het toelieten, het bos in.

'O, *NEE!*'

Eric rolde op zijn buik, smeet zijn dolk achter het Beest aan en staarde het donkere silhouet na. 'Kom terug!'

Ineens begon de grond over te hellen, de wereld om hem heen dreigde om te vallen. Hij voelde zich zo slap als een dweil worden. De inspanning, de verwondingen, de kou vormden samen een drie-eenheid die hem verzwakte.

Even bleef Eric naakt en afgebeuld in de sneeuw liggen en staarde vertwijfeld omhoog naar de heldere sterrenhemel. Hij kon het Beest niet achternagaan.

Er leek een eeuwigheid voorbij te gaan voordat Eric zich kreunend kon oprichten. Omdat hij niets anders dan zijn onderbroek had om een verband aan te leggen, sloeg hij die om de beten in zijn arm en hoopte dat de wonden snel sloten en het bot genas. Hij knielde naakt in de sneeuw, ondersteunde de gewonde arm met de gezonde, tilde zijn hoofd op en schreeuwde de opvlammende pijn luid het bos in. Meer dierlijk dan menselijk galmde zijn stem door het park en wekte bruut alle levende wezens die het hoorden uit hun slaap.

Sidderend hees hij zich overeind, wankelde eerst ongecontroleerd alle kanten op voordat hij moeizaam zijn evenwicht hervond en naar de plek liep waar hij vermoedde dat zijn dolk lag. Hij vond hem na enig zoeken in de sneeuw. Op het gevest stonden de tandafdrukken van het Beest. Ruim een derde van het lemmet ontbrak, was afgebroken. Stak dat nog steeds in zijn vijand? Eric nam het wapen mee. Het Beest moest dus zo zwaar gewond zijn dat ze niet ver weg kon vluchten. Met een beetje geluk werd ze zelfs door het zilver vergiftigd.

De wind droeg plotseling en onverwachts een geur met zich mee die hem alarmeerde. Diep snoof hij de lucht door zijn neus op. Het was de geur...

... van een vrouw! Vermengd met een deodorantluchtje en een eigenaardig parfum... nee, geen parfum. Wierook.

Eric sloop door het kreupelhout en vond op enige afstand afdrukken van laarzen in de sneeuw. Vlak daarnaast zag hij iets schitteren. Hij bukte zich en vond een deel van een zilveren ketting waaraan kralen van verschillende grootte waren bevestigd. Hij scheurde een stukje van zijn onderbroek af en pakte zijn vondst zorgvuldig in.

Plotseling werd de stilte ruw doorbroken door schoten.

Eric liet zich vallen en rolde achter de dichtstbijzijnde boom terwijl de kogels langs hem floten. Er kwam geen eind aan de beschieting, het werd alleen maar erger. Aan het staccato te horen, ging het om minstens twee aanvallers met automatische wapens. Nu werd het echt tijd voor Eric om zich terug te trekken.

Snel en voortdurend achter bomen wegduikend, ging Eric ervandoor. Tot zijn verbazing hielden de onbekende mensen op met schieten en lieten hem gaan. Kennelijk hadden ze hem alleen maar willen wegjagen en niet doden. Maar waarom?

Na de schietpartij en het lawaai in het hotel was de politie vast en zeker op het toneel verschenen, daarom besloot Eric elders een veilig onderkomen te zoeken. Hij had per telefoon en zonder medeweten van Lena nog twee andere hotelkamers gereserveerd. Gewoon voor de zekerheid. Je wist maar nooit wat er bij de jacht allemaal kon gebeuren en zijn avonturen van vandaag hadden dat maar weer eens bewezen.

Terwijl hij naar de rand van het bos en de oever van het Kozjakmeer liep om het bloed af te wassen, waren zijn gedachten niet bij zijn onverwachts opgedoken vijand, maar bij Lena.

Hij was nooit een erg gelovig mens geweest, maar nu smeekte hij God haar te laten sterven.

Anders zou hij haar moeten doden.

XXIII

31 december 1765, omgeving van Auvers, Saint Grégoireklooster

'Pierre?'

Pijnlijke maar goedbedoelde tikjes tegen zijn wang haalden hem uit zijn bewusteloosheid, en toen er ijskoude sneeuw in zijn nek werd gewreven, verdween ook het laatste restje van zijn versuftheid.

'Wat...' kreunde hij, terwijl hij zich oprichtte en het bezorgde gezicht van zijn vader voor zich zag. Hij bewoog zijn armen en benen. Afgezien van een verdoofd gevoel in zijn heup scheen hij aan de val verder niets te hebben overgehouden. Zijn broekspijp was gescheurd, de nagels van het Beest waren zelfs door het dikke leer van zijn laarzen gedrongen. 'Het was Antoine,' zei hij en hij stond op. Jean moest hem ondersteunen. 'Ik... ik zag dat hij uit de hut wegsloop en ben hem hierheen gevolgd,' loog hij om niet te hoeven toegeven waarom hij in werkelijkheid in de buurt van het klooster rondzwierf. 'Ik wilde hem tegenhouden.'

Volledig onverwachts gaf de wildschut hem een oorvijg. 'Die verdien je omdat je alleen op pad bent gegaan,' legde hij uit, maar Jean zag er toch meer opgelucht dan boos uit. 'Wat is er gebeurd?'

Gehaast deed Pierre verslag van de gebeurtenissen. Jeans gezicht betrok. 'Hebben ze met elkaar gepaard? Dan moeten we dat schepsel in de komende maanden doodschieten, anders raakt de Gévaudan door de vele Beesten en hun honger nog ontvolkt.'

Pierre zag dat het hard sneeuwde. De vlokken zouden de sporen allang hebben bedekt: ze zouden niet kunnen zien waar Antoine en zijn dierlijke liefje zich hadden teruggetrokken.

Toen hoorden ze een gedempte knal en kort daarop een tweede.

'Dat kwam uit het klooster van Saint Grégoire!' Pierre rende weg. Zijn bezorgdheid om Florence gaf hem weer kracht. Jean ging hem ploeterend door het dikke pak sneeuw achterna.

Onverwachts bleef zijn zoon staan. Uit de dicht vallende vlokken dook voor hen een schaduw op van iemand die een andere man over zijn schouders droeg.

'Malesky?' zei Jean verbaasd toen hij hem herkende.

'Goed dat ik jullie tref,' zei de Moldaviër hijgend onder zijn last. 'Hier, dit is uw zoon... Draagt u hem maar verder!' Hij gooide de door een schot gewonde Antoine in de sneeuw. Zijn gezicht leek één grote bloederige massa. Ook uit zijn linkerschouder stroomde zijn levenssap... en om een of andere reden sloten de wonden nu niet vanzelf.

'Zilver,' merkte de Moldaviër kort en bondig op. 'Dat werkt het beste tegen ze.' Hij keek achterom. 'We moeten gaan, messieurs. De nonnen zijn niet doof en zullen mijn schoten hebben gehoord. Florence zal niets verraden, dat heeft ze me met haar hand op haar hart beloofd.'

'Gaat het goed met haar?' wilde Pierre weten. Hij hielp zijn vader om zijn gewonde broer over diens schouder te leggen.

Malesky knikte en gaf hem een vriendschappelijke klap op zijn rug. 'Ik kwam net op tijd om een stokje te steken voor een te nadere kennismaking tussen haar en uw broer.'

'Dank u wel!'

'U hoeft mij niet te bedanken. Vertel mij maar liever waar we nu heen moeten. Bij deze sneeuwjacht halen we uw huis niet.'

'Niet ver hiervandaan is een schuilplaats.' Jean wees naar het noorden. 'Maar vertel mij alstublieft eerst...'

'Wegwezen nu!' onderbrak Malesky hem, terwijl hij wegliep. 'Praten kunnen we later nog wel in een warme hut.'

De drie vertrokken, baanden zich een weg door het dichte bos en de voortdurend aanwakkerende storm, tot ze uiteindelijk een van Antoines goed verstopte toevluchtsoorden hadden bereikt. Jean kende ze niet allemaal, wist alleen van het bestaan van sommige waar hij zijn honden hield.

Ze waren bij de hut waar ze als gezin al vaak bij elkaar waren gekomen. Daar brachten ze Antoine naar de gemetselde kelder onder de schuur, sloegen hem in de boeien en zorgden dat hij tweemaal zo goed vastzat als anders. Pas toen begon Jean met het onderzoeken van Antoines verwondingen.

Het schot in zijn gezicht was door Malesky zo schuin gericht geweest dat het geen dodelijke schade had kunnen aanrichten. Het jukbeen groeide al weer zachtjes knisterend aan elkaar, nieuwe huid vormde zich daaroverheen. Het was een normale loden kogel geweest. Ook de treffer in de schouder had Antoine niet gedood. Maar omdat deze wond door een zilveren kogel was veroorzaakt, was Antoine nogal verzwakt en had hij abnormaal veel pijn. Zelfs in zijn bewusteloosheid verwrong zijn gezicht zich.

'Dank u, monsieur Malesky,' zei Jean zachtjes.

'Waarvoor?'

'Dat u mijn zoon niet hebt gedood. U bent een te goede schutter, zoals u in de Béalkloof al heeft bewezen. Het kan geen toeval zijn dat Antoine nog leeft.' Hij veegde het bloed aan het hemd van de liggende Antoine af en wendde zich tot hun kennis. 'Waarom hebt u hem niet doodgeschoten?'

Malesky was al weer druk bezig met zijn knijpbrilletje. Met zijn eeuwig onveranderlijke ritueel verwijderde hij het dooiwater en klemde de bril weer op zijn neus. Hij glimlachte. 'U kunt mij maar beter niet voor een goed mens aanzien, monsieur Chastel. Hij leeft omdat hij niet het wezen is waar ik op jaag. Ik zoek het wijfje, want zij is pas echt gevaarlijk. Een beter lokaas dan uw zoon krijgen we nooit.' Hij wees naar de wond op Antoines schouder. 'Het zilver zit nog in het bot. U moet het verwijderen, anders kan het hem op den duur vergiftigen en de dood tot gevolg hebben. Bedankt u mij daarom maar niet te vroeg.' Malesky klom de ladder in de schuur weer op. 'We zullen met elkaar praten zodra u hierbeneden klaar bent, monsieur Chastel.'

'Let goed op als u buitenkomt. Surtout en de andere honden zouden hier ergens in de buurt kunnen zijn.'

Jean legde eerst de plek bloot waar de kogel Antoines lichaam was binnengedrongen. Pierre assisteerde hem en hield de wondranden open. Dat was niet eenvoudig, want het regeneratievermogen dat eigen is aan de loup-garou, zorgde er ook bij Antoine voor dat het vlees wilde dichttrekken en genezen. Alleen waar het zilver zat gebeurde dat niet. De vezels sisten en stierven ter plekke af zodra ze met het metaal in aanraking kwamen.

Jean was eraan gewend jachtwonden te verzorgen. Vaak genoeg raakten drijvers van edellieden gewond bij de jacht op herten of ander grof wild. Het kostte hem daarom weinig moeite de kogel uit het bot te verwijderen, vooral ook omdat hij wist dat de wond weer zou genezen en hij niet voorzichtig hoefde te zijn.

Hij peuterde het zilver uit het witte gewricht, legde het opzij en zag zowel met afschuw als gefascineerd hoe het genezingsproces op gang kwam. Al na een paar minuten zagen ze op de huid niet meer dan een bleekroze streep.

'Blijf bij hem en kalmeer hem wanneer hij wakker wordt,' zei Jean tegen zijn oudste zoon. 'Leg hem uit wat er is gebeurd en dat hij zijn leven aan Malesky heeft te danken.'

Pierre was het er niet mee eens. 'Maar ik moet weten wat er precies in de kapel is gebeurd!' protesteerde hij.

'Het gaat goed met Florence, dat heb je toch gehoord.' Jean begon de ladder op te klimmen. 'Blijf bij hem,' drukte hij Pierre op het hart. Hij liet het luik zakken en schoof er na enige aarzeling de sluitbalk overheen. *Ze moeten allebei opgesloten blijven. Ik kan het me niet meer permitteren om ze nog vrij rond te laten lopen. Ze zullen in dat hok moeten blijven tot het Beest dood is*, besloot Jean vol medelijden met zijn eigen vlees en bloed. Maar het gevaar voor de hele regio was te groot.

Malesky had het zich gemakkelijk gemaakt in de eenvoudige hut. Hij had zijn jas uitgetrokken en koffiegezet. Het rook er verleidelijk naar de dure, exotische drank. 'Waar haalt u die vandaan...?'

'Ik ga nooit zonder een voorraadje op pad,' zei de Moldaviër glimlachend. 'Als je in een land bent opgegroeid waar de Ottomanen regeren, maak je er vroeg of laat tot je genoegen kennis mee en raak je eraan verslaafd.' Hij schonk voor de wildschut wat van het zwarte brouwsel in. 'Let op het drab op de bodem, dat smaakt niet.'

Jean ging zitten. 'Hoe lang weet u al dat Antoine een loup-garou is?'

'Ik wist het pas toen ik in de kapel van Saint Grégoire tegenover hem stond. Eerder... eerder vermoedde ik het alleen maar.'

'En hoe bent u eigenlijk zo snel te weten gekomen wat hier in de Gévaudan ronddoolde?' De wildschut proefde van de bittere drank en ging op zoek naar honing om de koffie zoeter te maken. 'Wat bazelde u destijds over hyena's en zo?'

'Kennelijk praten we nu eindelijk open en eerlijk met elkaar,' zei Malesky met een grimmige glimlach. 'U moet weten, monsieur Chastel, dat ik niet voor het eerst tegenover het Beest sta. Ik heb in mijn leven al tweeëntwintig *vukodlaks*, zoals we ze bij ons thuis noemen, neergeschoten. Tien daarvan in mijn vaderland, de andere in de rest van Europa. Maar deze bijzondere soort van gedaantewisselaars die hier in de Gévaudan huist, is werkelijk zeer uniek.' Hij nipte aan zijn koffie, slaakte een weldadige zucht en inhaleerde de warme damp. 'Oorspronkelijk zat ik achter een mannetje aan. Ik had hem al minstens vier keer tot staan gebracht, maar hij wist telkens weer op het laatste moment aan me te ontsnappen. Hij ziet er niet uit als een gewone weerwolf. Hij heeft verschillende Beesten in zich verenigd, is hyena, wolf en grote kat tegelijk, en alleen de duivel weet hoe zich dat heeft kunnen voltrekken.' Hij keek over de rand van zijn beslagen brilletje. 'Toen ik de eerste berichten uit Zuid-Frankrijk vernam, wist ik onmiddellijk waar de mensen hier mee te kampen hadden.'

'Wij hebben het Beest naar de Gévaudan gelokt.' Jean zag het kadaver van de loup-garou in de Vivarais weer voor zich. 'Ik heb uw mannetje gedood... nee, Antoine heeft dat gedaan, door zijn kop aan flarden te schieten. Zijn vrouwtje viel ons aan, heeft de kiem van het kwaad overgedragen op mijn zoons en is ons achternagekomen. Om onze geboortestreek te straffen voor de dood van haar metgezel.'

'U hebt dus ten minste één van die Beesten vernietigd.' Malesky leek opgelucht. 'Dan blijft er nog één over, want uw zoons reken ik niet mee.' Hij zweeg even, scheen innerlijk een aanloopje te nemen. 'Monsieur Chastel... ik ben vannacht op Antoines spoor gestoten en heb gezien dat hij en het vrouwtje in hun Beestengedaante met elkaar paarden. Het is best mogelijk dat het duivelszaad opkomt en ze zich vermeerderen. Dat is een gruwel waarbij de vervolging van de hugenoten in dit land nog onschuldig zal lijken.' Hij legde zijn voeten op de houten bank. 'Ik heb in elk geval geen flauwe notie wie dat wijfje is. U?'

'Nee. Maar ik heb iets anders wat ik u wil laten zien.' Jean merkte dat de koffie hem nieuwe energie gaf, hij voelde zich kwiek en alert. Hij rommelde onder de tafel waar hij in een spleet het opgevouwen vel papier met het recept van het drankje bewaarde dat zijn zoons van de vloek zou moeten bevrijden, en gaf het aan Malesky. 'Wat denkt u daarvan?'

De Moldaviër tuurde door zijn brilletje naar het afschrift, las de regels heel aandachtig en gaf het vel aan de wildschut terug. 'Dat is onbekend terrein voor mij, monsieur Chastel. Ik heb die wezens tot nu toe altijd doodgeschoten. U moet weten dat ik op mijn reizen nog nooit iemand als u en uw beklagenwaardige zoons ben tegengekomen. Maar het staat wel vast dat we nu minstens twee redenen hebben om een eind aan het leven van dat wijfje te maken.' Hij leegde zijn beker. 'Maar wat doet u als dat drankje niet werkt?'

Jean balde zijn vuisten. 'Het mag niet níét werken, monsieur Malesky.'

'Maar laten we daar nu even van uitgaan,' beet Malesky zich erin vast.

'Dan... dan moet ik maar iets anders verzinnen,' zei Jean ontwijkend. 'Mijn zoons zijn buiten hun schuld om tot schepselen uit de hel geworden en ik zal alles proberen om hen van dat afschuwelijke lot te bevrijden, zonder hen van het leven te beroven.'

Malesky glimlachte bemoedigend naar Jean. 'Ik heb geen hoge pet op van hekserij en zwarte magie, maar in dit geval hoop ik werkelijk dat dat drankje het gewenste effect heeft.' Hij stond op en goot voor de tweede keer het koffiedik op. 'Wat weet u allemaal van de weerwolvenjacht af, monsieur Chastel?'

'Je hebt zilver nodig om ze te doden.'

'En?'

'Meer weet ik niet.'

'*Mon dieu!* Ondanks het feit dat u niet op God vertrouwt, beschermt Hij u behoorlijk goed! Ik heb ervaren jagers gekend die ondanks al hun voorbereidingen door een gedaantewisselaar zijn verscheurd.' Malesky proostte naar hem. 'Let goed op wat ik u nu ga vertellen. Zilver verwondt en doodt het Beest als een normaal dier, omdat zilver het metaal van de maan is. De maan heeft macht over hen, dwingt hen in de nachten rondom vollemaan van gedaante te wisselen, en daar kunnen ze niets tegen aanvangen. De waarheid barst als het ware uit hen los. Dat is voor mensen zoals wij de beste tijd voor de jacht. Op andere momenten kunnen ze zich naar believen veranderen, wanneer het ook maar in hun kraam te pas komt.' Hij klopte op zijn gordel waarachter hij een lang mes droeg. 'Laat zo snel mogelijk een dolk van zilver voor uzelf maken, monsieur. Voor een lijf-aan-lijfgevecht. Anders trekt u binnenkort aan het kortste eind. U zult aan uw zoon hebben gemerkt dat hun wonden genezen. En om het risico nog kleiner te maken kunt u lemmet en kogels vergiftigen. Door gedestilleerd aconitum stolt het bloed in hun aderen.'

Jean luisterde geboeid. 'En waar leert men zulke geheimen, monsieur Malesky? Hoeveel van die schepsels bestaan er?'

'Ik lees veel, dat heb ik u al meteen verteld,' antwoordde de grijze man grijnzend. 'En ik heb tijdens mijn jachtpartijen veel uitgeprobeerd. Knoop goed in uw oren dat niet alle aanbevolen middelen tegen alle gedaantewisselaars deugen. Hun aantal... mmm...' – hij haalde zijn schouders op – 'dat zou ik niet kunnen zeggen. Maar uw dodelijke schot megerekend, zijn er in elk geval drieëntwintig minder.' Hij lachte. 'Wat moet u nog meer weten wanneer we op het Beest jagen?' dacht hij hardop na. 'Het probleem is het grote aantal legendes dat om hen heen is geweven.'

Plotseling hield hij zijn mond, liet zijn blik even naar het raam glijden en grijnsde toen breed. 'Ik ken honderden van hun eigenschappen,' sprak hij geamuseerd verder. 'Bijvoorbeeld dat ze er gegarandeerd niet zo uitzien als abdissen die een tweede sluier van sneeuw hebben omgehangen en zo luid met hun tanden klapperen dat ze zich daardoor verraden.' Hij wees naar het raam. 'Haal haar binnen, voordat ze helemaal bevriest.'

Als een echo van zijn woorden werd er bedeesd op de deur geklopt. Jean sprong geschrokken op en deed de deur open. Inderdaad stapte Gregoria binnen. Haar zwarte mantel was van boven tot onder met sneeuw bedekt en ze trilde over haar hele lichaam.

'Bonsoir, messieurs,' bracht ze met moeite over haar lippen.

De wildschut verloste haar van haar jas en schoof een stoel voor haar bij, vlak voor de stookplaats. Dankbaar ging ze bij het vuur zitten en kreeg niet veel later van Malesky een beker koffie aangereikt. Bijna morste ze de warme vloeistof, zo stijf bevroren waren haar vingers.

'*Bonne nuit* zou beter passen! Wat bezielt u om bij zo'n vliegende storm door de nacht hierheen te komen, eerwaarde abdis?' wilde de Moldaviër weten, veinzend dat hij buitengewoon bezorgd was. 'Is er iets gebeurd? Heeft het Beest zich geroerd?'

Jean hield haar wantrouwig in de gaten. Dat ze zo plotseling opdook, vond hij meer dan merkwaardig – bovendien ook nog hier, in deze afgelegen hut die maar weinig mensen kenden – en zijn argwaan dat de abdis iets van het Beest af wist, was nog altijd niet weggenomen.

'Er is iets in de pelgrimskapel voorgevallen... er is geschoten. We hebben bloed op de grond gevonden en dachten dat... dat een van de heren Chastel jacht op het Beest maakte en het in het nauw had gedreven.' Ze nam een slok koffie. 'Het wordt tijd dat ik u de waarheid vertel, monsieur Chastel,' zei ze terwijl ze hem lang aankeek. 'U... u jaagt niet op een wolf. Het is een loup-garou.'

Jean meende in haar grijsbruine ogen gebrekkig verbloemde gevoelens van angst en bezorgdheid te zien. Bezorgdheid om hem? Zijn argwaan tegenover haar verdween in een oogwenk.

Malesky deed alsof hij de onschuld zelve was. 'Eerwaarde abdis, hebt u soms te veel naar de kletspraat van uw schaapjes geluisterd? Zouden wij werkelijk achter een fabeldier aan rennen?'

'Het is beslist geen sprookje, monsieur Malesky,' antwoordde ze streng. 'U komt niet van hier. U zult niet weten dat Frankrijk al eerder het middelpunt van de jacht op de loup-garou is geweest.'

'U bedoelt die wolvenjachten in de middeleeuwen om de loup-garou te vernietigen, waarbij duizenden onschuldige wolven het leven hebben gelaten? Of bedoelt u de talrijke processen van uw Kerk tegen eenvoudige mensen vanwege gedaantewisselingen in wolven en wolvenuitbannerij, eerwaarde abdis? Met permissie, maar dat had niets met de jacht op gedaantewisselaars te maken. Dat was pure waanzin.'

'U bent belezener dan ik dacht,' zei Gregoria. 'Ik verzeker u dat het niet alleen om eenvoudige mensen ging. De inquisiteurs hebben volgens de documenten van Saint Grégoire ook in de Auvergne, de Vivarais en de Gévaudan jacht op de loup-garou gemaakt en waren, zo maak ik uit de protocollen op, kennelijk succesvol.' Ze keek naar Jean. Hij zag aan haar dat ze serieus meende wat ze zei en dat het niet gemakkelijk voor haar was. 'Moge de Heer ons behoeden voor de terugkomst van de Beesten, zodat ze niet opnieuw het rijk der duisternis zullen stichten,' fluisterde ze.

'Bent u niet veel banger dat er een nieuwe inquisiteur aan de deur van uw klooster klopt en u samen met uw nonnen aan een onderzoek onderwerpt, zoals die goede rechter Pierre de Lancre in Bordeaux destijds?' merkte Malesky vinnig op.

'De Lancre?' vroeg Jean. Hij was het niet gewend dat andere mensen met de abdis bakkeleiden. 'Wat heeft Bordeaux...'

'De Lancre had het vooral gemunt op duivelsaanbidding van religieuze aard en veroordeelde binnen één jaar niet minder dan zeshonderd mensen.' Malesky hield Gregoria nauwlettend in de gaten. 'Monsieur De Lancre bericht uitvoerig over zijn bezoek aan een veertienjarige herdersjongen, die men vanwege zijn kennelijke zwakzinnigheid tot opsluiting in een klooster had veroordeeld. Ondanks zijn vrome verbanningsoord verloor hij zijn zin in de verrukkelijke lichamen van jonge meisjes niet. Hij was, zo beweerde De Lancre, een loup-garou. Corrigeert u mij als ik iets verkeerds zeg, eerwaarde abdis.'

Gregoria sprong opgewonden overeind. 'Ik begrijp uw toespeling uitstekend, monsieur Malesky, en ik ben niet van zulke beschuldigingen gediend. We hebben twee van zulke arme, verwarde menselijke wezens tussen onze muren en die zijn zo mak dat ze van een mug nog schrikken. Ze zouden helemaal niet rond kunnen waren en mensen aanvallen.' Ze keek Jean weer aan. 'Messieurs, het is een échte loup-garou!' Ze pakte haar jas, rommelde in haar zakken tot ze enkele velletjes papier had gevonden, die ze hem aanreikte. 'Ik heb voor u opgeschreven wat over dat wezen bekend is en wat voor u van nut kan zijn als u het Beest wilt vernietigen. Maar ik betwijfel nu of u mijn hulp nog nodig hebt... Monsieur Malesky schijnt veel van deze materie te weten.'

'Ik? Nou ja, ik heb veel bibliotheken bezocht. Het regende onderweg vaak, ziet u, en daarom zocht ik daar regelmatig een schuilplaats.'

Gregoria ging niet in op de spot van Malesky. Jean pakte ondertussen het eerste vel van haar aan. Hij beroerde daarbij toevallig haar warme vingers en wilde die het liefst vastpakken, maar hij onderdrukte zijn aandrang en keek haar alleen maar aan. Ze beantwoordde zijn blik even, daarna liet ze haar hoofd zakken.

'Het wordt spannend. Bovendien leer ik graag iets nieuws,' ging Malesky verder terwijl hij het zich gemakkelijk maakte op de hoekbank. 'Monsieur Chastel, zou u zo vriendelijk willen zijn om het hardop voor te lezen? En sla dingen met zilver maar over.' Bij de eerste zin begon Jean al te twijfelen aan het nut van wat Gregoria uit de boeken van Saint Grégoire had verzameld. 'Een garou is niet alleen tot het verschrikkelijkste kwaad in staat, maar ook tot het goede,' las hij sceptisch. 'Men herkent hen aan hun haren aan de binnenkant van de handen, de doorlopende wenkbrauwen, de sterke geur en het onverzadigbare, hevige verlangen naar vrouwen en rauw vlees.'

'Dat laatste klopt in elk geval,' zei Malesky, op wiens gezicht al een brede grijns was verschenen.

'Een garou verandert langzaam en wordt gemakkelijk meer dan honderd jaar oud, zelfs wanneer hij uiterlijk nog altijd op iemand van dertig lijkt. Zijn tanden en kiezen vallen nooit uit en zijn zo wit als sneeuw. Hij betreedt nooit gewijde grond...'

'Hoe kwam hij dan in de kapel?' onderbrak Malesky hem. 'Er staan wel enige onwaarheden in.'

'Een loup-garou verafschuwt heksen en magiërs en bestrijdt hen waar hij hen ook maar tegenkomt, want hij is bang voor hun toverkunsten, hoewel hij zelf ook betoverd lijkt.' Jean las het voor, maar zijn ongeloof werd met elke regel groter. 'Door zijn ogen komen zelfs de vroomste mensen in de ban van hem en zijn stem verleidt de vriendelijkste mensen tot misdaden of lokt jongedames voor het huwelijk in zijn bed, waar hij hen van hun maagdelijkheid berooft. Zijn gehuil doet iedereen op de vlucht slaan, zijn beet veroorzaakt wonden die nimmer meer helen, en zijn nagels zijn zo hard als smeedijzer en kunnen in marmer en steen kerven alsof het was is.' Jean liet het vel papier zakken. 'Abdis, wilt u ons soms angst inboezemen? Als het aan de schrijver van deze twijfelachtige waarheden ligt, zouden we hemelse heerscharen aan onze zijde nodig hebben om tegen een garou ons mannetje te staan.'

'Is er nog meer?' merkte Malesky op terwijl hij zijn pijp stopte. 'Ik luister graag naar sprookjes.'

'U zult er nog plezier aan beleven,' bereidde Jean hem voor terwijl zijn ogen al over de volgende zinnen waren gedwaald. 'Het slachtoffer van een loup-garou moet als geest bij hem blijven en hem ten dienste staan totdat de garou sterft. Grote goedheid...' Hij haalde diep adem. 'De vollemaan zou hen, naar men beweert, beschermen wanneer ze zich in zijn licht baden: iedere kling van mes of zwaard zal krakend breken op zijn huid.'

Jean hield op met voorlezen omdat Malesky een lachstuip had gekregen. Hij sloeg dubbel op de bank, legde zijn pijp voorzichtigheidshalve op tafel zodat deze niet zou vallen, en zwaaide met zijn armen door de lucht. 'Hou op, monsieur Chastel, hou op!' smeekte hij buiten adem en hij wreef over zijn korte, grijze haar. 'Ik kom niet meer bij!'

Gregoria keek woedend naar de Moldaviër. 'Monsieur Malesky, u toont wel erg weinig respect voor mijn inspanningen om u en monsieur Chastel het leven te redden.'

'Ik heb waardering voor uw inspanningen, eerwaarde abdis.' Hij veegde de lachtranen van zijn wangen. 'U had gelijk toen u vermoedde dat ik over de nodige kennis beschik. Misschien zijn sommige dingen die monsieur Chastel net voorlas juist, maar ík heb daar in elk geval nog nooit van gehoord. Misschien zijn er nog andere manieren om je tegen gedaantewisselaars te verweren, maar om zo'n creatuur te vernietigen, geef ik toch de voorkeur aan zilver, of het nu om messen of kogels gaat.' Malesky liep naar de stookplaats, pakte een gloeiende spaander en stak zijn pijp weer aan. 'Ze werken allebei.'

'Dat weet u ook al?' Gregoria staarde hem aan. 'Bent u dan soms in opdracht van de Heilige Vader naar de Gévaudan gekomen?'

'Nee, eerwaarde abdis. Ik reis in opdracht van mezelf,' antwoordde hij lurkend aan zijn pijp. 'Ik heb persoonlijke redenen die mij ertoe hebben gebracht om een kruistocht tegen hen te beginnen, om bij uw woordkeus te blijven. Met het Vaticaan heb ik absoluut niets te maken. In Moldavië stond Allah dichter bij me dan de christelijke God.'

Met een harde klap sloeg ineens een vensterluik dicht: door de wind was de muurhaak losgeschoten en werd het luik heen en weer gezwiept.

'De storm is aangewakkerd,' zei Jean en hij liep naar de deur.

'Waar zijn uw zoons, monsieur?' vroeg Gregoria. 'Ze zijn met dit weer toch niet in het bos om het Beest te zoeken? Hebben zíj dat schepsel in de kapel in het nauw gedreven?'

'Antoine en Pierre zitten... in een hutje niet ver hiervandaan. Maakt u zich geen zorgen,' suste hij haar vriendelijk, waarna hij naar buiten stapte. Ze zagen hem voor het raam verschijnen. IJzige windvlagen rukten aan zijn kleren en zijn witte lokken terwijl hij probeerde het weerbarstige luik te beteugelen.

'U zult vannacht niet meer naar Saint Grégoire terug kunnen gaan.' Malesky keek aandachtig naar de vlokken die bijna horizontaal langs de ruit vlogen tot de wildschut het ene na het andere raam vanbuiten had afgesloten. 'U moet er rekening mee houden dat u hier zult moeten blijven.' Hij tikte met het mondstuk van zijn pijp tegen zijn borst. 'En overigens was ík dat in de kapel, eerwaarde abdis. Het Beest verraste me tijdens het gebed. Ik moest me verdedigen, en ik dank de Allerhoogste dat Hij mij mijn musket in het godshuis liet meenemen in plaats van het in het portaal tegen de muur te zetten.'

Jean keerde terug, bevestigde Malesky's inschatting dat het wel een erg zware sneeuwstorm was en bood hem de kamer van zijn zoons aan. 'U, abdis, kunt hier voor de vuurplaats slapen, dan houd ik monsieur Malesky gezelschap. We zullen u niet storen.'

Malesky knikte naar allebei en klopte zijn pijp uit. 'Het was een inspannende avond en ik neem afscheid van u. Slaap zacht, zonder te sterven.' Hij knipoogde en verdween door de deur naar de kleine slaapkamer van Pierre en Antoine.

Jean had al gehoopt dat zijn vriend als eerste de kamer zou verlaten. Hij legde een gekloofd stuk hout op de vlammen en keek in gedachten verzonken naar het vuur dat over de schors danste. Onmiddellijk daarna vloog die knetterend in brand.

'Weet u iets van een tegenmiddel af?' stelde hij Gregoria onverhoeds op de proef. 'Kan men de ongelukkigen ervan bevrijden om als loupgarou te moeten leven zonder hen te hoeven doden? Stel dat we ze levend zouden kunnen vangen, is het dan vanuit uw standpunt bezien niet een grandioze triomf over het Kwaad als we hem en zijn ziel redden?'

Gregoria zei eerst een hele tijd niets. 'Ik heb in de archieven van het klooster een document gevonden waarin wordt gesproken over een drankje waarmee men de terugverandering kan bewerkstelligen. Naar men beweert.' Ze keek hem aan. 'Maar het is... helemaal niet christelijk. Het is zwarte magie, en die mag men niet aanwenden. Het siert u dat u de ongelukkige die door het kwaad is bezeten wilt redden, maar... maar hij of zij is onherroepelijk verloren. Ik zou er graag bij zijn wanneer u diegene hebt gevonden. Om te bidden en zijn of haar ziel te redden zodat deze niet aan het kwaad wordt uitgeleverd.' Ze keek hem doordringend aan. 'Belooft u me om mij onmiddellijk te laten halen nog voordat iemand anders iets over het succes van uw jacht verneemt?'

Jean ontspande zich. Ze had hem eerlijk de waarheid verteld! Hij drukte haar ineens plechtig de hand. 'Dat is een belofte die ik graag doe.'

Een moment lang bleven ze zo bij elkaar zitten. Het lichtschijnsel van het vuur gaf haar gelaat iets onweerstaanbaars. Jean merkte dat iets anders de macht over zijn lichaam leek over te nemen, zijn verstand uitschakelde en hem beval zich naar voren te buigen en haar lippen te kussen.

Gregoria trok haar hoofd terug, maar hij liet haar niet ontsnappen en vond haar mond. Jean probeerde haar te omarmen, maar ze deinsde achteruit.

'Monsieur Chastel! Nee!' zei ze met een stem die vastberaden had moeten klinken. 'Ik heb mij aan God gegeven.'

'Vergeef mij,' stamelde hij verlegen en hij schoof zijn stoel naar achteren zonder haar hand los te laten. 'Ik weet niet wat mij overkwam.'

'Ik wel,' zei Gregoria terwijl ze bedroefd naar hem glimlachte. Ze was in de war. Zijn lippen waren tegen haar verwachting in zacht en warm geweest en hadden een vonk in haar ontstoken waaruit geen vuur mocht ontstaan. Het scheelde maar een haartje of ze was voor de bijl gegaan. 'Dit mag niet meer gebeuren, en ik vraag u mijn wens te respecteren.' Ze legde heel even haar hand op zijn wang alsof ze hem wilde aaien, maar gaf hem toen als een moeder een kus op het voorhoofd. 'Wees voortaan een goede vriend voor mij en ga nu naar uw bed, monsieur Chastel.' Ze deed de rozenkrans af die om haar nek hing en bereidde zich voor op het gebed.

Hij ging staan. 'Ik zal.. ik zal voor jóú meer dan een goede vriend zijn,' beloofde hij met een schorre stem. Hij glimlachte en liep de kamer van zijn zoons in om op Pierres bed te gaan liggen. Malesky had Antoines slaapplaats uitgekozen. Hij snurkte zachtjes en sliep diep en vast, het gieren van de storm en het heftige schudden aan de hoeken van de hut lieten hem volkomen onverschillig.

Jean gaf het opwekkende effect van de koffie er de schuld van dat hij de slaap niet kon vatten en Gregoria aldoor voor zich zag, of hij zijn ogen nu openhield of dicht. Hij vermoedde dat het haar ook zo verging.

XXIV

Kroatië, Plitvice, 18 november 2004, 08.01 uur

Het was niet moeilijk om in Lena's ziekenkamer te komen. Uitgerust met doktersjas, klembord en stethoscoop liep Eric vlot langs de politieagent, drukte de deurkruk naar beneden en liep alsof het de gewoonste zaak van de wereld was de kamer in. Hij hoefde zelfs niet eens een pasje of iets dergelijks te laten zien.

Lena lag te slapen op een kamer met vier andere vrouwen. Ze was met talrijke slangetjes verbonden waardoorheen rode en kleurloze vloeistoffen in en uit haar liepen.

Hij pakte de status uit de houder aan het voeteneinde en wierp een vluchtige blik op de verschillende waardes. Haar lichaam herstelde zich zeer goed van de zware bijtwonden, de lymfeklieren waren aan het werk gezet. Het weefsel regenereerde sneller dan bij andere patiënten.

Ze was allesbehalve dood. God of wie dan ook had zijn gebed niet verhoord. Nu werd hij opgescheept met de allervreselijkste opdracht die zijn beroep ooit van hem had geëist.

Eric trok het plastic gordijn rondom het bed dicht zodat hij niet door de andere vrouwen kon worden gezien. Daarna pakte hij zijn zilveren dolk onder het klembord vandaan.

Hij sloeg de deken terug. Behoedzaam zette hij de eerder afgebroken punt schuin op de linkerborst en maakte voorzichtig een snede van een paar millimeter diep in het zachte vlees.

Het siste nauwelijks hoorbaar.

Eric deed terneergeslagen zijn ogen dicht. Het zilver bevestigde definitief dat het Beest zijn kiem van het kwaad in Lena had geplant en een lykantrope van haar had gemaakt. Ze behoorde nu tot de vijand en moest vernietigd worden.

'Doe het snel,' zei Lena ineens terwijl ze haar ogen opende. 'Ik wil niet lijden.'

Eric keek haar met tegenzin aan. Hij meende een woest fonkelen in haar pupillen te zien en leidde daaruit af dat het dier in Lena al sterker werd. Als kanker kroop het in alle cellen, veroverde en veranderde haar. Versmolt met haar. Het groen van haar ogen leek lichter te worden.

'Ik weet het, Eric,' zei ze rustig. 'Ik... voel het in me. Het verandert me al.' Ze slikte. 'Is het nog gelukt?'

Ze verweet hem helemaal niet dat hij haar alleen in de hotelkamer had achtergelaten. Hij kon geen antwoord geven, staarde alleen maar naar haar mooie, bleke gezicht met de gewelfde wenkbrauwen.

Op dat moment begreep hij dat hij haar nooit zou kunnen doden.

Het was gewoon onmogelijk.

'Vooruit, kom op!' Ze legde haar rechterhand op de hand met de dolk. 'Stoot toe. Ik wil niet zo leven als andere gedaantewisselaars. Niemand mag via mij de dood vinden.' Ze keek hem smekend aan. 'Alsjeblieft!'

Eric boog naar voren en kuste haar op het voorhoofd.

Ze keek hem behoedzaam aan. 'Was dat een afscheidskus?'

'Nee. Het was... een bekentenis die ik nog nooit aan een vrouw heb gedaan.' Hij stopte de dolk in een zak van de doktersjas. Zijn leven was in één klap veel ingewikkelder geworden. Eerder had het enkel en alleen uit gevaren bestaan die hij kon inschatten zonder zich om anderen te hoeven bekommeren. Maar dat was allemaal veranderd. Vanwege Lena.

Hij pakte haar hand. 'Zou je willen blijven leven?'

Haar ogen vulden zich met tranen. 'Als mens. Maar niet als Beest,' zei ze. 'Maar veel tijd wordt me waarschijnlijk niet gegund om lang onderzoek te doen, om recepten te vinden en uit te proberen. Je hebt zelf gezegd dat het zinloos is...'

'Misschien bestaat er wel een geneesmiddel,' onderbrak hij haar. 'In elk geval vermoed ik dat het bestaat.'

Lena kwam in haar bed overeind. 'Eric, wat zei je daar?' Ze trok een ongelovig maar blij gezicht.

'Mijn vader bezat een buisje met een ingedroogde vloeistof die zogenaamd tegen de beet van een weerwolf zou moeten helpen,' onthulde hij. 'Het stamt uit de achttiende eeuw. De substantie op zich is allang niet meer te gebruiken, maar ik kan het laten analyseren.'

'Ik dacht dat alles was verbrand?'

'Nee. Niet alles.'

Lena sloeg haar handen voor haar gezicht. Nog nooit was ze zo blij geweest dat er tegen haar was gelogen. 'Misschien is redding nog mogelijk,' klonk er onduidelijk tussen haar vingers door. 'Het duurt een halfjaar voordat mijn kansen volledig zijn verkeken, nietwaar?'

Hij knikte langzaam en een scheve glimlach verscheen op zijn gezicht.

Lena trok de ene na de andere infuusnaald uit haar lichaam en veegde de tranen van haar wangen. 'Kom op dan, aan het werk. De analyse laat je aan mij over. Ik ken een arts die ik vertrouw. Als we...'

Hij pakte haar vast en kuste haar op de lippen.

Deze keer beantwoordde ze zijn liefkozing vol vuur. De wetenschap dat ze aan zijn zilveren dolk was ontsnapt en zou genezen, maakte haar euforisch.

Ze proefde en rook ineens naar wellust, en ook hij voelde een verlangen, maar gaf er niet aan toe. Niet in een ziekenhuis, met een politieman voor de deur en vier paar oren om hen heen. 'Nee, je zult moeten wachten tot ik je kom halen. Als ze je voor die tijd ontslaan, wacht dan in Hotel Lobodan op me,' zei hij. 'Wat heb je de politie verteld?'

'Dat een gek met een pistool en een hond mijn kamer was binnengesprongen en jij achter hem aan bent gegaan.' Lena schonk hem een glimlach, maar het pure dat hij daar altijd in had gezien, werd al vertroebeld door iets duisters. Hij merkte tot zijn schrik dat ook dat geheimzinnige haar heel goed stond. 'Ze wilden je gaan zoeken.'

Eric herademde. 'Mooi zo. Ik zal naar het politiebureau gaan en hun een persoonsbeschrijving geven, zodat ze ook iemand hebben om te zoeken.' Snel vatte hij voor haar samen wat er in de nacht na de overval in het bos was gebeurd. Maar over zijn verwondingen repte hij met geen woord. Hij boog naar haar toe, kuste haar en raakte haar naakte schouder aan. 'We zien elkaar gauw weer.'

'Ik bel die kennis van me.' Lena glimlachte. 'Dank je wel.'

Hij schonk haar ook een glimlach, glipte tussen het gordijn door en verliet de kamer. In een toilet trok hij de doktersjas uit, liep door de gangen naar buiten en ging direct van het ziekenhuis naar het plaatselijke politiebureau. Daar vertelde hij de overheidsdienaars een verward verhaal over een perverse kerel die in een auto zonder kenteken voor hem op de vlucht was geslagen.

Na vier uur ondervraging mocht Eric weer gaan. Zijn spullen, zo kwam hij te weten, lagen in het hotel klaar om opgehaald te worden.

Na vijf uur liep hij met zijn rugzak en in sneeuwcamouflagekleding door de hoofdingang van het ziekenhuis.

En na vijf uur en elf minuten verliet hij samen met Lena het ziekenhuis om naar Duitsland te vliegen.

XXV

4 maart 1766, uitlopers van de Mont Chauvet, Zuid-Frankrijk

Florence ademde de frisse lucht diep in. Het rook naar vrijheid, naar het einde van de winter en het zich aankondigende voorjaar. De natuur stond klaar om in haar volle kleurenpracht uit de witte dood te herrijzen. De heide was al groen en de eerste bloemknopjes staken boven de restanten van de smeltende sneeuw uit.

Ze was alleen onderweg naar de Mont Chauvet, liep over de totaal verlaten vlaktes tot aan de onderste lichte hellingen van de berg en genoot ervan dat de waakzame, strenge ogen van de abdis even niet op haar waren gericht.

Aan het einde van het vorige jaar had ze haar heimelijke uitstapjes niet durven maken, maar het was nu al vele weken rustig geweest in de Gévaudan. De winter scheen het Beest een hol in te hebben gejaagd waardoor ze geen jacht op mensen en dieren meer maakte zoals in de maanden daarvoor. *Of de mensen vertelden het de autoriteiten helemaal niet meer als er iemand was gedood of vee was verscheurd*, luidde een andere, verontrustende verklaring voor de twijfelachtige rust in de regio.

Florence ging onder een berk zitten waar ze een plekje met droge bladeren vond, leunde tegen de stam en keek naar de ongenaakbare schoonheid van de door graniet beheerste natuur. O, wat zou ik graag willen dat Pierre hier naast me zat, dacht ze.

Ze maakte zich zorgen om haar geliefde. Florence had van een bezoeker in Saint Grégoire gehoord dat Jean Chastel nu alleen nog met die eigenaardige buitenlander uit Moldavië op jacht ging. Zijn zoons werden zelden nog in Saugues of andere plaatsen gezien, en als men naar hen vroeg, antwoordde de wildschut dat ze hun groepje hadden opgesplitst om het Beest te pakken te kunnen krijgen. De bedelares met wie ze tijdens het uitdelen van soep aan de armen had gesproken, had haar echter tot haar grote schrik verteld dat Jean Chastel Antoine en Pierre aan het ondier was kwijtgeraakt. Maar de abdis kon haar geruststellen. 'Luister toch niet naar die kletspraat,' had ze gezegd. 'God beschermt hen tijdens de jacht.'

Florence sloot haar ogen en genoot van de zonnestralen op haar gezicht. Ze zag Pierres gezicht voor zich en stelde zich voor dat ze voelde hoe hij haar lichaam teder aanraakte. Tegelijkertijd vervloekte ze de toenaderingen van zijn broer. Voor het eerst wenste ze een mens dood. Die noodlottige nacht had ze geheimgehouden. Ze zou ook tegenover Pierre verzwijgen wat Antoine met haar geprobeerd had te doen.

Niet voor het eerst verbaasde ze zich erover dat mensen zo verschillend konden zijn. *Allebei zijn ze aan de lendenen van Jean Chastel ontsproten, maar ze zijn als zon en maan.* Bij de gedachte aan de wildschut moest ze glimlachen, want ze had de abdis wel door. *Ik wil wedden dat ze verliefd is op Jean Chastel.*

Ze had voor het eerst deze verboden gevoelens gezien toen de abdis over een zogenaamd toevallige ontmoeting met de wildschut sprak. Haar houding, haar ogen, alles aan Gregoria verraadde haar, in elk geval volgens Florence. De jonge vrouw voelde heel goed aan wat er met de mensen in haar directe omgeving aan de hand was. Het was een bijzondere gave. En Gregoria was beslist geen onnozele hals wat betreft de aantrekkingskracht tussen man en vrouw; ze was een welgestelde comtesse geweest en pas op haar twintigste ingetreden in de orde, nadat haar man jong was gestorven. Althans, dat had ze een hele tijd geleden op een van haar weinige zwakke momenten aan haar pupil toevertrouwd. De andere nonnen hadden daar waarschijnlijk geen idee van. Daarom zeiden die onopvallende signalen hun ook niets. Alleen Florence, zelf een fortuinlijk maar willoos slachtoffer van een diepe liefde, wist ze op de juiste wijze te interpreteren.

Wat jammer dat het een verboden liefde zal blijven. Ze passen zo goed bij elkaar. De jonge vrouw stond op. Het was de hoogste tijd om de terugweg te aanvaarden door de weiden met hun vele rotsblokken; anders zou ze te laat terug zijn voor het avondeten.

Ze voelde dankbaarheid dat ze door de nonnen was opgevoed. Ze had nog nooit over haar onbekende, zonder twijfel rijke ouders nagedacht. Voor haar was Gregoria meer een moeder dan een voogd. Maar ondanks alle geborgenheid die ze in het klooster ervoer, verheugde ze zich op de dag waarop ze Saint Grégoire voor altijd achter zich kon laten.

Erg lang zal dat niet meer duren. Ik zal met Pierre weggaan, naar een andere plaats in Frankrijk waar geen Beesten zijn. Hij zal de beste wildschut van het koninkrijk worden en ik zal een aanstelling als lerares zoeken.

Ze schudde de bladeren van haar mantel, liep door de hoge heide, boog de twijgen van een manshoge bremstruik opzij en stapte ertussendoor. Haar linkervoet plonsde ineens in een plas, water spatte hoog op en maakte zowel haar mantel als haar hoge schoenen en jurk kletsnat.

'O, wat nu...' Ze bleef staan om te zien hoe vies ze was geworden – en sloeg haar hand voor haar mond om een schreeuw binnen te houden die met alle geweld aan haar keel wilde ontsnappen. Ze was niet in een plas water getrapt.

Het was een ondiepe poel van vers, dampend bloed waarin het lijk van een jongen lag.

Florence zag al meteen wie de moordenaar was die de botten in het gezicht van de deerniswekkende knaap had vermorzeld en de huid had afgerukt. Op de plaats van de buik zag ze een groot, vochtig gat waarin het rood en groenig glinsterde. De ingewanden ontbraken.

Het Beest had ook het vlees van de onderarmen van het slachtoffer aangevreten. De jongen moest in wanhoop hebben geprobeerd zich te verdedigen, maar tegen zo'n tegenstander konden zelfs op het slagveld geharde soldaten niets uitrichten.

'Lieve Here God, bewaar me voor...' Florence kon nog net een kruis slaan voordat ze op het lijk moest overgeven, zo snel was de brij naar haar keel gestegen. Ze snakte naar adem, wankelde, viel half achterover in de bremstruik... en werd door twee sterke armen opgevangen.

Florence gilde, maar op datzelfde moment nam een andere kracht bezit van haar lichaam. Ze zag dat ze haar stilet met het zilveren lemmet trok dat ze anderhalf jaar geleden van de abdis had gekregen, en stak zonder iets te zien achter zich. Het lemmet stuitte ergens op en een man vloekte hard maar liet haar niet vallen.

'Ga weg, loup-garou!' schreeuwde ze als een furie. 'Het zilver zal je doden!' Weer trof ze haar onzichtbare tegenstander die haar nu eindelijk losliet. De jonge vrouw landde in de bloedplas. Volledig ontdaan draaide ze zich snel om, probeerde weer op te staan en sloeg daarbij in de plas. Bloed en modder vlogen in haar gezicht en ze zag even niets meer.

Halfblind hield ze het stilet zo ver mogelijk voor zich, het heft met beide handen vasthoudend. Ze krabbelde op, draaide zich om en nam de benen. Een warme golf rolde door haar hele lijf, gaf haar vleugels en een ongekende snelheid. De angst en de inspanning zouden haar al snel de adem hebben moeten benemen, maar ze draafde maar door terwijl ze onhandig met haar bovenarm haar brandende ogen probeerde uit te wrijven.

Vóór haar verhief zich ineens een rechtopstaande schaduw.

'Florence, ik ben het! Pierre,' hoorde ze de bekende stem van haar geliefde zeggen. Eindelijk lukte het haar de sluier voor haar ogen weg te vegen.

Het was waar. Haar geliefde stond daar, met een steekwond in zijn zij, voor de tweede in zijn bovenbeen had hij geen aandacht, die was minder ernstig. 'Pierre?' riep ze opgelucht en ze liet verlegen het stilet zakken. 'Pierre! Mijn god, ik heb je verwond! Waar kom je vandaan?' Ze zag dat zijn met bloed besmeurde hemd openstond, en zijn broek en rock, ook vol rode vlekken, hingen schots en scheef om zijn lichaam. Al dat bloed kon onmogelijk van hemzelf zijn. Hij maakte een afwezige indruk alsof hij nog maar net uit een diepe droom was ontwaakt.

O, nee, het is het bloed van de jongen!

Florence deinsde achteruit. 'Ho! Blijf staan!' eiste ze. Haar stem sloeg over. 'Hoe komt dat bloed aan je kleren?'

'Alsjeblieft, Florence!' Hij schudde zijn hoofd. 'Ik kan er niets aan doen.'

'Je kunt er niets aan doen?' Ze werd asvaal. 'Gods lieve heiligen, Pierre! Ben... ben jíj het Beest?' Ze wankelde, haar voeten bewogen achteruit en weg van de man van wie ze hield en voor wie ze ineens doodsbang was. De hitte in haar binnenste nam toe, de omgeving werd in haar brandende ogen steeds waziger.

'Het is een vloek!' Hij stapte onbeholpen naar voren, strekte smekend zijn hand naar haar uit. Florence kon de beweging niet goed zien en begreep hem verkeerd. Ze stootte het lemmet naar voren en sneed hem diep in zijn hand. Schreeuwend trok hij die terug.

'Pierre! Het...' Ze wist niet wat ze moest doen. Maar ze had hem vooral niet zo hard willen steken. Haar zicht verbeterde weer wat.

Achter Florence ritselden de bremstruiken, en strompelend kwam Antoine daaruit tevoorschijn. Zijn zwarte haar hing nat van het zweet voor zijn gezicht, zijn musket trok hij achteloos aan de loop achter zich aan, en hij stonk naar brandewijn. Zijn kleren hingen slordig om zijn lijf... en waren niet minder met bloed besmeurd dan die van zijn broer.

Hij lachte toen hij hen beiden zag. 'Aha, de kleine non en mijn broertje,' lalde hij. Zijn groene ogen dwaalden naar Florence maar hij was niet meer in staat ze strak op haar te vestigen – een effect van de alcohol. Daarna tilde hij zijn voet op waaraan het bloed van de jongen tot zijn enkels kleefde. 'Moet je zien waar ik in ben gestapt. Wat een vieze bende! Je hebt dat arme schaap helemaal opgevreten!' joelde hij en hij lachte afstotelijk.

'Jullie zijn de Beesten, jullie allebei!' Florence schreeuwde en huilde tegelijkertijd, stootte het stilet eerst in de richting van Pierre die probeerde de wond in zijn hand met zijn sjaal te verbinden, daarna in Antoines richting. Warm bloed ruiste door haar aderen en ze had pijn in haar hoofd. Ze was bang haar verstand te verliezen en vocht er uit alle macht tegen.

'Ik?' Antoine probeerde geïrriteerd om overeind te blijven staan en legde zijn hand tegen zijn borst. 'Ik ben wezen zuipen en in die plas gevallen, en toen ik wegliep om hulp te gaan halen, hoorde ik jou schreeuwen.' Hij deed een stap in haar richting, maar ze stak toe en raakte hem in zijn bovenarm. Onmiddellijk hoorde ze een sissend geluid, rook een smerige brandlucht. Antoine begon te brullen. 'Idioot!' Omslachtig tilde hij zijn musket op en probeerde het schietklaar te maken, maar zijn glibberige vingers gleden van de haan. 'Ik schiet je overhoop, vrome slet, en dan grijp ik je, zoals ik in de kapel al wilde, en als die...'

Pierre nam een snoekduik naar zijn broer en smakte hem in de brem. Beiden verdwenen tussen de dichte groene takken. Het gelach van Antoine veranderde in een wreed gegrom en de struik werd heftig heen en weer geschud.

God sta me bij! De angst en de schrik waren sterker dan Florence en haar instincten namen het volledig van haar over. Ze draaide zich om en rende harder weg dan ze ooit van haar leven had gerend. Ze vloog over de hobbelige weidegrond, viel een paar keer, maar krabbelde telkens weer snel op, scheurde daarbij haar jurk en hoorde achter zich voortdurend het kwaadaardige gehuil van het Beest.

De jonge vrouw rende door in de trance van een oppermachtige, verstand uitwissende angst. Ze zag haar omgeving al snel niet meer. Haar zicht vervaagde en ze zag beneden een vlekkerig groen en boven iets donkerblauws, terwijl ze haar benen mechanisch op en neer bewoog en niets anders meer hoorde dan haar eigen ademhaling. En het afgrijselijke gehuil van het Beest dat haar niet meer losliet.

'We hebben die spullen niet meer nodig. Geef maar aan de armen,' zei de herbergierster, die betere kleding droeg dan de vier boerinnen die samen met haar in de werkruimte van de naaierij stonden. Ze gaf Gregoria de bundel kleren en wachtte tot ze voor haar goede daad zou worden gezegend en geprezen.

Daar wilde de abdis graag aan voldoen. Ze sloeg een kruis. 'De Heer behaagt het u goede daden te zien verrichten, hij zal u zich herinneren als u voor zijn rechterstoel verschijnt.' De vrouw knielde neer en de abdis legde een hand op haar gebogen hoofd. 'Gaat in vrede heen, de zegen des Heren is altijd met u, Hij geleide en behoede u.'

'Ook voor het Beest?' vroeg de vrouw aarzelend. 'Alstublieft, zegent u mij nog tegen het Beest.'

De boerinnen, die ongeduldig stonden te wachten tot ze aan de beurt waren, wisselden betekenisvolle blikken, staken hun hoofden bij elkaar en fluisterden. Al heel lang durfde niemand meer hardop over het wezen te spreken, dat weliswaar door de koning was doodverklaard maar zich niets van de koninklijke bekendmaking aantrok.

'Het Beest is doodgeschoten. U kunt...'

'Alstublieft, eerwaarde abdis,' volhardde de vrouw en ze greep dwingend de zoom van Gregoria's tunica vast. 'Verleen mij de bescherming van de Almachtige tegen de afgezant van de duivel.' De gelaten Gregoria verleende haar de zegen tegen het Beest en pas toen stond de smekelinge tevreden en opgelucht op. 'Dank u, eerwaarde abdis.' Ze sprong als een soort afscheid over de stapel kleren heen die ze aan het klooster had vermaakt. 'Dat ze de nieuwe eigenaar meer geluk mogen brengen.'

'Hoe bedoelt u dat?' vroeg Gregoria.

'Ik denk dat die arme man... erdoor verslonden is. Door het Beest,' zei de herbergierster en ze keek naar de boerinnen. 'Precies in dezelfde tijd dat het Beest hier voor het eerst opdook, heeft die man zijn intrek bij ons genomen. Op een dag keerde hij niet meer op zijn kamer terug, liet alles zomaar achter. Nu moeten zijn spullen aan een andere arme ziel ten goede komen.'

Gregoria fronste haar voorhoofd. 'En niemand heeft navraag naar hem gedaan?'

De vrouw haalde haar schouders op. 'Nee. Hij zag eruit als zo'n rondreizende schrijver of geleerde die zijn diensten aan de seigneur aanbiedt.' Ze boog in de richting van het houten kruis aan de muur en vertrok. De ongedurige boerinnen zetten snel hun gaven aan het klooster neer en gingen haar achterna. Want bij iemand die de zegen des Heren tegen het Beest had ontvangen, kon je maar beter in de buurt blijven.

'Gaat in vrede henen!' Gregoria legde haar handen in haar schoot. Ze vond het best dat ze niemand meer hoefde te zegenen en de boerinnen bij wijze van uitzondering daarvan hadden afgezien. Het was een zware dag op het veld geweest – ze had ranken gerooid, wat veel kracht kostte – en ze verlangde naar wat rust.

Maar de kleren van de onbekende, verdwenen man maakten haar nieuwsgierig, ondanks de moeheid die ze in haar armen en benen voelde. Ze vouwde de zeer eenvoudige broek uit, onderzocht met haar vingers de kwaliteit van de stof en hoe het kledingstuk was gemaakt. Daarna pakte ze de grove rock, de hemden en kousen. Ze waren allemaal afkomstig uit het atelier van een meester-kleermaker. Dat was een bevestiging van het vermoeden van de herbergierster dat het geen onbemiddeld man kon zijn geweest die in de bossen van de Gévaudan was verdwenen. Maar waarom zou zo'n man zich bewust hullen in kleren van onopvallende snit en in een eenvoudige herberg overnachten in plaats van een onderkomen overeenkomstig zijn stand te zoeken?

Er werd geklopt. Gregoria schrok.

'Neemt u mij niet kwalijk, eerwaarde abdis,' zei een in een donkerrode japon geklede vrouw die meer in de grote stad dan in de armoedige omgeving van de Gévaudan leek thuis te horen. Ze had haar bovenlichaam half door de deuropening gebogen en gluurde de werkplaats in. Ze droeg haar haren verborgen onder een muts, maar op haar voorhoofd was nog net te zien dat het zwart was. 'Aan de poort zei men dat ik u hier kon vinden. Vergeeft u mij dat ik zo onverwachts binnenval.'

Gregoria kende haar niet, maar haar gezicht leek frappant veel op dat van iemand die ze van kind tot jonge vrouw had zien opbloeien. De vrouw zag eruit als Florence wanneer ze even over de dertig zou zijn! Verbluft legde ze de kleren op tafel. 'Hoe kan ik u helpen?'

'Mijn naam is Louise Dumont,' zei ze. Ze kwam binnen en boog. Ze haalde een buideltje uit haar zak en legde dat op tafel. Het rinkelde. 'Ik ben hier om de onkosten voor het meisje te voldoen dat door u Florence wordt genoemd.' Ze slikte nerveus.

Gregoria vermoedde wat de vrouw ertoe had gebracht naar het klooster te komen, maar ze gaf haar de tijd en drong niet verder aan. Ze pakte het geldbuideltje, trok het naar zich toe en opende het. Goud blonk haar tegemoet. 'Dat is te veel,' zei ze terwijl ze haar ogen opsloeg.

'Het is voor de komende jaren. Ik weet niet of ik nog in de gelegenheid zal zijn om geld naar Saint Grégoire te sturen.' Ze slikte. 'Eerwaarde abdis, ik zou haar nog graag willen zien voordat... Is ze hier? Mijn... dochter?'

Gregoria probeerde de uitdrukking in het gezicht van de vrouw te lezen. Louise Dumont was bang, ongelofelijk bang. Maar waarvoor? Ze moest daar eerst meer van weten voordat ze haar pupil met haar moeder kon confronteren. God mocht weten hoe het meisje op deze ontmoeting zou reageren! 'Florence rust nu uit van het werk,' loog ze. 'Als u wilt wachten, madame Dumont, zal ik in het pelgrimsverblijf voor u...'

'Nee, nee. Dat hoeft niet. Ik kan niet zo lang blijven.' Ze perste haar lippen op elkaar, stak haar hand in haar tas die ze onder haar arm droeg, en haalde een envelop tevoorschijn. 'Deze brief is voor mijn dochter. Ze moet hem lezen zodra ze weer wakker is. Het gaat om haar toekomst die beter kan worden dan ze ooit heeft kunnen dromen.' Ze schoof de brief over tafel naar Gregoria. 'Als ze de stap durft te wagen.'

'Wilt u het haar niet zelf vertellen?'

'Nee!' wees madame Dumont het voorstel snel af, bijna ontredderd.

'Dan zal ze mij vast en zeker vragen wat ze moet doen.' Gregoria pakte de brief.

De vrouw legde haar hand op die van de abdis. 'Lees hem pas als mijn dochter u erom vraagt. In géén geval daarvoor. Zodra u weet wat erin staat, loopt u... op z'n minst evenveel gevaar als ik.' Haastig stond ze op, slikte en probeerde haar kalmte te bewaren. 'Gelooft u mij alstublieft dat ik het goed meen met het kind. Als ze besluit de stap te wagen, stuur haar dan met de brief naar Saint-Alban, naar het kasteel van de oude comte de Morangiès.' Ze sloeg een kruis en liep waardig naar de deur, de hakken van haar schoenen luid klepperend op de vloerdelen.

Dit geheimzinnige gedoe beviel Gregoria niet. Ze stond op. 'Madame Dumont, wacht! Legt u mij uit wat dat allemaal te betekenen heeft en waarom u niet kunt blijven.'

'Ik zal proberen snel weer terug te komen. Dan praten we verder.' De vrouw stoof weg.

Gregoria liep naar de voordeur en zag dat de dame zich snel uit de voeten maakte in de richting van de poort. Daar stond een donkere koets die op haar had gewacht. Madame Dumont zat amper of het rijtuig reed weg.

Gregoria was stomverbaasd. Ze keerde piekerend naar de tafel terug, schoof de brief en de munten opzij. Ze durfde het zegel op de envelop niet te verbreken. Florence moest als eerste lezen wat erin stond. Ze bad tot God om hem te vragen het door haar moeder genoemde gevaar niet zo dramatisch te laten zijn als het had geklonken.

Het waren merkwaardige omstandigheden waaronder madame Dumont voor het eerst in al die jaren was gekomen om naar haar afgewezen dochter te vragen. Waarom was haar slechte geweten pas nu wakker geschud?

Vele vragen brandden op Gregoria's lippen. Iedereen in het klooster nam aan dat Florence de onechte dochter van een edelman was – dat lag ook voor de hand als je naar de regelmatige betalingen keek. Maar Gregoria was altijd uitgegaan van een affaire met een eenvoudig boerenmeisje. Als haar moeder zich een koets en zo'n grote som geld aan gouden munten kon permitteren, dan moest er wel iets anders achter zitten.

Ze betwijfelde of de naam van deze dame werkelijk Dumont was. Het noemen van de hooggeëerde comte de Morangiès gaf toch aanleiding om te geloven dat het bij Florences moeder om een edelvrouwe ging die de oude luitenant-generaal minstens één keer van te nabij had leren kennen. Ten tijde van de geboorte van Florence was de comte echter al vele jaren met de markiezin de Châteauneuf-Randon getrouwd. Een zeer delicate kwestie dus.

Gregoria dwong zichzelf niet verder te speculeren en de comte iets in de schoenen te schuiven wat in strijd was met de tien geboden. Omdat ze zonder kennis van de inhoud van de brief niets kon beginnen, ging ze door met haar onderzoek van de afgegeven kleding.

Ze probeerde aan de hand van de maten het postuur van de vermiste eigenaar af te leiden. *Hij was beslist geen reus geweest en had geen brede schouders gehad. Dat maakte het in elk geval makkelijker om iemand te vinden die deze mooie spullen weer kon dragen.* Gregoria legde de kleren netjes op elkaar... en merkte bij het opvouwen van de rock dat er iets onder de binnenvoering ritselde. *Een geheim zakje voor geld dat ons misschien nog een paar livre voor de aalmoezenkas kan opleveren?*

Gregoria zocht de verborgen naad, vond die ter hoogte van de zoom en tornde hem voorzichtig los. Na even zoeken viste ze er een envelop van waspapier uit waarin een vel papier zat.

Het signum onder de in het Latijn gestelde regels herkende ze onmiddellijk. *Het zegel van de Heilige Vader!* Volledig perplex ging ze zitten om te lezen wat er in het pauselijk schrijven stond.

Aan de katholieke bisschoppen van Frankrijk,
De bezitter van deze brief handelt in het belang van de Heilige Katholieke Kerk en bij de bijzondere gratie Gods. Zonder verdere vragen dienen hem op zijn verzoek zonder uitstel onderdak voor onbepaalde duur, kleding, schoeisel en een salaris van 100 livres ter beschikking te worden gesteld.
Niemand mag worden verwittigd van de aanwezigheid van de bezitter van deze brief, alle hulp moet geheim blijven en zonder opzien te baren worden verleend. Geen woord mag over hem over uw lippen komen, noch in het openbaar, noch tegenover andere vertegenwoordigers van de Heilige Katholieke Kerk.
Veronachtzaming van deze voorschriften zal niet worden geaccepteerd en zal zwaarwegende gevolgen hebben voor degene die het desalniettemin riskeert.
Clemens XIII.
Bisschop van Rome, plaatsvervanger Jesu Christi,
Servus Servorum Dei et Pontifex Maximus

Gregoria liet het vel papier zakken. *Wat had dat te betekenen?* Ze had geen idee met welke missie deze man onderweg was geweest, en zelfs toen ze de kleren voor de tweede maal doorzocht, nog nauwkeuriger deze keer, kon ze niets meer vinden wat uitsluitsel over zijn identiteit zou kunnen geven.

Een jezuïet misschien? Dat was een mogelijkheid. De Heilige Vader werd als vriend van de Sociëteit van Jezus beschouwd, zoals ze zich noemden. Pas in januari van het afgelopen jaar had hij de jezuïetenorde plechtig met het *Apostolicum pascendi munus* goedgekeurd. Gregoria herinnerde zich dat er als gevolg daarvan protesten in Frankrijk en Spanje waren gerezen. De aan de paus toegewijde jezuïeten werden van verschillende samenzweringen verdacht, waardoor veel Europese machthebbers, evenals de Franse koning, de ontbinding van de orde hadden geëist. Reisde er in deze stormachtige tijden een lid van de Sociëteit met een geheime missie door Frankrijk? In een gebied waarin je in alle dorpen en steden wel *camisards*, hugenoten, kon aantreffen.

Gregoria probeerde haar gedachten te ordenen. Redenen voor het verblijf van de man waren er genoeg: van onderzoeken tegen de camisards of tegen geestelijken wegens hun buitensporige levenswandel of afwending van de christelijke leer, tot en met de georganiseerde onruststokerij tegen de Franse koning die met zijn absolutistische en vooral eigenmachtige en verdorven regime onvermijdelijk het misnoegen van de ware christenen over zich afriep.

Of was de man vanwege het Beest door de Heilige Vader naar de Gévaudan gestuurd?

Te veel raadsels voor één dag! Gregoria gaf het op om erover na te denken. In plaats daarvan besloot ze dat Rome van het ongewisse lot van de vermeende vertegenwoordiger op de hoogte moest worden gesteld. Ze ging op weg naar haar werkkamer.

Eerst wilde ze de bisschop schrijven, maar toen bedacht ze zich. Als het om een pauselijke gezant ging, moest de Heilige Vader de brief zonder omwegen in zijn bezit krijgen. In het schrijven stond nadrukkelijk dat het bestaan van de man geheim moest blijven. Men wilde niet dat te veel mensen van zijn aanwezigheid op de hoogte waren.

Maar het bood haar ook een mooie gelegenheid om de Heilige Stoel attent te maken op de onaangename gebeurtenissen in de regio waar geen einde aan leek te komen, en te vragen opnieuw een waarnemer te sturen of andere maatregelen te nemen. *Ik zal een beeld geven van het leed dat de mensen door dat creatuur wordt aangedaan.*

Het was een stoutmoedig plan. Zij, een eenvoudige abdis, die een brief aan de plaatsvervanger van God op aarde schreef. Onder normale omstandigheden zou zoiets volstrekt ondenkbaar zijn! Maar wanneer waren de omstandigheden in de Gévaudan voor het laatst normaal geweest, vroeg Gregoria zich af. Tot de avond zat ze te schrijven en formuleerde haar zinnen telkens opnieuw tot ze er tevreden mee was. Enkele keren verwees ze er in de brief terloops naar dat menigeen weliswaar door angst tot het geloof terugkeerde, maar dat angst niet de enige aansporing mocht zijn om tot de Heer te mogen bidden. *Bij anderen*, zo schreef ze, *bestaat het gevaar dat ze van het geloof afvallen omdat ze in het Beest de afgezant van de duivel zien die meer macht dan God zou hebben, omdat dit creatuur niet kan worden verslagen. En niet in de laatste plaats is het een voortdurend gevaar voor de pelgrims die over de Jacobsweg naar Santiago de Compostela lopen. Mocht u ondanks alle berichtgevingen nog niets over het Beest ter ore zijn gekomen, Heilige Vader, en u de betreffende man derhalve niet naar de Gévaudan hebt gestuurd, dan verzoek ik u dringend de mensen in deze duistere tijden door uw woord een teken van het licht te zenden.*

Gregoria zette haar handtekening onder de brief, vouwde hem op en stopte hem in een envelop, voorzag die van een adres en een zegel en legde hem voor zich op de schrijftafel.

Ze wikte en woog terwijl ze ernaar keek.

Hoe langer ze erover nadacht des te slechter vond ze het idee dat ze haar religieuze ijver bijna in een daad had omgezet. Eén ding moest voor die tijd nog duidelijk worden, en dat zou door de aanwezigheid van een pauselijke vertegenwoordiger nog moeilijker zijn dan het nu al was. Ook al had ze daarvoor Jean Chastel aan het werk gezet zonder dat hij daar iets van wist.

Nee, ik verstuur hem niet. Ze schoof de envelop naar het uiterste randje van het werkblad naast de voor Florence bestemde brief, waar hij er als verstoten bij lag en wachtte tot hij op een dag weer door haar zou worden opgepakt. *Maar nu nog niet.*

Gregoria hoorde gehaaste voetstappen naderbij komen, waarna de deur zonder kloppen vooraf werd opengerukt en een ongeduldige ordezuster binnenstormde, wild met haar handen gebarend. ‘Kom snel mee, eerwaarde abdis! Florence!’

Ze sprong op. ‘Florence? Wat is er met haar?’

‘Ze was aan het wandelen en toen is ze het Beest tegengekomen!’

riep de spierwitte vrouw die zich omdraaide en weer wilde vertrekken.

Hoe kon ze nu uit haar kamer zijn ontsnapt die op slot zat, vroeg Gregoria zich af. Ze liep de zuster achterna die haar naar de poort van het klooster voorging waar ze haar pupil op een bank hadden gelegd. Van de kleren van Florence waren niet meer dan een paar flarden stof over en haar naaktheid was met een laken bedekt.

'Heilige Moeder van God!' Gregoria ging naast haar zitten en keek met ingespannen aandacht naar de afwezige gezichtsuitdrukking. Florences ogen keken door haar heen en vestigden zich nergens op, staarden in de oneindigheid. Haar hele lichaam trilde alsof ze koortsrillingen had, en de armzalige restanten van haar kleren zaten onder de modder en het bloed.

Opgelucht stelde de abdis na een snel onderzoekje vast dat haar pupil er geen zichtbare verwondingen aan had overgehouden. Afgezien van een paar schrammen en krassen die van het vallen en van doorns afkomstig waren, mankeerde haar lichamelijk niets. Maar haar geest was wel beschadigd.

'Dat arme kind heeft moeten aanzien dat het Beest een nieuw slachtoffer verscheurde,' vertelde een van de nonnen op een fluistertoon. 'De mensen zagen haar en zijn onmiddellijk op zoek naar het Beest gegaan. Ze hebben bij de Mont Chauvet een jongetje gevonden. Hij heette Jean Bergougnoux en was negen jaar, en ze konden hem alleen aan zijn kleren herkennen. Zijn gezicht en zijn...'

'Hou je mond! Je kletst als een praatziek waswijf.' Gregoria wilde er niets meer over horen, er deden al meer dan genoeg van dat soort verhalen de ronde. 'Breng warm water,' beval ze een novice. 'We dragen haar naar haar kamer.'

Zes zusters droegen Florence liggend op de bank naar het huis van het hoofd van het klooster waar haar kamer was.

Gregoria pakte de sleutelbos aan haar gordel, stak de sleutel in het slot van de massieve deur van Florences kamer en merkte dat hij niet op slot zat. Dat had niet mogen gebeuren. Een onvergeeflijke nalatigheid van haar kant! 'Snel, leg haar op bed,' beval ze. Toen stuurde ze de nonnen weg naar de kerk om voor genezing van de jonge vrouw te bidden.

Ze kleedde Florence helemaal uit, sponsde haar voorzichtig af. Intussen hield ze in de gaten of haar pupil door een kleine beweging aangaf dat haar geest bekomen was van de schrik van de ontmoeting met het gevreesde schepsel en de aanblik van het dode kind. Daarbij mompelde Gregoria zonder onderbreking gebeden – maar ze wist niet of ze dat ter bescherming van het meisje of van zichzelf deed.

Toen ze ten slotte de dekens over Florence legde en haar bruine haren wilde uitborstelen, kromp de jonge vrouw van schrik ineen, keek haar met afgrijzen in de ogen aan en klampte zich toen onverwachts aan haar vast. 'God zij dank! Het was maar een droom!' Florence huilde onbeheerst en van wanhoop en opluchting tegelijkertijd. 'Een droom, een verschrikkelijke droom.'

'Ja. Het was maar een droom.' Gregoria drukte haar tegen zich aan, aaide haar geruststellend over haar hoofd en begon zachtjes een slaapliedje te zingen. Voor de meedogenloze waarheid en de mysterieuze brief van haar moeder was er morgen nog tijd genoeg.

Jean sloeg de deur van de schuur van binnenuit dicht en leunde er met zijn rug tegen. Zijn borst ging snel op en neer, want de lange tocht met zo'n zware last op zijn schouders had hem uitgeput. Aan zijn voeten zat Antoine op zijn hurken, naast hem lag het musket.

'Monsieur Chastel, dat was op het nippertje, als ik dat mag zeggen,' zei Malesky hijgend die zich in het stro had laten zakken. Achter hem en half onder de strohalmen verborgen verroerde Pierre zich. De Moldaviër had hem voor het gemak maar in de zachte strolaag gegooid in plaats van hem voorzichtig van zijn schouders op de vloer van de schuur te laten glijden. 'Daarmee heb ik mijn wijn voor vanavond wel verdiend.'

'Dat hebt u inderdaad, monsieur,' gaf Jean zwakjes grijnzend als antwoord. Hij haalde een keer diep adem en sleepte Pierre naar het luik dat naar de kelder leidde waaruit hij met zijn broer was ontsnapt. De zware, dikke planken die als afdekking hadden gediend, lagen versplinterd om hen heen. Pierre en Antoine hadden zich met de geweldige kracht van hun Beestengedaante een weg naar buiten gebaand. Ze werden steeds sterker.

'We zullen iets beters moeten verzinnen,' zei Malesky met een blik op de vernietigde houten planken. 'Een ijzeren kooi misschien. En betere boeien.'

'Iets dergelijks, ja,' antwoordde Jean. Met hulp van Malesky lukte het Pierre naar beneden te brengen en aan de muur vast te ketenen. Daarna deden ze hetzelfde met Antoine.

De ketenen waren tot nu toe uitsluitend in de nachten van vollemaan nodig geweest. De macht van de grote nachtster dwong zijn zoons er dan onweerstaanbaar toe de gedaante van het Beest aan te nemen, en dan werd hun haat en hun kracht vele malen groter. Op die momenten kon je niet dicht bij hen komen. Jean en Malesky hadden het woeste tekeergaan en het hese geblaf gehoord, het rammelen van de ijzers die uit de muren dreigden te worden gerukt. Eén keer had de wildschut uit bezorgdheid om zijn zoons op zo'n nacht de stoute schoenen aangetrokken en was de ladder naar de catacombe afgedaald, waar hij werd geconfronteerd met zijn al van gedaante veranderende zoon Antoine. Het was afgrijselijk geweest. De vluchtige aanblik van het op twee benen staande Beest met die afschuwelijke rode ogen waaraan iedere menselijkheid ontbrak, de schuimende bek met die zwarte binnenzijde, de ontblote hoektanden en de lange nagels die naar hem werden uitgeslagen en die Jean alleen vanwege de kettingen niet openreten, waren meer dan genoeg voor hem geweest om in paniek op de vlucht te slaan.

Malesky bevestigde dat de angst niet minder werd ook al had je meerdere malen tegenover zo'n Beest gestaan. En bij Jean kwam daar ook nog eens de wanhoop bij. Hij wist immers dat het bij die huilende Beesten om zijn eigen zoons ging.

Jean onderzocht nu Antoine, van wie de letsels in het gezicht al genazen. De schrammen en bloeduitstortingen verdwenen als door een wonder – maar absoluut niet door een wonder van de God van de christenen. Toen hij de wond aan Antoines bovenarm ontdekte, schrok hij. De randen van de snee waren zwart gekleurd, alsof ze verbrand waren, en het vlees zag eruit alsof het was afgestorven.

'Monsieur Malesky, kom eens kijken!' riep hij.

De Moldaviër duwde zijn knijpbrilletje omhoog en bestudeerde de wond met wetenschappelijke belangstelling. 'Hij is door zilver verwond,' luidde zijn oordeel. 'Een vrij kleine wond. Het kan geen normaal mes of een dolk zijn geweest.'

'Florence heeft dat gedaan,' zei Pierre kreunend. Hij had zijn hoofd opgetild, zijn bewustzijn keerde langzaam terug. Vanwege zijn bloedverlies was hij echter nog te zwak om op te staan. 'We zijn haar bij het lijk van de jongen tegengekomen en ze had een stilet bij zich waarmee ze zich tegen ons verdedigde.'

Malesky tilde zijn wenkbrauwen op. 'Heeft ze u daarmee ook gestoken, monsieur?' vroeg hij verbaasd. Pierre knikte. 'Dat is onmogelijk, u vergist zich. Die sneden zien eruit als...' Hij hield midden in zijn zin op, sprong overeind, knielde naast Pierre neer en inspecteerde de door hem schoongemaakte wonden andermaal, maar nu nog nauwkeuriger. 'Nee,' zei hij. 'Of ze had twee wapens of...'

'Monsieur Malesky, ik was nog wat verdoofd, maar ik heb haar goed kunnen zien.' Pierre bleef koppig aan zijn verhaal vasthouden en dat motiveerde de Moldaviër om zijn brede zilveren dolk tevoorschijn te halen.

'Het kan pijn doen, meer dan anders, monsieur,' waarschuwde hij Pierre. 'Maar gelooft u mij, het is echt noodzakelijk!' Hij zette de punt op Pierres onderarm en maakte een krasje in de huid.

Pierres gezicht vertrok slechts weinig.

'Waren we er dan zo van overtuigd dat u een loup-garou was dat we de tekenen niet zagen die in de richting van uw onschuld wezen?' Malesky was stomverbaasd en liet de dolk weer op Pierres arm zakken. 'Neemt u me niet kwalijk dat ik u pijn doe, maar het lijkt erop dat u niet meer in dit gewelf hoeft te verblijven.' Met deze woorden stootte hij de zilveren dolk een vingerkootje diep in Pierres arm. Pierre kreunde hard en beet op zijn tanden. Malesky trok het bebloede lemmet er weer uit en keek aandachtig naar het bloed dat rood in het schijnsel van de lampen glinsterde. En verder gebeurde er... niets.

'Heilige Moeder Gods nog aan toe!'

Hij stond haastig op en herhaalde het experiment bij Antoine. De uitkomst was overduidelijk anders.

Zojuist nog bewusteloos sperde Jean Chastels andere zoon zijn ogen open. Het groen om de pupillen begon waarachtig te gloeien en veranderde in donkerrood. Hij gaf een snerpende gil, trok de arm waarin was gestoken terug en sloeg met de andere naar zijn aanvaller. De harde schreeuw ging over in een woedend gegrom. Hij liet zijn hoofd zakken en keek vol haat naar Malesky. Die deinsde achteruit en stelde zich naast de wildschut op.

'Maak Pierres boeien los en zoek morgen meteen een genezer op die hem voor die raadselachtige koortsaanvallen kan behandelen,' raadde hij Jean aan. 'Hij is absoluut geen gedaantewisselaar.'

Jean begon onbeheerst te lachen, hij kon niet bevatten wat hij zojuist had gehoord. 'En dat zegt u nu pas tegen mij, na twee jaar?'

'U hebt nooit ook maar een spoortje twijfel bij mij opgeroepen dat u Pierre niet voor een loup-garou aanzag,' verdedigde Malesky zich. Hij hief zijn dolk op waaraan Antoines bloed kleefde dat sissend in een droge, bruine korst veranderde. 'Antoine is er een, Pierre niet.'

Jeans ogen vulden zich met tranen. Hij liep naar Pierre en wierp zich snikkend in zijn armen, drukte hem aan zijn hart en voelde dat de opluchting van zijn zoon zich ook in een tranenvloed een weg naar buiten baande. Antoine kwam daarentegen niet meer tot bedaren, hij rukte aan zijn ketenen en als hij het had gekund zou hij zich in zijn menselijke gedaante op de drie mannen hebben gestort.

Ze klommen naar boven, schoven nieuwe planken over het luikgat en zetten daarbovenop de kleine slee van de wildschut. Dan was het tenminste met iets verzwaard en een obstakel extra voor Antoine, mochten de kettingen breken of de verankeringen uit de muur worden getrokken.

Weer terug in de hut verzorgden ze Pierres steekwonden verder.

'Ik kan het nog steeds niet bevatten,' zei Pierre terwijl Malesky met naald en draad de wonden hechtte. De routine waarmee hij dat deed, bevestigde zowel voor Pierre als voor Jean dat hij de naald waarschijnlijk al heel vaak in zijn leven met dat doel had gehanteerd. 'Ik ben geen loup-garou, hoewel het Beest me op die dag net zo zwaar verwondde als mijn broer? En waarom' – hij verbeet zich toen de Moldaviër een gevoelige plek in zijn huid raakte – 'zat ik dan zo vaak onder het bloed als ik weer bijkwam, en zag ik er precies hetzelfde uit als Antoine?'

'Monsieur Chastel, vertelt u mij eens precies wat er toen is gebeurd,' vroeg Malesky. Hij hoorde nu tot in de kleinste details hoe het gevecht was verlopen. Telkens knikte hij weer. 'Als ik dat meteen had geweten, dan zou het me eerder zijn opgevallen. Alleen door de béét van een gedaantewisselaar word je er zelf ook één. De wonden van hun nagels zijn pijnlijk, en dodelijk als hij goed raak heeft geslagen. Ze genezen langzaam en met veel pijn, soms ook helemaal niet, maar je wordt niet tot een dienaar van de hel.' Hij trok de naald nog een laatste keer door de huid, beet de draad af en goot een royale scheut cognac over de wonden, waardoor de overrompelde Pierre plotseling luid kreunde. 'Zo, nu kan het genezen.' Malesky zette de fles aan zijn mond en dronk de rest op. 'Maar het leert ons ook dat uw zoon Antoine, monsieur Chastel, in zijn dierengedaante buitengewoon goed in staat is om zijn gedachten bij elkaar te houden. Hij liet de beklagenswaardige Pierre louter uit kwaadaardigheid in de waan dat hij ook een garou was, door het bloed van zijn slachtoffer aan diens mond en kleren te smeren wanneer Pierre door een van zijn koortsaanvallen werd bezocht.' Hij keek Jean ernstig aan. 'De garou krijgt steeds meer vat op uw zoon Antoine. Totdat de mens die u voorheen kende, uiteindelijk een wolf zal zijn geworden en hij door en door verdorven is. Onherroepelijk, vrees ik.'

'Wat u ook zegt, monsieur Malesky, ik moet u geloven,' zei Jean terneergeslagen. 'U bent een kenner als het om de eigenschappen van die schepsels gaat. Maar ik weet ook dat Antoine van zijn leven nooit een hulpvaardige, vriendelijke man is geweest. Hij had al heel lang zeer duistere neigingen.'

'Daardoor zal hij ook een van de ergste garou's worden, omdat het kwaad weinig moeite met hem heeft.' Malesky nam zijn knijpbrilletje van zijn neus en gaf Pierre een stevige schouderklop. 'En monsieur, hoe voelt u zich nu?'

'Vreemd,' gaf Pierre toe. 'Ik ben dus geen garou, maar ik heb wel een ziekte onder de leden die me van mijn verstand berooft en me koorts bezorgt? Dat maakt het er voor mij maar een ietsje beter op.' Hij glimlachte zwakjes. 'Maar u hebt gelijk. Er is een last van me afgevallen die zwaar op me drukte. Ik dacht soms dat ik door de aarde tot in de onpeilbare diepten van de hel werd geduwd. Maar neemt u me nu niet kwalijk...' Pierre stond op en liep met onzekere stappen naar de deur van de slaapkamer. 'Eindelijk is de vloek voorbij,' zei hij alsof hij het tegen zichzelf had, 'en kan ik Florence...' Hij hield snel zijn mond en wilde in zijn slaapkamer een goed heenkomen zoeken. Maar Jean had het uitstekend verstaan.

'Florénce? Ontmoet je die pupil nog steeds?' barstte hij woedend los. 'Laat haar met rust, ze is niets voor jou.'

'Waarom, vader?' Pierre zocht steun tegen de schoorsteen en draaide zich naar hem om. 'Waarom is ze niets voor mij? Omdat ze in een klooster opgroeit?'

'Ze is... door die nonnen een verwend kind geworden.' Zijn bezwaar klonk weinig overtuigend. 'Ze is niet tegen het leven in de Gévaudan opgewassen, ze is niet sterk en kan helemaal niets van wat een vrouw moet kunnen.'

'Ik heb een nieuwtje voor je, vader.' De zekerheid dat hij geen loup-garou was, had een bevrijdende uitwerking op Pierre. Hij voelde zich moedig en sterk genoeg om over zijn plannen te vertellen. 'Zodra jij en ik het Beest hebben gedood, gaan Florence en ik hier weg. We haten deze streek. Die heeft ons niets te bieden. We willen naar het noorden...'

'Heeft ze jou ook al met haar malle ideeën aangestoken?' barstte Jean buiten zichzelf van woede los. Hij sloeg met zijn vuisten op tafel. 'Wat moet je nou in het noorden?'

'Ik ga een aanstelling als wildschut zoeken en Florence wordt onderwijzeres. In een dorp of bij een of andere adellijke familie of misschien wel in een rijk burgermansgezin,' antwoordde Pierre trots. 'Ik wil daar geen ruzie meer met u over maken, vader. Florence en ik hebben ons verloofd. Niets kan ons meer scheiden.'

Jean dwong zichzelf rustig te worden. 'We zullen wel zien. Ga nu naar bed, die wonden hebben rust nodig en die krijgen ze niet als jij je zo opwindt.' Hij tilde zijn hand op ten teken dat het gesprek was afgelopen en wendde zich tot Malesky: 'Ik dank u voor alles wat u hebt gedaan, monsieur. Ik sta vanaf heden eeuwig bij u in het krijt. Mocht u mij vandaag, over een jaar of over tien jaar nodig hebben, laat het me dan weten, dan kom ik naar u toe en zal ik u bij wat dan ook behulpzaam zijn.' Hij stak zijn hand uit en de Moldaviër nam hem aan.

'Ik dank u, monsieur Chastel. Maar ik verzeker u meteen dat ik mijn best zal doen u nooit te vragen naar de plaatsen te komen waar ik gewoonlijk rondzwerf, als ik niet toevallig in de Gévaudan ben.' De deur naar de slaapkamer van Jeans zoons viel dicht, Pierre was weg. 'En als ik nog een opmerking mag maken, monsieur, laat uw zoon zijn gang gaan.'

'Waarom zou ik?'

'Omdat hij het anders zonder uw toestemming zal doen, en dat zal u beiden vreselijk veel verdriet bezorgen,' zei hij ingehouden gapend. 'Ik stel voor om morgen samen Saint Grégoire te bezoeken om de eerwaarde abdis naar Pierres koorts te laten kijken.' Omdat Malesky een afwijzing zag aankomen, voegde hij er snel een verklaring aan toe waardoor Jean het bezoekje onmogelijk kon afwijzen. 'Als er iemand iets van het genezen van raadselachtige ziektes weet dan zijn het die nonnen wel. Bovendien kunt u de eerwaarde abdis dan weer zien en...'

'Ik wil haar niet zien.' Jean had het te snel gezegd. Hij voelde dat zijn hoofd rood werd. 'Hoe komt u erbij om te insinueren dat ik...'

Malesky keek hem verrast aan. 'Ík insinueer helemaal niets, monsieur. Het ging er mij alleen maar om dat u dan met de abdis over de liaison tussen haar pupil en uw zoon zou kunnen praten. Maar het schijnt dat er nog andere dingen zijn die om opheldering vragen.' Hij keek Jean veelzeggend in de ogen en verdween toen naar de slaapkamer om zich in Antoines lege bed te ruste te leggen.

Mijn eigen slechte geweten heeft me verraden. Jean bleef zitten, streek zijn lange witte haren uit zijn gezicht en trok de fles wijn naar zich toe. Hij schonk een glas in, hief het op naar het plafond en nam een slok. *Op het feit dat een van mijn zoons niet door de vloek van het Beest is getroffen en binnenkort van de vloek van die nonnenpupil wordt bevrijd. Moge hij weer bij zijn verstand komen.* Hij dacht aan het gezicht van Gregoria. *En moge ik ook weer bij mijn verstand komen.*

XXVI

Duitsland, München, 21 november 2004, 15.48 uur

'En wat nu verder?' Lena zat tegenover hem in een kleine hotelkamer. Hun vertrek uit Kroatië was van een leien dakje gegaan. De piloot had hen met het propellervliegtuigje naar Budapest gebracht en daarvandaan waren ze first class met een Boeing via Wenen naar München gevlogen.

Eric hield de oude flacon in zijn hand die hij een uur geleden uit zijn bankkluisje had gehaald. Behalve op het vel papier – het Franse handschrift uit de achttiende eeuw – hadden ze daar hun laatste hoop op gevestigd. Voor het geval er bewapende tegenstanders opdoken, had hij snel voor pistolen en geweren gezorgd. Elke jager had de plicht meerdere wapendepots te bezitten.

'We rijden naar die kennis van jou in Homburg die je bloed en deze substantie zal analyseren.' Hij zette de flacon op tafel en keek in zijn koffer. Hij zag iets fonkelen. 'Dit heb ik in het bos gevonden toen ik achter het Beest aan zat.' Gedachteloos viste hij de ketting met een ballpoint uit zijn koffer en gooide hem naar haar toe. Te laat bedacht hij dat dat geen goed idee was. 'Lena, niet pakken!'

Maar ze had de ketting al gevangen.

Er klonk een sissend geluid.

Schreeuwend en grommend liet ze het sieraad vallen. 'Shit... het is van zilver!' perste ze tussen haar tanden door. Maar ze was vastbesloten Eric maar heel even te laten merken dat ze geschrokken was en pijn had. 'Het lijkt wel een rozenkrans als ik het goed heb gezien.'

Eric fronste zijn voorhoofd. 'Ja. Een kapotte rozenkrans die naar wierook ruikt. Het wordt steeds geheimzinniger.'

'Het lijkt wel of er meerdere groepen achter het Beest aan zitten,' zei Lena en ze masseerde de verbrande plek. De afdrukken van de kralen tekenden zich duidelijk als rode punten op haar huid af, en het brandde verschrikkelijk. Erger dan welke snee ook die ze in haar hele leven had opgelopen. 'Wat heeft dat te betekenen, Eric?'

'Als ik dat zou weten, zou ik al een flinke stap verder zijn,' antwoordde hij ongewild sarcastisch. Hij bukte zich en pakte de ketting op, legde hem op tafel. Daarna trok hij zijn handschoenen uit en verdween naar de badkamer. Hij wilde douchen en de herinnering aan zijn nederlaag afspoelen.

Eric bekeek zijn arm. In elk geval wees niets meer op de ernstige verwondingen, het bot onder de gladde huid was weer net zo sterk als altijd.

Het warme water stroomde al over hem heen toen het douchegordijn opzij werd geschoven en Lena bij hem kwam staan. Onmiddellijk kuste ze hem onstuimig en vol verlangen, duwde hem tegen de muur en wreef zich tegen hem aan.

Het gevoel dat hij een nederlaag had geleden, het getob en de zorgen werden in één klap weggespoeld. Eric kon geen weerstand bieden aan zijn lustgevoelens – en wilde dat ook helemaal niet. Zijn penis rekte zich al en duwde zich tussen haar dijen. Lena zette één been op de rand van de douchebak en hij gleed bij haar naar binnen.

De weerwolf die in haar sluimerde en zich op de eerste vollemaan verheugde, veranderde haar gedrag al. Het maakte Lena losbandiger, ongeremder. Met een plagerig, gemeen lachje provoceerde ze hem door zijn penis met handige bewegingen telkens weer uit haar te laten glijden.

Ten slotte bereikte ze wat ze wilde: hij pakte haar stevig bij haar armen vast, draaide haar om en drukte haar met haar borsten tegen de koude tegels. Lena kreunde en lachte genotvol. Toen pakte hij haar bij haar heupen vast en stootte met veel kracht bij haar naar binnen. Hij liet zich meeslepen door haar wildheid. Hij hield zich vanaf dat moment net zomin in als zij. In hun extase rukten ze het douchegordijn van de stang, en toen Lena zich met beide handen aan de verchroomde handgreep vastklampte terwijl hij haar van achteren nam, lieten de schroeven los.

Eric en Lena kwamen tegelijkertijd klaar. Niet met een gedempt onderdrukt gekreun, maar met een onvervalst natuurlijk geluid waarin geen zweempje civilisatie meer te bekennen was. Heel even schoot de gedachte door hem heen dat hij het condoom was vergeten. Maar voor het eerst van zijn leven kon hem dat geen moer schelen.

Uitgeput lieten ze zich op de vloer van de douche zakken en genoten van het aanhoudende geluksgevoel en het warme gekletter van het water op hun huid. Ze streelden en kusten elkaar liefdevol. Lena werd zich ineens bewust van haar ongeremdheid en kreeg zowaar een rood hoofd. 'Het was fijn, maar... onwerkelijk. Alsof iemand anders de controle van me had overgenomen,' zei ze zachtjes.

Eric knikte. Hij raapte zichzelf bij elkaar, deed zijn best om niet meer naar haar verleidelijke borsten te kijken. Het werkte aanstekelijk om je zo door je driften te laten leiden.

Een idee bleef door zijn hoofd spoken. Hij stond op, pakte een handdoek en droogde zich af terwijl hij naakt naar de kamer terugliep. Hij belde het vliegveld in Plitvice en vroeg het nummer van de incheckbalie.

'Neemt u mij niet kwalijk dat ik u lastigval,' zei hij in slecht Engels en met een geïmiteerd Spaans accent. 'Ik heb hier een deel van een rozenkrans gevonden, een mooie. Is u misschien iemand opgevallen van wie die zou kunnen zijn, bijvoorbeeld iemand die hem als sieraad om zijn nek droeg? Of heeft de eigenaar zich misschien soms bij u verwittigd?' Hij gaf de man aan de telefoon het nummer van zijn mobieltje. 'Belt u me alstublieft als u me verder kunt helpen... Dank u.' Eenzelfde soort telefoontje pleegde hij met het bureau voor toerisme aldaar en met het kantoor van het nationaal park. Daarna bestelde hij bij roomservice een uitgebreide maaltijd – hij kon zich wel voorstellen dat Lena ondertussen rammelde van de honger. Ze aten zwijgend en wachtten.

Hij nam een servet, pakte de kapotte rozenkrans en poetste hem op. Fijne, ingegraveerde letters werden zichtbaar. 'Ziet er als Latijn uit, maar het zijn slechts fragmenten en bovendien veel te klein om te kunnen lezen. Dat levert niets op,' zei Eric gefrustreerd.

'Het zal niets bijzonders zijn. Een Ave Maria waarschijnlijk,' schatte Lena in, die zich ondertussen had aangekleed. Ze bleek ineens de voorkeur aan vlees op haar brood te geven. Jam en zoetigheden waren kennelijk passé. Eric merkte het maar zei er niets van.

Zijn mobieltje riedelde. 'Hallo, meneer Loyola. U hebt een deel van een rozenkrans gevonden?' hoorde hij een vriendelijke vrouwenstem zeggen. 'U spreekt met Misczic van het toeristenbureau in Plitvice. Een collega heeft me over u verteld. Ik herinnerde me' – ze klonk afwezig, las het op van een papiertje of zo – 'dat ik een paar dagen geleden een non aan het loket had. Ze informeerde naar overnachtingsmogelijkheden. Of de rozenkrans die u hebt gevonden van haar is, weet ik natuurlijk niet, maar het is een beginnetje, nietwaar?' Ze noemde hem het door haar aanbevolen hotel.

'Dank u wel, u hebt me uitstekend verder geholpen,' zei Eric en hij hing op. 'We hebben misschien een spoor,' zei hij tegen Lena die ervan af had gezien haar haren op de een of andere manier te temmen. Ze liet het gewoon zo drogen. Een bh droeg ze ook niet meer. Het was duidelijk dat ze een afwijzende houding ontwikkelde tegenover alles wat haar te strak zat en ze scheen zich in zijn opengeknoopte hemd heel lekker te voelen. Ze zag er verdomd aantrekkelijk uit. Ze straalde een energie uit zoals Eric zelden bij vrouwen had gezien. De meesten daarvan had hij om het leven gebracht. Noodlot van het Beest. Maar deze keer was het anders. Eén blik op haar groene ogen was genoeg om de lust weer te voelen, het verlangen en... de liefde. 'We rijden eerst naar Homburg en geven die kennis van jou de monsters om te analyseren, daarna gaan we weer terug naar Kroatië.' Hij trok zijn leren broek aan, schoot een zwarte trui aan en hing zijn lakleren jas om zijn schouders. Eric was dol op zijn actietenue. De witte laarzen en de witte lakleren handschoenen maakten het beeld compleet. De P9 stopte hij in zijn ceintuurholster, de nieuwe zilveren dolk in de onderarmschede. 'We zullen het Beest vinden en doden. En bij een paar nonnen op bezoek gaan.'

'Nonnen?'

'Ja. Wat ze ook in de buurt van het Beest te zoeken hadden, ik zal erachter komen.' Eric wikkelde het flesje in plastic met luchtkussentjes, pakte dat in piepschuim en stopte het geheel in een kartonnen doosje. Het oude handschrift werd even grondig verpakt, want er mocht niets gebeuren met dat unieke vrachtje.

'*Wij* zullen erachter komen,' verbeterde Lena hem.

Hij schudde zijn hoofd. 'Geen goed idee.'

'Zou kunnen.' Ze glimlachte wolfachtig. 'Maar ik ga wel mee naar Kroatië om dat beestmens aan wie ik dit allemaal te danken heb op haar sodemieter te geven.'

Eric liet haar voorlopig maar in de waan. Na het boeken van een vlucht was hij klaar voor vertrek. Hij wendde zich tot haar. 'Kunnen we gaan?'

Lena knikte en dronk haar koffie op. 'Hoe lang zijn we onderweg?'

'Naar Homburg? Vier uur. Als alles meezit, drieëneenhalf.'

'Het sneeuwt, Eric.'

'Mijn Cayenne verheugt zich er nu al op om de files rechts voorbij te rijden,' antwoordde hij grijnzend. 'Je kent mijn tomtom toch?'

'Ja, die herinner ik me.' Ze lachte.

Hij pakte het kartonnen doosje. 'Je hebt die kennis van je op de hoogte gebracht?'

Lena knikte en schoot haar beige wollen jas aan, zette de capuchon op en zocht haar spullen bij elkaar. 'Mühlstein is bezig met een onderzoeksproject en heeft het lab met al die leuke apparaten helemaal alleen voor zichzelf.'

Hij nam haar koffer over en deed de deur open. De gang was leeg. 'Hoe lang denk je dat hij voor die analyse nodig heeft?' Hij stapte naar buiten en samen liepen ze naar de ondergrondse garage waar de smerige Porsche stond te wachten om weer door straten, stadsparken en over snelwegen gejaagd te worden.

'Hij is snel,' stelde ze hem gerust bij het instappen. De koffer gooide ze op de achterbank.

Eric had liever gezien dat ze een tijd met Mühlstein had afgesproken, want vollemaan kwam onverbiddelijk naderbij. Hij had gehoopt Lena's eerste gedaantewisseling te kunnen voorkomen, maar langzamerhand vervloog die hoop. Hij zou bij dat stadje in Saarland een geschikte schuilplaats voor haar moeten zoeken waar ze ver van de menselijke bewoning kon brullen, huilen en schreeuwen. Of hij legde een infuus aan en pompte haar vol met drie gram gamma-hydroxyboterzuur. Om de paar uur een flinke dosis van dat illegale verdovende middel dat weerwolven in slaap bracht, en ze zou die drie dagen en nachten ongestoord doorstaan. Hij wist uit eigen ervaring dat het werkte. Eventueel kon hij haar er op die manier ook van weerhouden met hem mee naar Kroatië te gaan. Ze zou op het strijdtoneel een blok aan zijn been zijn.

De terreinwagen snorde tevreden toen Eric de motor startte. Ze reden door de straten naar de oprit van de autoweg en verder richting Saarland.

Lena bleef twee afritten lang zwijgen en zei toen: 'Doet het pijn?'

'Wat bedoel je?'

'De verandering in een wolf. Ik ken zoiets alleen uit horrorfilms.' Ze rilde. 'Het knarst en kraakt altijd zo weerzinwekkend en die lui kronkelen en schreeuwen.' Haar groene ogen wendden zich naar hem. 'Is dat waar?'

'De gedaantewisselingen waar ik bij ben geweest, verliepen heel snel.' Hij probeerde haar angst weg te nemen. Ze zou de waarheid binnenkort wel aan den lijve ondervinden.

'En daarna?' Ze keek voor zich uit naar de weg. 'Wat denk je als wolf? Wat hoor je en ruik je?'

Het beviel Eric niet dat hij een tikkeltje nieuwsgierigheid in haar stem opmerkte. 'Wat je denkt? Ik vermoed: *honger*, *doden*. En verder *vreten*, en als er een weerwolf van het andere geslacht in de buurt is waarschijnlijk ook nog: *neuken*.' Hij zei het opzettelijk recht voor zijn raap en vol afkeuring, zodat haar latente enthousiasme vooral niet de gelegenheid kreeg toe te nemen. 'Je zult geen enkele controle meer over jezelf hebben. Ik heb... met een paar gedaantewisselaars gesproken. De meesten konden zich de eerste gedaantewisselingen helemaal niet meer herinneren. Ze werden de volgende morgen ergens wakker, waren naakt en dachten aanvankelijk dat ze krankzinnig waren geworden.' Hij zag dat ze in elkaar zakte in haar stoel. 'Lena, het spijt me echt... maar je moet begrijpen dat er geen enkele positieve kant aan dat bestaan zit. Je wordt tot werktuig van de duisternis, meer niet. De voordelen maken je blind voor de ware aard van het Beest. En die is letterlijk beestachtig.'

Het duurde maar even voordat ze weer wat zei. 'Het is eigenaardig wat we als mensen allemaal níét gewaarworden,' zei ze nadenkend. 'Sinds dat schepsel me heeft gebeten, leef ik veel... intenser. Ik ervaar meer. Ik neem geuren van dingen en mensen waar voordat ik die zie. Ik zie geuren ook zowat voor me en kan ze duidelijk van elkaar onderscheiden. Geluiden klinken anders, en ik heb het idee dat mijn ogen slechter worden. In plaats daarvan reageer ik sneller op bewegingen en rennende mensen. Ik wil achter ze aan gaan, me met hen meten. Ik ben impulsiever dan vroeger en...' Ze zocht naar woorden om haar gevoelens uit te drukken. 'Waarom zijn gedaantewisselaars einzelgängers?' sneed ze onverwachts een ander aspect aan.

'Waarom vraag je dat aan mij?' zei Eric overdonderd. 'Jij bent de sociobiologe van ons tweeën.'

'Dat is waar, maar ik heb geen ervaring met deze diersoort.' Lena lachte. 'Er schiet me ineens te binnen dat die zelfs nog een wetenschappelijke naam moet krijgen. Misschien wel *lupus hominem anthrophagus*.'

'Het zijn niet allemaal einzelgängers,' zei Eric. 'Dat Beest waar we op jagen heeft in het verleden meerdere keren geprobeerd om zoiets als een gezin te stichten, maar daar werd tot nu toe steeds bijtijds een stokje voor gestoken.'

Lena maakte het zich gemakkelijk, trok haar benen op en keek naar het besneeuwde landschap. 'Ik begrijp het. Ze gedragen zich meer als uit de roedel verstoten alfadieren.' Ze zuchtte. 'Het komt door een soort superioriteitsgevoel, vermoed ik. Omdat ze beter zijn dan de anderen of zich minstens als sterker beschouwen en niemand aan hun zijde dulden.' Lena haalde een blocnote en een pen uit haar tas. Ze bladerde een hele tijd voordat ze een lege bladzijde vond, kennelijk had ze al heel veel over gedaantewisselaars opgeschreven. 'Vechten ze onderling?'

Eric haalde zijn schouders op. 'Durf ik niet te zeggen.'

'Misschien als ze in elkaars territorium komen,' dacht Lena hardop na. 'Omdat ze qua karakter zo van elkaar kunnen verschillen zit het er dik in dat het tot confrontaties komt.'

Hij zweeg. Hoe meer antwoorden hij gaf, des te meer ze wilde weten. Er was een fascinatie in haar wakker geschud waar absoluut een luchtje aan zat. In stilte legden ze verder de afstand naar Homburg af. Lena schreef, Eric stuurde, en de Porsche vloog met meer dan tweehonderd kilometer per uur over de snelweg.

Laat op de avond reden ze over de campus van de universiteitskliniek en zochten het gebouw waarin Lena's kennis zou moeten werken.

Tijdens de rit was het Eric vanwege de verkeersdrukte niet opgevallen dat ze door een auto werden gevolgd. Maar om die tijd was er weinig verkeer op het terrein en viel iedere auto op. Zo ook de antracietkleurige BMW-combi die zijn best deed niet te dicht achter hem te rijden, maar aansluiting moest houden om hem niet in de wirwar van straten uit het oog te verliezen.

'Hou je vast,' zei Eric terwijl hij in de achteruitkijkspiegel keek. In de auto achter hen zag hij drie figuren zitten, zo te zien allemaal mannen. 'Ik ga ze zo dadelijk afschudden. Jij springt eruit en loopt naar die Mühlstein, terwijl ik doorrijd en die achtervolgers onder handen neem. Daarna kom ik naar het lab.'

Lena liet haar tanden zien. 'Moet ik je niet helpen?' vroeg ze strijdlustig. 'Ik kan...'

Hij trapte stomweg op het gas. De Cayenne schoot ronkend vooruit, maakte een sprongetje, nam de eerste de beste bocht en scheurde door een smalle, steile straat naar beneden.

De BMW nam de uitdaging aan. De *Campusralley* kon beginnen.

Het terrein waarop de universiteitsklinieken lagen, bleek zeer bochtig, de weggetjes buiten de hoofdverbindingsweg tussen de klinieken waren net zo breed als een auto en het dichte bos eromheen maakte het bijna onmogelijk om van het asfalt af te schieten.

Van wegen met eenrichtingsverkeer trok Eric zich niets aan, hoewel er heel wat waren. Zijn nietsontziende maar vaardige rijstijl schudde de BMW al snel ver genoeg af om Lena onopgemerkt uit te kunnen laten stappen. Ze pakte het kartonnen doosje, gaf Eric een hartstochtelijke kus en verstopte zich achter een informatiebord terwijl de Porsche wegscheurde.

Eric had ondertussen bij zijn navigatiesysteem een plattegrond van het kliniekcomplex opgehaald en zocht met snelle blikken op de display een geschikte plek voor een hinderlaag. Het wildpark in de buurt van de helikopterlandingsplaats was perfect.

Eric joeg de Cayenne de berg op, sloeg af bij een steenslagweg en stoof regelrecht het bos in. De koplampen van de BMW waren weliswaar kleiner geworden, maar zijn achtervolgers zaten hem nog altijd op de hielen. Toen zette Eric zijn eigen lampen uit en reed door in het licht van de bijna vollemaan tot hij een kleine parkeerhaven voor de ingang van het wildpark ontdekte. Met een stevige ruk gooide hij het stuur om en bracht de Porsche zijwaarts schuivend tot stilstand.

Eric haalde zijn jachtgeweer achter de bekleding vandaan en opende de portiers aan de passagiers- en bestuurderskant. Daarna sprong hij naar achteren op de vloer van de bagageruimte. En wachtte af.

XXVII

1 oktober 1766, omgeving van Auvers, Saint Grégoireklooster

'Dat kruidenmengsel heeft de afgelopen maanden aangetoond dat het goed werkt, zoals u al tegen me zei.' De abdis keek even nadenkend naar het linnen zakje dat ze Jean Chastel wel wilde geven, maar toen legde ze het opzij. 'De valeriaan daarin heeft zijn rusteloosheid weggenomen. De brandnetels werken tegen het gif in zijn bloed dat de koorts veroorzaakt. En toch is hij nog niet helemaal genezen. Dus zullen we een sterker middel moeten aanwenden. De bereiding is moeilijk en kostbaar, maar de werking zo goed als onovertroffen.' Ze haalde een glazen flesje uit het kastje achter zich. 'Het is een sterk aftreksel van sleutelbloemen, valeriaan en drakenkruid, vermengd met rozenkwarts.'

'Hoeveel kost me dat?'

'Niets, monsieur Chastel. Het is onze plicht diegenen te helpen die lijden. En Pierre lijdt zeer onder zijn aanvallen, zoals hij me in vertrouwen heeft verteld.'

'Wanneer heeft hij u dat verteld? Ik heb hem verboden naar Saint Grégoire te gaan en Florence te ontmoeten.' Jean voelde woede in zich opstijgen. Maar die woede was niet tegen Gregoria gericht voor wie hij nog altijd sterke gevoelens koesterde. God noch de duivel deed hem het genoegen hem van die genegenheid te verlossen. Ze vonden het kennelijk allebei erg leuk.

Het lukte hem niet deze woede in het bijzonder te verklaren. De voortdurende ontevredenheid dat ze het Beest niet konden vinden om haar uit de weg te ruimen, maakte dat er niet beter op. Zonder het bloed van het Beest was zijn vervloekte zoon niet te redden.

Antoine zat vanaf die dag in het voorjaar onafgebroken in de kelder van de schuur, met vijf kettingen vastgebonden, en schikte zich het ene moment meer dan het andere in zijn lot. Nu eens ging hij in zijn wolvengedaante zo verschrikkelijk tekeer dat hij met sterke kalmerende middelen verdoofd moest worden, dan weer zat hij huilend en wanhopig op de restanten van een door hem kapotgeslagen brits en eiste dat ze hem doodschoten of onmiddellijk vrijlieten.

Malesky, Pierre en Jean deden noch het ene, noch het andere. Ze trokken door de groene Gévaudan, over de grasvlaktes en heidevelden, langs de granietbrokken, door de kloven van de Drie Bergen, door groen-met-gele stekelbremgebieden, door kleine schaduwrijke bossen met loof- en naaldbomen, maar nergens vonden ze een spoor van het wezen dat dood en bevrijding tegelijkertijd betekende.

Daarbij kwamen ze telkens weer de jagerstroepen van de markies d'Apcher tegen die zich tot taak had gesteld de mensen van het Beest te verlossen. Daarom was de jonge edelman erg geliefd. Voor de Chastels en Malesky was hij alleen maar een lastige concurrent.

Slechts vijf keer had het Beest nog toegeslagen en mensen verscheurd. Ook al was het aantal niet-gemelde doden in het voorjaar, in de zomer en in de eerste weken van de herfst waarschijnlijk hoger, toch was er een zekere opluchting in de Gévaudan, de Vivarais, de Cevennes en de Auvergne voelbaar. Het Beest was niet meer zo vraatzuchtig als vroeger.

Malesky vermoedde dat ze een hol voor zichzelf had gezocht om haar nakomelingen veilig ter wereld te brengen en ze te zogen en te beschermen. Dat zorgde voor een bedrieglijke rust, een uitstel van executie voordat het gebroed zou uitzwermen. Hongeriger, gretiger en dodelijker dan ooit.

'Maar ze is er toch nog wel?' hoorde Jean Gregoria vragen. Uit haar stembuiging was op te maken dat het niet haar eerste poging was een antwoord van hem te krijgen.

'Ja, ze is er beslist nog. Uw gebeden en vrome wensen hebben haar niet verjaagd,' antwoordde hij haastig en hij pakte het flesje in. 'Raadde u mijn gedachten?'

'Dat zag ik zo aan uw gezicht. Maar vertelt u mij eens, heeft men het

Beest in levenden lijve gezien of alleen de lijken van de beklagenswaardige slachtoffers gevonden?' Ze vertrok haar gezicht onder haar zwarte sluier tot een glimlach. 'Is het niet mogelijk dat ze is vertrokken en er in plaats van haar een wolf op rooftocht is?'

'Nee. Koestert u maar geen valse hoop. Ze zit nog in de bossen. Ze wacht af en geniet ervan dat de mensen zich veilig wanen en daardoor nonchalant worden. Later zal ze zich opnieuw gaan ontpoppen als een veelvraat, meer nog dan in de afgelopen jaren.' Hij verzweeg voor haar dat hij net als Malesky aannam dat het Beest ondertussen een nest had geworpen en een veilig hol gezocht om van daaruit weer tekeer te kunnen gaan zodra de welpen niet meer blind en hulpeloos waren. Ontwaakte bij die halfwas Beesten de trek in vlees, dan zou de aarde van de regio door het bloed van mens en vee rood worden gekleurd. 'Wanneer was hij voor het laatst bij haar?' bracht Jean het gesprek op een ander onderwerp.

Gregoria wist onmiddellijk wie hij bedoelde. 'Ik weet het niet precies meer. Laten we zeggen een maand geleden. Ze praten af en toe met elkaar en ik let erop dat er verder niets gebeurt, monsieur Chastel, daar kunt u op vertrouwen. Voor de zonde is geen plaats binnen de muren van Saint Grégoire.'

'En u hebt er nog altijd geen bezwaar tegen dat uw pupil en mijn zoon in de echt verbonden willen worden?'

Gregoria boog naar voren, één hand om het kruis dat voor haar boezem bungelde. 'Monsieur Chastel, Pierre is een buitengewoon aardige jongeman van wie er slechts weinigen op deze verdorven, goddeloze wereld rondlopen. Hij is niet rijk, maar dat is voor mij niet belangrijk. Het feit dat Florence en uw zoon ondanks alle tegenwerking nog altijd van elkaar houden hoewel ze elkaar niet meer dan een paar keer per jaar zien, toont voor mij aan dat er geen twijfel bestaat aan de oprechtheid van hun genegenheid. En die heeft zelfs de verschrikkelijke gebeurtenissen in het voorjaar doorstaan.' Ze pakte zijn hand en kneep erin. 'Mijn zegen hebben ze, monsieur, en ik smeek u, geef de uwe ook zodra het Beest is doodgeschoten.'

Jean keek naar zijn hand, daarna naar haar sterke maar slanke vingers die ze om zijn rechterhand had gelegd. Een aangename huivering ging door hem heen, opgewekt door de aanraking van de vrouw die zijn hart had gestolen. Hij kon niets anders doen dan zijn linkerhand optillen en haar vingers tussen de zijne leggen.

Gregoria liet hem zijn gang aan. Ze had al geruime tijd geleden moeten toegeven dat haar ziel niet meer alleen naar de genade Gods verlangde, maar ook naar de nabijheid van deze eigenzinnige, openhartige man die zijn eerlijke karakter aan zijn zoon Pierre had doorgegeven. Bij Antoine moest de duivel hebben ingegrepen.

En toch... het kon absoluut niet! 'Jean,' zei ze ernstig. 'Ik vraag je nogmaals, wees een vriend voor me, niet meer.' Ze zocht zijn bruine ogen. 'Neem maar van mij aan dat als ik...' Haar andere hand klemde zich zo stevig om het kruis dat het pijn deed en ze voelde dat het door haar huid sneed. Warm sijpelde het bloed over haar hand.

Op hetzelfde moment dat ze dacht de duivelse demonen van de hartstocht te hebben overwonnen, boog Jean zich naar haar toe en stal een lange kus.

Ze sloot haar ogen, genoot van de innige aanraking en de weldadige uitwerking die ze al zo veel jaren niet meer had gevoeld. Maar toen sprak haar geweten, en dat zei luid en duidelijk: *zondares*. Ze deinsde achteruit. 'Nee, Jean,' zei ze met een trilling in haar stem, haar oogleden nog steeds gesloten, 'niet doen! Dit brengt mij en jou nog in de diepste diepten der hel.'

'Waarom?' antwoordde hij hees. De opwinding was op zijn stem geslagen. 'Omdat we onze gevoelens volgen? Staat er niet ergens geschreven dat God de mensen bij elkaar brengt? Een gelovig mens zou kunnen zeggen dat het Gods wil is dat we elkaar hebben gevonden, Gregoria. Misschien wil hij wel dat je Saint Grégoire verlaat...'

'Nee,' zei ze zachtjes en ze opende haar grijsbruine ogen. 'Ik heb mijzelf en mijn lichaam aan God gewijd.'

Jean stond op. Hij keek haar lang aan terwijl zijn ogen langzaam een onbarmhartige uitdrukking kregen. 'Ik... ik begrijp nu waarom ik mijn zegen aan het huwelijk van Pierre en Florence moet geven,' zei hij. 'Jij ziet hun liaison als een vervanging voor onze onvervulbare wens, nietwaar?'

'Nee, niet waar,' protesteerde Gregoria zonder enige aarzeling. 'Ze houden van elkaar, dat lijdt geen twijfel.'

'En hoe zit het dan met ons?' wilde hij op vijandige toon van haar weten. 'Je kent mijn gevoelens voor jou. Ik dacht dat ik die nooit meer zou mogen beleven. Maar nu bemin ik weer een vrouw, en het maakt mij niet uit dat ze de Kerk toebehoort! Door jou heb ik alle reserves laten varen. Deze kus heeft mij aangetoond hoe hevig we naar elkaar verlangen. Gregoria, misschien is het wel een Godsgeschenk! Wil je werkelijk dat we dat verloochenen?'

'Het zijn vleselijke lusten,' sprak ze hem tegen. Ze stond op, keerde hem de rug toe en keek uit het raam. 'Ga nu weg en breng die medicijnen naar je zoon. Hij heeft ze nodig.'

Gregoria hoorde hem naar de deur lopen die daarna werd geopend en weer gesloten. Traptreden kraakten, nog een deur viel in het slot. Toen zag ze hem over de binnenhof lopen, langs het gastenverblijf en het werkhuis naar de hoofdingang. Hij draaide zich niet één keer om.

Ze volgde hem met haar ogen tot hij door de poort was verdwenen, en keek toen naar de wonden aan haar hand die van de puntige uiteinden van de crucifix afkomstig waren: haar bloed had de zilveren Heiland daaraan met een laagje rood bedekt.

Wat gebeurt er met me? Wat moet ik nu toch doen?

Gregoria pakte het kruis nogmaals vast en kneep haar vingers nog steviger samen, tot het bloed langs haar onderarm liep.

Er werd op de deur geklopt.

'Een ogenblikje.' Ze drukte een lap in haar hand om de bloeding te stelpen. 'Kom binnen.'

Er kwam een zuster de kamer binnen, een stapel boeken op de arm. Ze zag het bloed en verschoot van kleur.

'Het is niets, zuster Magdalena. Ik heb me alleen maar gesneden,' loog Gregoria. 'Wat kom je me brengen?'

De zuster legde de boeken op tafel. 'De cijfers van de naaierij, eerwaarde abdis. We hebben in het eerste halfjaar veel werk verzet.'

Gregoria bladerde met haar ongedeerde hand door het eerste boek en nam de cijfers vluchtig door zonder ze echt tot zich te laten doordringen. Het had haar allemaal te veel aangegrepen. Zeer menselijke zielenroerselen en gevoelens deden de grondvesten van haar geloof en haar belofte tegenover God wankelen. Terwijl ze altijd had gedacht dat ze zo sterk was.

'Hebt u op uw schrijven al antwoord uit Rome gekregen?' vroeg de zuster plotseling zachtjes.

'Uit Rome?'

'Ja, op uw brief, weet u dat niet meer? Die op uw schrijftafel lag.' Zuster Magdalena werd verlegen. 'Vergeeft u mij dat ik hem pas zo laat heb verzonden, maar ik ontdekte hem slechts bij toeval onder de huishoudboeken, eerwaarde abdis. Vergeeft u me mijn verzuim dat ik niet beter heb gekeken. Heb ik onze gemeenschap met mijn nalatigheid schade berokkend?'

Een ijskoude rilling schoot door Gregoria's lichaam. Ze was de brief die ze een halfjaar geleden had geschreven volkomen vergeten. Eigenlijk had ze hem niet willen versturen voordat het Beest dood was, zodat ze voor de komst van de onvermijdelijke pauselijke gezant nog genoeg tijd had om haar eigen zaakjes te regelen. 'Het is niet erg,' dwong ze zichzelf te zeggen. 'Het was niet zo belangrijk, alleen maar een kennisgeving. Wanneer heb je hem verstuurd?'

'Een maand geleden, eerwaarde abdis.'

Een maand! Angst welde in Gregoria op. De brief was dus allang bij de Heilige Vader aangekomen. Waarom had men haar niet teruggeschreven?

Ze wist het verontrustende antwoord: de paus had zonder twijfel een nieuwe geheime vertrouweling naar de regio gestuurd. Ze keek nadenkend uit het raam, alsof ze de man te midden van de grote groep jacobspelgrims zou kunnen herkennen die zich net op dat moment op de binnenhof hadden verzameld, en van zijn gezicht aflezen met welke opdracht hij op weg was gestuurd.

Haar eigen plan zou daardoor ernstig in gevaar komen.

Florence was blij dat ze met de zusters mee naar Auvers was gegaan. De abdis verloor haar zo goed als nooit meer uit het oog en beknotte haar bijna volledig in haar vrijheid. Een bezoek aan het dorp, om producten van het klooster te verkopen, was een uitzondering. Een uitzondering onder strenge voorwaarden.

'Florence, leg die even goed, wil je?' vroeg zuster Martha terwijl ze naar de dikke knot gesponnen wol wees die was omgerold en van het ruwhouten tafelblad dreigde te vallen.

'Meteen.' Florence liep er snel heen en behoedde de wol voor een landing in de modder. Ze hief haar hoofd weer op en keek door de straat omhoog. De mensen kwamen om te kijken, te handelen en te praten.

Ze hoopte hem vandaag weer te zien. Pierre. Ze hadden het uitgepraat nadat ze weer was hersteld van die afschuwelijke gebeurtenis aan de voet van de Mont Chauvet. Ze vond het verschrikkelijk dat ze hem met het stilet had verwond. Haar enige verklaring daarvoor was dat ze doodsbang was geweest. Nu ze wist van de koorts van haar geliefde, was ook Pierres afwezige gezichtsuitdrukking van toen begrijpelijk. Hij had haar de steekwonden vergeven en zich duizendmaal verontschuldigd dat hij haar bang had gemaakt. Antoine had ze sindsdien niet meer ontmoet, en dat was een onbeschrijflijke opluchting.

'Ik haal even wat water.' Florence pakte de ketel, liep naar de pomp die vlak bij de kraam van de zusters stond.

Het was koud geworden. Op de bergtoppen was de eerste sneeuw te zien, de wind joeg de kou de bossen in. De winter in de Gévaudan begon steeds vroeger. Nog een reden om uit deze vervloekte landstreek van het koninkrijk weg te gaan.

Ze bediende de piepende zwengel en hijgde van de inspanning. Helder, ijskoud water plensde klotsend in de ketel. Ze keek ernaar terwijl ze zich afvroeg hoe het zou zijn om in het noorden te leven. Of aan de liefelijke Loire waar het ene kasteeltje na het andere stond. Daar zou ze graag willen wonen, lesgeven en genieten van het samenzijn met Pierre.

Maar de gedachte aan een gezamenlijke toekomst wierp ook een schaduw vooruit. Want Florence bewaarde een geheim dat ze vroeg of laat absoluut aan haar geliefde moest vertellen. Sinds ze van een kind een vrouw was geworden, leed ze aan sterke bloedingen en pijnen in haar onderlichaam die af en toe tot verschrikkelijke aanvallen van waanzinnigheid leidden. Ze kwamen en gingen weer, en Gregoria deed er alles aan om haar te beschermen zodat ze zichzelf in haar razernij niets aandeed. Haar middeltjes verzachtten de pijn en hulden de dagen waarop ze het meest te lijden had in een aangename versuftheid. Toch schrok ze nog altijd wanneer ze wakker werd en zo veel bloed bij zichzelf ontdekte. Haar eigen bloed.

Ze keerde met de halfvolle ketel naar de kraam terug waar de eerste klanten waren verschenen. Naast de kraam maakte ze een vuurtje en zette daar de ketel op om het water aan de kook te brengen en kruidenthee te zetten. Die zou tegen de alomtegenwoordige kou helpen.

Florence ging overeind staan en in haar japon naast haar linkerborst klonk een uitnodigend geritsel. Het was de brief die de abdis haar had gegeven en die ze altijd bij zich droeg. 'Een levensteken van je moeder,' had Gregoria gezegd, maar uit haar gezichtsuitdrukking was niet op te maken geweest of ze daar blij mee was of niet.

Florence durfde de envelop niet te openen en de regels te lezen, omdat ze al heel lang geleden met haar afkomst had afgerekend. Haar familie was Saint Grégoire. Maar toch spoorde haar nieuwsgierigheid haar telkens weer aan om een blik op de inhoud te werpen. Maar één blik... Haar linkerhand verdween onder haar jas, tastte naar het papier.

Een schare ruiters galoppeerde als een stel huzaren het dorp binnen en deze onstuimige intocht verhinderde dat Florence de envelop pakte. Aan het hoofd van de nieuw-aangekomenen bevond zich iemand die bij iedereen in deze omgeving bekend was: de jonge markies Jean-Joseph d'Apcher.

De groep reed recht op de kraam van de nonnen af, hun aanvoerder toomde zijn voshengst in en nam zijn hoed af. 'Bonjour.' Hij droeg kleren in bruine en groene tinten die je voor een markies bijna eenvoudig zou kunnen noemen en zijn lange, lichtbruine haar viel tot op zijn schouders, wat hem iets stoutmoedigs gaf. Op zijn rug hing een musket en de flanken van zijn paard glommen van het zweet.

Hij steeg af en zijn metgezellen volgden zijn voorbeeld. 'Hebt u misschien een slok hete thee voor me?' Hij glimlachte naar Florence.

Ze kon niet anders dan de man, die nauwelijks ouder was dan zij, voor zijn onvermoeibare inzet bewonderen en beantwoordde zijn glimlach. 'Maar natuurlijk, monsieur le marquis.' Onmiddellijk stond zuster Rogata naast hen met aardewerken mokken die Florence met de hete vloeistof volschonk. Rogata was de verlengde arm van de abdis, de toezichthoudster bij alle uitstapjes. Florence noemde haar stiekem *het heilige moeten.*

Toen ze de markies zijn thee gaf en hem aankeek, merkte ze dat hij haar zeer nadrukkelijk van top tot teen bekeek. Ze kende die blik van mannen. 'Hebt u nog succes gehad, monsieur le marquis?' leidde ze hem af. 'Zo te zien hebben u en uw gevolg al heel lang in het zadel gezeten.'

Hij nam de mok aan en nipte aan de thee. Hij zuchtte van genot. 'Dat doet een mens goed, mademoiselle. In de wind is de winter al voelbaar, hij is bijtend.' De markies liet de stoom in zijn gezicht waaien. 'We zijn reeds lang onderweg,' antwoordde hij haar toen. 'Geen spoor van dat vervloekte Beest. Te veel kloven, te veel dichte bossen rondom de Mont Mouchet. Ik zou die het liefst afbranden om het Beest uit zijn schuilplaats te jagen.' Hij lachte verbitterd. 'Maar mijn vader zou niet bepaald staan te juichen als ik hem zijn kostbare hout zou afnemen.'

'Dus u bent ook van mening dat het Beest zich daar heeft verstopt?' vroeg Florence.

Hij knikte en deed zijn mond open, maar toen viel ineens een oudere vrouw voor de markies op haar knieën. 'God zegene u, mon seigneur!' riep ze bijna in tranen. 'U bent de enige die ons tegen die demon bijstaat.' Ze kuste zijn smerige laars. 'God zegene u.'

De markies pakte haar bij de schouders vast en gebaarde haar op te staan. 'Ik dank u, maar het is niet nodig dat u voor mij in het stof kruipt. Mijn familie en ik zijn ons bewust van onze verantwoordelijkheid tegenover de mensen die op ons land en in de Gévaudan wonen. Ik doe slechts mijn plicht.'

'Een plicht die de groten in het koninkrijk nalaten,' zei de vrouw terwijl ze weer een buiging maakte. Met de opmerking die, hoewel indirect, ondubbelzinnig tegen de koning was gericht, schuurde ze gevaarlijk dicht langs een strafbaar feit. Maar inmiddels waren er te veel mensen bij komen staan die haar mening zwijgend deelden, en die zouden haar niet aangeven.

'Ik zweer dat ik niet eerder zal rusten voor het Beest dood aan mijn voeten ligt,' zei de markies plechtig. Iedereen geloofde hem op zijn woord.

Florence bekeek de jongeman nauwkeuriger. Ze voelde een diep respect voor hem, en als Pierre er niet was geweest, had Jean-Joseph vast en zeker haar hart gestolen.

Kennelijk kon hij haar gedachten lezen, want hij wendde zich tot haar en zei: 'Mademoiselle, mag ik u voor uw vriendelijkheid een wederdienst bewijzen door u op mijn kasteel in Besques uit te nodigen?' zei hij vluchtig buigend. 'Het zou mij een eer zijn.'

Zuster Rogata duwde zich naar voren, een beweging die duidelijk maakte dat het aanbod geen goedkeuring wegdroeg.

Een tweede afdeling ruiters had Auvers bereikt en denderde door de straten terwijl ze zich van niets of niemand wat aantrokken. Bij het eerste het beste huis met een grote schuur hielden ze halt en eisten gejaagd touwen, ossen en helpers op.

De markies draaide zich om. 'Mannen van de comte de Morangiès,' zei hij met gedempte stem. 'Wat hebben die hier te zoeken?' Hij drukte Florence de theemok in de hand en haastte zich naar deze andere groep ruiters.

Florence wilde hem achternagaan, maar zuster Rogata pakte haar bovenarm vast. 'Nee. We wachten hier, Florence,' zei ze zachtjes.

De jonge vrouw bukte zich weer om een blok hout onder de ketel te leggen die de thee warm zou houden, terwijl ze tegelijkertijd onder de kraam door naar Jean-Joseph keek die met de mannen sprak. Het duurde niet lang of hij kwam teruggerend.

'Ze hebben een koets gevonden die bijna volledig in een zompgat is weggezonken,' legde hij in alle haast uit en hij sprong met een zwaai in het zadel. 'We willen proberen hem te redden.' Zijn metgezellen stegen ook op, en samen met de Morangiès' mannen reden ze uit Auvers weg.

Rogata knikte tevreden, omdat de uitnodiging nu waarschijnlijk wel zou worden vergeten, en bekommerde zich weer om de uitgestalde waren. Florence vond het jammer dat de jonge markies weer zo plotseling was vertrokken. Een bezoek aan het kasteel en een blik in de wereld van de adel leek haar heel opwindend. Alleen al om te zien hoe ze omringd door pracht en praal leefden.

Ze roerde nog eens in de thee en schonk hem uit voor de dorpsbewoners die voor de kraam van het klooster bleven staan, tot Rogata haar weer wegstuurde om water te halen. Florence pakte een emmer en liep naar de pomp. Maar er was bijna geen beweging meer in te krijgen. Het mechaniek maakte morrend zijn ongenoegen over de kou duidelijk.

Enigszins opzij van het marktplein ontdekte Florence een met een muurtje omgeven bron waarin het water netjes opborrelde. Zonder dralen liep ze erheen om de emmer te vullen.

Ze schepte het ijzige water met haar blote handen uit het bekken tot ze gevoelloos waren. Plotseling viel er een schaduw over haar heen. 'De volgende keer moet ik een scheplepel meenemen, zuster Rogata,' zei ze zonder op te kijken en ze ging door met haar werkje.

Een hand greep haar in haar nek vast en duwde haar met een ruk naar voren terwijl tegelijkertijd haar benen onder haar lichaam werden weggetrokken. Iemand ging op haar rug zitten en maakte het haar onmogelijk haar hoofd uit het water te trekken. Van haar geschreeuw bleef alleen nog wat geborrel over, ze slikte, probeerde te hoesten en slokte nog meer water naar binnen.

Eén van haar om zich heen slaande handen kreeg de stof van een kledingstuk te pakken en ze klemde zich eraan vast, trok uit alle macht. De druk op haar stuitje verdween. Hijgend en naar lucht happend kwam ze boven water. Nauwelijks had ze een keer diep ingeademd of de aanvaller wierp zich weer op haar. Een lemmet schitterde in zijn vuist.

Door de watersluier voor haar ogen kon Florence hem amper zien: een man van een jaar of veertig, sterk, maar klein van gestalte. Hij droeg een sjaal voor zijn gezicht om niet herkend te worden. Instinctief en sneller dan ze voor mogelijk had gehouden, ontweek ze zijn uithaal.

Woedend schopte de man naar haar, weer ontweek ze hem – en trapte de man met alle kracht die ze in zich had in zijn kruis. Hij klapte kreunend dubbel, maar gaf niet op. Florence kwam overeind en probeerde weg te rennen, maar ze struikelde over de emmer en viel in de modder. Het volgende moment voelde ze een steek en een brandende pijn in haar rug links naast haar wervelkolom. De man was haar met zijn mes te lijf gegaan. Schreeuwend schoof ze snel op haar buik naar voren, rolde zich om – en nu werd het mes onder haar borst in haar lichaam gestoten! De pijn was zo onbeschrijfelijk dat Florence ineens als verlamd in de modder bleef liggen, niet meer in staat om te schreeuwen, niet meer in staat zichzelf te verdedigen.

De man schopte haar hard in het gezicht zodat haar hoofd naar achteren sloeg, maar ze merkte het nauwelijks. Hij boog zich over haar heen en rukte de kleren van haar lijf. Zijn vingers gleden over haar heen, pakten haar borsten, leken ergens naar te zoeken... en toen keek hij plotseling naar rechts waarvandaan luide kreten klonken. En door die beweging gleed zijn sjaal weg.

Florence herkende hem.

Het was een van de mannen van de comte de Morangiès!

Gehaast sprong hij op en rende weg.

Florence staarde, nog steeds als verlamd, naar de grijze herfsthemel, voelde warm bloed van haar lichaam af lopen. Eindelijk zweefde zuster Rogata's gezicht boven haar... en ze verloor het bewustzijn.

XXVIII

1 oktober 1766, in de bossen van Ténazeyre, Zuid-Frankrijk

Luid rammelend en met een enorme ruk spanden zich de kettingen. Malesky bracht zich met een sprong in veiligheid voor de op hem afvliegende vuisten. De verankeringen in het steen knarsten, granietstof viel als een watervalletje op de grond van het keldergewelf.

'Laat me eruit!' riep Antoine meer huilend dan sprekend. 'Ik kan er niet meer tegen om als gevangene te moeten leven! Ik wil naar haar toe! Ze roept me.' Hij wierp zich met zijn hele lichaamsgewicht naar voren en gromde als een roofdier. Speeksel liep uit zijn mond. 'Als jullie me niet laten gaan, zweer ik dat ik losbreek en nog meer mensen zal doden dan vroeger,' raasde hij. 'Ik ben te sterk voor jullie. Samen met haar heers ik over de Gévaudan, de mensen zullen ons vrijwillig offers brengen.'

Malesky keek aandachtig door zijn gekleurde brillenglazen naar de jongeman in wiens gebaren nauwelijks nog iets menselijks te bekennen was, en noteerde zijn indrukken; voor het eerst had hij de gelegenheid een loup-garou in gevangenschap te bestuderen en te ondervragen. *De garou heeft bijna volledig bezit van hem genomen. Het zal niet lang meer duren of hij is voor altijd voor ons verloren*, stelde hij vast.

Het getier was inmiddels overgegaan in een onverstaanbaar gehuil, gegrom en zwaar geblaf.

'Monsieur Chastel, begrijpt u me nog?' Malesky zag dat Antoine op zijn knieën viel, zich kromde en in de dierengedaante veranderde, in de hoop op die manier makkelijker aan zijn kluisters te kunnen ontsnappen.

Krakend vervormde zich het lichaam. De botten verschoven en werden langer terwijl de spieren opzwollen en er een vacht uit het zo-even nog haarloze lijf groeide. De kop werd breder, een lange snuit groeide knakkend uit het gezicht. Antoine rolde over de grond, hij stuiptrekte en schreeuwde. Of liever gezegd, dat probeerde hij. Uit zijn keel kwamen alleen maar afgrijselijke geluiden die het bloed in je aderen deden stollen.

De Moldaviër volgde zowel geboeid als vol walging hoe de tanden opnieuw werden gerangschikt. De hoektanden, zo leek het hem, waren nog langer dan drie maanden geleden. In zijn veranderde gedaante ging Antoine er steeds meer uitzien als het perfecte evenbeeld van het Beest. Zijn dierengedaante leek keer op keer groter en sterker te worden.

Hoe kreeg hij dat voor elkaar?

'Monsieur Chastel?' De Moldaviër keek snel of de nieuwe hand- en voetijzers nog wel deugden waaruit Antoine nog niet had weten te ontsnappen. Ook deze keer maakten ze een stevige indruk. Omdat Antoine in het verleden had bewezen dat zijn kracht niet moest worden onderschat, trok Malesky zich achter de tralies terug die ze als dubbele beveiliging in de kelder voor de opgang naar de ladder hadden aangelegd, en deed de poort op slot.

Het wezen lag stil. Antoine was verdwenen. In zijn plaats kwam een lelijke, akelige loup-garou overeind met de bekende donkere, naar rood zwemende vacht met de zwarte, van de kop naar de dunne staart lopende streep. Het Beest ging op zijn achterpoten staan en stak daarmee twee handbreedtes boven Malesky uit. De rode ogen staarden hem vol haat aan, de grote klauwen openden en sloten zich razendsnel. Het ondier probeerde zich nu op zijn bewaker te werpen en op dezelfde manier diens leven te beëindigen als dat van de vele slachtoffers voor hem.

'Monsieur Chastel?' probeerde Malesky opnieuw. Zijn wetenschappelijke interesse onderdrukte zijn angst in hoge mate. 'Indien u mij verstaat, knik dan met uw hoofd.'

In plaats daarvan brulde Antoine.

De weerzinwekkend smerige adem werd in het gezicht van de Moldaviër geblazen, wat hem ertoe bracht een stap achteruit te zetten. 'Monsieur, uw geur is misselijkmakend. Het kwaad in u ruikt niet best.'

'Laat me eruit,' klonk het van wrok vervuld en diep uit de bek van de loup-garou. Zijn rood schitterende ogen zogen die van Malesky naar hem toe. Tot zijn ontzetting kon de Moldaviër zijn blik er niet van afwenden. Zijn armen verlamden en werden zwaar. Wat hij nog aan energie in zijn lichaam had verdween, leek geheel naar de loup-garou te vloeien. 'Laat me eruit,' herhaalde het wezen zijn hypnotiserende bevel.

De handen van de Moldaviër bewogen als vanzelf, speelden het klaar om bij de grendel van de traliedeur te komen en ruimden de eerste hindernis uit de weg. Malesky kon zijn ogen onmogelijk van het weerzinwekkende smoelwerk van het ondier losrukken, hoewel zijn onderbewuste in opstand kwam tegen dat wat zijn lichaam deed; het probeerde hem uit die griezelige trance te redden en schreeuwde en brulde bijna net zo hard als een gevangen weerwolf. Maar zonder succes.

Antoine tilde zijn handboeien op, de kettingen rammelden luid. 'Laat me eruit.'

'Ik... ik heb de sleutel... niet,' fluisterde Malesky verdoofd. Hij verbaasde zich er niet eens over dat Antoine in deze gedaante in staat was te spreken.

'Kom dan hier,' ontbood het wezen hem toen. 'Kom bij me.'

Malesky was te ver heen om het gevaar nog te zien waarin hij zich begaf. Hij deed een stap naar voren en stond minder dan een el van de weerwolvenbek vandaan die zich hoopvol opende. Wit schuim druppelde van de lippen.

Dat er boven zijn hoofd voetstappen klonken, het met ijzer beslagen luik werd geopend, Pierre en Jean in het kerkerhol afdaalden en zich doodschrokken van wat ze zagen en hem riepen, kreeg Malesky niet mee. Zijn wereld bestond op dat moment alleen nog maar uit die roodgloeiende robijnen waar hij onverbiddelijk naartoe werd getrokken.

Antoine hapte naar hem. Op hetzelfde moment kreeg Jean de rock van de Moldaviër te pakken en rukte hem naar achteren. De tanden misten het gezicht van de man op een haar na en kletterden op elkaar.

De garou begon onmiddellijk teleurgesteld te janken, liet zich vallen en sloeg zijn nagels in Malesky's rechterbeen. De plotselinge pijn zorgde ervoor dat de Moldaviër uit zijn verdwaasdheid werd losgerukt.

Als een donderslag bij heldere hemel begreep hij ineens in welk gevaar hij zich bevond. Zijn hoofd werd weer helder, een heilzame angst maakte zich van hem meester en hielp hem eindelijk voor de weerwolf achteruit te deinzen. De volgende uithaal, die met zekerheid zijn onderbeen zou hebben afgerukt, weerde hij met een trap af, en daarna konden de Chastels hem aan zijn jaspanden uit Antoines bereik trekken.

De ene na de andere verankering van de kettingen schoot met een akelig geluid los uit de muur. Pierre gooide nog net op tijd de traliedeur dicht.

Antoine sprong grommend tegen de stangen op die door de botsing begonnen te trillen. Hij rammelde eraan en schreeuwde. Er kwam steeds meer beweging in de tralies, omdat het gips afbrokkelde waarmee de ijzeren staven in het metselwerk waren bevestigd.

'Terug, Antoine!' Jean sloeg hem op de klauwachtige vingers met de blikken bak waarin normaliter zijn eten zat, maar dat deerde hem niet. Jean rukte de stok met de zilveren kling van de muur en ramde de punt diep in de schouder van zijn getransformeerde zoon. Hij begon afgrijselijk te janken en sprong onmiddellijk bij de tralies weg.

Antoine liet zich op zijn vier poten zakken en liep als een gespannen afwachtende leeuw heen en weer. En hij gromde onophoudelijk. De wond aan zijn schouder siste zachtjes, zwarte walm steeg eruit op en het stonk walgelijk naar oud, verbrand vlees.

'Godallemachtig!' Malesky sneed zijn broekspijp open en betastte vloekend de toegebrachte wond. 'Zijn nagels zijn tot op het bot gegaan,' stelde hij tandenknarsend vast. 'Onoplettendheid doet pijn, messieurs.'

'U wilt me vast wel vertellen wat er is gebeurd,' zei Jean. Pierre hielp de Moldaviër op te staan en de ladder op te klimmen.

Een sterke, verbeende hand werd van achteren op Jeans schouder gelegd en kneep. 'Vader, laat me vrij,' smeekte Antoine met schorre stem. 'Laat me vrij, zodat ik haar kan zien en samen met haar jagen, anders zweer ik je dat ik na mijn volgende uitbraak niet meer terugkom.'

Jean had zichzelf kunnen beheersen toen Antoine hem onverhoeds aanraakte en was niet gaan schreeuwen, deed net alsof hij niet bang voor zijn zoon was. Het lukte hem zelfs zich langzaam om te draaien en niet weg te lopen. Maar toen hij zag wie of wat daar tegenover hem stond, bewogen zijn voeten zich tegen zijn vaste voornemen in naar achteren. Antoines hand gleed van de stof van zijn rock af.

Antoine had zich – zonder dat ze het hadden gemerkt – voor de helft weer terug veranderd in een mens. Zijn gezicht had deels de afschuwelijke trekken van het Beest, deels die van de mens die Jean had opgevoed en volwassen had zien worden. De hoektanden kwamen tussen de lippen door naar buiten en de kop zag er eigenaardig gedeformeerd en in de lengte gerekt uit. Het lichaam leek een groteske karikatuur, een chimaera zoals je die in de friezen van kerken of als sagenfiguur tegenkomt, een mengvorm van mens en dier. De genitaliën bungelden bespottelijk uit de dichte beharing.

'Hoor je wat ik zeg, vader? Anders kom ik niet meer terug!' dreigde hij nog een keer.

'Ik kan je niet meer laten rondzwerven terwijl je mensen en dieren vermoordt, Antoine,' zei Jean geschokt.

'Maar je zult wel moeten!' schreeuwde Antoine en hij rammelde weer als een bezetene aan de tralies. 'Of ik vreet de hele Gévaudan leeg!' Hij kalmeerde en drukte zijn afgrijselijke tronie tegen de tralies, zijn ogen fonkelden kwaadaardig. 'En ik zal losbreken, vader. Dan verscheur ik alles en iedereen, en zul jij iedere dode op je geweten hebben.'

Jean wilde niet geloven wat hij zag en hoorde. 'Antoine, vecht toch tegen de garou in jezelf!' zei hij smekend. 'Hij is het die dit tegen mij zegt, niet jij. Als je hem de overhand laat krijgen, zo heeft Malesky gezegd, dan kunnen we je niet meer van de kiem van het kwaad bevrijden.'

De verschrikkelijke klauwhanden klemden zich vast om de tralies. 'Wie zegt dat ik dat wil, vader? Ik heb meer macht dan ik ooit heb durven dromen. De mensen zijn bang voor me, ik kan alles krijgen wat ik wil, want niemand kan tegen me op. Het Beest heeft me tot een god gemaakt.' Hij keek Jean recht in de ogen. 'Ik word door kogels geraakt maar ga niet dood, ik heb me gevoed met het bloed en vlees van kinderen en vrouwen en het smaakte heerlijk. Het gaf me nog meer kracht. Ik hoor geluiden die ik als mens nooit heb kunnen horen, ik ruik iedere geur hoe zwak ook en mijn spieren zijn zo sterk als staal.'

Hij maakte zich lang. 'Waarom zou ik afstand van die macht moeten doen?'

'We zullen je van de vloek bevrijden, Antoine.'

'Dit lichaam is gezégend, niet vervloekt. Laat me eruit.'

'Nee.'

'LAAT ME ERUIT!' Antoines gekrijs ging door merg en been, klonk als een kanonslag door de kelder en Jeans trommelvliezen scheurden bijna. Hij drukte zijn handen tegen zijn oren terwijl Antoine weer aan de tralies rammelde. Grote stukken kalk vielen op de grond. 'IK VERMOORD JE!' brulde Antoine. 'NIEMAND HOUDT ME MEER TEGEN!' Eén staaf brak uit de verankering, Antoine schudde nog heftiger aan de overgebleven spijlen en lachte triomfantelijk.

Jean vermande zich, tilde het zilveren lemmet op en ramde het in Antoines bovenarm, maar toen Antoine niet wilde loslaten, stak Jean zó lang op hem in tot de garou het al blazend opgaf. Een lijkbleke Pierre kwam de smalle, steile ladder weer af, het musket met de zilveren kogels in de aanslag.

'Ik dood alles wat ik tegenkom. Jullie zullen de schuld dragen,' beloofde Antoine wraakzuchtig grommend en hij hurkte achter in een hoek ineen. Het kraakte en knakte zachtjes terwijl zijn lichaam weer helemaal tot een mens transformeerde. Hij steunde en kreunde en hijgde weerzinwekkend, zakte ten slotte op zijn zij op de grond en schudde zijn lijf opdat de laatste wolvenharen eraf vielen. Daarna lag hij onbeweeglijk. Het duurde niet lang voor hij van uitputting was ingeslapen.

Pierre en Jean slopen zijn cel in en gaven hem met een knuppel een stevige klap op zijn kop zodat hij voor lange tijd bewusteloos zou zijn. Daarna sloegen ze hem weer in de boeien en herstelden de schade in de kerker. Ze brachten de verankeringen van de kettingen nog dieper in het steen aan en borgden ze ook nog driedubbel.

Voordat ze vertrokken, lengde Jean Antoines drinkwater aan met een sterk kalmeringsmiddel dat hij van belladonna had gemaakt, en gaf hem dat te drinken. Op die manier wist hij zeker dat Antoine minstens twee dagen lang niet meer bijkwam. Tegen die tijd zou de mortel van het metselwerk zijn gedroogd en hard geworden.

'Kunnen we hem eigenlijk nog wel redden?' vroeg Pierre zachtjes en bedroefd toen ze in de ochtendschemering naar boven klommen om te kijken hoe het met Malesky ging.

Tot meer dan een radeloos schouderophalen was Jean niet in staat, en zwijgend keerden ze terug naar de hut waar Malesky zat te wachten. Pierre herhaalde tegenover hem zijn vraag.

'We kunnen hem zeker nog redden.' De Moldaviër had het klaargespeeld om de gapende wond in zijn been zelf schoon te maken en dicht te naaien, met dezelfde accuratesse als eerder bij Pierre. Hij zat nu op de stoel naast de stookplaats en had zich een beker cognac veroorloofd om de kloppende pijn in zijn been minder te hoeven voelen. 'Maar als het nog langer dan zes maanden duurt, dan is hij voorgoed hulpeloos overgeleverd aan het kwaad.' Hij vertelde de Chastels wat zich in de kelder had afgespeeld voordat ze waren gearriveerd en hem hadden gered. 'Antoine veranderde in een garou van een soort die gevaarlijker is dan welk ander Beest ook.' Hij rilde. 'Het lijkt wel of hij door de hel bestemd is om heerser over de Beesten te worden. Het was afschuwelijk, gewoonweg afschuwelijk! Die ogen brandden zich als gloeiende kolen regelrecht een weg door mijn verstand en werden baas over mijn lichaam alsof ik een marionet was. Normaliter lijken de ogen van een gedaantewisselaar op die van het roofdier waarvan hij de gedaante kan aannemen. De vaardigheden die uw zoon mij op een niet bepaald vriendelijke manier demonstreerde, waren mij niet bekend. Ook niet het vermogen om verstandig te praten.'

'Dan had de eerwaarde abdis dus toch gelijk,' merkte Pierre op die kruidenthee had gezet en nadenkend uit het raam in de richting van het klooster keek. 'Ze had toch op een stuk papier opgeschreven wat een garou allemaal kan?'

'Die Beesten zijn inderdaad slimmer dan ik had gedacht, daar moet ik me bij u voor verontschuldigen, messieurs. Ze hebben geleerd.' Malesky verplaatste al zittend zijn gewicht en zijn mond vertrok: de wond liet met een gloeiende steek van zich blijken. 'Dat vrouwtje voelt waarschijnlijk dat dit een gunstige tijd voor haar is. Ze wacht in alle rust, verscheurt slachtoffers om sterk genoeg te blijven, en wat zeer te vrezen valt, ze voedt haar kroost op van wie we niet weten hoeveel het er zijn.'

Jean dacht na. 'Misschien moeten we het anders aanpakken,' stelde hij voor. 'We leggen ons oor te luisteren of er ergens in een dorp een zwangere vrouw is verdwenen van wie niets is teruggevonden. Zij kan het Beest zijn.'

Pierre knikte. 'Dat bevrijdt ons tenminste ook van lange, vergeefse omzwervingen door het dichte struikgewas in koude nachten.'

Malesky protesteerde er evenmin tegen. Hij wees naar de schuur. 'Antoine wordt misschien nog sterker. We zouden hem eigenlijk voortdurend moeten bedwelmen, zodat hij zich helemaal niet meer van zijn kracht bewust wordt.' Met moeite duwde hij zich op uit zijn stoel en maakte het zich gemakkelijk op de hoekbank, waar hij zijn been op kon leggen. 'Messieurs, dit is verreweg de langste en zwaarste jacht die ik ooit tegen een gedaantewisselaar heb ondernomen,' zei hij met een zucht terwijl hij de cognac naar zich toe haalde. 'Ach ja, en de pijnlijkste.' In één teug leegde hij zijn beker, rilde en leunde tegen de muur.

'U maakte er eens terloops gewag van dat uw redenen om op garous te jagen van persoonlijke aard waren, maar u hebt daar verder nooit over gesproken,' herinnerde Pierre zich. 'Wilt u ons niet vertellen hoe u zo tot de jacht bent gekomen?'

Malesky zuchtte. 'Het is helemaal niet zo spectaculair, monsieur Chastel. Ik was in mijn vaderland ooit dat wat men een huursoldaat noemt. Daarna sloot ik me aan bij een bende die tegen de Ottomanen en hun stadhouders streed. Ik was verantwoordelijk voor de proviand en volgde het spoor van een everzwijn, toen ik tegenover mijn eerste vukodlak kwam te staan. Hij zag mij, ik zag hem, maar toen verdween hij ook weer. Maar het was me wel opgevallen dat er een glanzend, gouden ringetje in zijn oor zat. In de volgende nacht van vollemaan drong hij ons kampement binnen en roeide in blinde bloeddorst alle mannen uit behalve mij. Hij nam zelfs niet de moeite om de mensen op te vreten, hij beet ze alleen maar dood en liet ze daarna gewoon liggen. Sindsdien jaag ik op gedaantewisselaars.'

'En waarom heeft hij u in leven gelaten?' vroeg Pierre voorzichtig.

'We amuseerden ons er 's avonds vaak over dat onze bende ooit een stadhouder van de sultan voor de lol een aframmeling had gegeven, waar hij zware verwondingen aan had overgehouden voordat hij aan onze trappen en slagen kon ontvluchten. Ik deed echter nooit aan zulke dingen mee. Maar ik herinnerde me later dat hij een oorringetje had gedragen. Een gouden oorringetje zoals die vukodlak. Niet ongebruikelijk bij de Ottomanen, zo'n sieraad.' Hij schonk zich nog een keer in. 'Twee van de gedode mannen waren goede vrienden van me. Ik wilde niet dat het Beest er ongestraft van afkwam en zocht de stadhouder op om hem ter verantwoording te roepen. Het liep uit op een ruzie. Daarbij veranderde hij voor mijn ogen in een vukodlak en viel me aan.' Malesky wreef over zijn rechter bovenarm. 'Het scheelde maar een haartje. Als ik van tevoren niet had geweten hoe je je tegen een Beest moet bewapenen, dan was ik mijn vrienden naar gene zijde gevolgd. Ik heb hem dus een zilveren dolk door zijn hart gerammeid, en sindsdien word ik vervolgd. Iedereen weet dat ik een moord heb begaan, maar ze hebben geen idee wat ik werkelijk heb gedood.'

Vader en zoon luisterden aandachtig. 'Waarom hebt u de jacht voortgezet, monsieur Malesky?' ging Pierre erop door. 'U had de moordenaar van uw vriend toch zijn verdiende loon gegeven?'

De Moldaviër zweeg even en zei toen: 'Ze zijn overal. Als je ogen zijn geopend en je weet hun sporen te lezen, dan berooft die wetenschap je van je slaap,' fluisterde hij afwezig. 'Ze zijn een gevaar voor de mensen en het soort Beest hier bij u is de ergste van allemaal. Dat is slim en kan dingen die geen andere gedaantewisselaar kan. Ik ben die soort voor het eerst tegen het lijf gelopen in de buurt van Karpineny, toen een van hen een herenboerderij overviel. Het Beest vluchtte voor me en heeft er sinds die tijd lol in om sporen uit te zetten die ik zou moeten volgen. Het wil me daarmee in de val lokken, of ik kom andere gedaantewisselaars tegen die achter me aan komen alsof het zijn handlangers zijn. Maar ik geef niet op. Tot mijn laatste ademtocht zal ik jacht op ze maken.'

'Als u me dat twee jaar geleden had verteld, zou ik u hebben uitgelachen.' Jean legde een blok hout op het vuur om de oktoberkou uit de ruimte te verdrijven. 'Nu hebt u in mij een bondgenoot gevonden.'

Pierre was door de duistere wereld van die schepselen gegrepen. 'U zei dat ze overal zitten, monsieur Malesky, maar waar komen ze vandaan? Heeft God ze gestuurd of de duivel? Wat willen ze hier op aarde?' Zijn bruine ogen straalden van fascinatie. 'Stond op dat papier van de eerwaarde abdis niet dat er ook Beesten zijn die mensen helpen? En vergeet niet dat de stadhouder u eerst ongemoeid liet.'

Malesky lachte zachtjes. 'Ik ben er nog nooit een tegengekomen die me voor een glas wijn uitnodigde of die oudere dames en heren hielp bij het instappen in een koets.' Hij keek naar Pierre. 'Nee, jonge monsieur Chastel, het zijn Beesten. Waar ze vandaan komen maakt me niet uit, wie ze heeft gestuurd kan me niet schelen. En wat ze willen?' Hij sloeg zijn cognac achterover. 'Doden, monsieur. Doden en hun zaad verspreiden, om op een dag uit hun schuilplaatsen te kruipen en openlijk de heerschappij over ons mensen te gaan voeren.' Hij stond op en hinkte onzeker door de kamer om zich naar zijn bed te begeven. 'De op een na mooiste dag van mijn leven zal de dag zijn waarop we uw broer van de vloek van de loup-garou bevrijden, zonder hem daarvoor te hoeven doodschieten.' Malesky verdween in de duisternis van de slaapkamer.

'Wat is de mooiste?' riep de jongeman hem na. Hij kreeg geen antwoord.

Nauwelijks was de afgepeigerde Malesky verdwenen of er werd hard en snel op de deur geklopt. Jean fronste zijn voorhoofd en keek uit het kleine raam. 'Abdis Gregoria?' Hij deed open en liet haar binnen.

'Bonne nuit, messieurs.' Ze zag er opgewonden uit. De zoom van haar habijt zat onder de modder en ze rook naar zweet. Ze liep haastig langs Jean, regelrecht op Pierre af en pakte zijn rechterhand. 'Ik wilde het je snel zelf vertellen, voordat je het misschien van iemand anders zou horen. Florence is vanmorgen neergestoken, maar het gaat naar omstandigheden goed met haar. De wonden zijn niet zo gevaarlijk als ze er in eerste instantie leken uit te zien.'

'Wát?' Pierre keek geschrokken naar Jean die de deur dichtdeed. 'Mijn god!' fluisterde hij terwijl hij aanstalten maakte om de deur uit te lopen. 'Ik moet haar zien. Ze...'

'Ze heeft rust nodig,' zei Gregoria om hem te kalmeren. 'Van mij mag je binnenkort bij haar langs, maar pas als ze weer op krachten is gekomen.' Ze dwong hem weer te gaan zitten en haar aan te kijken. 'Het gaat allemaal goed. De Heer heeft haar bijgestaan.'

Jean kwam naar hen toe, schoof een stoel voor haar bij en leunde tegen de tafel. 'Hoe is het gebeurd?'

'In Auvers. Een man heeft geprobeerd haar te verkrachten,' zei Gregoria. 'Toen ze zich verzette, wilde hij haar van kant maken.'

Pierres gezicht werd lijkbleek. 'Die smeerlap. Ik vermoo...'

'Jij doet helemaal niets. Laat dat maar aan justitie over.' Jean legde een hand op zijn schouder. 'Weten ze wie het heeft gedaan?'

Gregoria schudde haar hoofd. 'Nee. Florence kan zich niets meer herinneren, zegt ze. Het heeft haar diep aangegrepen en ze is helemaal van de kaart. Er waren geen sporen waaruit ze konden afleiden wie de dader is. De markies d'Apcher heeft bevel tot een onderzoek gegeven en ook de oude comte heeft zijn hulp toegezegd.'

'De oude comte de Morangiès?' Jean was verbaasd. 'Wat heeft hij daarmee te maken?'

'Zijn mannen waren op dezelfde dag in Auvers. Ze behoorden tot het jachtgezelschap van zijn zoon dat in de buurt een koets uit een zompgat heeft losgetrokken.' Gregoria ging op de stoel zitten. 'Ik vermoed dat hij wil voorkomen dat het gerucht de ronde gaat doen dat een van zijn ondergeschikten geprobeerd heeft zich aan Florence te vergrijpen.'

Een flikkering in haar blik maakte Jean duidelijk dat er nog iets anders was wat ze niet wilde vertellen waar Pierre bij was. 'Ga naar bed,' droeg hij zijn zoon op. 'De abdis en ik moeten nog met elkaar praten. Over jou en Florence.'

Met tegenzin stond Pierre op. 'Brengt u Florence alstublieft mijn innigste wens tot herstel over,' vroeg hij haar. 'Laat me weten wanneer ik bij haar op bezoek mag.' Hij knikte naar beiden en verdween naar de kamer waarin Malesky al lag te slapen.

'Wat wilde je nog meer zeggen, Gregoria?' zei Jean zachtjes zodra de deur was dichtgegaan.

'Ben ik zo makkelijk te doorzien?'

'Voor mij wel, ja,' antwoordde hij met een glimlach. Hij was blij haar gezicht te zien, ook al lag dat diep in de schaduw van haar kap. Hij zou het in volkomen duisternis nog hebben herkend. 'Het heeft wat met die vastgelopen koets te maken, neem ik aan?'

Gregoria schonk wat water voor zichzelf in. 'De koets was van ene madame Dumont, van wie ik noch weet waar ze vandaan komt, noch of ze werkelijk zo heet. Een tijdje geleden was ze bij me op bezoek,' bekende ze zachtjes. 'Ze beweerde dat ze de moeder van Florence was, had het erover dat ze in gevaar verkeerde en gaf me behalve veel geld ook een brief voor Florence. Die moest ze lezen en daarmee naar de oude comte gaan.'

'Heb jij die brief gelezen?'

'Nee. Ik heb hem aan Florence gegeven.' Gregoria ademde diep in. 'Hij werd van haar gestolen, Jean. Het was geen poging tot verkrachting. Het was een doelbewuste moordaanslag op mijn pupil! Haar dood zou alle sporen hebben uitgewist.'

Jean zei een poosje niets. 'De koets was van die madame Dumont?'

'Ja. Men heeft daarin haar lijk gevonden. Ze was neergestoken en al haar persoonlijke bezittingen tot en met haar koffer zijn verdwenen. Buiten mij weet niemand wie ze is. Voor de gendarmerie is ze een onbekende reizigster die is overvallen.' Geheel onverwachts begon ze te rillen, alle spanningen werden haar ineens te veel.

Jean kwam bij haar zitten en pakte aarzelend haar hand. Hij had haar liever in zijn armen genomen en houvast geboden, maar hij durfde het niet.

Ze klampte zich aan zijn rechterhand vast en kneep erin. 'Ik maak me vreselijk bezorgd om Florence. Een bezorgdheid die de Heer niet kan wegnemen.'

'Dat snap ik. Jij denkt dat de oude comte de vader van Florence is en dat hij iedereen die dat weet tot zwijgen wil brengen.'

'Het is niet uitgesloten dat hij er iets mee te maken heeft,' zei ze.

'Dat de familie de Morangiès er iets mee te maken heeft,' verbeterde hij haar. 'Ik acht de jonge comte eerder dan zijn vader in staat tot zulk genadeloos optreden. Hij geniet alom een veel slechtere reputatie.'

Gregoria keek hem met grote ogen aan. 'De jónge comte? Die zou dus' – ze rekende even terug – 'een jaar of zestien moeten zijn geweest toen hij Florence verwekte.'

'Een leeftijd waarop een jongeman zich graag uitleeft en genoegens aan verschillende vrouwen beleeft. Dat hij een edelman is, heeft het waarschijnlijk nog makkelijker gemaakt in een damesbed te belanden.'

'Maar wat voor gevaar kan er van Florence uitgaan dat men haar daarom om het leven wil brengen?' Gregoria kneep in Jeans hand en leek die niet meer te willen loslaten. Op hetzelfde moment dat ze de vraag had gesteld, was het antwoord haar vanzelf te binnen geschoten. 'Het ging niet om Florence maar om die brief!'

'Haar moeder wist iets van vader of zoon de Morangiès af, of van beiden,' zei Jean. 'En daarom moest ze tot zwijgen worden gebracht, denk ik.'

Gregoria knikte. 'Dan is het maar goed dat die brief is gestolen. Voor zover ik weet, had Florence hem nog niet gelezen. Wie hem nu ook in zijn bezit heeft, zal dat aan het zegel kunnen zien en haar met rust laten.'

'Daarmee zou ze buiten gevaar moeten zijn.' Jean keek naar de deur waarachter Pierre was verdwenen. Die was niet helemaal goed in het slot gevallen. Luisterde zijn zoon hen af? 'Maar let de komende weken goed op haar. Een van de zusters zou altijd bij haar moeten zijn. En laat het mij weten als je iets ongebruikelijks opvalt. Pierre en ik staan voor jullie klaar.'

Ze glimlachte en raakte met haar linkerhand zijn wang aan. 'Ik dank je met heel mijn hart, Jean.'

'Ga je bij de comte langs om tekst en uitleg te vragen?'

Gregoria aarzelde. 'Eerst wilde ik dat. Maar het zal waarschijnlijk meer schaden dan baten. Als er verder niets gebeurt, ga ik het verleden niet meer oprakelen, ter wille van Florence. Haar leven betekent heel veel voor me.' Ze ging staan. 'Ik moet nu gaan.' Ze duwde Jean, die wilde opstaan, weer terug op zijn stoel. 'Nee, je hoeft me niet terug te brengen. Ik vind de weg naar het klooster alleen ook wel. En er zal mij niets gebeuren.' Ze bukte zich, gaf hem een kus op zijn voorhoofd en haastte zich weg uit de hut.

Jean luisterde naar haar voetstappen tot die door het ruisen van de bomen werden overstemd. Er waren in de Gévaudan kennelijk meer geheimen dan alleen dat van het Beest.

XXIX

29 maart 1767, Saint Grégoireklooster, omgeving van Auvers

Florence stond bij het raam van haar kamer naar de kloostergebouwen te kijken waar weldra de rust zou weerkeren. De laatste pelgrims die in Saint Grégoire weer op verhaal waren gekomen, verzamelden zich op de binnenhof om te vertrekken voor hun volgende etappe naar Santiago de Compostela. Het werd tijd voor bezinning, het namiddaggebed en het lezen van de Heilige Schrift.

Ze vestigde haar ogen op het kruis op het dak van de kerk en vouwde haar handen. *Heilige Gregorius en Heilige Moeder Gods, behoed mijn Pierre voor de klauwen van het Beest en leid hem ongedeerd weer terug in mijn armen, opdat wij samen uit de Gévaudan kunnen wegtrekken.*

Ze liet haar hoofd zakken en bad stilletjes het ene Onzevader na het andere om de almachtige God te behagen. Hij had haar steekwonden zonder complicaties laten genezen.

Pierre had zich daarvan kunnen overtuigen, stiekem en alleen door even snel te kijken. Voor meer dan dat en een zachte aanraking als belofte voor de komende nachten was er geen tijd geweest. Maar kennelijk had hij met goedvinden van zijn vader bij haar langs mogen komen. Florence beschouwde dat als een goed teken. Na die afgrijselijke aanranding had ze geen enkele twijfel meer dat ze uit de Gévaudan weg moest. Ondanks de geheimen die rondom de persoon van haar vermeende moeder waren blijven bestaan.

Ze maakte een einde aan haar gebeden, haar gedachten leidden haar te veel af. Ze wist maar al te goed dat die man haar vanwege de brief had willen vermoorden. Gregoria dacht dat ze de brief kwijt was. Maar Florence had hem nog. Althans, een klein deel daarvan.

Ze wrikte aan de vensterbank en tilde de zware zandsteen nauwelijks zichtbaar op. Maar de spleet was breed genoeg om er met een haarspeld tussen te kunnen en het vodje papier eruit te halen.

Haar ogen gleden weer snel over de eerste woorden van de regels waar ze niet helemaal wijs uit kon worden. De brief was aan ene Charles gericht en er werd over een liefdesnacht gesproken. De schrijfster – het handschrift was zonder enige twijfel vrouwelijk – smeekte het kind te mogen verzorgen. Behalve dat werd er ook gesproken over koorts en over een man die uit Italië kwam. Hij zou vragen hebben gesteld.

Meer kon Florence er niet uit opmaken. Een brief die onschuldig klonk, maar voor iemand haar dood waard was. Uiteraard bestonden er heel veel mannen die Charles heetten. En twee belangrijke mannen in de regio hadden als achternaam de Morangiès. Was dat toeval?

Door het geratel van een koets die op het klooster afkwam, hief ze haar hoofd op om naar buiten te kijken. Het was een gepantserd vehikel zoals je hier op het platteland maar zelden zag; daarmee werden normaliter belastinggeld, edelen of misdadigers vervoerd. Rondom de koets reden dertig mannen van wie de helft met musketten op de rug.

Is het de bisschop of een edelman met zijn gevolg? Florence probeerde op de koets of de kleding van de mannen een wapen te ontdekken. *Merkwaardig, ze reden helemaal zonder enig herkenningsteken. Huurlingen soms?* Ze schrok. *Plunderaars! Ze komen Saint Grégoire overvallen.*

Ze was niet de enige oplettende toeschouwer. De non die dienstdeed aan de poort, rende, haar habijt wapperend achter zich aan, over de binnenhof naar het huis van de abdis.

Snel zocht Florence haar stilet op, keerde terug naar het venster om te zien wat er gebeurde. Niet lang daarna haastte Gregoria zich samen met de non naar de ingang. 'Eerwaarde abdis!' riep Florence naar beneden. 'Wat...'

Gregoria keek naar haar omhoog. 'Blijf waar je bent,' instrueerde ze. 'Ga weg bij dat raam en maak je niet ongerust.' Ze zette haar weg voort.

Florence zag dat de mannen die geen musket hadden, pistolen achter hun gordels droegen. Allemaal bezaten ze een degen of minstens een lange dolk, hier en daar glinsterden maliënkolders onder de capes.

Dat ze desondanks niet onmiddellijk hadden geschoten, stelde Florence een beetje gerust. Aandachtig keek ze naar Gregoria die moedig door de poort naar buiten stapte en met de voorste man van het gezelschap sprak. *Rovers zijn het dus niet.* Haar vingers grepen krampachtig in elkaar en door alle opwinding deed ze zichzelf daarmee zelfs pijn.

De abdis liep het klooster weer in, riep vier nonnen bij zich en deed de poort helemaal open. Daarna trok de stoet Saint Grégoire binnen. Op de binnenhof stegen de mannen af, een deel verzorgde de paarden en zeven mannen volgden de abdis naar binnen. De koets bleef gesloten.

Wat zou daarin zitten? Florence pakte een kussen van haar bed, legde dat op de vensterbank en keek naar wat de onverwachte gasten deden.

De lichtblonde man die zich als de pauselijke gezant Giaccomo Francesco had voorgesteld, ging op een stoel zitten nadat hij in Gregoria's schrijfkamer om zich heen had gekeken. Zijn zes begeleiders verdeelden zich voor zover mogelijk over de kleine ruimte. De onverbiddelijke lichtgroene ogen, die een inquisiteur tot eer zouden hebben gestrekt, richtten zich op haar gezicht. 'U begrijpt toch wel dat ik mijn verzoek niet voor de ogen en oren van uw ordezusters en pelgrims wilde uitspreken, eerwaarde abdis?'

'Volkomen, excellentie.' Ze nam achter haar tafel plaats en was opgelucht dat deze zich nu tussen haar en de Italiaan bevond.

'Ik moet u van Zijne Heiligheid de groeten overbrengen en u bedanken voor de omzichtigheid die u aan de dag hebt gelegd. U bent het toch geweest die de brief heeft gestuurd, eerwaarde abdis?'

'Kan ik dat nog ontkennen nu u mijn brief met mijn handtekening in uw hand houdt, excellentie?'

'En hoe komt het dat u uw brief zo laat bij de Heilige Vader hebt laten bezorgen?' ging hij onmiddellijk door. 'De herbergierster over wie u in uw brief spreekt, heeft ons verteld dat ze de kleren al maanden geleden bij uw klooster heeft afgeleverd.'

Gregoria zat kaarsrecht, vouwde haar handen en glimlachte naar de man. 'Ik heb dat pauselijk schrijven bij toeval ontdekt toen we de spullen wilden wassen, excellentie.' Ze keek eerst hem aan, daarna de andere mannen en maakte er door haar gezichtsuitdrukking geen geheim van dat ze de wapens afkeurde. 'Ik wist niet dat men in strijd met de wetten van de Heilige Katholieke Kerk handelt wanneer men haar van onregelmatigheden op de hoogte stelt.'

'Nee, u hebt nergens in strijd mee gehandeld, eerwaarde abdis. Maar ondanks alle dankbaarheid heeft het de pontifex verwonderd. En hij is verstoord.' Hij keek naar het kruis. 'We zijn hier om de omstandigheden te onderzoeken waaronder onze broeder is verdwenen.'

'Na drie jaar kan het moeilijk zijn om nog sporen te vinden. Maar als de genade des Heren u begeleidt, excellentie, dan zal het niet moeilijk zijn.' Ze keek naar de pistolen achter zijn gordel. 'Wilt u mij alstublieft vertellen waarom u door deze omgeving trekt alsof u onderweg naar het slagveld bent?'

'Het nieuws over het Beest in de Gévaudan is tot Rome doorgedrongen, ook zonder uw brief, en toen dacht ik dat het beter was om ons tegen dat creatuur te wapenen dat door de bossen zwerft en mensen verscheurt. Soms zijn woorden des geloofs alleen niet voldoende.' Francesco boog zijn hoofd iets opzij. 'Zolang we met ons onderzoek bezig zijn, verblijven we in uw klooster, eerwaarde abdis. Laat alles in orde brengen, we hebben een lange reis achter de rug.' Hij stond op en boog voor het kruis. 'Mocht er iemand navraag naar ons doen, dan zegt u dat we hier zijn ter bescherming van de pelgrims. Maak alom bekend dat de Heilige Vader zich om het welzijn van zijn schaapjes bekommert en bewapende herders heeft gezonden. We zijn in staat meer te bereiken dan de koninklijke jagers.' Hij liep de kamer uit, zijn mannen volgden hem.

'Heilige Moeder Gods,' zei ze kreunend. Nu bevond ze zich waarlijk in grote problemen.

'Eerwaarde abdis, hebt u niet een pupil in uw klooster?'

Ze kromp zichtbaar ineen: de gezant was weer binnengekomen zonder dat ze het had gemerkt.

'Ach, hebt u soms een slecht geweten?' vroeg Francesco sluw glimlachend.

'Nee, natuurlijk niet. Mijn geweten is net zo zuiver als het uwe, excellentie,' loog ze en ze vroeg zich af of ze niet bloosde. 'Ja, ik heb een pupil. Ze heet Florence. Florence Taupin.'

'Aha.' Meer zei hij niet en deze keer verdween hij daadwerkelijk.

Gregoria volgde hem vanuit het raam terwijl hij over de binnenhof liep. Hij gaf twee van zijn mannen een teken om bij hem te komen en sprak met hen. De mannen zadelden daarna hun paarden en reden weg uit het klooster. Ze vermoedde wat hun opdracht was. Ze gingen inlichtingen inwinnen. De gezant vertrouwde haar niet op haar woord. De abdis keek weer omhoog naar het kruis. Ze moest een oplossing verzinnen.

Toen ze de deur uit wilde lopen, botste ze tegen een van de bewapende mannen van de gezant op die voor de ingang de wacht hadden betrokken.

'Vergeeft u mij, eerwaarde abdis.' Hij boog. 'Gezant Francesco heeft mij opdracht gegeven u te beschermen zolang we ons binnen uw muren bevinden.'

'Beschermen? Waartegen dan?'

'Tegen het Beest,' kreeg ze als antwoord. 'Door u en alle zusters van Saint Grégoire meer dan normale bescherming te bieden, wil hij u voor uw gastvrijheid bedanken.'

'Nou, ga dan maar weer weg en zeg tegen hem dat ik die bescherming niet nodig heb. Dit is een oord Gods.'

De man schudde zijn hoofd. 'Dat zult u dan zelf moeten doen, eerwaarde abdis. Ik volg alleen maar zijn bevelen op.'

Ze wilde kwaad reageren, maar bracht zichzelf snel tot bedaren, omdat ze anders het wantrouwen tegenover haar alleen maar zou bevestigen. 'Ik dank u. En neemt u mij dan nu niet kwalijk, maar het is de hoogste tijd om mij voor het middaggebed terug te trekken. *Ad majorem Dei gloriam*, zoals het zo mooi bij uw orde heet, nietwaar?'

De man glimlachte en sloeg een kruis. 'Ter meerdere glorie van God.'

16 mei 1767, Saint Grégoireklooster, omgeving van Auvers

Gregoria had over hem gedroomd.

Over hem en haarzelf. Hij had haar opgezocht, 's nachts, in haar vertrek, en dát met haar gedaan wat man en vrouw met elkaar deden als ze getrouwd waren. Dingen die ze vroeger had gedaan en waarvan ze had genoten.

De heerlijke indrukken die de slaap haar had bezorgd, leken zo echt, dat ze wakker was geworden van een opwindend gevoel in haar onderlijf dat daar niet hoorde te zijn. De lust mocht in haar leven als abdis geen enkele rol spelen. Haar verstand wist dat. Maar sinds deze droom verlangde haar lichaam nog meer naar hem. Ze bestrafte zichzelf voor haar gevoelens met dubbel zo hard werken en nog meer boetegebeden.

Heer, verlos mij van deze gedachten, ik smeek U. Of geef mij het inzicht, zodat ik begrijp waarom ik ze heb en wat ze betekenen.

Gregoria liet haar met kap en sluier bedekte hoofd nog meer zakken, in haar handen rustte de rozenkrans. Ze zat geknield in de voorste bank van de kloosterkerk schuin onder het kruis.

Het was nog maar een maand voor de grote bedevaart naar de Notre Dame de Beaulieu in de buurt van Paulhac. Het koor van het klooster zou daar onder haar leiding zingen en de bange mensen met de liederen troosten. Want het was niet de angst voor God die de mensen bezwaarde, maar de pure angst voor de stilletjes rondwarende, vierpotige dood, die na enkele maanden van rust plotseling weer wreed had toegeslagen. Precies zoals in de bloedige jaren 1764 en 1765.

De aanwezigheid van de ondoorgrondelijke Francesco veranderde niets aan de bloeddorst van het Beest. Integendeel zelfs: het ondier voelde zich kennelijk aangespoord om de pauselijke gezant te laten merken dat ook hij, Francesco, machteloos was. Tien slachtoffers in korte tijd, overwegend kleine meisjes, verminkt, de ingewanden weggevreten, hun gezichtjes stukgebeten en de huid afgerukt. Iedereen kende de rituelen van het Beest. Gregoria vermoedde, net als ieder ander in de Gévaudan, dat het slechts het voorspel van een afgrijselijke zomer was.

Ik smeek U, o Heer, laat Jean, zijn zoons en de Moldaviër dat creatuur eindelijk vinden zodat er voor ons allemaal een eind aan deze verschrikkingen komt.

Weer dacht ze aan hem, aan haar droom, aan zijn lichaam...

De deur werd opengeduwd en een koele avondbries, die de geuren van het voorjaar en de regen met zich meenam, blies de kloosterkerk in. Abdis Gregoria schrok op uit haar gedachten, die, het Ave Maria ten spijt, haar verstand binnen wilden sluipen.

'Eerwaarde abdis, kom snel! Monsieur Chastel is hier.'

'Welke Chastel?'

'Jean Chastel, eerwaarde abdis. Hij verlangt met zo'n heftigheid u te spreken dat ik hem niet langer kan afwimpelen,' zei zuster Magdalena opgewonden. 'Er moet iets gebeurd zijn. Hij wacht in uw schrijfkamer.'

Gregoria vouwde haar handen open, hing de rozenkrans om haar nek en keek de zuster bezorgd aan. 'Waar is Florence?'

'Op haar kamer, zoals u heeft bevolen.'

'Heb je het gecontroleerd?'

'Nee, maar ik zag licht branden achter haar raam.'

'Ga het dan snel controleren!' De abdis stond op en haastte zich naar de uitgang van de kerk. 'Laat me weten wat Florence doet.'

Terwijl Gregoria over de binnenhof door de hevige regen naar haar schrijfkamer liep, begon haar hart sneller te kloppen en dat lag niet aan haar ongebruikelijk snelle manier van lopen. Nog even en dan zou ze tegenover de man staan aan wie ze enige ogenblikken geleden nog had gedacht.

Onfatsoenlijk had gedacht.

Ze onderdrukte haar opwinding, vloog de trappen op en opende de deur waarvoor nu, zoals altijd, twee schildwachten stonden.

Gregoria was haar oppassers bijna vergeten. Het zou niet lang meer duren of de gezant zou op de hoogte worden gebracht van het bezoek. En dat ze een tijd met Jean had gesproken. En dan zou de aandacht zeker op de familie Chastel worden gericht.

Jean, die heen en weer door de kamer had gelopen, zoals het donkere, natte spoor op de vloerdelen verraadde, bleef staan en keek haar aan. De hoekige trekken van de man leken jaren ouder geworden. Er liep niet alleen regenwater in dikke druppels over zijn wangen en de wanhoop was van zijn gezicht af te lezen. Zuster Magdalena had zich niet vergist. 'Jean, beste vriend, wat kan ik...'

Bijna boos liep hij op haar af, pakte haar linker bovenarm en bleef die vasthouden, de andere hand liet een kapotgescheurd leren bandje voor haar ogen bungelen. Er hing een kleine houten zwaluw aan waarvan een deel was afgebroken.

'Hoe kan een God die zachtaardig is dít toestaan?' schreeuwde hij buiten zichzelf en even dacht Gregoria dat zijn vuist in haar gezicht terecht zou komen. Zijn roodgehuilde ogen waren wijd opengetrokken en schoten vuur. 'Waar blijf je nu met Zijn hulp aan de zwakkeren?'

Ze kon niets zeggen, de barse manier waarop hij kritiek op haar leverde overrompelde haar, en zijn hand om haar arm deed pijn. 'Jean, je...'

'Marie!' Hij brulde de naam in haar gezicht. 'Marie is dood. De kleine Marie Denty, twaalf jaar lang heb ik haar gekend, ik heb haar dit bandje gegeven en de vogel gesneden, en nu is ze dood!' Zijn stem steeg en sloeg over. 'Pierre, Malesky en ik hebben haar gevonden. Het Beest heeft niet meer van haar overgelaten dan wat afgekauwde resten.'

De deur zwaaide open en Francesco's mannen wilden binnenkomen, maar Gregoria hield hen met een gebiedende handbeweging tegen. Haar woordeloze autoriteit was voldoende. De bewapende mannen verdwenen weer.

Jean smeet de hanger op de grond. 'Zonder die zwaluw hadden we geen flauw idee gehad wie door de garou was gepakt.' Hij haalde als een waanzinnige zijn handen door zijn natte, witte haren, zijn blik sneed dwars door de abdis heen. 'Maar het is afgelopen. Ik kan hem niet meer ontzien,' fluisterde hij. 'Hij haat me en doodt iedereen van wie ik houd.' De ogen vestigden zich strak op het gezicht van de abdis en hij worstelde met zichzelf. 'Je loopt... je loopt gevaar, Gregoria. Hij zal je komen halen, omdat hij weet dat ik...' Alle kleur verdween uit Jeans gezicht. Hij wankelde en zakte op de stoel in elkaar die ze snel naar hem toe had geschoven. Hij leunde met zijn ellebogen op zijn knieën, verborg zijn gezicht voor haar en snikte. 'Het is mijn schuld,' hoorde ze hem bijna onverstaanbaar jammeren. 'Ik had hem moeten doden toen het erger werd. Hij is ontsnapt en we kunnen hem niet meer vinden...' De rest ging verloren in zijn gehuil.

'Ik begrijp het niet, Jean,' zei Gregoria voorzichtig en ze streek hem aarzelend over zijn nek. Ze herinnerde zich nog precies de marktdag waarop ze hem met Marie had gezien. De dood van het vriendelijke meisje knaagde ook aan haar.

Jean hief zijn hoofd op, zijn kin trilde. 'De loup-garou... Het is... Antoine!' barstte het uit hem los.

'Antóíne?' Gregoria's gezicht verloor iedere kleur, ze keek gealarmeerd naar de deur. 'In hemelsnaam, Jean,' fluisterde ze onthutst. 'Niet zo hard! De mannen die voor mijn deur staan zijn niet te vertrouwen.'

'We wilden hem helpen en hebben het alleen maar erger gemaakt. Antoine...'

Haar hand bleef in zijn nek liggen. 'Maar ik dacht... Ik begrijp het niet. Hoezo hij?'

En toen begon Jean te vertellen. Hij vertelde haar alles, van de eerste ontmoeting met het Beest drie jaar geleden in de Vivarais tot de hoop om zijn zoon van de vloek te kunnen bevrijden. De precieze details verzweeg hij echter. 'Hij moet er met zijn leven voor boeten.' Jean veegde de tranen uit zijn ogen.

Gregoria staarde hem aan. 'De garou heeft Antoine tot een Beest gemaakt?' Ze ging zitten, er wilde geen kleur meer in haar gezicht verschijnen.

Hij kreeg de indruk dat het horen van de waarheid haar diep in haar ziel trof. 'Gregoria... Je vertelt het toch aan niemand door, hè?'

Ze vermande zich en glimlachte. 'Nee, Jean. Het was een biecht en daar zwijg ik absoluut over,' stelde ze hem gerust. 'Niemand hoort ooit iets over Antoines geheim. En gezant Francesco al helemaal niet.'

'Die man die de pelgrims wil beschermen?'

'Ja. Maar het is een jezuïet...' Ze hield haar mond, durfde niet nog meer te openbaren.

Hij sloeg zijn ogen op. 'Ik zal degene neerschieten die ooit mijn zoon was voordat hij door het Beest werd gebeten. Ik en geen ander. Zodra ik wat geld voor zilver heb geleend, zal ik daar kogels van laten maken en hem doden.' Hij liet zich van de stoel op zijn knieën zakken, pakte Maries hanger van de vloer en schoof die onder zijn hemd. 'Mijn schuld is onmetelijk,' fluisterde hij. 'Hoe heb ik me zo kunnen laten verblinden?'

Ook háár schuld was onmetelijk. Ze keek hem vol liefde aan terwijl hij voor haar knielde, en probeerde zich voor te stellen hoe een man zich voelde die had besloten zijn eigen zoon te doden, gedwongen werd hem eigenhandig neer te schieten. 'God vergeeft je, Jean,' zei ze zachtjes. 'Zoals Hij ons allen vergeeft.'

'God heeft dat allemaal toegestaan. Hij hoeft mij helemaal niet te vergeven,' antwoordde hij afwijzend terwijl hij zijn witte lokken naar achteren streek.

Gregoria deed haar zilveren rozenkrans af. 'Neem deze en maak daar kogels van, zodat jij hem onschadelijk maakt voordat de gezant dat doet.' Ze haalde diep adem. 'Ik verwijt je niet dat je je zoon tegen de jagers hebt beschermd en weer een mens van hem wilde maken. Waarschijnlijk zou iedere vader... of iedere moeder' – ze aarzelde en ontweek zijn blik – 'net zo hebben gehandeld als jij.'

Jean streek met zijn vingers over het rosarium, de duimen bleven rusten op de Heiland. 'God heeft mij en mijn familie in het leven meer dan eens in de steek gelaten,' zei hij bedachtzaam. 'Ik zweer bij deze crucifix dat ik mijn ziel aan de duivel zal offeren als Hij het nu weer doet.' Hij ging weer staan. 'God kan mij nu bewijzen dat Hij zich iets aantrekt van mijn leed, of ik doe voorgoed afstand van Hem.'

'Nee, zeg dat nu niet!' Gregoria deed een stap naar voren en legde haar wijsvinger tegen zijn lippen. 'Je kunt de Heer niets afdwingen of hem in verzoeking leiden.'

En het was díé stap, die ene beroemde stap te ver waarbij ze hem aanraakte, die beiden ertoe verleidde toe te geven aan hun te lang ingehouden genegenheid. Ondanks het gevaar voor de deur.

Hun gezichten kwamen tegelijkertijd in beweging, hun lippen vonden elkaar. Ze huiverden bij de intensiteit van hun gevoelens waardoor hun knieën slap werden, hittegolven door hun lijf werden gejaagd, en hun verlangens oplaaiden tot een niet meer in toom te houden vuur.

Ze kusten elkaar zonder ophouden, wierpen hun kleren achteloos op de grond en toonden elkaar hun naakte lichaam zoals Adam en Eva ooit ook hadden gedaan. Jean raakte haar korte, blonde haar aan en glimlachte. Hij streelde Gregoria's borsten met een tederheid die ze niet voor mogelijk had gehouden. Ze kreunde zachtjes en deed haar ogen dicht terwijl hij om haar heen draaide en achter haar kwam staan.

Zijn harde geslacht gleed langs haar billen en dook een vingertop diep in haar vrouwelijkheid. Gregoria greep naar achteren en aaide uitdagend over zijn bovenbenen, voelde zijn handen op haar buik, op haar borsten, haar tepels, zijn warme adem in haar hals en hoorde zijn lustvolle gekreun. Ten slotte boog ze naar voren en gleed zijn stijve penis als vanzelf helemaal bij haar naar binnen en wekte zulke gevoelens bij haar op dat ze een hand voor haar mond moest houden zodat haar kreten van genot niet door het hele Saint Grégoireklooster galmden. Het was zo verrukkelijk, zo mooi als toen. Nee. Mooier.

Gregoria maakte zich zwaar ademend van hem los en draaide zich om. Ze wilde zijn gezicht zien. 'Alleen deze ene nacht zal er zijn, Jean,' fluisterde ze, sloeg haar armen om hem heen en trok hem op de grond.

'Het wordt een lange nacht.' Jean keek haar dronken van wellust aan, zoog aan haar linkertepel en duwde opnieuw zijn geslacht bij haar naar binnen. Hij begon met voorzichtige stootjes, drong iedere keer weer wat dieper in haar en bracht haar in vervoering tot de kamer om het parende paar begon te draaien en ze niet meer helder konden denken.

Meegesleept door hun hartstocht vergaten ze volledig dat er schildwachten voor de deur stonden.

14 juni 1767, Notre Dame de Beaulieu, ten zuidoosten van Paulhac, Zuid-Frankrijk

Abdis Gregoria liep aan het hoofd van de afvaardiging van Saint Grégoire en liet haar blik om zich heen dwalen terwijl ze samen met de nonnen over de weg liep.

Zelden was een mis aan het einde van een bedevaart naar de kapel van de Notre Dame de Beaulieu zo goed bezocht als in deze voorzomer. De mensen waren in zulke groten getale gekomen dat men de kleine kerk had verlaten en zich naar de uitgestrekte, met stenen bezaaide weide had moeten begeven die precies midden tussen de drie bergen lag.

Gregoria's blijdschap vanwege de vele honderden gelovigen werd getemperd omdat de massale toeloop volgens haar een eenvoudige maar tegelijkertijd ook verschrikkelijke reden had: angst.

Heer, wat hebben de mensen U aangedaan dat U geen einde aan deze beproeving maakt, vroeg Gregoria zich in stilte af terwijl ze de nonnen door de menigte naar het altaar op de lage heuvel leidde. Daar stelden de nonnen zich op om later tijdens de mis en de heilige communie hun liederen te zingen.

De bisschop, abbé Prolhac, was uit Mende gekomen om Gods woord te verkondigen. Hij begon zijn mis met een buitengewone geestdriftigheid, die oversloeg op de mensen. En aldus bracht hij de angst tot bedaren die het Beest diep in hun ziel had achtergelaten. Dankbaar hingen ze aan zijn lippen, luisterden naar de belofte van de genade des Heren die alle gelovigen en onschuldigen beschermde, en zogen de geijkte formuleringen in zich op om zich er als een schild des geloofs achter te verschuilen.

Gregoria betrapte er zich ondertussen op dat ze naar een bepaald, vertrouwd gezicht in de menigte op zoek was, hoewel ze wist dat Jean

Chastel een kerkdienst net zo meed als de duivel het wijwater.

Ze gaf de hoop echter niet op. Ze herinnerde zich hun nacht in zonde... en verlangde naar meer. Maar haar geweten maakte haar onophoudelijk verwijten en eiste een biecht en talloze gebeden om deze misstap goed te maken. Ze was zo in tweestrijd dat ze geloofde het niet langer te kunnen verdragen.

De mis was voorbij, de communie gevierd, nu begon de zegening. Een jonge priester liep met een eenvoudige emmer en een bos palmtakken langs de rijen, sprenkelde wijwater op de met gebogen hoofd neergeknielde mensen en riep onophoudelijk zegenspreuken totdat hij geleidelijk aan heser werd.

'Bonjour, eerwaarde abdis,' zei gezant Francesco naast haar. Hij zag er erg tevreden met zichzelf uit en ondertussen haatte Gregoria dat Italiaanse accent van hem. Hij droeg zoals altijd kleding van eenvoudige snit, maar van goede, dure stof. Om hem heen stonden vijf van zijn mannen. 'Kan ik u even spreken?'

'Een ongelukkiger moment, excellentie, had u...'

Hij boog zich naar haar toe. 'Enige nachten geleden was het ook een ongelukkig moment voor een abdis om zich met een man te vermaken. Ik zou de bisschop daarvan in kennis kunnen stellen,' fluisterde hij en hij wees naar abbé Prolhac die slechts een paar passen van hen af stond. Hij trok zijn hoofd terug en glimlachte als een vriendelijke heilige. 'Kunnen we nu praten?'

'Geef me een ogenblik.' Gregoria stuurde een paar nonnen weg om nieuw bronwater te halen dat door een paar gebaren in wijwater werd omgetoverd. Andere zusters droeg ze op de gaven in ontvangst te nemen die de mensen voor de Here God hadden meegenomen om uiteindelijk het welbehagen van de priester of van de Here zelf te mogen ontvangen.

'Wat wilt u, excellentie?' wendde ze zich ten slotte tot hem. Ze verborg haar angst achter botheid en afstandelijkheid. 'Wilt u soms aan mij en de mensen bekendmaken dat u het Beest eindelijk hebt gedood?'

Hij pakte haar bij haar elleboog vast en trok haar een eindje opzij. 'Helaas niet, eerwaarde abdis. Ik ben gekomen om u naar die Chastels te vragen. Ik kom die naam voortdurend tegen en mijn oren spitsten zich helemaal toen mijn mannen mij vertelden dat Jean Chastel nogal lang bij u was.'

'Uw insinuaties zijn schandelijk. Hij wilde... biechten.' Gregoria merkte zelf hoe ongeloofwaardig deze woorden uit haar mond klonken, en voor een man als Francesco, wiens taak het was waarheid van onwaarheid te onderscheiden, was het makkelijk haar te ontmaskeren.

'Hij zal vast en zeker iets aan u hebben geopenbaard wat met zonde van doen heeft,' antwoordde hij terwijl zijn glimlach van zijn gezicht verdween. 'Houd mij niet voor de gek, eerwaarde abdis. Ontken niet dat u het met hem hebt gedaan. Mijn mannen hebben oren om te horen. En vergeet niet dat er sleutelgaten bestaan. Geen waardige manier om achter de feiten te komen... maar waardigheid is hierbij ook geheel niet aan de orde, of wel soms?' Hij glimlachte zonder enige aanleiding. 'Ik moet behalve de bisschop uiteraard ook de pontifex van uw misstap op de hoogte brengen. U zult uit uw ambt worden gezet, uw aanzien verliezen. Om nog maar te zwijgen over uw familie die een goede naam heeft bij...'

Gregoria viel hem onbewogen in de rede. 'Zeg wat u wilt, excellentie.'

'Ik vraag u mij alles over het gezin Chastel te vertellen wat u weet. Tot in het kleinste detail! En daarmee bedoel ik niet hoe groot Jean Chastel is geschapen.' Francesco beleefde kennelijk veel plezier aan dit gesprek.

'Wat moet u nu met de Chastels?' zei ze alsof ze verbaasd was.

'Zoals ik al te verstaan gaf, heb ik die naam de afgelopen maanden zeer vaak gehoord, waar ik en mijn mannen ook kwamen. De vader schijnt in één woord bezeten te zijn van de jacht. En – wonder boven wonder – waar hij zich bevindt, daar wordt iemand gedood. En plotseling lijkt ook een van zijn zoons van de aardbodem te zijn verdwenen. Die Antoine, die zo'n slechte naam heeft – gewoon weg, nergens meer te bekennen. Evenals zijn honden. En ik heb gehoord dat Pierre en Antoine buitengewoon geïnteresseerd zijn in uw pupil.' Hij liet zijn blik over de menigte dwalen. 'Vindt u ook niet dat er iets te veel lijntjes lopen tussen u, de Chastels en het Beest, eerwaarde abdis?' Zijn blik werd hard. 'Welke rol speelt Jean Chastel?'

Ze had stilletjes naar hem geluisterd en ondertussen koortsachtig nagedacht hoe ze aan de val ontkwam die hij met zijn uitlatingen opzette. Gregoria besloot de aanval te kiezen. 'U bent gewend dat de mensen voor u beven, nietwaar, excellentie?' merkte ze venijnig op terwijl ze hem buitengewoon arrogant aankeek.

'Mijn beste wapen is het slechte geweten van degenen met wie ik praat,' antwoordde hij onbewogen. 'Zoals bij u, eerwaarde abdis. Ik had u onmiddellijk...'

Ineens stond Jean Chastel bij de bisschop, zijn musket over zijn schouder, en wierp een vluchtige blik op de abdis en Francesco. Hij stak zijn vuist naar voren en zei hard en duidelijk tegen de abbé: 'Ik zou graag willen dat u deze zilveren kogels en mijn musket zegent. Het Beest zou daardoor moeten sterven.' Hij opende zijn hand en liet hem drie ronde, gepolijste kogels zien die glommen in het zonlicht.

De mensen om hen heen begonnen opgewonden te fluisteren. Dat uitgerekend Chastel, de vader van die eigenaardige zoons, de rustige Pierre en de waanzinnige Antoine, op bedevaart was gegaan en zijn hoofd boog voor de Notre Dame de Beaulieu in plaats van zich tussen zijn geliefde bomen te verstoppen, moest eenvoudigweg iets te betekenen hebben! Opruiende, gefluisterde praatjes over dit teken van God deden al de ronde.

'Dát is Chastel, nietwaar? Buitengewoon verhelderend, zijn verzoek,' merkte de gezant zachtjes op. 'Hebt u hem bekeerd, eerwaarde abdis... in slechts één nacht? Voor een vrouw van uw vroomheid is dat toch wel een erg gewaagde actie, nietwaar?'

Gregoria reageerde niet en bad God om vergeving vanwege haar gedachten aan moord.

De bisschop had de kogels ondertussen nauwkeuriger bekeken. 'Dat zijn instrumenten des doods,' zei hij bedachtzaam. 'Wie zegt mij dat u die niet tegen mensen gebruikt en God daarmee schoffeert?'

Jean deed ferm nog een stap naar voren en zou de geestelijke bij zijn kraag hebben kunnen grijpen als hij dat had gewild. 'Eerwaarde abbé, de afgelopen drie jaar zijn er meer dan honderd vrouwen en kinderen door dit schepsel gedood. Ook ik heb mensen verloren die me dierbaar waren of die ik op z'n minst kende.' Zijn ogen vulden zich met tranen. 'Wijd mijn wapens, abbé! Wijd ze opdat God mij zijn zegen schenkt en ik het Beest kan doden om de mensen in de Gévaudan te verlossen. En opdat ik mijn geloof in de Here weer terugvind.' Hij haalde het musket van zijn schouder en stak hem dat toe.

'Maar natuurlijk... dat meisje,' zei Francesco met vals medeleven in zijn stem. 'Men heeft me verteld dat hij de bijzetting van de kleine Marie Denty heeft bijgewoond en net zoveel tranen vergoot als de ongelukkige moeder.' Hij keek naar de wildschut, die van zijn kant vermeed naar de abdis te kijken. 'Welnu, uw lichaam bezit misschien werkelijk de kracht van een heilige,' zei hij met gedempte stem. 'Als men u de wereld in had gezonden, zouden er geen mohammedanen en joden meer zijn. In elk geval geen mannelijke.'

'U gaat nu echt te ver, excellentie!' verweerde Gregoria zich. 'Nog één zo'n opmerking...'

'En wat dan?' Hij boog zich naar haar toe. 'Maakt u zich niet druk, eerwaarde abdis. U zult ze geduldig verdragen en dankbaar opvatten als eerste boetedoening voor uw daad.'

Gregoria's vingers grepen in elkaar.

'Doe het alstublieft, eerwaarde abbé!' smeekte nu een oudere boerin naast Jean. 'Misschien lukt hem wat al die vreemdelingen niet is gelukt. Drie jaar is genoeg.'

'Ziet u nu wel... Men schenkt u en uw mannen geen vertrouwen, excellentie,' veroorloofde Gregoria zich te zeggen. 'U zult zich toch wat meer inspanningen moeten getroosten om uw naam en die van de Kerk hoog te houden.'

'Als Chastel het Beest doodt, des te beter.' Francesco trok een zilveren naald uit zijn gordel. 'Het vertrouwen in God in de Gévaudan zou dan pas werkelijk worden hersteld. Een halve heiden ontvangt de zegen en doodt het Beest. Daar geef ik graag mijn goedkeuring aan.'

Uit de menigte stegen almaar meer stemmen op, die ook steeds luider en onverbiddelijker klonken. De bisschop sloeg boven de zilveren kogels en het musket een kruis, besprenkelde ze met wijwater en legde zijn hand erop. Jean knikte als dank en verdween weer tussen de rijen bedevaartgangers.

De pauselijke gezant knikte Gregoria ook toe. 'Wij spreken elkaar later weer, eerwaarde abdis.' Hij gebaarde zijn mannen hem te volgen en baande zich een weg door de menigte. 'Monsieur Chastel, kan ik u heel even spreken?' riep hij de man na.

Jean deed alsof hij het niet had gehoord. Pas toen de gezant een hand op zijn schouder legde, kon hij hem niet langer negeren. 'Wat wilt u van mij?'

Francesco tikte tegen zijn driesteek. 'Ik groet u, monsieur Chastel. Een introductie is misschien overbodig als ik me niet vergis.' Hij glimlachte. 'We jagen op hetzelfde: het Beest. Ik dacht dat we elkaar misschien zouden kunnen helpen. U bent de man die het vaakst tegenover dat ondier heeft gestaan.'

'En u bent de gezant uit Rome die het Beest nog nooit heeft gezien,' bromde Jean. 'Dat zeggen de mensen tenminste.'

'Dat zou wel eens kunnen liggen aan het feit dat het Beest zich in een menselijk lichaam hult voordat het daaruit tevoorschijn komt en zijn slachtoffers verslindt.' Hij keek naar de bedevaartgangers. 'Iedereen – afgezien van mij en mijn mannen – komt er toch voor in aanmerking? Zelfs u. Of uw zoons.'

Zo snel als een slang die aanvalt, schoot Francesco's hand naar voren en raakte Jeans linkerhand. Jean voelde een onaangename steek en een bloeddruppeltje welde op uit zijn huid. 'Neemt u me niet kwalijk, maar ik wilde een wesp wegjagen,' verontschuldigde Francesco zich. 'Hij had zijn angel in u geboord.'

'Dat was geen wesp.' Jean bekeek de wond. 'Wat hebt u gedaan?'

Zonder iets te zeggen hield de gezant een zilveren naald omhoog waaraan een beetje bloed kleefde.

'Wat heeft dat te betekenen?'

'Het is een proef, monsieur Chastel. Het is mijn taak, die ik van de pontifex zelve heb opgedragen gekregen, om het Beest op te sporen.' Hij veegde het bloed aan de mouw van de wildschut af. 'U bent het niet. Kan ik uw zoons ook te spreken krijgen?'

'Nee, dat is niet nodig.' Jean deed zijn uiterste best om zijn beheersing niet te verliezen. 'Zoekt u het Beest zelf maar, waar u maar wilt.'

'Dat zal ik zeker doen. Hebt u dat ondier onlangs bij de eerwaarde abdis gezocht, monsieur Chastel?' Francesco trok geamuseerd een wenkbrauw op. 'De zoon van een heks bij een vrouw van het geloof. Welke beschuldiging, denkt u, kan ik daaruit tegen u en die lieve Gregoria in elkaar flansen?'

'Verdwijn, jezuïet.'

'Ik beslis zelf wanneer ik ga en wanneer niet.' Francesco liet zich niet van de wijs brengen en keek over de menigte gelovigen heen. 'Is het niet prachtig om te zien? De macht van God heeft hen elkaar doen vinden,' zei hij zelfvoldaan. 'Zelfs de edelen hebben zich vandaag bij ons gevoegd. De Gévaudan schijnt dus nog niet aan de hel verloren te zijn.' Hij wendde zich weer direct tot Jean. 'Vertel eens, hoe goed kent u de jonge comte de Morangiès? Ik zie hem hier helemaal niet. Wat mij niet verbaast, met die... levenswandel van hem.'

'U steekt uw neus te veel in andermans zaken.' Jean wilde rechts langs de gezant weglopen.

'Ik luister en verzamel gegevens, zoals mijn opdracht is.' Francesco versperde hem onopvallend de weg. 'Weet u dat de comte voor u is opgekomen? Toen u in de gevangenis zat?'

'Daar weet ik niets van en ik zou zijn hulp ook niet hebben aangenomen.'

'Dat vermoedde hij waarschijnlijk al. Daarom heeft hij het achter uw rug om gedaan. Ik ga ervan uit dat hij en uw jongste zoon een gedeeld verleden hebben. Een verleden dat aan de Middellandse Zee is begonnen. Bij de beschikking Gods openen zich poorten van kennis die voor veel anderen gesloten blijven.'

Jean hield zich in, maar hij schrok ervan dat een vreemde, een kennelijke vijand, meer over de gebeurtenissen in Antoines leven wist dan hijzelf. 'Ik weet niet wat u bedoelt,' antwoordde hij zwakjes.

Francesco kneep zijn ogen tot spleetjes. 'Een slappe poging om aan mij te ontsnappen, monsieur Chastel. Ik weet meer over u en de mensen om u heen dan u denkt.'

'Waarom dóét u dan niets in plaats van mij met uw woorden te vervelen?' Jean liep langs hem. 'Kijk goed uit wanneer u door de struiken kruipt. Er wordt snel geschoten en dan pas gekeken wat er is geraakt.'

'Geen zorgen, monsieur Chastel. Ik val altijd van achteren aan.' De gezant tikte weer tegen zijn driesteek en draaide zich om.

Gregoria zag dat de mannen waren uitgesproken en Jean zijn weg nu voortzette. 'Zorg ervoor dat er voldoende water voor de zegeningen voorhanden is,' beval ze zuster Magdalena. 'Ik ga even kijken waar het brood voor de armen blijft. Het had allang afgeleverd moeten zijn.'

Ze haastte zich weg om de wildschut, ver van de vele ogen en oren, op te vangen en met hem te praten. Ze baande zich een weg tussen de bedevaartgangers door tot ze zijn gedaante op het smalle pad zag dat naar Besseyre leidde. Van de mannen van de gezant kon ze geen spoor ontdekken.

Ze liep snel, toch duurde het nog een tijdje. Ze bereikte hem in een kom in de slechte weg. Resoluut pakte ze zijn hand en trok hem opzij van het pad in de beschutting van een stekelbrembosje.

Voordat ze iets kon zeggen, drukte hij zijn lippen op de hare, streelden zijn handen haar hals en gezicht. Gregoria trilde. 'Hou op,' vroeg ze weinig overtuigend. 'Jean, ik moet je wat vertellen.'

De toon in haar stem maakte dat hij van zijn liefkozingen afzag en haar liefdevol van zich afduwde. 'Ik had niet gedacht dat ik je al zo snel zou missen,' beweerde hij, terwijl hij haar hand pakte en die kuste. 'Ik voel me als een jonge knul in de lente van zijn leven.' Hij werd serieuzer. 'Die jezuïet weet het, hè?'

Ze knikte. 'Jean, het is mijn schuld dat de gezant hier is opgedoken. En het kan best zijn dat anderen Antoine al op het spoor zijn.' Snel bracht ze hem op de hoogte van de brief die ze had geschreven en hoe ze in het bezit van de kleren van de onbekende man was gekomen die met een bijzondere vrijbrief van de paus naar Frankrijk was gekomen en onder verdachte omstandigheden was verdwenen. 'Ik denk dat hij door het Beest is gedood.'

Jean dacht onmiddellijk aan de man die Antoine in de Vivarais had neergeschoten. 'Nee, het Beest heeft hem niet gedood. Ik denk dat wij dat hebben gedaan,' fluisterde hij verlegen. 'Van die man wiens lijk ik in de beek heb gegooid, hebben we nooit meer wat vernomen. Niemand miste hem, niemand heeft zijn overblijfselen bij een waterkering of een dammetje bij een molen gevonden.'

'Als hij een garou was, kan hij niet de gezant uit Rome zijn geweest,' sprak ze hem tegen. 'De Heilige Stoel zou nooit zo'n creatuur uit de hel aan zijn zijde laten strijden.'

'Dan heeft onze garou hem eerst tot eentje gemaakt. Als de gezant naar de Gévaudan is gekomen om iets in opdracht van Rome te onderzoeken, dan kan hij tijdens zijn omzwervingen op het Beest zijn gestuit. Het is een vrouwtje. Misschien had ze een mannetje nodig om mee te paren.' Hij ging in het gras zitten. 'Ja, zo zal het zijn gegaan. Wij hebben haar man afgenomen en daarom neemt ze wraak.'

'Maar daarmee weten we nog steeds niet wat hij hier te zoeken had.'

'En als hij nu eens toevallig door onze regio zwierf?' Jean trok een halm uit de grond en pluisde hem tussen zijn vingers uit elkaar. 'Het is zinloos om ons hoofd erover te breken. Koning Lodewijk beweert nog steeds dat het Beest dood is en onderneemt niets meer. De gezant bewijst de mensen alleen maar dat God nog op zich laat wachten. De jonge markies d'Apcher heeft mij samen met een paar andere jagers uitgenodigd om het Beest een halt toe te roepen.' Jean keek haar kalm aan. 'Ik voel dat het Antoines einde zal betekenen, maar hij sterft wel door mijn toedoen en niet door dat van die jezuïet. Ik zal de waarheid zo lang mogelijk geheimhouden. Niet omwille van mezelf, maar omwille van Pierre en Florence. Zij moeten, mochten ze op een dag naar de Gévaudan willen terugkeren, in rust kunnen leven.'

Gregoria keek hem verbaasd aan. 'Je geeft dus je toestemming voor hun huwelijk?' Ze leek niet echt blij. *Je moet het nu tegen hem zeggen!* Ze concentreerde zich om hem iets te bekennen.

Maar hij knikte en zei: 'Ik heb mijn fout ingezien. Pierre houdt van haar, en hoe sneller ze een paar zijn en uit de Gévaudan vertrekken, des te beter het voor allebei is. Er ligt een toekomst buiten de Gévaudan voor hen. Ik zal hier blijven. Bij jou. Die ene nacht die we hebben gedeeld, heeft me voor eeuwig met je verbonden. Geen andere vrouw zal mijn hart nog kunnen veroveren.' Hij keek naar haar op. 'Als ik kon, Gregoria, zou ik je ter plekke tot mijn echtgenote nemen.'

'Hoe zit het dan met dat wijfje?' bracht ze het gesprek op een ander onderwerp. Ze maakte een nerveuze, gespannen indruk. 'Bedoel je dat de markies en jij beide garous op één dag willen vangen?'

'Zij zal bij Antoine zijn om hem te beschermen, dat is zo goed als zeker. En dan zal ze samen met hem door zilveren kogels sterven.' Hij gebruikte zijn musket als steun om uit het gras op te staan. Hij raakte haar arm even aan en kuste haar lang en teder op haar voorhoofd. 'Maak je niet ongerust. Ik zal er snel achter komen of ik in God kan vertrouwen of niet.'

Hij was al half door de struik terug op het pad gestapt toen haar stem hem van achteren bereikte. 'Jean, ik...'

'Ja?'

Ze liet snel haar hoofd zakken zodat hij haar gezicht niet kon zien. 'Ik... ik wens je een vaste hand opdat je zoon niet hoeft te lijden.'

'Zoals je wenste, zal ik je laten halen zodra ik de garous heb neergeschoten.'

'Nee! Nee, dat wil ik niet meer. Ik blijf in de kerk om te bidden dat God de zielen van deze armzaligen in de hemel opneemt. Antoine en dat vrouwtje kunnen er uiteindelijk niets aan doen dat ze zulke verschrikkelijke dingen doen.'

Hij knikte en verdween.

Gregoria bleef in haar eentje achter en kon zich nog net lang genoeg inhouden, maar toen de donkergroene twijgen zich achter Jean hadden gesloten en zijn voetstappen zich verwijderden, viel ze met een gekweld gekreun en trillend op haar knieën.

Er is geen hoop meer, Heer.

Wat moet ik nu doen?

Zo langzamerhand begreep ze Jeans twijfel aan de rechtvaardigheid van haar God.

XXX

Duitsland, Homburg, 21 november 2004, 21.22 uur

Nauwelijks lag hij op de loer of de BMW maakte een noodstop, steentjes spatten op en sloegen ook tegen de Cayenne aan. Portieren werden geopend, schoenen knerpten over de weg.

'Shit, ze zijn het bos in gevlucht,' vloekte een man. 'Haal de nachtzichtbrillen. Ik wil die vrouw levend in handen krijgen, vergeet dat niet. Dood hebben we niks aan haar.'

Die vrouw? Eric vroeg zich af wat ze van Lena wilden. En meestal krijg je alleen antwoord als je de vraag ook werkelijk aan iemand stelt. Dat was hij beslist van plan.

Voorzichtig gluurde hij uit het raam. Het waren drie mannen, allemaal met G3-geweren met grote richtkijkers; twee stonden voor de motorkap van de Cayenne, de derde haastte zich naar de combi en opende de kofferbak.

'Wat doen we met die vent?' vroeg de tweede.

'Ja, wat zullen we met hem doen?' antwoordde de man die het dichtst bij de Porsche stond en zijn G3 over zijn schouder hing. Links in zijn hals zaten drie diepe littekens die getuigden van een overleefd gevecht. Eric wist heel goed wat die lijnen betekenden. Het was het teken dat gedaantewisselaars achterlieten in het vlees van een mens wanneer ze hem of haar in leven lieten. 'Kastell heeft haar in Sint Petersburg beschermd. Denk je soms dat hij nu ineens netjes de aftocht blaast als we het hem vriendelijk vragen? Hij is te gevaarlijk.' Demonstratief tikte hij tegen zijn geweerloop. Meer niet.

De derde man keerde met de nachtzichtbrillen terug van de BMW. Eric wachtte tot ze die hadden opgezet, sprong toen naar voren aan de chauffeurskant en zette de koplampen plotseling vol aan.

De drie mannen gaven een gil van schrik. De elektronica van hun nachtzichtbrillen verblindde hen met het felle wit van de overbelaste restlichtversterkers.

Eric rolde uit het portier aan de passagierskant en schoot de voorste man midden in zijn borst. Door alle hagelkogeltjes klapte hij achterover. Rinkelend spatte de richtkijker van de G3 uit elkaar. De volgende lading trof de achterste man, die aanstalten maakte om zijn geweer op te heffen en het vuur te beantwoorden. Hij viel schreeuwend op de bevroren grond. Eric had met opzet op zijn benen gemikt, zo schakelde hij hem uit zonder hem te doden en kon hij hem later nog ondervragen.

De laatste achtervolger slingerde zijn nachtzichtbril weg en nam een snoekduik in de struiken. Wat in eerste instantie een goed idee had kunnen zijn, bleek in een gevecht tegen een semi-automatisch hagelgeweer gekkenwerk. Eric nam het struikgewas dat vooraan uit schrale bosjes bestond, om de seconde en in een rechte lijn onder vuur, tot hij een onderdrukte schreeuw hoorde. Op die plek schoot hij nog twee keer, legde het leeggeschoten geweer op de grond en pakte een G3 op. Hij zette het hendeltje op snelvuur en wachtte toen af wat er zou gebeuren.

De struiken ritselden en zijn tegenstander kwam zonder wapen uit zijn dekking gekropen. Zijn broek bestond alleen nog uit met bloed doordrenkte flarden, de loden kogeltjes hadden hun werk gedaan. 'Niet schieten,' kreunde hij. 'Ik geef me over.'

'Mooi zo.' Eric liep op hem af en zette de loop van de G3 tegen zijn voorhoofd. 'Wie zijn jullie en wat moeten jullie van die vrouw?'

'Ze is een van hen,' kon de man nog net uitbrengen, terwijl hij langzaam overeind kwam om zijn beenwonden te inspecteren.

Maar Eric duwde hem terug. 'Wat hebben jullie daarmee te maken?'

'We hebben het gehoord. We hebben haar in Sint Petersburg gebugd.' Hij grijnsde. 'En we weten jouw geheim nu ook, klootzak. Je bent nog niet van ons af.'

'Als ik de Orde van Lycaon onder handen heb genomen, maakt dat helemaal niets meer uit.'

Hij lachte. 'Ja, moet je vooral doen. Mijn zegen heb je.'

De vluchtige blik die de man langs Eric wierp, was voldoende om hem te waarschuwen. Hij draaide zich razendsnel om, richtte de loop van de G3 op de gewonde man die hem nu, als dank voor de door hem verleende genade, wilde neerschieten. Het gulle geschenk pakte Eric door één zuiver schot terug; dood viel de man om.

Eric richtte zijn aandacht weer op de laatste tegenstander, die één hand half onder zijn jas had gestoken en de kolf van een pistool te pakken probeerde te krijgen. 'Trek 'm eruit en het is met je gedaan,' waarschuwde Eric. 'Nog één keer... en voor de laatste keer vriendelijk: wie zijn jullie en wat willen jullie van die vrouw als jullie niet tot de Orde behoren?'

'Dat gaat je geen moer aan.'

'O, nee?'

Eric zwenkte de loop een paar centimeter opzij en vuurde vlak langs het gezicht van de liggende man. Zwarte roetdeeltjes kleurden zijn wangen, haren verschroeiden in het mondingsvuur. Schreeuwend pakte de man zijn oor vast.

'Wie zijn jullie en wat willen jullie van die vrouw? Als je geen antwoord geeft, zul je mijn vraag niet meer voor de derde keer kunnen horen.'

De man tilde afwerend zijn hand op. 'Kracht! We willen haar kracht, haar superioriteit! Zijn zoals zij!'

'Superioriteit?' Eric kon het nauwelijks bevatten: die kerels wilden zich vrijwillig laten bijten? 'Met hoevelen zijn jullie?'

De man kreunde, zijn oogleden fladderden, zijn ademsappel ging op en neer.

'Hé!' Eric gaf hem een trap tegen zijn aan flarden gereten been. 'Niet de pijp uitgaan! Ik ben nog niet klaar!'

Maar de man was al dood.

'Tering.'

Hij liep naar de Cayenne en reed terug.

Op de campus zocht hij in het woud van aanwijzingsborden het nummer van het laboratoriumgebouw waar Lena zich met die kennis van haar zou moeten bevinden. Ze moesten onmiddellijk van die bugs zien af te komen. Het beste zou zijn om alles achter te laten wat ze bij zich had, inclusief de kleren die ze droeg. Hij verwachtte niet dat het bij deze drie achtervolgers zou blijven.

Eindelijk had hij het gebouw ontdekt. Het leek minstens een paar eeuwen oud en de voorgevel zag er smerig uit. Waarschijnlijk stonden deze klinieken er al heel lang.

Eric keek om zich heen voordat hij uitstapte. In de verre omtrek was niemand te zien, er raasde alleen een ambulance met blauw zwaailicht over de parallelweg, maar de sirene hadden ze met het oog op de patiënten aldaar uitgezet. Niet helemaal op zijn gemak klom hij uit de Cayenne, het opnieuw geladen jachtgeweer onder zijn jas verborgen, en stormde de trappen op.

De deur zat niet op slot en hij liep naar binnen. 'Lena?' riep hij hard genoeg om in een verlaten gebouw gehoord te worden.

Niets.

Hij hoorde aggregaten zoemen en meerdere relais in de enorme schakelkasten klikken, maar hij hoorde geen stemmen. De stilte, en zijn nekharen die langzamerhand overeind gingen staan, waren voldoende om het semi-automatische geweer schietklaar voor zijn lichaam te houden. Zachtjes sloop hij door de gang en vond een aanwijsbord: LABORATORIUM.

Eric volgde de zwarte pijl en kwam bij een opaalglazen ruit waarachter hij het karakteristieke licht van computerbeeldschermen zag. Daarvóór bewoog het zwarte silhouet van een man; kennelijk rolde hij met zijn bureaustoel voor de monitoren heen en weer. Op het naamplaatje naast de toegangsdeur stond: MÜHLSTEIN. Hij had Lena's kennis gevonden. Maar waar was zij gebleven? Er was geen tweede schaduw te zien.

Na rijp beraad koos Eric voor de beleefde variant en klopte aan. 'Professor Mühlstein?' Hij legde zijn hand op de deurkruk en drukte hem naar beneden. Op slot. Hij had de deur moeten intrappen zoals hij eerst van plan was geweest.

Om ondanks zijn verprutste entree toch nog voor een beetje verrassing te zorgen, nam hij een aanloopje en lanceerde zichzelf met een hurksprong dwars door de ruit midden in het laboratorium. Hij landde precies naast de jonge wetenschapper en drukte de loop van het jachtgeweer niet bepaald zachtzinnig tegen zijn rechterwang. In zijn andere hand hield hij de Sig Sauer vast en zwenkte ermee heen en weer. Ze waren alleen.

'Nee... alstublieft... U bent hier verkeerd,' fluisterde Mühlstein nauwelijks hoorbaar. In zijn witte jas en met zijn ronde brilletje zag hij er als een schooljongetje uit. Hij keek schuin naar de loop. 'Het methadonproject zit in een ander gebouw.'

'U kent Magdalena Heruka?'

Mühlstein, een tengere man van hoogstens vijfendertig jaar met een al kalend voorhoofd, keek hem verbaasd aan. 'Ja! Natuurlijk ken ik haar.'

'Is ze de afgelopen twintig minuten hier geweest?' Eric liet zijn wapens zakken, maar niet helemaal. Je kon nooit weten.

'Sorry voor deze overval, professor. Ik dacht dat u en Lena in gevaar waren.'

Mühlstein haalde zijn hand door zijn korte donkere haar. Hij herstelde zich snel van de eerste schrik. 'Nee, ze is hier niet geweest. Bent u die vriend over wie ze me over de telefoon vertelde?' Misprijzend keek hij naar het gebroken glas. 'Waar is ze in verzeild geraakt? En hoe kunt u nu zomaar met zulke wapens rondlopen?'

'Ik ben van de politie, Interpol,' loog hij. 'Ik ben afgestaan om mevrouw Heruka te beschermen en behoor tot een internationaal team van undercoveragenten. Meer mag ik u niet vertellen. Er heeft een vuurgevecht plaatsgevonden waarbij een van mijn mannen is gedood. Hij moest mevrouw Heruka naar u toe brengen.'

De angst was van het gezicht van de professor af te lezen. 'Het is toch niet waar! Nee, nee, ze is hier niet gearriveerd. Ik moest een of andere stof voor haar analyseren. Wat is dat voor spul?'

'Een nieuwe drug. Mevrouw Heruka is bij toeval in onze operatie verwikkeld geraakt. Ze had ons u als betrouwbaar aanbevolen.'

Hij fronste zijn voorhoofd. 'Hebt u dan zelf geen politielab waar dat spul kan worden onderzocht?'

'Dat gaat u niet aan,' zei Eric bits, terwijl hij ondanks zijn intimiderende houding toch nog voldoende respect behield. 'Wanneer hebt u voor het laatst contact met mevrouw Heruka gehad?'

'Zo'n...' – hij tilde zijn arm op om op zijn horloge te kijken – 'vijftien minuten geleden. Ze belde me onderweg op. Ik hoorde dat ze rende. Ze zei dat ze zo bij me zou zijn. Ik heb me er ook over verbaasd waar ze bleef.'

Eric kreeg het ijskoud. Hij was Lena kwijtgeraakt! Lena en het mogelijke tegenmiddel waren ergens, maar niet bij hem. En niet in veiligheid. 'Dank u, professor Mühlstein.' Hij stopte zijn wapens weg, liep naar de deur, opende deze en stapte de gang op. 'We gaan onmiddellijk naar haar op zoek. Tegen niemand een woord hierover.'

'En wat moet ik dan met die kapotte ruit?'

Eric haalde zijn schouders op, voor nog meer zinloos geklets had hij geen tijd. 'De universiteit zal wel verzekerd zijn. Bedenk maar een smoes.'

Hij rende terug naar de Cayenne, stapte in en bleef een paar lange seconden volkomen stil zitten. Hij probeerde de paniek uit zijn gedachten te bannen. Het hielp niet. De afgelopen paar dagen was er te veel fout gelopen. Hij keek naar het handschoenenkastje waarin een zoete, vloeibare verleiding lag, maar hij hield zich in en bleef met zijn vingers van de druppeltjes af. Hij zou ze vroeg genoeg weer moeten innemen.

In plaats daarvan startte hij de Cayenne en reed terug naar de plek waar hij Lena had afgezet. Hij stapte uit, zocht haar voetsporen en volgde ze. Al snel voegden zich daar nog andere bij. Er was gevochten, zoals door de omgewoelde sneeuw werd bewezen. Bloed. Meerdere, tegen het wit afstekende druppels leidden naar een zijweg. De onbekenden hadden haar in een auto gesleurd en meegenomen.

'Godverdomme!' schreeuwde hij zijn frustratie over de campus uit. De echo keerde via de hoge gebouwen bij hem terug. Woedend staarde hij naar zijn Porsche waarmee hij zo meteen over de autobaan naar het vliegveld van Frankfurt zou scheuren. Hij wist nu op wie hij zijn woede kon afreageren.

XXXI

19 juni 1767, parochie van Nozeyrolles, in de bossen van Ténazeyre, Zuid-Frankrijk

Na de dood van de kleine Marie Denty sloeg het Beest nog een aantal keren toe. Weliswaar waren de mannen van de pauselijke gezant in de buurt van een van de afslachtingen, maar ook hen lukte het niet het ergste te verhinderen. Ten slotte trok de jonge, onvermoeibare markies d'Apcher samen met een twaalftal jagers, van wie de helft uit de regio afkomstig was, door de parochies van Nozeyrolles en Desges, waar het Beest op 18 juni een klein meisje had verscheurd.

De sporen, die ze al vanaf zonsopgang volgden, waren vers en leidden hen direct naar de bossen van Ténazeyre, het gebied waar Pierre en Antoine als wildschut toezicht hielden. Nu trokken ze door het zeer dichte kreupelhout, zwijgend en uiterst geconcentreerd, de vingers aan de trekkers van de geladen musketten. De jezuïet en zijn mannen hadden zich niet bij hen aangesloten.

Malesky, Pierre en Jean liepen naast elkaar in een langgerekt kordon, speurden tussen twijgen en takken van struiken waaronder het Beest een bijna perfecte dekking zou kunnen vinden. Ze porden met hun bajonetten in de bladerhopen en stootten ermee in het struikgewas. Zonder succes.

'Het wordt niets zo,' oordeelde Malesky geërgerd met ogen die vuur schoten. 'We hebben drijvers nodig.' Hij stampte woedend op de grond. 'We kunnen op twee pas afstand langs het Beest lopen zonder het te zien. Die verdomde vacht vormt een veel te goede camouflage.'

Jean gaf hem inwendig gelijk. Zijn ongerustheid groeide met de minuut en dreigde hem te veel te worden. Hij moest Antoine nu eindelijk vinden en een einde aan dit afgrijselijke drama maken. Uitstel was niet meer mogelijk.

Hij vond het prima dat de gezant niet was komen opdagen. Tot nu toe had hij een hernieuwde kennismaking kunnen vermijden. Al een paar keer was de man met twee wachten bij Antoines hut verschenen. En tijdens zijn laatste bezoek had hij zonder te vragen rondgesnuffeld en hij zou zeker in de schuur en het huis hebben ingebroken als Surtout en de andere honden van Antoines meute niet plotseling waren opgedoken. De jezuïet vluchtte voor de honden, een van zijn mannen raakte, aan zijn geschreeuw te horen, zwaargewond. Sinds die tijd hadden ze de gezant niet meer gezien. En ook de honden niet meer. Jean had geen idee waar de roedel was gebleven. Had de jezuïet ze laten doodschieten?

Plotseling klonken luide hoornsignalen die de jagers naar het vertrekpunt terugriepen. Het bos moest omsingeld worden.

'De markies heeft goed naar me geluisterd,' zei Malesky chagrijnig grijnzend en hij draaide zich om. 'Kom, we gaan.'

De wildschut verroerde zich niet.

'Monsieur Chastel, komt u mee?'

'Nee,' antwoordde Jean na een poosje. 'Monsieur Malesky, we blijven. Antoine zal het signaal hebben gehoord en de geluiden in het bos weten te duiden. Als hij als Beest uit zijn schuilplaats komt en een vluchtweg zoekt, zijn we met een beetje geluk de eersten die hem zien.' Hij keek hem smekend aan. 'Help me alstublieft Antoines geheim te bewaren, monsieur Malesky.'

'En als we eerst op het wijfje stuiten?'

'Dat zien we dan wel weer. U staat toch nog wel aan mijn kant, monsieur Malesky?'

De Moldaviër klemde zijn musket onder zijn arm, poetste zijn knijpbrilletje en zette het weer op. 'Natuurlijk, monsieur Chastel.'

De drie mannen bleven tussen de struiken staan. Ze luisterden naar de vele voetstappen van de jagers die zich steeds verder van hen verwijderden tot er alleen nog geritsel en zo nu en dan een nauwelijks verstaanbare kreet was te horen.

Een absolute, beklemmende stilte daalde neer, zoals de beide Chastels van die noodlottige dag drie jaar geleden al kenden. Zelfs de vogels waagden het niet hun gezang te laten klinken.

'Een van de Beesten is zeker hier,' fluisterde Pierre terwijl hij zijn wapen ophief.

Links van hen knapte er iets in het kreupelhout. Malesky hield zijn musket onmiddellijk in de aanslag en mikte op de plek waar vier mensengrote schaduwen dekking leken te zoeken door van boomstam naar boomstam te schuiven. 'Heilige Moeder Gods,' fluisterde hij, 'ze hebben zich echt vermenigvuldigd!'

Jean richtte zijn geweer ook, zijn handpalmen klam van het koude zweet dat hem uitbrak. Pierre gaf hun rugdekking zodat ze niet onverhoeds van achteren konden worden aangevallen.

'Hoeveel zijn het er, monsieur Malesky?' wilde Jean weten.

'Ik heb er na die vier nog eens drie geteld, monsieur Chastel,' antwoordde hij zachtjes. 'Het schoot zojuist door mijn hoofd dat we onderbewapend zijn. Denkt u ook niet?'

Jean lachte zuur. 'Dat is mijn manier om God op de proef te stellen.'

Onverwachts schoof de loop van een musket uit de struik voor hen, de takken weken uiteen en een man in een lange jas kwam eruit tevoorschijn. Hij hoorde niet tot hun jagersgroep. 'Laat zakken die wapens!' beval hij met een zangerig accent. 'Onmiddellijk.'

Malesky grijnsde. 'Monsieur, u hebt een dubbelloops, maar wij zijn met z'n drieën. Kunt u niet rekenen of bent u een wonderschutter?'

Pierre keek over zijn schouder. 'Als u op die tienduizend livre uit bent, verdwijn dan alstublieft. De beloning wordt niet meer uitgeloofd, de koning heeft het Beest doodverklaard.'

Jean kende de man niet. Hij was niet een van de jagers van de markies, noch kwam hij uit de Gévaudan, en dat verontrustte hem. De gezant had zijn mannen hoogstwaarschijnlijk naar deze bossen gestuurd en probeerde het Beest dus heimelijk uit de weg te ruimen. 'Bent u hier soms in opdracht van die Italiaan?' vroeg hij voorzichtig en hij zag de onbekende man van kleur verschieten. Maar zijn antwoord was niet bepaald aangenaam: hij haalde de trekker over.

Malesky's linkerschouder werd geraakt, maar de Moldaviër verloor zijn zelfbeheersing niet en beantwoordde het vuur precies zoals Jean. Beiden troffen de vreemdeling in zijn hoofd. Het door de kogels bijna onthoofde lijk viel stuiptrekkend achterover in de bosjes.

'Pierre, kijk uit!' waarschuwde Malesky die zich achter een dikke boomstam wierp en zijn geweer herlaadde. Ook de Chastels zochten dekking. 'Ze zijn nog met z'n vieren.' Hij voelde aan de wond in zijn schouder. Er sijpelde bloed uit dat zijn rock rood kleurde.

'U bent gewond!' riep Pierre geschrokken.

'Maar niet erg. Het is niet meer dan een vleeswond,' stelde Malesky hem tussen opeengeklemde tanden gerust. 'Met een doorslagschot ben je het beste af.' Maar het was ernstig genoeg om hem bij het laden langzamer te maken. 'Monsieur Chastel, waarom schoot hij onmiddellijk? Is het soms een belediging om iemand onder de neus te wrijven dat hij een Italiaan is?'

Jean moest ondanks de situatie grijnzen. De Moldaviër was zijn droge humor niet kwijtgeraakt. 'Ik denk dat de jezuïet er geen getuigen bij wil hebben.' Hij zag een schaduw links van hem, zwenkte zijn musket en schoot. Een doffe schreeuw toonde aan dat hij raak had geschoten. Onmiddellijk laadde hij zijn musket opnieuw. Hij kon maar één loop voor loden kogels gebruiken, omdat in de andere een van de waardevolle zilveren kogels zat. De eerste had hij al verschoten, de tweede zat in de loop en de derde wilde hij voor het Beest bewaren.

Signaalhoorns klonken van buiten het bos: de markies wilde weten wat zich tussen de bomen afspeelde.

'Geef geen antwoord,' raadde Malesky Jean en Pierre aan terwijl hij zijn wond zo goed en zo kwaad als het ging verbond, 'want dan stuurt hij jagers op pad om ons te helpen.'

'Vader!' riep Pierre hard en hij wees naar de struiken voor hen. 'DAAR! Ik zag het Beest! Het vlucht!'

Jean en de Moldaviër wisselden een snelle blik, ze begrepen elkaar zonder woorden.

Vader en zoon slopen voorwaarts, hun hoofden tussen de schouders. Toen stopte Pierre, trok zijn pistool en gooide dat naar Malesky, waarna ze verder op hun buik over de grond kropen om zich in het struikgewas onzichtbaar te maken. Even later hoorde Malesky ineens weer hun voetstappen. Kennelijk waren ze opgestaan om achter het ondier aan te rennen.

Ik heb tegen u gezegd, monsieur Chastel, dat u en niemand anders het Beest zal doden. Net op tijd kreeg Malesky zijn belager in de gaten die om hem heen had willen lopen, en joeg hem een kogel in zijn buik. Kreunend zakte de man in elkaar en bewoog zich niet meer. *Nog twee.* Hij schoof snel verder om de boomstam heen toen zich een kogel vlak boven zijn driesteek in het hout boorde. De schors werd alle kanten op weggeblazen.

Vlak voor de Chastels dook een nieuwe belager op die zonder aarzelen met beide lopen op hen schoot maar hen gelukkig miste. Daarna stormde hij op hen af, zijn musket als een knots opgeheven om te slaan. Het ging zo snel dat Pierre noch Jean kon vuren maar met hem op de vuist moesten gaan.

De onbekende man had een militaire opleiding gehad, dat was te zien aan de handigheid waarmee hij met zijn musket stoten en slagen uitdeelde. De wildschut kreeg de kolf tegen zijn hoofd nadat hij een schijnstoot verkeerd had beoordeeld. Bij Pierre werd de loop als een naald in zijn buik geramd. Hij had het aan zijn metalen gordelgesp te danken dat er geen gat in zijn lichaam werd gestanst. Toch zakte hij op zijn knieën, kreeg een trap tegen zijn kin en viel bewusteloos neer.

'Laat me erlangs!' schreeuwde Jean woedend. 'U beschermt een Beest dat moet worden vernietigd!' Hij dook onder de naderbij suizende musketloop weg en stompte meerdere keren met zijn vuisten tegen de borstkas van de man om de lucht uit zijn longen te slaan.

Hoestend week de belager achteruit.

Jean trok zijn zilveren dolk en bracht de man in het nauw. Hij stak langs zijn ter verdediging opgeheven musket en trof hem in zijn hals onder zijn oor. Toen trok hij het lemmet horizontaal naar voren terug en sneed een diepe wond.

De man drukte beide handen op de wond, maar het lukte hem niet de naar buiten spuitende bloedstroom tegen te houden. Hij viel gorgelend op de grond.

Jean stak zijn dolk terug in de schede en bracht Pierre met flinke klappen tegen zijn wangen weer bij kennis. 'Verder, zoon,' beval hij onverbiddelijk en hij drukte het musket in zijn hand. 'We mogen hem niet laten ontsnappen.'

Nog versuft ging Pierre zijn vader achterna, meer strompelend dan dat hij liep. Jean had geen enkele consideratie met zichzelf of zijn zoon. Hij draafde door de doornstruiken die langs zijn kleren en zijn huid schramden, sprong over stenen; takken sloegen in zijn gezicht en bezorgden hem rode striemen. Het leek wel alsof het bos tegen hen samenspande en het Beest tegen zijn vastbesloten achtervolgers wilde beschermen.

Het werd lichter tussen de bomen. Ze hadden de andere kant van het bos bereikt, maar van het Beest hadden ze geen spoor gevonden.

'We zijn langs hem gelopen,' zei Pierre hijgend.

Jean veegde het prikkende zweet uit zijn ogen en staarde naar het bos. 'Dan maar weer terug.' In hetzelfde moordende tempo begaven ze zich op de terugweg, hun ogen op de grond gericht om hoe dan ook een spoor van het Beest te vinden.

Malesky hield zijn adem in om zichzelf niet te verraden, en wachtte tot de laatste van de onbekende belagers langs hem was gerend. Toen de man een paar passen voorbij zijn schuilplaats was, hief hij Pierres gespannen pistool pas op, richtte het op het achterhoofd en schoot.

Het gat dat de kogel sloeg was klein, maar op zijn weg van het achterhoofd dwars door de schedel tot aan de punt van de neus bracht hij ernstige verwoestingen aan. De man viel dood op de grond.

Malesky rolde zich voorzichtig op zijn rug, stond op door langs de boomstam omhoog te schuiven, en pakte zijn leeggeschoten musket. Eigenlijk had hij een garou willen doden en het niet met de hemelse heerscharen van de paus aan de stok willen krijgen. Met opeengeklemde kiezen en behoedzame bewegingen voorzag hij de lopen weer van kruit en kogels; de pijn in zijn gewonde schouder werd erger.

Hij was net klaar toen er naast hem een kwaad gegrom opklonk.

Malesky zwenkte zijn musket onmiddellijk opzij en richtte het op de plek waar het geluid vandaan was gekomen. Daar was het Beest! Het lag nog geen zes pas van hem vandaan ineengedoken op de loer, klaar voor een sprong.

Hij beging niet de fout om het Beest in de roodgloeiende, verlammende ogen te kijken, maar richtte op de lange, lelijke snuit en haalde de trekker over. De terugstoot plantte zich voort door Malesky's lichaam tot aan zijn schotwond. Hij schreeuwde. Alle kracht verdween onmiddellijk uit zijn linkerarm en het zware musket ontglipte hem.

Toen de kruitdampen waren opgetrokken, zag Malesky het stinkende kadaver van het Beest één pas voor hem liggen. Bloed liep uit twee wonden in de borst en stroomde over de bladeren op de grond. 'Eindelijk heb ik je uit de weg geruimd,' zei hij verbaasd en hij trok zijn zilveren dolk om die voor de zekerheid in het hart van de garou te steken.

Hij ging op zijn hurken zitten, rolde het Beest op zijn rug, spreidde de achterpoten om te kijken wat het geslacht was: het was overduidelijk het mannetje. Antoine. De Moldaviër duwde het lemmet ter hoogte van het hart in de vacht...

... en werd zich plotsklaps bewust van de fout die hij had begaan.

De oogleden schoten open, de rode irissen schitterden meedogenloos. 'Geen zilveren kogels,' kraste Antoine hatelijk. 'Ik heb je in de gaten gehouden.' Hij draaide zich bliksemsnel om waarbij hij Malesky omverwierp. De snuit met de scherpe tanden vloog naar voren, beet de hand met de zilveren dolk af. Botten, spieren en pezen werden in één klap met een afgrijselijk geluid verscheurd.

De schrille schreeuwen van Malesky schalden slechts kort door het bos, omdat het Beest zijn keel afbeet en met zijn krachtige kaken de nekwervels brak.

XXXII

Kroatië, Plitvice, 22 november 2004, 22.33 uur

Eric was terug in het land van het Beest. Zijn woede was er niet bepaald minder op geworden en zijn bezorgdheid om Lena maakte hem zowat krankzinnig.

Van het vliegveld ging hij regelrecht naar de stad. En een korte maar stevige wandeling bracht hem van zijn eigen hotel naar dat andere, waar hij hoopte de mysterieuze non aan te treffen.

Gehaast betrad hij via de zwaaideuren de ontvangsthal en schudde de sneeuw van zijn schouders op het dure tapijt. Hij was de enige gast in de lobby, nieuwsgierig in de gaten gehouden door de beide dames achter de receptiebalie.

'Goedenavond.' Hij sprak hetzelfde slechte Engels met hetzelfde Spaanse accent dat hij eerder aan de telefoon had gebruikt. 'Ik zoek een non die hier schijnt te overnachten. Ik heb iets gevonden wat van haar is.'

'O, dat moet zuster Ignatia zijn,' zei de jongste van de twee receptionistes. 'Zal ik doorgeven dat u hier in de hal wacht?'

Eric zette al zijn charmes in om haar daarvan te weerhouden. Niet veel later noemde ze hem verlegen giechelend het kamernummer. Tot zover liep het uitstekend.

Eric begaf zich naar de lift, die hem gehoorzaam naar de vierde verdieping bracht. Hij slenterde door de gang tot kamer 419 en luisterde.

Zo te horen bevonden zich minstens twee personen in de kamer; ze praatten zachtjes en een van hen liep daarbij heen en weer. Eric ademde een keer diep in en uit en klopte aan.

De deur werd geopend door een jonge vrouw die hooguit twintig jaar was en geen habijt droeg. In plaats daarvan had ze nogal ouderwetse kleren aan en op de kraag van de onaantrekkelijkste blouse die hij zich kon voorstellen zat een zwart kruisje gespeld. 'Ja?'

Eric deed alsof hij verbaasd was. 'O, jee, ik geloof dat ik me heb vergist. Ik zoek zuster Ignatia.' Hij glimlachte innemend, haalde langzaam zijn hand uit zijn zak en hield de incomplete rozenkrans voor haar bruine ogen. 'Ik heb dit gevonden en hoorde dat hier een non logeert. Kunt u mij misschien zeggen op welke kamer ik haar kan vinden?'

'Laat hem binnenkomen, zuster Emanuela!' zei een oudere vrouwenstem op gebiedende toon. 'U bent hier goed, meneer.' De jonge vrouw maakte ruimte om hem door te laten.

Uiterst geconcentreerd stapte hij over de drempel en rook onmiddellijk de zwakke geur van wierook; ook het deodorantluchtje klopte. Hij had de vrouw gevonden die in dezelfde nacht als hij in het bos was geweest. 'Dank u. Dan heeft de receptie het me toch goed uitgelegd.'

Zuster Ignatia zat op een stoel bij het raam. Ze droeg een zwart habijt, zoals het een non betaamt, inclusief de lange, zwarte sluier. Ze was duidelijk de veertig al gepasseerd. 'God zij met u, señor...'

'Loyola,' antwoordde Eric met een uitgestreken gezicht. 'Een bijzondere samenloop van omstandigheden, nietwaar?'

Ze glimlachte begrijpend en gebaarde dat hij op het bed kon gaan zitten. 'Wij zijn geen jezuïeten, señor Loyola.' Ze stak haar hand naar hem uit. 'Laat me maar eens zien of wat u hebt gevonden van mij is.'

Zuster Emanuela bleef bij de deur staan, de handen voor de buik gevouwen. Hij zag haar spiegelbeeld in het raam achter Ignatia.

Eric ging zitten en gaf haar de kapotte rozenkrans. 'Hier, alstublieft.'

Ignatia's gezicht klaarde op. 'Heregod zij gedankt!' Ze glimlachte vriendelijk naar Eric. 'Ja, dat is wat ik kwijt was. Hoe kan ik u daarvoor bedanken, señor?'

Eric besloot in de aanval te gaan. 'Door mij uit te leggen hoe dat midden in de nacht in het nationaal park terecht is gekomen.'

Zuster Ignatia bleef kalm. 'Welnu, waarom vragen we dat niet aan zuster Emanuela?' stelde ze voor. 'Zij had hem geleend.'

Eric hoorde het geritsel van Emanuela's blouse en zag in het raam dat de jonge vrouw snel op hem afkwam. Hij rolde zich op het bed op zijn zij, en de dolk waarmee ze hem in de rug had willen steken, schoot door de deken in de matras. Terwijl Emanuela nog met haar evenwicht worstelde, trapte hij met het zilveren, geharde teenstuk van zijn rechterlaars frontaal tegen haar voorhoofd waardoor ze in katzwijm op de grond viel.

'Laat ik nu altijd al gedacht hebben dat de jezuïeten de gevechtstroepen van de paus vormden,' zei hij terwijl hij zijn pistool trok en het op Ignatia richtte. 'Wat is dit voor verkleedpartij?'

'Dit is geen verkleedpartij,' antwoordde ze vriendelijk. 'Wij dienen de Heer.'

Eric kon zich niet voorstellen dat de mollige non in staat was om 's nachts door het nationaal park te sluipen, het met een Beest aan de stok te krijgen en er ook nog van te winnen. Ook zuster Emanuela was bij haar aanval allesbehalve professioneel te werk gegaan. 'Hoe is die rozenkrans in het bos terechtgekomen?'

'Ik heb geen redenen om tegen u te liegen, señor Loyola, of hoe u ook mag heten.' Ignatia keek uit het raam. 'Mijn medezuster was daar. Maar wat mij nog veel meer interesseert, is wat ú daar te zoeken had? Behoort u tot die Lycaonieten en wilt u nu wraak nemen?'

'Nee, die orde interesseert me niet.'

Nu keek ze hem verbaasd aan. 'Señor, heb ik u overschat? Ik bedoelde niet die afgodsaanbidders van Lycaon. Ik bedoelde hun broeders en tegelijkertijd ergste vijanden.' Haar ogen werden klein. 'U weet werkelijk helemaal niets van de Lycaonieten!'

Nee, Eric wist er werkelijk niets van. Deze verrassing zat hem niet lekker. Hij kon zich ineens niet aan de indruk onttrekken dat er de laatste jaren iets belangrijks aan zijn aandacht was ontsnapt. De kennis die zijn vader had bezeten, en hij dus ook, bleek niet zo compleet als hij altijd had verondersteld. Zijn gedachten schoten alle kanten op en het duurde even voor hij weer woorden vond om wat te zeggen. 'Vertel me over hen,' zei hij om zich niet in de verdediging te laten drukken. 'Ik ben een onwetende, zuster.'

'Waarom zou ik?'

'Omdat ik een wapen bezit en u niet.'

'Mijn wapen is het geloof.' Haar zelfverzekerdheid en vertrouwen in God waren torenhoog. 'Ik ben niet bang voor aardse projectielen.' Ze sloeg een kruis.

Eric had bewondering voor haar standvastigheid en zuchtte theatraal. 'Dan opent u mijn ogen maar uit pure vriendelijkheid. Ik zou graag willen weten wie er nog meer aan dit spel meedoen.' Hij legde het pistool op het bed. 'Wie zijn die Lycaonieten? Hebben zij Lena ontvoerd? Of heeft uw orde dat gedaan?'

'En wie mag ú dan wel wezen?'

'U eerst, zuster.' Toen ze koppig bleef zwijgen, gaf hij toe. Die verdomde angst om Lena dwong hem tot compromissen die hij vroeger nooit zou hebben gesloten. 'Mijn naam is Eric von Kastell en ik denk dat we hetzelfde doel nastreven. Ik jaag op het Beest...'

'U bent dus een van die onbekende strijders voor het goede! In de archieven in Rome zijn er aanwijzingen over te vinden, maar... we hadden alleen maar een vermoeden dat er mensen zoals u bestonden. Mensen die paal en perk aan het kwaad willen stellen zonder bij de Kerk te horen.'

Eric knikte. 'Het schijnt dat we allebei ons huiswerk niet hebben gedaan.'

Ze zei niets en dacht lang na. 'Ik kan u niet veel vertellen.' Ze keek hem opeens vriendelijk aan. 'Zuster Emanuela was die nacht in het bos op zoek naar het Beest. We weten dat dat monster nakomelingen heeft gekregen...'

'Wat?' Eric ergerde zich er nu nog meer aan dat hij de strijd met het Beest niet tot het bittere einde had uitgevochten.

Ignatia nam hem zijn interruptie niet kwalijk. 'We zijn te weten gekomen dat de Lycaonieten van plan zijn de welpen te ontvoeren en met een helikopter het land uit te brengen.'

Eric fronste zijn voorhoofd. 'Met alle respect, maar twee nonnen zouden dat moeten verhinderen?'

'Niet verhinderen. We moeten ze als eerste vinden en ze in veiligheid brengen.'

Nu begreep hij er helemaal niets meer van. 'U wilt die welpen in veiligheid brengen? Nou, dan heb ik iets verkeerd begrepen. Het gaat mij niet om de veiligheid van de welpen, maar om de veiligheid van de mensen. En die wordt pas gegarandeerd wanneer alle nakomelingen van het Beest zijn gedood.'

Ignatia glimlachte begrijpend. 'Als de welpen eenmaal in veiligheid zijn, dan is de mensheid ook in veiligheid. Bent u met dat antwoord tevreden?'

'Ik ben tevreden als ik weet waar dat creatuur is. En wat die andere lieden ermee te maken hebben, die Lycaonieten.' Hij zocht haar blik. 'Alstublieft, geef mij een hint over wie het nog meer op het Beest hebben gemunt! Wat de motieven van die groep zijn! Uit hoeveel leden die bestaat of...' Hij slikte. 'Of waar Lena is.'

'Het spijt me, maar dat kan ik u niet vertellen.' Ze bleef bikkelhard.

Eric balde zijn vuisten en dacht koortsachtig na over wat hij kon doen om haar aan de praat te krijgen. Het interesseerde hem niet of een christelijke orde de welpen veilig wilde opbergen of niet. Feit bleef dat het Beest en haar gebroed niet dood waren. 'Zuster, om maar eens uw beeldspraak te gebruiken: de duivel laat zich niet temmen.'

'Meneer von Kastell.' Ignatia spreidde haar armen. 'Ik begrijp uw zorgen, ja, het siert u absoluut, maar u hebt niets meer met deze dieren te maken. Ga naar huis, zoek uw Lena of ga op andere wezens jagen.'

Haar betuttelende manier van doen beviel hem niet. Zijn bloeddruk steeg. Het gesprek was nog steeds ontzettend onbevredigend en hoe langer hij op haar in moest praten, des te groter werd de afstand tussen de laatste nakomelingen van het Beest en hem. 'Wat is dat voor een merkwaardige christelijke orde die alles van het Beest weet? Verzamelt u soms Beesten voor een soort Arke Noachs der Gruwelen?'

Ignatia lachte. 'Het zou een goede titel voor een slechte horrorfilm zijn, meneer von Kastell.'

Eric had er genoeg van. De tijd voor fluwelen handschoentjes was voorbij. 'Mag ik even uw nonnenclubkaart zien?' vroeg hij bars. Hij zag dat de schoenen van de jongere non zich bewogen. Ze kwam kennelijk weer bij en schoof langzaam onder het bed. 'Want dat u in habijt loopt, wil nog lang niet zeggen dat u bent waar u zich voor uitgeeft.'

'Wilt u nu alstublieft weggaan?'

'Niet zonder nadere informatie,' antwoordde hij. 'Ik heb al veel te veel tijd verdaan. Het Beest en al haar nakomelingen moeten sterven, begrijpt u?'

'Wilt u nu alstublieft weggaan, meneer von Kastell?' zei Ignatia opnieuw en ze stond op. 'Dank u wel dat u de rozenkrans die ik kwijt was hebt teruggebracht. Ik zal de orde op de hoogte brengen van uw verdiensten in de strijd tegen de demonen.' Ze sloeg een kruis. 'Gaat met Gods zegen op weg...'

'... maar gaat henen, ik weet het. Ik ken die uitdrukking.' Eric bukte zich bliksemsnel en greep onder het bed. Hij kreeg Emanuela's arm te pakken, trok de vrouw met een harde ruk onder het bed vandaan en zette haar razendsnel voor zich neer toen hij in zijn ooghoek iets zag bewegen. Emanuela kreeg de klap met de paraplubak tegen haar hoofd die voor hem bestemd was geweest, en werd slap. Zuster Ignatia was een potig mens.

Nu hadden beide nonnen hem getergd. Hij liet de jongste vallen, stond met één sprong naast Ignatia en rukte de paraplubak uit haar handen. Na een harde oorvijg viel ze achterover terug in de stoel naast het raam, verloor haar sluier en de kap verschoof. Daaronder kwam kort, grijs haar tevoorschijn.

Eric had zijn medeleven uitgeschakeld en zette de punt van zijn zilveren dolk tegen de keel van de vrouw. 'Het laat me koud waar u bang voor bent of niet, zuster,' siste hij. 'Dit wapen heeft ontelbare weerwezens vernietigd, maar hij snijdt ook door zacht nonnenvlees als ik dat wil. En dat gebeurt ook als u me nu niet onmiddellijk vertelt waar ik het Beest kan vinden en waar ze Lena heen hebben gebracht!' Zijn ogen gloeiden doordringend en uit zijn keel steeg een woedend gegrom op.

Ignatia, op wier wang de afdrukken van zijn vingers als rode strepen zichtbaar waren, deinsde achteruit en sloeg meerdere keren een kruis.

'*Lupus hominem!*'

'Onzin,' gromde hij kwaad. Hij schoot naar voren en stak haar zo ondiep in de hals dat het net voelbaar voor haar begon te bloeden en ze wat inschikkelijker zou worden. 'Kom op, waar zijn die welpen?'

Haar blik keek dwars door hem heen. Ze begon hardop te bidden en negeerde hem.

Met een hartgrondige vloek sloeg hij Ignatia bewusteloos, daarna trok hij de nog steeds verdoofde zuster Emanuela de badkamer in en hield haar hoofd zo lang onder de koudwaterkraan tot ze weer proestend bijkwam. Hij sleepte haar terug naar de kamer, wees naar Ignatia en de dunne snee in haar hals. 'Zij is al bij haar God,' loog hij. 'Als je haar graag achterna wilt gaan, moet je net als zij zwijgen.' Hij pakte haar met één hand bij de keel vast, duwde haar tegen de matras en zette het bloedige lemmet op haar borst. 'Maar dan voor altijd!'

'Nee!' smeekte ze rochelend. 'Nee, alsjeblieft! Heb medelijden!'

'Wie zijn jullie?' schreeuwde hij terwijl hij nog harder duwde. Haar vuisten sloegen zonder enig effect op hem in. Emanuela was niet in staat hem te verwonden.

'De Orde van de Zusters van het Bloed van Christus,' zei ze naar adem snakkend. Haar ogen verdraaiden en de pupillen rolden naar boven weg. Haar slappe armen vielen uitgespreid neer. Als een gekruisigde vrouwelijke Heiland lag ze voor hem naar het plafond te staren.

'Tering!' Eric luisterde naar haar hartslag, gelukkig klonk er nog een zwak geklop in haar borst. Hij had zuster Emanuela bijna gewurgd; in zijn woede had hij zijn krachten verkeerd gedoseerd. Geschrokken van zichzelf kwam hij overeind.

'Moordenaar!'

De beschuldiging kwam achter zijn rug vandaan en direct na dat woord volgde een klap met een stoel tegen zijn schouder en hoofd. Eric viel naar voren boven op de ogenschijnlijk dode zuster Emanuela. Een afgebroken stoelpoot vloog langs hem.

God had zijn dienares Ignatia snel uit haar bewusteloosheid laten ontwaken om de zondaar ter verantwoording te roepen. 'Je zult voor de Heer en het wereldlijke gerecht voor je daden rekenschap moeten afleggen! En verwacht maar niet dat ik voor je ziel zal bidden!' schreeuwde ze.

'Nee, ze leeft nog!' Eric draaide zich versuft om en zag wat de non vervolgens van plan was, zag haar op zich afkomen. Ze zwaaide met een stoelpoot boven haar grijze hoofd alsof het een knuppel was. 'Hou op met...'

Ignatia struikelde over de rand van het tapijt en viel zo onverwachts snel op hem af dat hij haar niet meer helemaal kon ontwijken. Hij werd half onder de vrouw bedolven. Ze begon smartelijk te schreeuwen en duwde zichzelf onmiddellijk weer overeind.

Eric verstijfde. Zijn zilveren dolk was per ongeluk in haar borst geramd en ze deed het domste wat je bij steekwonden kon doen: ze trok het wapen eruit.

Haar warme bloed spoot onmiddellijk uit de wond, tegen Eric aan, en spatte tegen zijn gezicht en lippen. Ignatia hoestte, haar handen bewogen trillend naar haar borst, maar haar oogleden sloten al voor altijd. Het lukte haar niet meer om een compleet kruis te slaan.

Nu zat hij echt in de problemen. Het door hen veroorzaakte lawaai in de kamer had wel wat weg gehad van een stelletje ronddansende olifanten, en de eerste klachten hadden de receptie vast en zeker al bereikt. Eric moest verdwijnen. Hij haalde een handdoek over zijn gezicht, maar hij smeerde Ignatia's bloed meer uit dan dat hij het afveegde.

En daardoor kwam een minuscule hoeveelheid in zijn mond terecht.

En dat brandde.

Het brandde als vloeibaar vuur!

Eric vloog naar de badkamer om de kokende lava uit zijn mond te spoelen voordat zijn tanden en kiezen vlam zouden vatten. Met handen vol tegelijk gooide hij het water in zijn gezicht, spoelde en spuugde, maar het lukte hem niet de brand te blussen. Integendeel, het werd alleen maar erger.

De waterdruppels leken ineens in slow motion in de wasbak te vallen.

Oorverdovend kletsten ze neer op het porselein.

De kleine ventilator in de badkamer dreunde als een propeller.

De afvoer bruiste als de Plitvicewatervallen.

De geluiden, zijn waarnemingen, alles werd angstaanjagend vervormd. Eric tilde zijn gezicht op en keek in het melkachtig matte glas van de spiegel. Hij zag de rode vegen op zijn gezicht, het verdunde bloed dat uit zijn natte haren druppelde en rode banen op zijn wangen schilderde. Zijn lichtbruine ogen hypnotiseerden hemzelf; hij gleed erdoorheen, door de spiegel, en dook in een andere wereld.

Het was een hal-achtige, hoge, door zuilen gedragen wereld waarin het licht van alle kanten leek te komen. De zonnestralen vielen schuin door onbereikbaar verre vensters naar binnen: het moest een paleis voor reuzen of goden zijn. Voor hem stond zijn halfzus Justine, omringd door honderden nonnen die allemaal het gezicht van Ignatia hadden. Justine hief haar hand op. 'Kom,' zei ze vriendelijk. Zijn lichaam richtte zich op, een macht nam bezit van zijn binnenste, hij gilde. Knarsend bevrijdde het Beest zich uit zijn lichaam als een vlinder uit zijn cocon. Het wezen draaide zich badend in het bloed naar hem om en grijnsde. Daarna liep het naar Justine en gaf haar een wilde kus op de mond.

'Laat dat!' schreeuwde Eric terwijl hij naar zijn zilveren dolk zocht. 'Ík moet hem vernietigen.'

'Hier is-ie!' riepen de Ignatia's terwijl ze naar de dolken wezen die uit hun borsten staken. 'Maar je hebt de hulp van de Heer nodig, Eric von Kastell. Alleen Hij kan je verlossen, nimmer jijzelf of een heidense magie.' Ze trokken

allemaal tegelijkertijd de lemmeten uit hun borsten en een zee van bloed gutste plotsklaps uit hun lichamen, spoelde de benen onder zijn lichaam vandaan. Hij verdronk.

Bijna.

Een sterke hand pakte hem bij zijn jaskraag en trok hem uit de rode vloed boven de oppervlakte. Hij zweefde vrij in de lucht.

Toen hij het bloed uit zijn ogen had gewreven, zag hij dat hij aan de uitgestrekte arm van het Beest hing. Het stond op het bloed zoals Jezus op het water, beschenen door het zilveren licht van de vollemaan dat door het venster binnendrong. 'Jij bent niets zonder mij,' zei het Beest vol wrok, en ineens dook Lena uit de duisternis op. Ze was naakt, kwam naderbij en vlijde zich tegen het wezen aan. 'Als mijn einde komt, zal jouw leven geen betekenis meer hebben,' zei het Beest. 'Laat me met rust.'

'Laat hem met rust,' zei Lena giechelend. Ze ging op handen en voeten staan en veranderde zichzelf in een wolvin. 'Ik houd heel erg veel van hem, Eric. Ik wil niet meer zonder hem leven.'

'Nee,' fluisterde Eric. 'Nee, Lena! Hij is gemeen, hij doodt zonder enige reden! Kijk dan naar...'

In één klap verdween die onwerkelijke wereld en zag hij in de spiegel een stel lichtbruine ogen en bekende gelaatstrekken. Zijn gelaatstrekken.

'... zijn gezicht.'

Iemand bonkte hard op de deur. 'Hallo? Is alles in orde?' riep een bezorgde hotelmedewerker.

'Ja, dank u,' antwoordde Eric met een verdraaide stem, en hij hoopte dat hij door de deur enigszins als een vrouw klonk. 'Er was iets met de televisie aan de hand, ik kon hem niet zachter zetten. Alles is nu weer in orde.'

'Goed. Neemt u me niet kwalijk dat ik u heb gestoord,' klonk het van de andere kant.

Eric spoelde de dolk af, maakte ook zijn kleren schoon en verliet de kamer van de nonnen. Hij moest naar het bos, het Beest en haar gebroed vinden. En ook zijn volgende doel stond al vast, hoewel hij alleen deze ene vage aanwijzing had: de Orde van de Zusters van het Bloed van Christus. De Eeuwige Stad.

XXXIII

19 juni 1767, parochie van Nozeyrolles, in de bossen van Ténazeyre, Zuid-Frankrijk

'O, mijn god,' kreunde Pierre toen ze op de plaats aankwamen waar Malesky's lijk in een plas bloed lag. Zijn hoofd was afgerukt en verdwenen, de hand die de zilveren dolk nog steeds omklemd hield, lag een pas van de Moldaviër vandaan.

'Antoine!' schreeuwde Jean buiten zichzelf. Hij zag het rode spoor afkomstig van het hoofd van Malesky waarmee het Beest hen de weg wees om hen uiteindelijk in een hinderlaag te lokken. Jean rende die kant op, hoewel hij diep geschokt was vanwege de dood van zijn vriend. Hij was krijtwit en kokhalsde, maar hij zette zijn kiezen op elkaar en holde door. Pierre kwam hem achterna.

Ze hoorden dat de jagers van de markies dieper het bos in kwamen en naar hen riepen, maar de Chastels reageerden niet.

Ineens bleef Jean staan. Hij wees naar de onderste tak van een boom: in een vork stak Malesky's hoofd dat hen vanboven met dode ogen aanstaarde; nog steeds liep er bloed uit de afgebeten halsstomp, langs de restanten van de rugwervel, druppelend op de bladeren.

Jean hief zijn musket op – en draaide zich bliksemsnel honderdtachtig graden om. In een fractie van een seconde had hij de garou in het vizier die op zijn achterpoten stond, klaar om te springen.

'Ik heb je wel door, zoon.'

In de roodbruine vacht kleefde nog het vochtig glanzende bloed van

Malesky. Het droop van zijn snuit en klauwen af. Het schepsel gromde... en snorde tegelijkertijd. Krakend verschoven de botten. Antoine kreunde van de pijn en jankte ingehouden. Hij werd door elkaar geschud terwijl hij zichzelf deels in een mens terug veranderde om zijn vader en broer een enigszins menselijk gezicht te presenteren.

Smekend tilde Antoine zijn sterke, behaarde armen op. 'Alsjeblieft, vader, spaar mijn leven. Ik ben je zoon!' klonk een weerzinwekkende stem uit de mond met de bebloede, scherpe tanden. 'Help me!'

'Ja, Antoine... ik help je wel,' antwoordde Jean kalm. 'Jou en de hele Gévaudan.'

En met een ruk trok hij zijn wijsvinger naar achteren.

De lopen van het musket ontlaadden zich en spuwden de zilveren kogels naar de loup-garou.

Antoine probeerde de gezegende kogels weliswaar te ontwijken, maar hij had gegokt op een opnieuw oplaaiende mildheid van zijn vader en reageerde te laat. De eerste kogel trof hem precies in zijn hart, de tweede doorboorde zijn hals.

Hij viel als door de bliksem getroffen op de grond. Uit Antoines borst kringelde een zwarte rook die afgrijselijk stonk, terwijl hij zich rochelend oprichtte. Met zijn lange nagels greep hij naar de wond en scheurde in zijn wanhoop op zoek naar het pijnlijke zilver zijn eigen borstkas open. Maar het metaal deed zijn vernietigingswerk te snel.

Jean rukte zijn ogen van het beeld af, wrong het musket uit de handen van Pierre die er als versteend bij stond, en schoot Antoine van een pas afstand nog twee kogels in zijn hart. Onmiddellijk verslapte het gedrochtelijke lichaam en veranderde zich met een weerzinwekkend krakend geluid in dat van een mens. Het Beest verliet de dode Antoine. 'Antoine!' Pierre vloog langs Jean en wierp zich diepverdrietig op zijn broer. Jean boog naar voren en wilde hem wegtrekken, maar toen schoot Antoines hoofd blazend omhoog.

'Pas op!' Jean duwde Pierre opzij waardoor de tanden in plaats van zijn oudste zoon zijn linkerarm te pakken kregen en in de dikke stof van zijn jas beten. Hij kermde en had het gevoel alsof zijn arm in een pers zat vastgeklemd, zo enorm was de druk. Jean trok zijn zilveren dolk en stootte het lemmet tot de helft in Antoines rechteroog. Zijn hoofd viel naar achteren en sleurde Jean mee, omdat de kaken niet wilden opengaan.

'Vader!' Pierre stond op en keek totaal van streek naar het nu onherroepelijk levenloze lichaam van zijn broer. 'Ben je gewond?'

'Nee. M'n jas was dik genoeg, hij heeft me niet te pakken gekregen.' Jean luisterde en hoorde dat de jagers van de markies hun richting op kwamen. 'Snel, help me zijn kaken open te breken en hem onder de bladeren te verstoppen. We halen zijn lijk wel op als hier de rust is weergekeerd.'

Ze werkten snel en vergaten ook niet Malesky's hoofd uit de boom te verwijderen. Ze arriveerden op hetzelfde moment als de jagers weer bij het lijk van de Moldaviër.

Gezamenlijk verlieten ze het bos om de markies bij de opgerichte jachttent op de hoogte te brengen van het afschuwelijke voorval. Naast de edelman stond de jonge comte de Morangiès, die zijn musket vasthield aan de loop, de kolf rustend op zijn schoen. Toen Jean hem zag, schoten hem onmiddellijk de bedekte verwijzingen van de jezuïet te binnen.

'We hadden zojuist de grote, grijze wolf tot staan gebracht die monsieur Malesky had gedood, toen een stel onbekende mannen opdoken die ons na een korte ruzie over de beloning onder vuur namen, mon seigneur,' loog Jean onbeschaamd tegen de beide edelmannen. 'Ik zweer het bij de Heilige Maagd Maria.'

De markies d'Apcher geloofde zijn verhaal. 'Betreurenswaardig voor uw vriend, monsieur Chastel, en het is niet te geloven met wat voor brutaliteit die vreemdelingen op het land van mijn familie hebben opgetreden. Ik zal de zaak laten onderzoeken.'

'Heeft een van die kerels nog weten te ontsnappen of hebt u hen allemaal gedood?' vroeg de comte onverwachts.

'Ik denk dat ze allemaal dood zijn, mon seigneur.'

De comte trok een gezicht vol afkeuring. 'Heel jammer. Ze hadden kunnen worden ondervraagd hoe ze op de gedachten waren gekomen dat die beloning nog steeds zou worden uitgeloofd.' Hij hief zijn geweer op. 'Ik zal ze eens van dichtbij gaan bekijken. Misschien hebben ze wat bij zich waardoor we te weten kunnen komen wie het precies waren.'

Jean zou onder normale omstandigheden niets achter deze opmerking hebben gezocht, maar de woorden van Francesco hadden zijn wantrouwen enorm aangewakkerd. Hij kon het niet van zich afzetten dat de comte meer wist. Meer over Antoine en zijn geheim.

De markies d'Apcher wenkte een ondergeschikte om zijn wapen aan te laten reiken. Hij keek naar de bomen. 'Dan is het Beest dus nog steeds in het bos. Mooi zo. We...'

Opgewonden geroep klonk vanaf de bosrand. Twee musketten knalden en ze zagen een grote, grijze wolf die tussen de jagers door sprong en recht op de tent afkwam.

Heilige Maria, stuurt u mij nu het dier dat bij mijn leugen past? Nou, dan laat ik me met liefde door u bijstaan.

Jean pakte zijn musket van zijn schouder. 'Wees gegroet, Maria, vol van genade, de Heer zij met u.'

Hij trok de hanen van zijn geweer naar achteren terwijl de wolf dichterbij kwam, langzamer begon te lopen en zich in zijn volle lengte aan Jean toonde alsof hij hem tot een gevecht uitdaagde.

'U bent de gezegende onder de vrouwen, en gezegend is Jezus, de vrucht van uw schoot.'

Hij hief zijn musket op. Niemand anders durfde zich te bewegen.

'Heilige Maria, moeder van God, bid voor ons, zondaars, nu en in het uur van onze dood. Amen!'

Met het laatste woord daverden de schoten en zakte de wolf dodelijk getroffen voor de ogen van de edellieden en de jagers in elkaar.

19 juni 1767, omgeving van Auvers, Saint Grégoireklooster

Gregoria was zojuist uit een dutje wakker geworden, lag in haar bed en luisterde.

Er klopte iets niet.

Wat haar verontrustte, was dat ze niets hoorde: geen stemmen, noch een of andere aanwijzing dat er tussen de muren van Saint Grégoire werd geleefd.

Ze keek naar de klok aan de muur en zag dat de middernachtmis zo zou moeten beginnen. Waarom hadden ze haar niet gewekt? Ze stond op, trok haar tunica aan en haar kap over haar blonde haar, en bereidde zich voor om zelf de klok te gaan luiden die de nonnen opriep voor de mis in de kloosterkerk.

Terwijl ze zich aankleedde, vroeg ze zich af wat de volgende stap van de gezant zou zijn. In elk geval had hij haar niet nog een keer ontboden om haar weer over Jean te ondervragen. Kennelijk had hij andere informatiebronnen opgespoord.

Hij was na het avondeten met een deel van zijn manschappen verdwenen uit het gastenhuis waar hij samen met zijn legertje zijn tenten had opgeslagen. Sindsdien had ze geen van hen meer gezien.

Heilige Maagd Maria en Heilige Gregorius, sta ons bij. Gregoria liep naar de deur, rekende erop de bewakers te zien en groette zonder naar hen te kijken.

En was stomverbaasd toen ze helemaal niemand aantrof.

Gregoria beschouwde het als een gunstig teken. Ze hoefde daardoor niet een van haar nonnen te vragen om een afleidingsmanoeuvre te bedenken, zodat ze Florence te eten kon geven. Deze keer zou dat lukken zonder een van de zusters in de ogen van de gezant verdacht te maken.

Snel keerde ze naar haar kamer terug, graaide de appels, het brood en de kaas bij elkaar die ze daar had verstopt, en liep de trap op om de etenswaren naar de jonge vrouw te brengen. Sinds het ontbijt had Florence niets meer gegeten en ze rammelde waarschijnlijk van de honger.

Gregoria nam de laatste traptrede en liep door de gang waaraan de kamer van haar pupil lag. Maar ineens bleef ze staan en liet haar armen zakken.

Brood en kaas vielen uit haar schort, de appels kwamen erachteraan en rolden over de grond. Wezenloos keek de abdis naar de vernielde deur, die met een onvoorstelbaar ruw geweld was verbrijzeld: de scharnieren hingen deels uitgerukt aan de stenen muur.

Dat moest toch een hels lawaai hebben veroorzaakt? Waarom had ze dat niet gehoord?

Ze kwam voorzichtig naderbij en keek in de kamer waarin haar pupil de afgelopen maanden de meeste dagen had doorgebracht, als het haar op de een of andere manier niet was gelukt om Gregoria's veiligheidsmaatregelen te slim af te zijn. Zelfs Francesco had er niets van gemerkt. Althans, dat geloofde ze.

De maan scheen door het venster in de volkomen verwoeste kamer waarin absoluut helemaal niets heel was gebleven. Zelfs de dekens waren verscheurd.

Gregoria ontdekte ineens dat ze in een bloedplas stond die ze in het schijnsel van het nachtelijke hemellichaam in eerste instantie voor inkt had aangezien. *Het Beest!*

Heilige Moeder, verlos Florence van de macht van het kwaad en laat haar geen schade aan haar ziel lijden!

Ze draaide zich om, rende de trap af om naar het dormitorium te gaan en de nonnen voor het ondier te waarschuwen dat nu hoogstwaarschijnlijk door de gangen en zalen van Saint Grégoire zwierf en naar mensenvlees snakte.

Ze stoof door de kloostergang, legde haar hand op de deurkruk van de slaapzaal... en stopte. Haar blik dwaalde naar beneden naar de bloedplas die zich voor de ingang had gevormd.

'Mijn God, verlaat mij niet,' fluisterde ze en ze begon te trillen. Ze duwde niettemin de klink naar beneden en opende de deur.

Ogenschijnlijk lagen de nonnen in het schijnsel van twee flakkerende nachtkaarsen vredig in hun bed, maar rondom hun slaapplaatsen was de vloer in een kleverige rode poel veranderd. De geur van het bloed dat van de matrassen druppelde, of van de houten onderstellen afliep, daarbij stolde en taaie, zwarte draden vormde, hing misselijkmakend in de lucht. Gregoria's maag draaide zich onmiddellijk om.

Ze gaf meerdere keren achter elkaar over en was niet eens in staat om haar afgrijzen eruit te schreeuwen: de zure brij golfde aan één stuk door via haar keel in haar mond en neus.

Spugend wankelde ze achteruit... en werd ruw beetgepakt. Nu had ze eindelijk weer genoeg lucht om een snerpende schreeuw uit te stoten.

'Hou op, eerwaarde abdis!' siste iemand terwijl er een hand over haar mond werd gelegd. Het licht van de kaarsen in het dormitorium viel op Francesco's strenge gezicht. 'U lokt haar anders te vroeg deze kant op. We zijn nog niet klaar.'

Ze duwde hem hard van zich af, leunde hijgend tegen de muur, hoorde de voetstappen van een heleboel laarzen en het geklik van het spannen van muskethanen. 'U weet het dus?'

'Ik vermoedde het al van het begin af aan, eerwaarde abdis. Maar ik speelde uw spelletje mee, zodat u zich veilig zou wanen. Antoine Chastel is door zijn dood helaas aan ons ontsnapt en daarom heb ik uw pupil getest. De zilveren naald bracht het aan het licht. Het leek wel alsof het meisje zelf verrast was... Is mijn indruk juist dat u haar onwetend hebt gehouden? Nou, ik kan u verzekeren dat ze snel aan het idee was gewend. Toen we haar wilden inrekenen, ontsnapte ze aan ons.' De blonde gezant leek bijna onverschillig. 'Het verbaast mij dat u al op de been bent. Door het slaapmiddel in uw water had u tot de brand in hogere sferen moeten verkeren.'

'Bránd?' Gregoria draaide zich snel om en deinsde achteruit toen ze de beulsknechten van de gezant zag die in het halfdonker hun voorbereidingen troffen. Aan de bajonetten van hun musketten en aan sommige van hun kledingstukken zat bloed, en ze begreep van wie dat bloed was. 'U... u hebt de zusters vermoord?' fluisterde ze geheel ontdaan. 'Dat valt op geen enkele manier te rechtvaardigen! De Heilige Vader...'

Francesco kwam nog dichter naar haar toe. 'Verbaast u dat soms? Zij hebben – net als u, eerwáárde abdis – toegestaan dat het kwaad onderdak werd verschaft en het gedoogd op een gewijde plaats! Ze hebben de dood verdiend.' Hij toonde geen enkel gevoel. 'Het Beest kan de geur van bloed niet weerstaan, ze zal komen en zich eraan willen laven.'

'Florence is slechts een slachtoffer van het kwaad. Ze weet niet dat ze een Beest is!' Zonder na te denken probeerde Gregoria de gezant van zijn voornemen af te brengen. 'Ik smeek u, ontneem haar niet haar nog zo jonge leven!'

'O, weest niet ongerust. We zijn niet van plan Florence te doden, eerwaarde abdis. Ze is veel te waardevol voor ons. We verwachten meer te weten te komen over haarzelf en haar schepper.' Francesco beval zijn helpers om het met ijzerdraad versterkte net boven de deur aan de binnenkant van het dormitorium vast te maken; dikke touwen werden gespannen.

Plotseling bevroedde Gregoria wat ze met de met ijzer beslagen koets van plan waren. Die was bestemd om Florence te vervoeren! 'Wat wilt u van dat arme, vervloekte kind? Brengt u haar naar Rome? Wat heeft de Heilige Vader daarmee te maken?'

Francesco glimlachte vol medelijden, maar zijn lichtgroene ogen overlaadden haar met hoon. 'Eerwaarde abdis, u zult van mij niets horen, ook al staat u een wisse dood te wachten.' Hij hief zijn armen op. 'Toch zal uw ziel rust vinden. Ik verleen u postuum de absolutie en u zult samen met uw nonnen in een heilig vuur branden. De plaats waar het kwaad huisde, mag niet langer blijven bestaan, zo luidt mijn bevel. De ritus van het Beest is afgelopen. Maar de mensen in de omgeving zullen u en uw klooster bewenen en er altijd een goede herinnering aan blijven houden. Aan de plaats waar u zo veel goeds hebt gedaan. Op die manier heeft iedereen er iets aan.' Hij lachte. 'Misschien wordt u zelfs wel heilig verklaard, eerwaarde abdis. En dat ondanks uw vleselijke zonden.'

'Loop naar de duivel!'

'Nee, absoluut niet. Maar u kunt uw ziel nog verlichting schenken. Wees mij behulpzaam om het raadsel van de in het moeras weggezakte koets op te lossen. Men heeft mij verteld dat die voor die tijd bij dit klooster is gezien. Een adellijk geklede dame heeft met u gesproken. Ging dat over uw pupil?'

Gregoria zweeg.

'Uw antwoord is dus "ja". Was het soms de moeder? Heeft ze tegen u gezegd wie de vader van het Beest is?'

'God zal over u oordelen, jezuïet!'

'Ik denk dat hij wel tevreden met mij zal zijn. Wat men van u niet kan zeggen.' Hij wees naar het dormitorium. 'Snijd haar open en leg haar bij de anderen.'

Gregoria greep plotseling het houten kruis naast haar aan de muur en haalde naar de gezant uit. Ze trof hem met de heiland op zijn hoofd, het beeldje barstte, en onmiddellijk vloeide er bloed uit Francesco's opengereten huid. Hij wankelde en klampte zich vast aan Gregoria's bewaker.

'Heer, vergeef me.'

Ze maakte misbruik van de verwarring en rende het dormitorium uit. Onderweg gooide ze de sluier en de witte kap van zich af om in het donker minder makkelijk te worden opgemerkt. Buiten verborg ze zich in de schaduwen van de zuilen in de kruisgang.

Gregorius en Maria, wat moet ik doen, bad ze en worstelend met haar wanhoop. Hoe kon een man van het geloof, de plaatsvervanger van God op aarde, bevel geven tot zulke onmenselijke daden? Of handelde de jezuïet helemaal niet in opdracht van de Heilige Vader? Het woord 'complot' spookte door haar hoofd.

Ze deed haar ogen dicht toen drie bewapende mannen langs haar schuilplaats liepen, maar ze werd niet ontdekt.

Dat kan het alleen zijn. Het is een complot! De Heilige Vader wéét helemaal niet wat zijn gezant doet. Wat hier gebeurt, kan niet in de geest zijn van U, Heer die in de hemelen zijt.

Ze wachtte tot ze geen voetstappen meer hoorde. Daarna glipte ze snel voort om bij de poort te komen.

Ze had een plan bedacht. In haar eentje kon ze niets tegen het grote aantal zwaarbewapende mannen beginnen, maar als het haar lukte om in Auvers te komen en de hulp van de inwoners of van soldaten in te roepen, zouden Francesco en zijn mannen zeker kunnen worden verslagen.

De binnenhof die zich voor haar uitstrekte, had haar van haar leven nog nooit zo reusachtig groot geleken. Het pad dat naar de uitgang van het klooster leidde, leek eindeloos lang; bovendien waren vier mannen bij de gepantserde koets bezig de paarden in te spannen en hun vertrek voor te bereiden.

Gregoria merkte de bijtende geur op die in de lucht hing, en toen ze aandachtiger door de openstaande deur in de koets keek, ontdekte ze daarin twee kleine vaten met het opschrift PETROLEUM. Een vijfde man kwam uit de spinnerij, pakte het voorlaatste vat en liep daarmee het huis van de abdis in. Ze zorgden ervoor dat de vuurzee geen gebouw zou overslaan.

Plotseling galmden er schoten door de nacht. Tussen het geratel van de musketten door klonk opgewonden geroep en de doodskreten van mannen – Gregoria hoorde het duidelijk. En daarna huilde het Beest in triomf, blafte en blies, voordat er opnieuw schoten klonken.

De vier mannen bij de koets hieven hun geweren, maar bleven waar ze waren. De vijfde man kwam uit het huis gerend en probeerde de paarden te kalmeren die steigerden en wilden wegstuiven om de plek des onheils te ontvluchten waar het naar roofdieren stonk.

Het schreeuwen en het schieten hield niet op. En tussendoor gilde een van Francesco's mannen om hulp terwijl het woedende gekrijs van het Beest luid en duidelijk was te horen.

De abdis zag de eerste vlammen in het dormitorium oplaaien. Ook achter de ramen van haar werkkamer was eerst een zwak geflakker te zien, maar daarna werd het licht steeds intenser en feller.

Nu of nooit. Gregoria ademde diep in, sloeg een kruis en zei tot haar God: *Bescherm mijn leven, en ik zweer bij mijn onsterfelijke ziel dat ik naar Rome zal reizen en deze vreselijke kwestie in Uw naam tot de bodem zal uitzoeken. Degene die hiervoor verantwoordelijk is, moet gearresteerd en bestraft worden.* Ze liep in de schaduw van de kerk weg. Zo zachtjes mogelijk probeerde ze bij de poort te komen. God, Maria en Gregorius stonden vooralsnog aan haar zijde.

Maar toen kreeg de duivel de touwtjes in handen.

Het was haar gelukt om de helft van de afstand af te leggen toen haar voet achter een straatsteen bleef haken; ze deed een snelle stap naar voren om niet te vallen, en dat veroorzaakte een geluid dat niet voor de vier mannen verborgen bleef.

'Het Beest!' riep er een. De mannen van de gezant schoten op haar, de ogenschijnlijke loup-garou. Gregoria wierp zich op de grond en legde haar handen beschermend op haar hoofd terwijl de kogels over haar heen floten en gaten in de kerkmuur sloegen. Afspringende stukjes graniet kastijdden haar huid.

Een luide schreeuw maakte dat ze haar hoofd optilde en naar de schutters keek.

Op de koets zat het Beest. Kennelijk had niemand haar onderweg daarnaartoe opgemerkt. Ze dook ineen om een sprong te maken en lanceerde zichzelf tegen de achterste van de vijf mannen, trok hem met zich mee en beet zijn hoofd af nog voordat ze samen op de grond klapten. Ze gromde tevreden.

De andere vier weken achteruit en herlaadden als bezeten hun geweren. Ze schreeuwden door elkaar om de rest van hun troepen op het ondier attent te maken dat zich tegen alle verwachtingen in weer op de binnenhof bevond. Hun tegenstandster maakte het hen onmogelijk om te vluchten of zich te verzetten. Haar rechterklauw pakte het musket van de gedode man bij de loop en sloeg er als een knuppel mee tegen het hoofd van de man die het dichtst bij haar stond. Krakend barstte zijn schedel en het bloed spoot als fonteinen uit zijn oren en neus.

Het Beest richtte zich in haar volle lengte op en zette haar aanval voort. Ze reet bij een andere man met een precieze uithaal de buik open voordat ze de derde midden in zijn gezicht beet en het musket wegslingerde, alleen maar om ogenblikkelijk met vier poten tegelijk op de laatste van het groepje mannen te springen en hem onder zich te begraven. De tanden in de lange snuit groeven zich langs de opgeheven armen van de man naar de hals; smakkend scheurde ze de keel open en slurpte het opwellende bloed op.

Gregoria sloeg een kruis en kon haar ogen ondanks de wreedheden niet afwenden.

De paarden voor de koets hinnikten in een ongebreidelde paniek en zetten zich schrap met alle kracht die ze in zich hadden. Daarna braken ze door de aangetrokken remmen van het rijtuig heen en begonnen aan een uitzichtloze vluchtpoging voor het Beest en het knetterende vuur. De vlammen sloegen uit de slaapzaal, de spinnerij en het huis van de abdis, en zonden vonken naar de hemel.

Het Beest liet het lijk los en maakte er een spelletje van om de paarden op te jagen. Ze rende huilend en ophitsend op vier poten achter de koets aan tot de dieren in hun benarde situatie door de poort probeerden heen te breken. En zich daartegen te pletter liepen.

De paardenlijven knalden tegen de deur, de zware koets rolde er van achteren tegenaan en perste de dieren dood.

Gregoria keek volledig ontdaan toe, maar toen kwam ze tot bezinning en wilde wegrennen. Weg, alleen maar weg van dit inferno. Tot helder denkwerk was ze niet meer in staat, het werd haar te veel.

Ineens stond het Beest voor haar en greep met haar rechterpoot, die droop van het bloed, haar keel vast. De nagels boorden zich lichtjes in haar huid.

Gregoria versteende en staarde in de roodgloeiende ogen, haar lippen bewogen geluidloos en murmelden het ene Ave Maria na het andere. Ze kon het zelf niet geloven toen het kwaadaardige gefonkel voor haar verflauwde. Het schepsel hield haar kop scheef en richtte haar oren op. De leerachtige zwarte neus snoof luidruchtig.

'Florence? Florence, herken je me?' hijgde Gregoria hoopvol. 'Alsjeblieft, Florence, vecht tegen de demon die je wil overheersen! Laat me los! We moeten hier weg voordat...'

In de rug van het Beest kraakte het een paar keer; kogels doorzeefden haar en het warme bloed van het schepsel spoot tegen de abdis. Het Beest schreeuwde van de pijn en smeet Gregoria van zich af alsof ze een pop was.

Gregoria knalde met haar hoofd tegen de muur en viel op de grond. Door een bloedrode sluier kon ze volgen hoe vijf mannen, die dikke, leren tenues en maliënkolders droegen, zich met doodsverachting boven op het gewonde Beest stortten, haar tegen de grond drukten en met zilveren stiletten op haar instaken tot haar aanvankelijke gewelddadige verzet afnam.

Maar het schepsel gaf niet op, huilde, bevrijdde zich verrassend nog een keer en verbrijzelde met een enorme houw de borst van een van haar achtervolgers. Rochelend zakte deze op de grond.

Onverwachts dook de gezant voor het Beest op en grommend hapte ze naar hem. Haar kaken schoten op Francesco af – maar bovenmenselijk snel wist hij de dodelijke rijen tanden te ontwijken die in de leegte op elkaar klapten. Hij ramde nu met een kolossale kracht zijn vuist in haar onderlijf, waardoor het Beest een halve pas van de grond loskwam en daarna door haar knieën zakte. Blazend sloeg ze naar Francesco's bovenbeen. De klauwen reten de broek open en lieten vijf lange, diepe sneden in zijn huid achter waaruit bloed opwelde.

Francesco schreeuwde en sloeg haar van achteren tegen haar hoofd. Het knakte voorover, maar nog was haar weerstand niet gebroken. Het Beest draaide zich om, beet naar hem en kreeg zijn enkel te pakken, wat de gezant met een harde trap beantwoordde waardoor het Beest een eind naar achteren vloog. Onmiddellijk renden zijn manschappen naar haar toe en staken weer met zilveren messen op haar in.

'Hou op, ze is genoeg verzwakt! Anders doden jullie haar nog!' schreeuwde Francesco op de achtergrond. 'Haal de koets en span nieuwe paarden in! En haal een net om haar vast te binden. We moeten hier weg, de vlammen zullen al in het dorp te zien zijn. Schiet op!'

Terwijl zijn mannen wegrenden, pakte hij een fiool uit zijn gordel en doopte zijn vingertop erin. Toen maakte hij zijn lippen daarmee vochtig, likte het op en deed zijn ogen dicht alsof hij bad. Daarna liep hij langzaam op Gregoria af. 'Ik verlaat u nu, eerwaarde abdis.' Hij wees naar het vuur. 'Dát is uw hel waarin uw zondige lichaam zal worden gesmoord. Wilt u nog biechten om op zijn minst uw ziel te redden?'

Ze lachte snuivend. 'U draagt zelf de kiem van het kwaad in u. U kunt beter voor uzelf bidden.' Gregoria kwam half overeind. Door het bloed uit de opengereten huid op haar voorhoofd kon ze niet goed zien. 'Ik wens u, gezant, dat u door alle jagers ter wereld vervolgd zult worden.'

Francesco glimlachte en leek afwezig, alsof hij in een roes verkeerde. Hij liet haar de wond zien. 'Bedoelt u soms de beet van het Beest, eerwaarde abdis? Ik ben in het bezit van een doeltreffend tegenmiddel, het meest geneeskrachtige en zuiverste dat u zich kunt voorstellen. U hebt zich te vroeg verheugd op mijn vermeende ellende.' Hij sloeg een kruis boven haar hoofd. '*Ego te absolvo.*' Francesco liep naar de poort, waar zijn mannen de koets in allerijl in orde maakten, de paardenkadavers opzijsleurden en nieuwe paarden inspanden.

Een buitengewoon aardse haat steeg in Gregoria op. Kreunend duwde ze zich overeind en sprong van achteren tegen de gezant op, zocht op de tast naar zijn dolk om hem met zijn eigen wapen dood te steken.

Ze vielen samen op de grond, maar de man was veel te sterk voor haar. Hij trapte haar in haar buik... en door de kracht werd ze drie pas door de lucht geslingerd! Hard landde ze op de stenen.

'Zo moedig als een heilige,' zei hij pesterig. Hij stond op en trok zijn kleren recht. 'O, ja, dat was ik bijna vergeten te zeggen... U zult ook branden als een heilige.'

Gregoria zag dat de fiool, waaruit hij die wonderlijke substantie had gehaald, naast zijn laars lag. Francesco had het flesje bij haar onstuimige aanval verloren. Als het inderdaad een krachtig geneesmiddel was, had ze het dringender nodig dan de gezant. Misschien hielp het Florence om de vloek te verbreken! Ze kroop erheen.

'Wat nu? U wenst genade?' Francesco begreep haar bewegingen verkeerd. Ze deed alsof ze haar rechterhand naar zijn laars uitstak en pakte heimelijk met haar linkerhand het flesje. 'Er bestaat geen genade, eerwaarde abdis. Niet voor u.' Onmiddellijk daarop pakten krachtige handen haar onder haar oksels vast, tilden haar op en sleepten haar naar het in lichterlaaie staande dormitorium.

Haar verzet baatte haar niet. Ze werd door de mannen in de vlammen geduwd.

XXXIV

Kroatië, Plitvice, 22 november 2004, 23.59 uur

Zijn oriëntatievermogen bracht Eric naar de plek waar hij het Beest voor het laatst had gezien. Daarna liet hij zich door zijn instincten leiden en stapte simpelweg rechtuit door de sneeuw. Het kostte hem moeite om niet de hele tijd aan Lena te denken. Hoe het met haar ging, wie haar had ontvoerd, wat ze haar op dat moment aandeden...

Hij zette zijn bril af, sperde telkens weer zijn neusvleugels open om zo veel mogelijk geuren op te vangen, en luisterde of hij katachtig gejank of schel geblaf hoorde. Hij hoopte dat er al heel wat uren sinds de laatste voeding voorbij waren gegaan en de kleine Beesten flink honger hadden gekregen.

Van tijd tot tijd maakte hij gebruik van de infraroodmodus van zijn verrekijker, ontdekte echter alleen een roedel reeën, een kudde wilde zwijnen en twee lynxen.

Hij bereikte een plek in het bos waar geen leven was te bekennen. Er waren geen wildsporen, geen geluiden behalve het kraken van bomen. Erics instincten namen het volledig van hem over, gevoelens en gedachten aan iets anders verdwenen. Hij trok zijn dolk en zette zijn sluipjacht voort.

En toen ontdekte hij haar, naast een boom, naakt en op de buik liggend. De vorst had haar perfect geconserveerd. Voor leken zou hier een volstrekt normale vrouw beestachtig zijn afgeslacht. Maar hoewel

Eric sporen van vossen en kraaien rondom het lijk ontdekte, hadden deze aasvreters na een korte inspectie voor deze makkelijke buit hun neus opgehaald.

Hij liep op haar af. 'Ik heb je,' mompelde Eric terwijl hij de dode vrouw langzaam op haar rug draaide. Hij schatte haar op halverwege de dertig. Ze had er ooit mooi uitgezien, haar lichaam was heel goed getraind en leek op dat van een topsporter.

Zijn dolk had de dood voor haar betekend, het vlees ter hoogte van haar linkerheup was zwart gekleurd. Daar waar zijn wapen haar lichaam was binnengedrongen en deels in het bot was blijven steken, gaapte een twee vingers breed, verbrand gat. Ook de sneden in haar bovenlichaam en in haar keel hadden zich niet meer goed gesloten, de weerwolvin was te verzwakt geweest.

Eric keek heel lang naar het van pijn vertrokken gezicht. Eindelijk had het gehate Beest een menselijk gezicht gekregen en was er een eind aan de jacht gekomen. Hij dacht aan zijn vader en hoe vurig hij naar dit moment had uitgekeken. Het was hem, Eric, vergund een van de laatste exemplaren te vernietigen. De gevaarlijkste soort van alle gedaantewisselaars stond kort voor haar uitsterven. De stammoeders van de familie von Kastell konden trots op hem zijn.

Eric bekeek de vrouw nog een keer kritisch. Het gevoel van triomf verdween en maakte plaats voor een ander gevoel. Eric haatte haar omdat ze Lena had geïnfecteerd en voelde het verlangen om het lijk in stukken te snijden, haar te verminken en over de dood heen te straffen voor de daden die ze bij haar leven had begaan.

Zijn aandacht werd getrokken door de donkere lijnen op haar buik. Met zijn dolk kraste hij het bevroren bloed weg en zag de zwangerschapsstrepen in de huid, de weelderige borsten getuigden van veel melk.

Hij dacht dat hij de plannen van het Beest ondertussen doorhad. Ze had Nadolny tot een weerwolf gemaakt om zich door hem te laten dekken en hem daarna weggestuurd zodat hij op een andere plek onrust zou zaaien. Bijna was het haar gelukt.

Nu de moeder was overleden, was het uiterst belangrijk om het hol te vinden voor een van zijn tegenstanders dat lukte. De welpen waren nog heel jong, ze zouden nu noch voor hem, noch voor andere mensen gevaarlijk zijn.

Eric stond op. Hij moest opschieten. De welpen mochten niet door de honger uit het hol worden gejaagd en zich over de omgeving verspreiden. Hij durfde er niet op te vertrouwen dat ze door de strenge winter aan hun einde zouden komen. Deze bijzondere dieren waren zeer taai. Misschien sloten ze zich wel bij een gewone wolvenroedel aan om op die manier grootgebracht te worden.

De nacht lag fluweelzwart aan de horizon en tussen de bomen. Eric haastte zich door het bos toen hij ineens een mensengeur rook die hem merkwaardig bekend voorkwam. Hij had niet langer dan twee seconden nodig om de aan de geur gekoppelde herinnering uit zijn geheugen op te diepen: amulet, Sint Petersburg. Dat betekende dat hij op het goede spoor zat!

Nadat zijn neus hem een uitstekende dienst had bewezen, pakte hij bril en verrekijker en ontdekte aan een van de kleine waterbassins meteen vijf dieprode menselijke silhouetten die zich om een sneeuwheuvel hadden geschaard en daar met iets bezig waren.

Ze hadden de welpen eerder ontdekt dan hij.

Eric maakte zich niet ongerust om het feit dat hij alleen een zilveren dolk bij zich had. Die kerels zouden weinig gelegenheid krijgen om tegenstand te bieden. Deze keer was hij degene die van het verrassingseffect kon profiteren.

Voorzichtig sloop hij naderbij, langs de kleine watervallen en het bekken waarin het water werd verzameld. Het was zo helder als diamant en vast en zeker ijskoud. De sterren werden erin weerspiegeld en op de bodem zag hij de omtrekken van oude, half versteende bomen die door de rimpelingen op het water vervormd werden en op de afgehakte vingers van een reus leken. Daar waar het oppervlak gladder was, gleed een visotter geruisloos door het water om zijn eten te vangen. Het nationaal park bleek werkelijk een klein paradijs. Op het kwaad na dat daar leefde. Een paradijs bezoedeld door een smet zo zwart als de nacht.

Eric was nu dichterbij en keek naar wat die lui bij de heuvel deden. Ze droegen de uniformen van parkwachters, om een indruk van legaliteit te wekken waardoor niemand naar de zonder twijfel benodigde wapenvergunningen voor hun geweren zou vragen. Erics uitstekende oren vingen de woorden op van twee mannen en drie vrouwen die Engels spraken.

Het ging inderdaad om de burcht van de gedaantewisselaars. Onder de ronde, besneeuwde top bevond zich kennelijk de ingang van een hol of een horizontale gang, want een van de mannen lag er voor twee derde met zijn hoofd naar voren in terwijl je hem gedempt kon horen vloeken. En tussendoor hoorde Eric het keffen en huilen van de jonge dieren.

'Hoeveel zijn het er?' vroeg een van de vrouwen opgewonden.

'Vijf,' kreeg ze als moeilijk te verstaan antwoord. 'Het zijn er oorspronkelijk zeven geweest, maar ze zijn al begonnen elkaar op te vreten.' De man vloekte weer en kroop achterwaarts uit het gat, met in zijn linkerhand een kronkelende welp. 'Verdomme, wat zijn ze snel! Het zal wel even duren voordat ik ze allemaal te pakken heb gekregen.' Hij zette het miniatuurformaat Beest in een box waarop verwarming was aangesloten. Bevriezen zouden ze in elk geval niet. Nadat hij gekeken had of zijn dikke leren handschoen nog goed zat, kroop hij weer op zijn buik het hol in.

'Wat goed dat we deze goddelijken hebben gevonden,' zei de vrouw opgelucht. 'Maar waar zou de moeder zijn gebleven? Ik had haar ook zo graag meegenomen.'

'Ik denk dat ze dood is,' antwoordde een van de mannen. 'Ik hoorde iets over een voorval in Hotel Rust en Herstel. Iemand vertelde iets over een hond of een wolf. De beschrijvingen van een man en een vrouw die erbij betrokken waren, passen bij die van Heruka en die klootzak die in Sint Petersburg onze plannen doorkruiste.'

Daarmee was voor Eric de vraag opgehelderd met wie hij te maken had: de Orde van Lycaon.

De vrouw zei even niets omdat ze ontdaan was. 'Is hij híér? En dat zeg je nu pas, Ischmalon?'

'Dan moet hij de foto's van de goddelijken hebben gevonden,' voegde de andere vrouw eraan toe die haar armen voor haar borst kruiste. 'Hij heeft besloten ze te lijf te gaan. Dat betekent volgens mij dat hij precies weet waar hij mee te maken heeft.'

'Zeker weten. Hij heeft de goddelijke Nadolny gedood. Met zílveren kogels!' spuugde de vrouw eruit. 'Hij is een van hen, een van de ingewijden die voor de foute kant hebben gekozen.'

'Misschien heeft hij ook de goddelijke Upuaut in München vermoord. De kogels die op de plaats delict werden gevonden, waren hetzelfde, hoewel niet uit het identieke wapen. Glaser-munitie. Ik heb het laten onderzoeken.' De tweede vrouw nam de volgende Beestenwelp in ontvangst. 'Weten we iets van die moordenaar af?'

Een van de mannen schudde zijn hoofd. 'Niets van zijn identiteit. Alleen dat hij al tientallen goddelijken om het leven heeft gebracht.' Hij pakte het derde jong aan. 'Maar toen Upuaut in München de dood vond, was er tevens sprake van een ontvoering. Mijn informant noemde ene Johann von Kastell en zijn zoon. Hun villa werd opgeblazen, maar niemand weet tot nu toe wie er achter die aanslag zat. Die ouwe is dood, zijn zoon zit in München.'

'Of hier.' De eerste vrouw glimlachte. 'En dat is mooi meegenomen! Daar kunnen we gebruik van maken. We nemen die jonge von Kastell onder handen en onderwerpen hem aan een test.' Ze stopte de vierde welp behoedzaam in de volgende verwarmde transportbox. De kleintjes gromden, lieten hun tanden zien en keften onverschrokken. 'O ja, dit zijn echt heel bijzondere goddelijken,' zei ze blij. 'Het klopt dus wat er over ze werd verteld.' Ze boog naar voren. 'Ze zijn...'

Het ging razendsnel.

Als uit het niets schoot een vierpotige schaduw ter grootte van een kalf op de vrouw af, waarna een hard geknars klonk. Haar schedel werd als een rijpe noot door het krachtige gebit gekraakt. De rest van haar lichaam viel stuiptrekkend in de sneeuw, haar bloed spoot eruit en sauste de omstanders en de transportboxen rood.

Voordat een van de anderen van de schrik kon bekomen, sloeg de belager weer toe, wierp zich op een man en hapte zijn hele keel in één beet weg.

Geen van hen, zelfs Eric niet, had met zoiets rekening gehouden: een tweede volwassen Beest! Het mannetje was door de klagende geluiden van zijn nakomelingen aangetrokken en verdedigde zijn jongen meedogenloos.

'Deacon!' gilde een van de vrouwen die een *tasergun* trok waarmee ze zich tegen het Beest wilde verdedigen. Het apparaat dat kleine naaldjes met draden afschoot en de getroffene met stroomstoten moest uitschakelen, zag er meer dan onschuldig uit ten opzichte van het monster dat daar bij hen stond.

Het mannetje was groot, verdomde groot, en was goed doorvoed; het wildrijke gebied van het nationaal park zorgde zelfs in de winter voor voldoende voedsel. De rode ogen gloeiden van woede, bloed droop van zijn snuit, van zijn hals en de roodbruine borstvacht.

De man die ze had willen waarschuwen, was het volgende slachtoffer. Omdat alleen zijn onderlichaam uit het hol stak, sloeg het Beest zijn tanden in zijn kruis. Het Beest rukte en trok, tot hij een enorm stuk vlees uit het achterste inclusief de genitaliën had gescheurd. De man schreeuwde en probeerde de weerwolf te trappen, maar het Beest ontweek de zolen niet één keer. Hij was er niet bang voor en beet in plaats daarvan een onderbeen af.

De vrouw vuurde haar tasergun af, de andere hief het geweer van een van haar dode kameraden op en richtte het op het Beest. De onder hoogspanning staande naalden boorden zich door de huid en gaven hun elektrische lading aan het Beest af; tegelijkertijd knalde het geweer en trof doel.

Eric zag de rode draad van een verdovingspijltje uit de linkerflank van het Beest steken. Hoewel de vrouwen in levensgevaar waren, wilden ze het razende ondier niet doden.

Eric moest nu in actie komen. Hij sloop over de sneeuw op de burcht af. De vrouwen zagen hem niet omdat al hun aandacht bij het Beest was. Het mannetje had nog lang niet opgegeven en probeerde de naalden uit zijn lijf te schudden, terwijl de vrouw de stroomtoevoer verhoogde. De andere herlaadde koortsachtig het geweer en schoot nog een pijl af op het Beest. Eindelijk begon hij te wankelen, de combinatie van voltage en verdovingsmiddel werkte.

Eric verraste de afgeleide vrouwen volledig. De ene gaf hij met zijn vuist een ram in haar nek, waarna ze kermend ineenzakte, de andere kreeg het heft van de dolk precies tussen haar ogen. Ook zij stortte in de sneeuw neer. Eric hield zich niet langer met hen bezig maar sprong op het Beest af.

Het mannetje had in de gaten gekregen dat er een nieuwe bedreiging was opgedoken en probeerde Eric aan te vallen. Maar zijn sprong pakte sloom en krachteloos uit en het kostte de ervaren strijder geen enkele moeite hem te ontwijken. Toen Eric de vacht langs zich zag vliegen, hoefde hij alleen de hand met de zilveren dolk op te tillen en toe te stoten. Het Beest sneed door zijn vaart zijn eigen zij open en viel huilend in de sneeuw.

Onmiddellijk stond Eric over hem heen, pakte zijn keel met een ijzeren greep vast en staarde in de fonkelende robijnrode ogen. 'Jij zult niemand meer doden,' beloofde hij het Beest onheilspellend. 'En als ik je jongen net als jou heb doodgestoken, zal er niemand meer van jullie zijn. Jullie hebben al veel te lang op deze aarde rondgewaard.'

Eén steek was voldoende om het hart van het mannetje te laten ophouden met kloppen. Het leven verdween uit zijn ogen, ze werden blind en verloren hun verdorven vuur. Niet lang daarna nam de terugverandering een aanvang, en uit het schepsel dat zo angstaanjagend was om aan te zien, ontstond een man van een jaar of vijfentwintig met kort, bruin haar. Zoals altijd zagen de menselijke gedaantes er volkomen ongevaarlijk, onschuldig en meelijwekkend uit.

Eric liep naar de transportboxen waarin de kleine Beesten woest tekeergingen en zich vastbeten aan de tralies om uit hun gevangenissen te kunnen breken.

Hij ging voor de eerste op zijn hurken zitten en keek naar het bundeltje vacht. Ondanks zijn wilde gedrag bezat het de onbeholpenheid en schattigheid van een normale hondenpuppy waardoor mensen zo werden vertederd en aan het lachen gemaakt. Maar het lachen zou hun snel vergaan als zo'n nietig dier hun een vinger zou afbijten.

Eric was niet bang voor wat hem te wachten stond. Hij had het alleen nog nooit hoeven doen en kreeg het onverwachts benauwd. Maar barmhartigheid kon hij zich niet permitteren: weerwezens kenden die net zomin.

Hij opende de box en pakte het Beest bij zijn nekvel, draaide het om en hield het met de buik naar boven vast. De welp blafte en huilde, spartelde en wilde aan hem ontsnappen.

Eric ademde diep in, sneed met de zilveren dolk de keel door en doorkliefde met één steek het hartje. Daarna draaide hij zich snel om en wierp de stuiptrekkende welp ver van zich af in de diepe sneeuw. Hij was bang om een dode baby te zien. De aanblik van volwassen dode mensen was al nauwelijks te verdragen.

Eric beeldde zich in dat het warme bloed op zijn handschoen zwaarder woog dan anders. Toch ging hij door tot er nog één jong ontbrak. Dat bevond zich in het hol, gevangen door het lijk van de man die als een prop in de uitgang vastzat.

Eric liep naar de heuvel en strekte net zijn hand uit naar het been van het lijk toen hij geritsel boven zich op de heuvel hoorde. Zonder aarzelen sprong hij opzij en bijna tegelijkertijd klonk er een harde knal.

Het eerste schot had hem gemist.

Maar boffen deed je maar één keer.

Een geweer ratelde, het ene korte salvo volgde op het andere. Eric werd meerdere keren in zijn bovenlichaam geraakt, voelde een klap tegen zijn rechter bovenarm, en een onzichtbare hamer kwam op zijn knie terecht waardoor deze naar achteren door knikte. Schreeuwend viel hij achterover tegen een boom en zakte daarlangs op de grond. Stukjes schors en sneeuw regenden in zijn kraag.

Door een donkere sluier zag hij een vermomde gedaante in sneeuw-camouflagekleding van de heuvel springen en naast het lijk van de man landen. Hij of zij droeg een AK-47, semi-automatisch geweer, waarmee Eric ook was beschoten. Er werd een hand met een radio opgetild voor een achter een sjaal verborgen mond en er werd iets onverstaanbaars gezegd. Nog vier gewapende tegenstanders verschenen uit verschillende richtingen op het terrein voor het waterbekken.

De gedaante die op hem had geschoten, kwam naar hem toe, en Eric zag een paar grijsgroene ogen die hem onverschillig aankeken.

'Klootzak,' zei een mannenstem terwijl de loop van de AK-47 voor Erics gezicht zweefde. Het magazijn werd verwisseld. Hij rook het verbrande kruit, voelde de warmte die van de loop kwam. En ten slotte hoorde hij de klik waarmee de slagpin tegen het patroon sloeg waardoor het schot werd gelost. Het werd verblindend licht, en de wereld verdween in vuur.

XXXV

19 juni 1767, omgeving van Auvers, Saint Grégoireklooster

'Vader, het klooster staat in brand!' Pierre was boven op de heuvel blijven staan en keek naar de vuurgloed beneden die uit Saint Grégoire hemelwaarts steeg. De vlammen waren enorm, alsof ze door meer dan droog hout werden gevoed. 'Ik moet naar Florence toe!'

Zonder een reactie af te wachten, rende hij weg. Jean ging hem achterna. Niet alleen zijn zoon, maar ook hem gaf de liefde vleugels. Ze vlogen werkelijk over de weiden terwijl allerlei gedachten door hun hoofd schoten.

Jean lette goed op dat hij niet in het donker viel – een gebroken been of een verstuikte pols of elleboog kon hij nu helemaal niet gebruiken! Eigenlijk hadden ze Antoines lijk willen ophalen, heimelijk onder dekking van de nacht, maar nu kondigde zich na de dood van Malesky al weer een volgende catastrofe aan. Moest hij zijn geloof in God, die hij nu smeekte om bijstand voor beide vrouwen, dan meteen maar weer verliezen?

Toen ze buiten adem het klooster bereikten, probeerde een handjevol dorpsbewoners de vlammen al te blussen, maar iedereen met ook maar een beetje verstand kon zien dat zijn hulp te laat kwam. De steunbalken van de daken waren allang ingestort, iedere overlevende was zo goed als zeker door de dakspanen en de deels ingestorte muren gedood. Na meer dan vierhonderd jaar bestond Saint Grégoire alleen nog maar uit zwarte, onder het roet zittende stenen, zoals ook de klokkentoren die echter tot nu toe nog niet voor het inferno was bezweken.

'Florence!' schreeuwde Pierre als een bezetene. Hij trotseerde de hitte, sprong door de poort en verdween in de door de vuurgloed verlichte binnenhof. Jean kon niet anders dan bij hem in de buurt blijven, in de hoop dat hij misschien toch nog aanwijzingen voor overlevenden kon vinden.

Het huis van de abdis en alle gebouwen behalve de toren waren al aan de vuurzee prijsgegeven. Pierre bleef met tranen in zijn gezicht en gebalde vuisten op het binnenplein staan, de enige plek waar de brand niet woedde, en schreeuwde zijn verdriet uit.

Ineens klonk de kerkklok. Ze sloeg maar één keer.

Jean begreep dat signaal. 'Snel, iemand heeft zich in de toren in veiligheid kunnen brengen!' Hij riep een paar boeren met emmers vol water bij zich en gooide die over zichzelf heen. Zijn kletsnatte kleren zouden beter tegen de hitte bestand zijn. Pierre deed hetzelfde.

Nu drong het tot beiden door dat Pierre veel vaker op het kloosterterrein was geweest. Hij leidde Jean via de kortste weg naar de toren, maar tot de deur daarvan zou dat vele passen door een brandende, langzaam instortende kerk betekenen. Vader en zoon aarzelden niet. Beiden waren er diep in hun hart van overtuigd dat Gregoria en Florence in de toren op hulp wachtten. Op hún hulp.

Hoestend en naar adem snakkend liepen ze door het verwoeste godshuis, ontweken balken en neervallende brokken steen, tot ze bij de deur van de toren aankwamen. Er lag een berg puin voor, en dat verklaarde ook waarom de ingesloten mensen niet zelf hadden kunnen ontsnappen. De mannen scheurden repen stof van hun natte rokken, wikkelden die om hun handen tegen brandwonden en ruimden de rotzooi in een razend tempo uit de weg, voortdurend lettend op wat de afbrandende kerk in hun richting smeet.

Eindelijk hadden ze de ingang zo ver als nodig vrijgemaakt. Jean ramde de door de hitte kromgetrokken deur met zijn schouder open en viel naar binnen. Pierre sprong over hem heen en zocht de ruimte met zijn ogen af. 'Florence, ben je hier?' Hij zag de rug van een op de grond gehurkte gedaante in een zwarte tunica en wist dat het niet zijn geliefde was.

Jean duwde zich met kracht overeind en liep naar de vrouw toe. Hij draaide haar om en veegde het roet van haar gezicht. 'Gregoria!' riep hij opgelucht. Ze had behalve de wond op haar voorhoofd zware verbrandingen in haar gezicht en op haar armen, haar gewaad was grotendeels verkoold, haar huid had zwaar onder de vlammen geleden, was rood geworden en scheidde vocht af. 'Is Florence bij je? Of is ze boven?'

Ze schudde zwakjes met haar hoofd en sloeg als een klein kind haar armen om zijn hals. Haar stem liet haar in de steek. Jean kwam weer omhoog, liep naar de uitgang en bleef als verstijfd staan. Vóór hem raasde een vlammenzee in de restanten van de kerk. 'Dat redden we nooit.'

'Jawel, vader.' Pierre wees met tranen op zijn wangen naar het klokkentouw. 'We klimmen naar boven en laten ons met het touw weer aan de buitenkant zakken.' Hij pakte het uiteinde, liep de trappen op en trok het touw met zich mee. Jean droeg de abdis achter Pierre aan en al snel waren ze in de nok van de klokkentoren. Wegspringende vonken hadden de balken in brand gezet, het hout kraakte verdacht.

Pierre gooide het touw uit een van de smalle ramen. 'Jij eerst,' zei hij tegen zijn vader. Zijn gezicht zag er bijna als een uitdrukkingsloos masker uit. De zekerheid dat Florence dood was had hem van elk gevoel beroofd, zowel van angst als van pijn. 'Ik bind het touw om haar lijf en laat haar langzaam zakken. Jij zorgt ervoor dat ze zachtjes neerkomt.'

De uitdrukking in de bruine ogen van zijn zoon maakte het Jean onmogelijk om hem tegen te spreken. Snel klom hij naar beneden tot op de grond, trok even aan het touw, waarna Pierre het weer ophees.

Een hele tijd gebeurde er niets.

De wildschut zag en hoorde hoe de laatste resten van Saint Grégoire ineenstortten. Zelfs uit het kleine trapvenster steeg dikke rook op, het vuur vrat zich van beneden naar boven om één te worden met de vlammen onder het dak.

'Van onderen!' werd er boven geroepen. Jean zag dat Gregoria voorzichtig door het raam werd geschoven. Langzaam liet Pierre haar naar beneden zakken.

Nadat ze de helft van de afstand had afgelegd, galmde er een dof gedreun en zakte de dakstoel deels in elkaar. Enorme oplaaiende vlammen schoten met een laag gefluit de hemel in, kleinere vlammen lekten uit alle openingen van de klokkentoren. Jean hoorde de schreeuw van zijn zoon wiens kleren zo goed als zeker vlam hadden gevat, maar hij liet het touw waaraan Gregoria hing niet los.

'Pierre, laat haar gaan!' schreeuwde Jean. 'Ik vang haar wel op. Klim uit de toren, hoor je? Ga daar weg, voordat je...'

De nog resterende balken stortten in en slingerden rode en oranje vonken vele passen alle kanten op. Het touw schoot schokkerig twee pas naar beneden, bleef een ogenblik stil hangen en toen liet Pierre het waarschijnlijk los. Gregoria stortte als een steen omlaag, Jean ving haar op. Ze vielen samen in het gras van de hof.

'Pierre!' brulde Jean totaal van streek. Zijn stem klonk niet meer menselijk. 'PIERRE!'

Jean krabbelde overeind en greep het touw. Hij stond op het punt omhoog te klimmen om zijn zoon eigenhandig te gaan redden.

Maar nog voordat hij aan de klim kon beginnen, brak het touw.

Het smeulende uiteinde viel als een gedode slang naar beneden.

'O, nee!'

Onbeweeglijk hield Jean Chastel het andere, nutteloos geworden uiteinde in zijn handen. Dorpelingen kwamen aangerend, grepen de abdis en hem vast en trokken hen weg van de plek waar weinige ogenblikken later de als pek brandende balken neerkwamen en gaten in de aarde sloegen. De wildschut en de abdis werden buiten de muren van het klooster gebracht en op het gras gelegd. Meer kon men voorlopig niet voor hen doen.

De laatste helpers trokken zich uit het kloostercomplex terug. Ze hadden ingezien dat het gevecht tegen de vlammen zinloos was: zelfs de schijnbaar onverwoestbare klokkentoren moest nu het onderspit delven.

Uit de rook die door het vuur werd verlicht, vormden zich in Jeans fantasie de gezichten van Pierre en Florence. Kreunend verborg hij zijn gelaat in zijn handen. Hij had nog een zoon verloren, en de pijn vanwege het verlies was zo enorm dat zijn tranen opdroogden.

Met een versteende gezichtsuitdrukking wendde hij zich tot Gregoria. 'Hoe is die brand ontstaan? Heeft die jezuïet...'

Ze zocht zijn hand. 'Aanval,' zei ze met moeite. Ze slikte en verzamelde al haar krachten om nog wat te zeggen, maar iemand was haar voor.

'De tweede loup-garou viel aan, monsieur Chastel,' zei een van de dorpelingen die vlak bij haar stond. 'De jongen van Truibas zag een gedaante uit het klooster wegsluipen die eruitzag als iets tussen een mens en een dier. Het is haar wraak, omdat we dat andere Beest eindelijk hebben gedood. Het is nu niet genoeg meer voor haar om mensen te doden! Ze steekt onze huizen in brand en hoont God de Almachtige.'

Jean verstijfde. Er restte hem van zijn zoons nu niets meer dan de herinnering aan betere dagen. De gedaantewisselaars waren schuldig aan alles wat er was gebeurd. Ze hadden hem zijn zoons afgenomen. Beide zoons.

'Mijn God,' zei hij somber. 'Ik zweer dat ik vanaf vandaag mijn hele leven alleen nog maar zal wijden aan de jacht op die ondieren. Niets zal mij meer tegenhouden om hen uit te roeien!' Hij onderdrukte zijn verlangen om Gregoria voor de ogen van iedereen te kussen en beperkte zich tot een lange, diepe blik vol liefde. 'Vergeef me dat ik je alleen laat, maar ik wil het spoor van het Beest volgen zolang het nog vers is. Wie zich ook achter dat masker mag verbergen, diegene zal sterven.' Hij pakte zijn musket en wilde weglopen.

'Nee! Jean! Het...' Haar door de rook aangetaste stem begaf het. Ze probeerde Jean vast te houden, maar haar vingers gleden van zijn hemd af. Ze moest hem laten gaan.

'Wees niet bezorgd, eerwaarde abdis. Hij is een held.' Een vrouw knielde naast haar neer en begon in het schijnsel van fakkels met een natte lap vuil en bloedkorsten van haar gezicht weg te wassen. 'Hij heeft het eerste Beest gedood, voor de ogen van de markies en de andere jagers.'

Terwijl ze Gregoria hielp om rechtop te gaan zitten en water te drinken, viel de fiool op de grond. 'U verliest iets, eerwaarde abdis.' De vrouw gaf haar het flesje aan.

De pijnen die ze voelde namen heel snel toe. Als dat goedje gezant Francesco zulke enorme krachten kon verlenen en hem ertegen beschermde om een loup-garou te worden, zou het vast ook tegen haar kwalen helpen.

Gregoria liet het flesje openmaken. Trillend doopte ze haar vinger erin en voelde iets vloeibaars. Er zat niet veel meer in de fiool, maar het was voldoende om haar vingertop nat te maken. Ze smeerde het op haar lippen zoals ze de gezant had zien doen, en likte het er met haar tong af.

Het smaakte metaalachtig.

Bloed! Heilige Maria, Moeder van God, ik proef bloed!

Ze verzamelde spuug om het uit te spuwen, maar toen gebeurde het al. Om haar heen verscheen een schitterend wit licht.

Ze werd omhuld door fonkelende stralen die regelrecht uit de hemel kwamen, een bovenaards licht dat alleen door God de Almachtige zelf kon zijn gezonden. In haar oren klonk ineens vrolijk gelach van kleine kinderen, ze hoorde harpen en rook de geur van zoete bloemen. 'Ik ben in het paradijs aanbeland,' zei ze zachtjes.

'Gregoria!' werd er door engelenstemmen geroepen, en ze probeerde iets in het felle licht te herkennen. 'Gregoria!'

Plotseling was de straal verdwenen en was het inktzwart.

Het volgende moment stond ze in een kathedraal die door zijn schoonheid een huivering van eerbied door haar lichaam joeg. Toen verscheen er als uit het niets een man die in pauselijk ornaat was gekleed, maar het was niet Clemens XIII.

Aan zijn voeten lag een neergestoken jezuïet die de gelaatstrekken van Francesco bezat en zijn wezenloze ogen op haar gevestigd hield. Zijn vingers veranderden in klauwen waarmee hij Latijnse spreuken in het marmer kraste. Maar ineens barstte zijn lichaam open en werd het overstelpt door bloed; in zijn plaats stond daar ineens een loup-garou met ontblote tanden.

De onbekende paus keek haar goedmoedig aan. 'Dood dat ondier,' vroeg hij haar vriendelijk en hij gaf haar een zwaard in de vorm van een kruisbeeld. 'Dood hem en alle anderen.' Hij wees naar iets achter haar. Gregoria draaide zich op haar hakken om.

De kathedraal was van onder tot boven gevuld met Beesten! Ze kropen via de zuilen omhoog, langs het plafond, schonden beelden en vernietigden fresco's, en hun rode ogen schitterden vol hoon.

De onbekende paus gaf haar een duw tegen haar rug. 'Gaat henen en breng vrede op aarde, mijn dochter. Bevrijd haar van het kwaad. Ik geef je mijn zegen.'

Het kruisbeeld straalde een zilveren glans uit, de speerwond van de Heiland opende zich en overspoelde het gebouw met bloed. De Beesten werden weggespoeld, verdronken, verbrandden, en degenen die overleefden werden door Gregoria als in een roes gedood.

Toen ze haar arm optilde om de laatste van hen te vernietigen, herkende ze Florence. 'Nee! Ze...'

Het werd weer donker.

Door het zwart viel het licht van fakkels dat het geïrriteerde gezicht bescheen van de vrouw die zopas nog het bloed van haar gezicht had gewist. 'Eerwaarde abdis? U zei ineens zulke rare dingen en...' Ze liet haar wang zien. 'U hebt me geslagen.'

'Vergeef me, ik ben nog steeds wat...' Gregoria's verstand had even nodig om zich van de epifanie te herstellen, want iets anders kon haar zojuist niet zijn overkomen. Ze richtte haar aandacht op haar binnenste en voelde geen pijn meer. Haar stem klonk helder toen ze zei: 'Help me opstaan.'

De vrouw keek haar wantrouwig aan. 'U bent te zwak om...'

Gregoria probeerde het daarna zonder hulp en haar benen gehoorzaamden haar. Ze zette haar tanden op elkaar en wreef over haar verbrande huid, die zich als verwelkte bladeren oprolde en afschilferde.

Daaronder kwam een gezonde, nieuwe huid tevoorschijn.

'U... u bent gezégend!' riep de vrouw buiten zichzelf van verbazing en ze sloeg een kruis. 'De Here God heeft iets bijzonders met u voor! Hij heeft u de brand laten doorstaan en u van uw verwondingen genezen, eerwaarde abdis!'

Gregoria merkte dat de fiool uit haar handen was geglipt. Ze pakte het nietige flesje op uit het gras en hield het nadenkend in haar hand.

Als het Gods wil was dat ze naar Rome ging en iets bijzonders moest volbrengen, dan deed ze dat met plezier. Ze stopte de fiool weg en richtte haar grijsbruine ogen op het brandende Saint Grégoireklooster.

Wie er ook achter dit alles zit, hij zal ervoor boeten, beloofde ze zichzelf plechtig. *Maar niet pas in het hiernamaals in het aangezicht van God.*

XXXVI

Kroatië, Plitvice, 23 november 2004, 03.59 uur

Eric opende langzaam zijn ogen en zag... niets.

Niets dan wit. Zijn hele lichaam was ijskoud, hij kon zijn handen niet bewegen, nam aan dat ze bevroren waren.

Het duurde heel, heel lang voordat hij een heldere gedachte kon produceren. In zijn schedel schreeuwde alles door elkaar, beelden flitsten langs, grimassen en gezichten vloeiden in elkaar over, het Beest hapte naar hem, en hij dacht de inslagen van kogels weer te voelen.

Eric wilde opstaan en weglopen voor de beelden. Maar het lukte niet om zijn lichaam in beweging te krijgen. Hij bleef roerloos liggen. Als verlamd. Dus wachtte hij en staarde naar de witte wereld.

Iets scharrelde boven hem.

Het wit brokkelde af en een vossensnuit kwam snuffelend op zijn gezicht af. De warme adem zweefde om hem heen, een tong werd snel uitgestoken en dwong Eric om een beweging te maken. Zijn handen staken door de deken van sneeuw waaronder hij lag. Als een zwemmer dook hij aan de oppervlakte en keerde in de wereld terug. De vos blafte van schrik en vluchtte met sprongen weg.

Eric raakte zijn schedel aan, voelde de korst tussen zijn ogen en zijn ontvelde, door het mondingsvuur verbrande huid. 'Een kogel die in de loop is ontploft.' Hij ademde opgelucht uit, schoof tegen een boomstam omhoog en keek om zich heen.

Er was veel sneeuw gevallen. De lijken zagen eruit alsof ze met een tien centimeter dikke laag poedersuiker waren bedekt. De dode man was uit het hol getrokken en Eric hoefde niet te kijken om te weten dat de laatste welp door de onbekende belagers was meegenomen.

Hij had gefaald.

Erics neerslachtigheid hield niet lang aan. Nee, hij zou niet opgeven. De dood van ontelbaar veel von Kastells die bij hun poging deze Beesten uit te roeien om het leven waren gekomen, mocht niet voor niets zijn geweest. Hij zou die onbekende lieden vinden en ze uitschakelen voordat ze met de welp het land uit konden vluchten.

Kreunend zette hij zich in beweging en zocht naar sporen.

Het duurde niet lang voor hij iets had gevonden. Die onbekende lui hadden niet eens de moeite genomen om níét op te vallen. Ze waren als overwinnaars vertrokken en hadden gedacht niemand levend achtergelaten te hebben die hun buit kon inpikken.

Eric vermoedde dat de tweede groep een afdeling van de Lycaonieten was geweest. Piekerend sloop hij tussen de bomen door, zijn ogen op de half ondergesneeuwde voetafdrukken gericht.

En de volgende verrassing liet niet lang op zich wachten. Hij rook bloed, en op enige afstand van de plek waar het zich allemaal had afgespeeld, lag alweer een lijk, een man in een sneeuwcamouflagepak. De AK-47 lag naast hem, hij was door vier kogels geraakt en moest onmiddellijk dood zijn geweest.

'Wat gebeurt hier in hemelsnaam?' zei Eric half hardop en hij onderzocht de man. Hij vond niets behalve een paspoort op naam van Tomas Ignasc. Evenals het geweer en het magazijn nam hij dat mee. Daarna sloop hij verder.

Van verre herkende hij een vuurgloed door de dicht bij elkaar staande boomstammen. Het vuur knapte en siste zachtjes, en het stonk nu naar kerosine en verkoold plastic. De wind draaide en in de rookwolk die hem omhulde, ontdekte hij ook een vleugje verbrand vlees.

Eric kwam niet ver van een open plek tot stilstand, bij de wrakstukken van een helikopter die onmiddellijk na de start moest zijn neergestort. De rotorbladen hadden enige kruinen afgeschoren tot waar de bomen te dik werden, en waren verbogen of afgebroken. In het achterste gedeelte van het wrak zag hij kogelgaten. Het plan om de laatste welp naar het buitenland te vliegen was mislukt.

In de cockpit waren twee mensen door het vuur verteerd. Hun lijken hadden al die typische foetushouding van brandslachtoffers aangenomen. De pezen trokken door de hitte samen, armen, benen, handen en tenen kromden zich. Het luik naar de passagiersruimte stond open en daarnaast lag een neergeschoten man, ook in een sneeuwcamouflagepak. In één hand hield hij het afgebroken hengsel van een transportbox vast, in de andere een pistool.

'Het zou ook te gemakkelijk zijn geweest.'

Met zijn verrekijker legde Eric op de chip verschillende beelden van dit inferno vast en haastte zich naar de open plek waar nog drie lijken in militaire kleding en met AK-47-aanvalsgeweren lagen. Twee waren neergeschoten, de ene met een precisieschot, de andere had diverse, minder nauwkeurige schoten moeten incasseren. De derde was op de vlucht door een vergeten mijn uit de recente oorlog in Kroatië uiteengereten. '*Bad karma.*' Meer sporen waren er niet.

In de verte hoorde hij het ratelen van rotoren en zag hij tussen de bomen meerdere lichtbundels uit sterke zaklantaarns die zijn kant op kwamen. Hij trok zich terug, omdat hij niet door de reddingsploeg ontdekt wilde worden.

Het lukte Eric zowaar om in zijn hotel terug te keren zonder te worden aangehouden en ondervraagd over de gaten in zijn pak en het bloed. Maar dat lag niet in de laatste plaats aan de onverwachts opgestoken sneeuwstorm waardoor je geen hand voor ogen kon zien. Gelukkig maar, voor hem.

Erics bezorgdheid om Lena steeg weer tot ongekende hoogte, maar hij onderdrukte die. Meer dan ooit tevoren had hij nu een helder verstand nodig. Hij glipte uit zijn smerige kleren en gaf telefonisch opdracht aan Anatol om inlichtingen in te winnen over Tomas Ignasc, de dode man in het bos. Hij gunde zich een snelle douchebeurt. Toen hij onder de hete straal stond, keek hij naar zijn lichaam; van de wonden was nauwelijks nog iets te zien.

Terug in de slaapkamer pakte Eric pen en papier, schreef de namen van zijn tegenspelers op en probeerde enige orde in zijn gedachten te brengen. Terwijl hij nadacht, tekende zijn pen als vanzelf een oog, daarna een neus, totdat meer en meer het gezicht van Lena ontstond.

'Verdomme!' Hij deed zijn ogen dicht. Er waren te weinig aanknopingspunten, hij wist te weinig van zijn vijanden. Zoals het er nu uitzag, moest zijn weg werkelijk naar Rome leiden. Hij zou die orde opsporen. Gek genoeg dacht hij eraan dat hij nu wel snel zijn Italiaans moest opfrissen.

Hij dacht aan zuster Ignatia die hij niet had willen doden en wat een eigenaardig effect haar bloed op hem had gehad. Het kon alleen haar bloed zijn geweest dat hem die verwarrende dagdroom had bezorgd. Nog nooit van zijn hele leven waren zijn indrukken zelfs maar bij benadering zo intens geweest.

Het was het beste om Plitvice zo snel mogelijk te verlaten. De politie zou na de ontdekking van de dood van de non vast en zeker naar José Devina uit Badajóz op zoek gaan. Dat was de naam waaronder hij had gereisd. Eric von Kastell was al die tijd in Sint Petersburg geweest, dat konden diverse eigenaren van clubs bevestigen. Als Simon Smithmaster zou hij het land weer verlaten: zodra de sneeuwstorm was gaan liggen en er weer werd gevlogen.

Er klonk ineens een diep, elektronisch gebrom.

Eric tilde zijn oogleden op en keek naar zijn oplichtende mobieltje dat op tafel lag en trillend over het hout schoof; hij had het beltype zonder geluid geselecteerd. 'Ja, Anat...?' Zijn blik viel plotseling op een witte envelop die onder zijn koffer lag. Die was niet van hem.

'Hallo, *mon frère*,' hoorde hij Justines stem. 'Hoe gaat het met je?'

'Rot op,' zei hij en hij hing op. Hij schrok ervoor terug om nu weer over de verdeling van de erfenis te onderhandelen. Hij stond op, trok de envelop voorzichtig tevoorschijn en woog hem in zijn hand. Niet zwaar, er zaten meerdere dunne velletjes in. Foto's? Gehaast scheurde hij een randje van de envelop en schudde de inhoud op het bed.

Het waren vier verschillende opnames die van grote afstand met een telelens waren gemaakt. En wie stond erop?... Hijzelf. Toen hij in dat kleine bos in München op de naakte, dode Tina zat, toen hij Tina wegsleepte, toen hij Tina in zijn auto legde, toen hij daar wegreed. Er zat een briefje tussen de foto's in een zwierig handschrift: *Hartelijke groeten van Fauve.*

Eric kreeg het tegelijkertijd warm en koud. Tina en haar vriend waren niet meer dan lokaas geweest: hij was in de val getrapt die Fauve voor hem had uitgezet. Deze maar voor één uitleg vatbare foto's konden hem enorm in de problemen brengen. Deze Fauve wilde hem niet zomaar om het leven brengen – hij wilde zijn leven volledig ruïneren.

Zijn mobieltje lichtte weer op. Hij nam op. 'Justine, ik ben je nu echt spuugzat!' schreeuwde hij. 'Je blokkeert de lijn...'

'Ze willen graag met je praten, Eric,' antwoordde ze. 'Hoewel je nog steeds een *cul gigantique* bent.'

'Wie willen er met me praten?'

'*Les soeurs*... Die orde. Je hebt een van hen doodgestoken, weet je nog wel?' Een scherpe klik, luid inademen, zacht geknetter. Ze stak hoogstwaarschijnlijk een sigaret op. 'Over twee dagen op het Sint-Pietersplein, drieëntwintig uur. Zorg dat je er bent, anders zul je je kleine *loupette* nooit meer zien. *Au revoir*!'

Ze hing op.

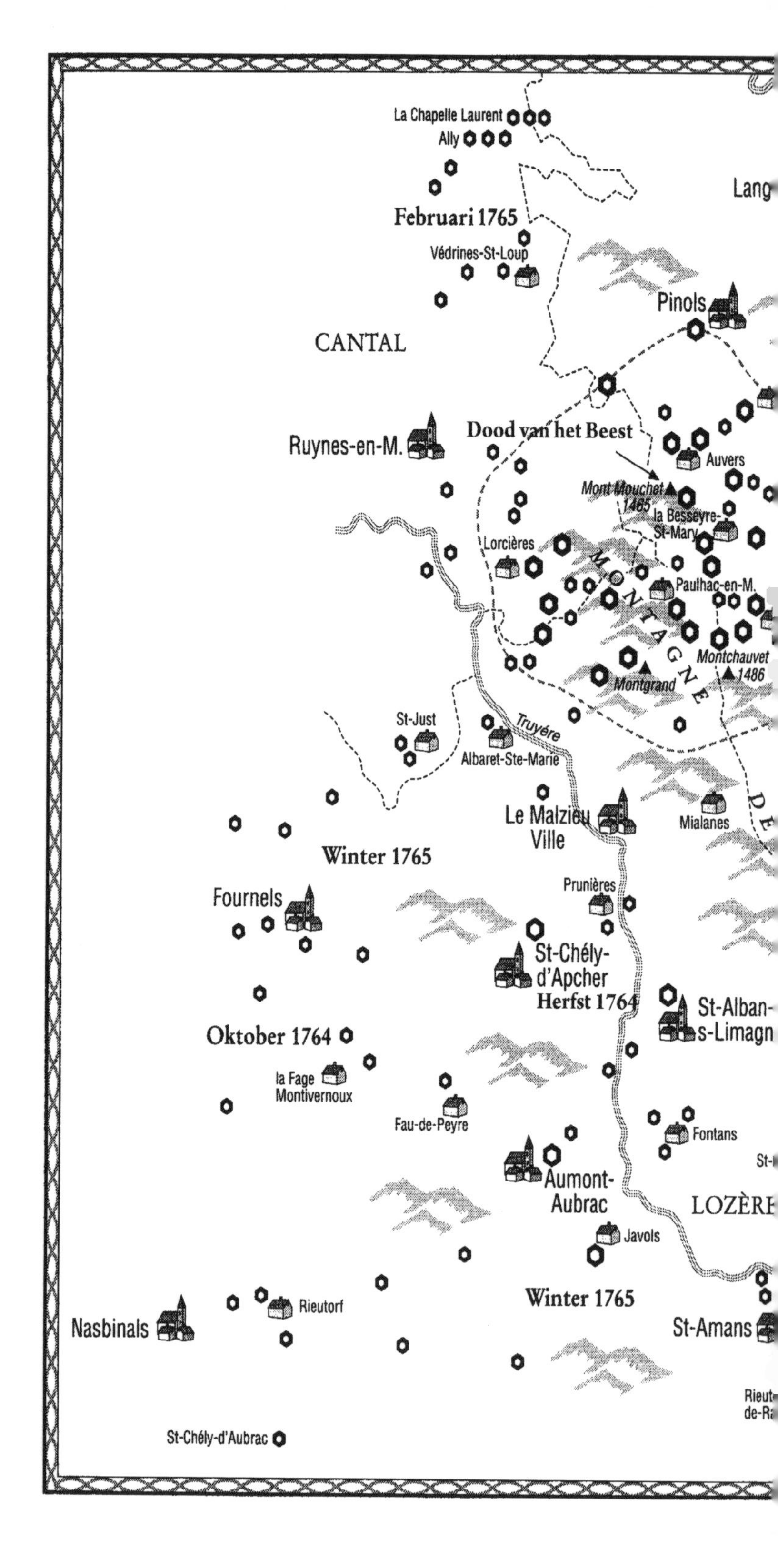
La Chapelle Laurent
Ally
Februari 1765
Védrines-St-Loup
CANTAL
Pinols
Ruynes-en-M.
Dood van het Beest
Auvers
Mont Mouchet
1465
la Besseyre-
St-Mary
Lorcières
MONTAGNE
Paulhac-en-M.
Montchauvet
1486
Montgrand
St-Just
Truyère
Albaret-Ste-Marie
Le Malzieu
Ville
Mialanes
Winter 1765
Fournels
Prunières
St-Chély-
d'Apcher
Herfst 1764
Oktober 1764
la Fage
Montivernoux
Fau-de-Peyre
Fontans
Aumont-
Aubrac
Javols
Winter 1765
Nasbinals
Rieutorf
St-Amans
St-Chély-d'Aubrac

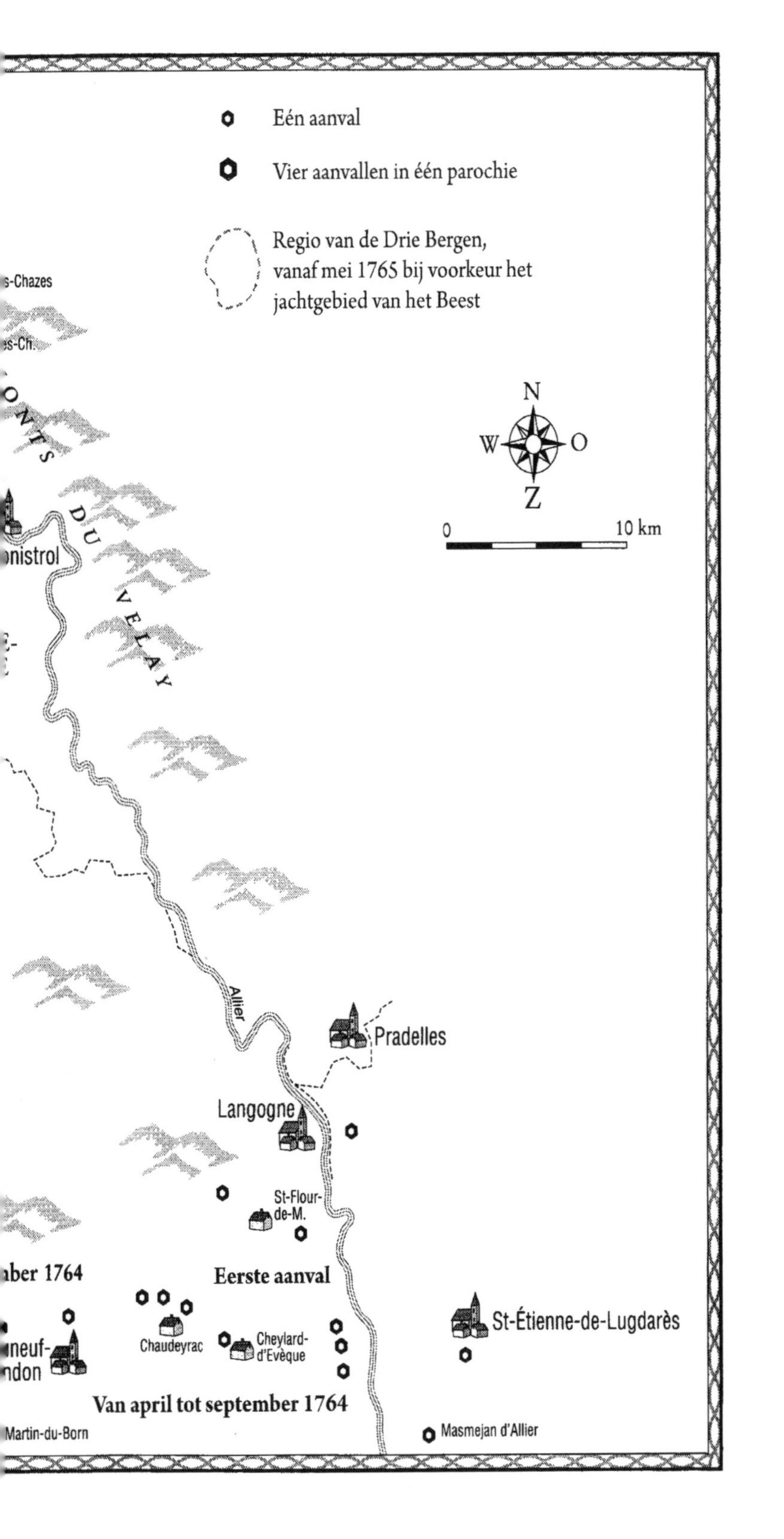
Eén aanval
Vier aanvallen in één parochie
Regio van de Drie Bergen,
vanaf mei 1765 bij voorkeur het
jachtgebied van het Beest
N
W
O
Z
0
10 km
s-Chazes
es-Ch.
ONTS DU VELAY
nistrol
Allier
Pradelles
Langogne
St-Flour-
de-M.
ber 1764
Eerste aanval
St-Étienne-de-Lugdarès
neuf-
ndon
Chaudeyrac
Cheylard-
d'Evèque
Van april tot september 1764
Martin-du-Born
Masmejan d'Allier

De belevenissen van weerwolvenjagers en waarheidsvinders Jean Chastel en Eric von Kastell worden voortgezet in *Sanctum* (verschijnt november 2008)

NAWOORD

Uit afwijzing ontstond fascinatie

Eigenlijk wilde ik dit boek helemaal niet schrijven. Mijn specialiteit is vampiers, niet weerwolven. Die hoorden tot voor kort volgens mij thuis in de categorie oersaai, eentonig en kleurloos.

Eígenlijk wilde ik het niet...

Wat goed dat een redacteur genaamd Timothy Sonderhüsken niet opgaf. Op een gegeven moment zei hij tegen me: 'Kijk nou toch eens een keer naar die weerwolven.' Omdat ik historicus ben, stortte ik me op oude documenten en aantekeningen over het weerwolvengeloof, gebeurtenissen rondom weerwolven en processen tegen hen. En ziedaar: ik vond het interessant wat ik tegenkwam. Búítengewoon interessant!

De legende van het Beest van de Gévaudan, een streek in het mooie Zuid-Frankrijk – waar men overigens een beeld en een museum aan het Beest heeft gewijd – bracht me er uiteindelijk toe de gebeurtenissen uit de jaren zestig van de achttiende eeuw te gebruiken die tot nu toe in raadselen zijn gehuld. Meer dan legendes en meningen van onderzoekers bestaan er eigenlijk niet over, bewijzen voor de verschillende theorieën ontbreken. Geknipt dus voor een tweedelige roman.

Veel van wat zich afspeelt in de eerste, dicht tegen de geschiedenis aan leunende verhaallijn is waar: de namen van de slachtoffers, de meeste plaatsen van handeling, de tijdsaanduidingen. Ze hebben echt bestaan: de weerwolvenjagers Chastel, de comte de Morangiès, de markies d'Apcher, de Dennevals, Duhamel en François Antoine de Beauterne, evenals hun jachtpartijen. Uiteraard moest ik ook het een en ander verzinnen – vooral omdat veel in de oude overleveringen elkaar tegenspreekt. Uit fictie en feiten ontstond mijn versie van het Beest van de Gévaudan.

In de tweede verhaallijn, die in de tegenwoordige tijd speelt, heb ik onbekende zaken over de grote familie van de gedaantewisselaars opgenomen. Hopelijk leidt dat tot een nieuwe kijk op de ziel van de weerwolf. Want als er één ding is dat ik de afgelopen maanden heb geleerd, dan is dat wel dat een weerwolf meer is dan een groot gebit, vacht, spieren en blinde woede.

Vooral ook wil ik wederom Nicole Schuhmacher, Tanja Karmann en Sonja Rüther bedanken.

Ook mijn redacteur Ralf Reiter moet worden genoemd en Timothy Sonderhüsken van Knaur Taschenbuch Verlag, die heeft voorgesteld de vampiers deze keer in hun grafkelders te laten zitten en in plaats daarvan te huilen met de wolven in het bos.

Markus Heitz